Langenscheidt

Universal-Wörterbuch
Niederländisch

Niederländisch – Deutsch
Deutsch – Niederländisch

Herausgegeben von der
Langenscheidt-Redaktion

Langenscheidt

Berlin · München · Wien · Zürich · New York

Bearbeitet von Lic. Frans Beersmans

Inhaltsverzeichnis – Inhoud

Ergänzende Hinweise, für die wir jederzeit dankbar sind,
bitten wir zu richten an:
Langenscheidt Verlag, Postfach 40 11 20, 80711 München
redaktion.wb@langenscheidt.de

© 2000 Langenscheidt KG, Berlin und München
Druck: Mercedes-Druck, Berlin
Bindung: Stein + Lehmann, Berlin
Printed in Germany
ISBN 978-3-468-18233-4

7. 8. 9. 10. 11. | 11 10 09 08 07

Hinweise für die Benutzung

1. Die **Tilde** (~, bei veränderter Schreibung: 2) ersetzt entweder den ganzen Titelkopf oder den vor dem senkrechten Strich (|) stehenden Teil davon, z.B. bloem Blume *f*; **~kool** (= **bloemkool**) Blumenkohl *m*; **boven|aan** obenan; **~al** (= **bovenal**) vor allem; **anordn|en** bepalen; **2ung** (= **Anordnung**) *f* bepaling.

2. Das **Genus** der **deutschen** Wörter wird immer angegeben, und zwar durch *f*, *m* bzw. *n*. Bei den **niederländischen** Wörtern werden nur die sächlichen gekennzeichnet, und zwar durch *n* im niederländisch-deutschen Teil bzw. durch (het) im deutsch-niederländischen Teil. Die anderen Wörter, die so genannten *de-woorden*, gelten heute durchweg als männlich. Nur weibliche Lebewesen und die Wörter auf -heid, -nis, -de, -te, -ij, -ie, iek, -theek, -tuur, -sis, -ade, -ide oder -ode sowie die auf -ing oder -st nach einem Verbalstamm gelten noch als weiblich. Sie können durch **ze** (= Personalpronomen) bzw. **haar** (= Possessivpronomen) ersetzt werden.

3. Die **Aussprache** der niederländischen Wörter ist in eckigen Klammern angegeben.

4. Eine größtmögliche **Konkordanz** im Wortschatz zwischen dem niederländisch-deutschen und dem deutsch-niederländischen Teil wurde im Rahmen des Sinnvollen angestrebt. Aus Platzgründen wurden im niederländisch-deutschen Teil die niederländischen mit dem Suffix **-ing** von Verben abgeleiteten Substantive immer dann weggelassen, wenn sie sich vollkommen mit ähnlichen deutschen Substantiven auf **-ung** decken, so im niederländisch-deutschen Teil z.B.: **entdeck|en** ontdekken; **2ung** *f* ontdekking; aber im niederländisch-deutschen Teil nur: **ontdekken** entdecken.

Abkürzungen – Afkortingen

A	*Akkusativ*, accusatief	e-s	*eines*, van een
a.	*auch*, ook	et	*etwas*, iets
Abk	*Abkürzung*, afkorting	F	*familiär, Umgangs-*
adj	*Adjektiv*, bijvoeglijk		*sprache*, familiair, om-
	naamwoord		gangsstaal
adv	*Adverb*, bijwoord	f	*weiblich*, vrouwelijk
AER	*Luftfahrt*, luchtvaart	fig	*bildlich, im übertrage-*
ANAT	*Anatomie*, anatomie		*nen Sinn*, figuurlijk
ARCH	*Architektur*, architec-	FOT	*Fotografie*, fotografie
	tuur	G	*Genitiv*, genitief
Art	*Artikel*, lidwoord	GASTR	*Gastronomie*, gastro-
ASTR	*Astronomie, Astrolo-*		nomie
	gie, astronomie, astro-	GEO	*Geographie*, geografie
	logie	Ggs	*Gegensatz*, tegenstel-
Bahn	*Eisenbahn*, spoorweg		ling
BGB	*Bergbau*, mijnbouw	GR	*Grammatik*, grammma-
BIOL	*Biologie*, biologie		tica
BOT	*Botanik*, plantkunde	iem.	*iemand*, jemand(en,
bsd	*besonders*, vooral		-em)
CHEM	*Chemie*, chemie	inf	*Infinitiv*, infinitief
cj	*Konjunktion*, voeg-	j-m	*jemandem, (aan) ie-*
	woord		mand
comp	*Komparativ*, compara-	j-n	*jemanden*, iemand
	tief	JUR	*Rechtswissenschaft*,
D	*Dativ*, datief		rechten, juridisch
DRUCK	*Druckwesen*, drukkerij	KFZ	*Kraftfahrwesen*, auto
ECON	*Wirtschaft*, economie		(-techniek)
EDV	*Elektronische Daten-*	m	*männlich*, mannelijk
	verarbeitung, informa-	MAR	*Schiffahrt*, scheep-
	tica		vaart
e-e	*eine*, een	MATH	*Mathematik*, wiskun-
EL	*Elektrizität, Elektro-*		de
	technik, elektriciteit,	MED	*Medizin*, geneeskunde
	elektrotechniek	METEO	*Meteorologie*, meteo-
e-m	*einem, (aan) een*		rologie
e-n	*einen*, een	MIL	*militärisch*, militair
e-r	*einer, (aan, van) een*	mst	*meistens*, meestal

5

MUS	*Musik*, muziek	TEL	*Fernmeldewesen*, tele-communicatie
n	*sächlich*, onzijdig		
ndl	*niederländisch*, Neder-lands	THEA	*Theater*, theater
		TV	*Fernsehen*, televisie
od	*oder*, of	u	*und*, en
pej	*pejorativ, ungünstig*, pejoratief, ongunstig	usw	*und so weiter*, enzo-voort(s)
pers	*persönlich, Person*, persoonlijk, persoon	V	*vulgär*, vulgair
		v/i	*intransitives Verb*, onovergankelijk werk-woord
PHYS	*Physik*, natuurkunde		
pl	*Plural*, meervoud		
POL	*Politik*, politiek	v/t	*transitives Verb*, over-gankelijk werkwoord
pron	*Pronomen*, pronomen, voornaamwoord		
prp	*Präposition*, voorzet-sel	z. B.	*zum Beispiel*, bijvoor-beeld
		zeitl	*zeitlich*, tijdsbepalend
REL	*Religion*, godsdienst	ZO	*Zoologie*, dierkunde
sg	*Singular*, enkelvoud	Zssgn	*Zusammensetzungen*, samenstellingen
su	*Substantiv*, substantief		
TECH	*Technik*, techniek	→	*siehe*, zie

Erklärung der Aussprache des Niederländischen

a) Vokale

	Lautcharakteristik	*ndl. Beispiel*
[aː]	helles **a** wie in **Wa**sser, aber lang	straat [straːt] *Straße*
[ɑ]	dunkles **a** wie in Straße, aber kurz	land [lɑnt] *Land*
[eː]	wie **e** in leben	leven [ˈleːʋə(n)] *leben*
[eˑ]	wie **e** in Melodie	melodie [meˑloˑˈdiˑ] *Melodie*
[ɛ]	wie **e** ein Bett, aber etwas offener	bed [bɛt] *Bett*
[ɛː]	wie **ä** in Bär	affaire [ɑˈfɛːrə] *Affäre*
[ə]	wie **e** in Beginn	begin [bəˈɣɪn] *Beginn*
[iː]	wie **ie** in Bier	bier [biːr] *Bier*
[iˑ]	wie **i** in Zigarre	ziek [ziˑk] *krank*
[ɪ]	wie **i** in Kind, aber etwas offener	kind [kɪnt] *Kind*
[oː]	wie **o** in Brot	brood [broːt] *Brot*
[oˑ]	wie **o** in Forelle	forel [foˑˈrɛl] *Forelle*
[ɔ]	wie **o** in Gott, aber etwas offener	God [ɣɔt] *Gott*
[ɔː]	wie **o** in Gott, aber lang	zone [ˈzɔːnə] *Zone*
[øː]	wie **ö** in lösen	deur [døːr] *Tür*
[øˑ]	wie **ö** in Ökonomie	Europa [øˑˈroːpɑ] *Europa*
[ɵ]	ein Laut, etwa zwischen ö in können und ö in lösen, aber kurz	kunst [kɵnst] *Kunst*
[œ]	wie **ö** in können	feuilleton [fœˈjɛtɔn] *Feuilleton*
[œː]	wie **ö** in können, aber offener und lang; wie französisch beurre [bœːr] *Butter*	oeuvre [ˈœːʋrə] *Werk*

Lautcharakteristik		*ndl. Beispiel*
[uː]	wie **u** in Bluse	boer [buːr] *Bauer*
[uˑ]	wie **u** in Musik	boek [buˑk] *Buch*
[yː]	wie **ü** in Hügel	vuur [ʋyːr] *Feuer*
[yˑ]	wie **ü** in amüsieren	minuut [miˑ'nyˑt] *Minute*

b) Diphthonge und Vokalverbindungen

Lautcharakteristik		*ndl. Beispiel*
[au]	ähnlich dem deutschen **au** in Haus, das **a** aber mit zurückgezogener Zunge	hout [haut] *Holz*
[ɛĭ]	wie **ä** in Bär, aber kurz, übergehend in [ĭ] wie **i** in Legion	wijn [ʋɛĭn] *Wein*
[əy]	wie **ö** in können, aber offener, zweites Element wie **eu** in Beule	huis [həys] *Haus*
[aːĭ]	wie **ei** in leihen, aber mit langem [a] und mit einem deutlicheren [j] am Ende	draaien ['draːĭə(n)] *drehen*
[oːĭ]	wie **oj** in Boje	mooi [moːĭ] *schön*
[uˑĭ]	wie **ui** in pfui	moeite ['muˑĭtə] *Mühe*
[eˑŭ]	nach dem **e** wie in leben ein schwaches [w] wie **u** in Etui	eeuw [eˑŭ] *Jahrhundert*
[aŭ]	[a] mit schwachem [w] wie **u** in Etui	vrouw [ʋraŭ] *Frau*
[iˑŭ]	[iˑ] + [w] → [aŭ]	nieuw [niˑŭ] *neu*
[yˑŭ]	[yˑ] + [w] → [aŭ]	uw [yˑŭ] *Ihr*

c) Nasale

[ãː] [ɛ̃ː] [ɔ̃ː] [œ̃ː]
etwa wie in deutsch Rest**au**rant, T**ein**t, Pard**on**, Parf**um**

8

d) Halbvokale

	Lautcharakteristik	*ndl. Beispiel*
[ĭ]	wie **i** in Legion	station [staˈsĭɔn] *Bahnhof*
[ŭ]	wie **u** in Etui	eeuw [eːŭ] *Jahrhundert*

e) Konsonanten

	Lautcharakteristik	*ndl. Beispiel*
p,t,k	unbehaucht	
[ɣ̊]	wie **ch** in lachen, aber mehr oder weniger stimmhaft	gaan [ɣ̊aːn] *gehen*
[ɣ]	wie **ch** in lachen, aber stimmhaft	wegbrengen [ˈvɛɣbrɛŋə(n)] *wegbringen*
[ʒ]	wie **j** in Journal	bagage [baˈɣ̊aːʒə] *Gepäck*
[ŋ]	wie **ng** in singen	brengen [ˈbrɛŋə(n)] *bringen*
[r]	Zungenspitzen-r oder Zäpfchen-r	rijden [ˈrɛĭə(n)] *fahren*
[s]	wie **ss** in fassen	sussen [ˈsøsə(n)] *beruhigen*
[ʃ]	wie **sch** in Schule	machine [maˈʃiˑnə] *Maschine*
[ʋ̊]	ein Laut zwischen **w** in Wasser und **f** in fahren	voor [ʋ̊oːr] *für*
[v]	wie **w** in Wasser, aber mit mehr Reibung	afbuigen [ˈɑvbœĭɣ̊ə(n)] *abbiegen*
[ʋ]	wie **w** in Wasser, aber mit weniger Reibung	water [ˈʋaːtər] *Wasser*
[x]	wie **ch** in lachen	lachen [ˈlɑxə(n)] *lachen*
[z]	wie **s** in sausen	zon [zɔn] *Sonne*

f) Zusätzliches Zeichen

[']	die Hauptbetonung bei zwei- oder mehrsilbigen Wörtern hat die auf dieses Zeichen folgende Silbe.

Niederländisch-Deutsches Wörterverzeichnis

A

aaien streicheln

aak Kahn m

aal|bes ['-bɛs] Johannisbeere f; **~moes** ['-muːs] Almosen n

aam|beeld n Amboss m; **~beien** ['-bɛiə] pl Hämorrhoiden flpl, Hämorriden flpl

aan an (A, D)

aanbe|steden [-steː d-] ausschreiben; **~taling** Anzahlung f

aanbevelen [-ʋeːl-] empfehlen; **~swaardig** ['-ʋaːrdəx] empfehlenswert

aanbidden [-'bɪd-] anbeten

aanbied|en anbieten; **~ing: speciale** [-'siaːlə] **~ing** Sonderangebot n

aan|blik Anblick m; **~bod** ['-bɔt] n Angebot n

aanbouw ['-bʌu] m: **in ~** im Bau

aanbranden anbrennen

aanbreken ['-breː k-] anbrechen; su n Anbruch m

aanbrengen anbringen; heranbringen; Farbe auftragen

aandacht Aufmerksamkeit f; **de ~ vestigen** ['ʋɛstəɣ-] **op** aufmerksam machen auf (A); **~ig** ['-daxtəx] aufmerksam

aandeel n Anteil m; ECON Aktie f; **~houder** (**~houdster** f) Aktionär(in f) m

aandenken n Andenken n

aandienen anmelden

aandoen ['-duːn] antun; Kleid an-, überziehen; Land anmachen; Hafen anlaufen; wirken, erscheinen; **~ing** Rührung f; Erkrankung f; **~lijk** ['-duːnlək] rührend

aandraaien andrehen; Schraube anziehen

aandrijv|en [-'drɛiʋ-] antreiben; **~ing** TECH Antrieb m

aan|dringen (**op**) dringen (auf A); **~duiden** ['-dɔyd-] bezeichnen, andeuten; **~durven** ['-dɛrʋ-] sich zutrauen

aaneen [-'eːn] aneinander, zusammen

aangaan angehen; eingehen

aange|boren angeboren; **~daan** gerührt; **~legenheid** ['-leːɣənhɛit] Angelegenheit f, Sache f; **~naam** angenehm

aangenomen [-noː m-]: **~ kind** n Adoptivkind n

aangeschoten [-sxoː t-] angeschossen; angetrunken, F beschwipst

aangetekend [-teː kənt] eingeschrieben, per Einschreiben; **~e brief** Einschreibebrief m

aan|geven hinüberreichen;

Diebstahl anzeigen; *Wert usw* angeben; verzollen; versteuern; **~gegeven waarde** Wertangabe *f*, Anzeige *f*

aangezien weil

aangifte Angabe *f*, Meldung *f*; Anzeige *f*

aan|grenzen angrenzen; **~grijpen** ['-ɤrɛip-] erfassen, ergreifen

aanhal|en anziehen; *Woorte* anführen; **~ig** ['-ha:ləx] anschmiegsam; **~ingsteken** [-te:kə(n)] *n* Anführungszeichen *n*, Gänsefüßchen *n*

aanhang Anhang *m*, Gefolgschaft *f*; **~sel** *n* Anhängsel *n*, Anhang *m*; **~wagen** KFZ Anhänger *m*

aanhankelijk ['-haŋkələk] anhänglich

aanhebben anhaben

aanhouden ['-ħɑuðə(n)] anhalten; anbehalten; verhaften; beharren; **(op)** zuhalten (auf *A*); **~d** ['-ħɑudənt] anhaltend, stetig

aankijken ['-kɛik-] anschauen, angucken

aan|klacht Anklage *f*; **~klagen** an-, verklagen; **~kleden (zich)** (sich) anziehen; **~kloppen** anklopfen

aanknop|en anknüpfen; **~ingspunt** [-pənt] *n* Anhaltspunkt *m*

aan|komen ['-ko:m-] ankommen, eintreffen; berühren; **~komst** Ankunft *f*

aankondig|en [-də̇ɤə(n)] an-

kündigen, ansagen; **~ing** Ankündigung *f*, Ansage *f*

aan|koop Ankauf *m*, Erwerb *m*; **~kopen** ankaufen, erwerben

aankunnen ['-kən-] bewältigen; *iem.* ~ j-m gewachsen sein; ~ **op** sich verlassen können auf (*A*)

aanleg Anlage *f*; Veranlagung *f*; Bau *m*; **~gen** anlegen; bauen; **~plaats** Anlegeplatz *m*; **~steiger** [-stɛiɤər] Landungsbrücke *f*

aanleiding Anlass *m*, Veranlassung *f*; **~ geven** veranlassen; **naar ~ van** anlässlich (*G*)

aan|lengen verdünnen; **~leren** erlernen; **~leunen** ['-lø:n-] **(tegen** ['te:ɣ̇ə(n)]**)** sich anlehnen (an *A*)

aanlok|kelijk ['-lɔkələk] verlockend; **~ken** (an)locken

aanloop Anlauf *m*; Zulauf *m*, Besuch *m*

aanlopen anlaufen; **(even** ['e:ðə(n)]**) ~ (bij** [bɛi]**)** besuchen, F vorbeikommen (bei *D*)

aan|maken ['-ma:k-] anmachen; **~manen** (er)mahnen, auffordern

aanmatigen ['-ma:tə̇ɤ-]: *zich* ~ sich anmaßen; **~d** ['-ma:t-] anmaßend

aanmeld|en anmelden; **~ing** Anmeldung *f*; **voorlopige** ['-lo:pə̇ɤə] **~ing** Voranmeldung *f*; **~ingsformulier**

[-my·li:r] *n* Anmeldeformular *n*; **~ingstermijn** [-meïn] Anmeldefrist *f*

aanmerkelijk [-'merkələk] beträchtlich, merklich

aanmerken bemerken; betrachten; *iets aan te merken* **hebben (op)** etwas auszusetzen haben (an *D*)

aanmerking Bemerkung *f*; *in* ~ *nemen* **(komen)** in Betracht ziehen (kommen)

aanmoedigen [-'mu·dəɣ·] ermutigen, ermuntern

aannaaien ['a:na·ïə(n)] annähen

aannemelijk [-'ne:mələk] annehmbar; glaubhaft

aannem|en annehmen; *Personal* einstellen; **~er** (Bau-) Unternehmer *m*; **~name** *f*, *REL* Konfirmation *f*

aanpakken anpacken, zugreifen; herangehen an (*A*), angehen

aanpassen anprobieren; **(zich)** ~ (sich) anpassen, (sich) umstellen; *in staat zich aan te passen* anpassungsfähig

aanplak|biljet [-jet] *n* Plakat *n*; **~ken** ankleben; anschlagen

aan|praten *j-m et* einreden; **~raden** raten; **~raken** berühren, streifen

aanrand|en überfallen; sich vergehen an (*D*); **~ing** Angriff *m*, Überfall *m*; Vergewaltigung *f*

aan|recht *m od n* Spüle *f*; **~reiken** hinüberreichen; **~richten** anrichten

aanrijd|en ['-reïə(n)] anfahren, zusammenstoßen; **~ing** Zusammenstoß *m*

aan|schaffen ['-sxaf-] anschaffen; **~schouwelijk** [-'sxɑüələk] anschaulich; **~schroeven** ['-sxru·ɣ·] anschrauben; **~slaan** anschlagen; *Motor* anspringen

aanslag Anschlag *m*; *Attentat n*; Belag *m*; *Steuer* Veranlagung *f*

aansluit|en ['-sləyt-] **(zich)** (sich) anschließen; **~ing** Anschluss *m*

aan|spelden anstecken; **~spoelen** ['-spu·l-] anspülen, anschwemmen

aanspor|en anspornen, anregen; **~ing** Ansporn *m*; Anregung *f*

aanspraak Anspruch *m*; ~ **maken op** beanspruchen

aansprakelijk [-'spra:kələk] haftbar, verantwortlich

aansprakelijkheid Haftung *f*; **wettelijke** ['ʋɛtələkə] ~ Haftpflicht *f*

aanspreken anreden, ansprechen; *Vorrat* anbrechen

aanstaan gefallen (*D*), zusagen (*D*); *Tür* angelehnt sein; **~de** bevorstehend; nächste

aanstaren anstarren

aanstek|elijk [-'ste:kələk] ansteckend; **~en** ['a:n-] anstecken, anzünden; **~er** Feuerzeug n

aanstell|en an-, einstellen; **zich ~** sich zieren; **~erig** [-'stelərəx] geziert, zimperlich

aan|stichten anstiften; **~stippen** antupfen; erwähnen; **~stoken** schüren; **~stonds** sofort, gleich; **~stoot** Anstoß m, Ärgernis n; **~stotelijk** [-'sto:tələk] anstößig; **~strepen** anstreichen; **~tal** [-'tal] n (An)Zahl f

aanteken|en ['-'te:kənə(n)] notieren, aufzeichnen; Brief einschreiben; **~protest ~en tegen** Protest erheben gegen (A); **~ing** Aufzeichnung f, Notiz f, Vermerk m, Eintragung f; **~recht** [-'tɛi̯-] n Einschreibegebühr f

aantijging ['-tɛi̯ɣ-] Beschuldigung f

aantocht: in ~ im Anzug

aan|tonen zeigen; nachweisen, beweisen; **~toonbaar** nachweislich; **~treden** antreten; **~treffen** antreffen, vorfinden; **~trekkelijk** ['-trɛkə-lək] anziehend, reizend

aantrekken anziehen; **zich ~** sich zu Herzen nehmen; **zich niets ~ van** sich nichts machen aus (D), sich nicht kümmern um (A)

aantrekkingskracht Anziehungskraft f; Zugkraft f

aanvaard|en [-'ʋa:r-] annehmen; antreten; **~ing** Annah-

me f, Übernahme f

aanval Angriff m; Anfall m; **~len** angreifen; **~ler** Angreifer m; Sport Stürmer m, Angriffsspieler m

aan|vang Anfang m; **~vankelijk** [-'ʋaŋkələk] anfänglich

aanvar|en Schiff zusammenstoßen; **~ing** Zusammenstoß m, Kollision f

aan|vatten in Angriff nehmen; anfassen; **~vliegen** anfliegen, **~voelen** [-'ʋu-l] nachempfinden, (er)fühlen

aanvoer ['-ʋu:r] Zufuhr f; Nachschub m; **~der** Anführer m; **~en** anführen; vorbringen; **~ster** Anführerin f

aan|vraag Anfrage f; Antrag m; Anforderung f; TEL Anmeldung f; **~vragen** beantragen; anfordern; TEL anmelden; **~vrager** Antragsteller m

aanvull|en ['-ʋəl-] ergänzen; auffüllen; **~end** ergänzend, zusätzlich; **~ing** Ergänzung f; Nachtrag f

aan|vuren [-'ʋy:r-] anfeuern; **~wakkeren** anfachen; schüren; **~was** Zuwachs m; **~wenden** anwenden; praktizieren; **~wennen** (zich) (sich) angewöhnen; **~werven** anwerben

aanwezig [-'ʋe:zəx] anwesend; zugegen; vorhanden; **~ zijn** [sein] a. da sein; vorliegen; **~heid** Anwesenheit f

aanwijsbaar [-'υεɪ-] nachweislich

aanwijz|en deuten auf (A); **~ing** Anweisung f; Indiz n

aan|winst Zuwachs m; Gewinn m, Erwerbung f; **~wonende** Anlieger m; **~wrijven** [-'ϑreɪ̆-] zur Last legen

aanzet|stuk [-stɛk] n Ansatz m; **~ten** ansetzen; einschalten; (Motor) anlassen; nachzielen; (tot) anstiften (zu D), treiben (zu D)

aanzien ansehen, betrachten; su n Ansehen n; **ten ~ van** in Hinsicht auf (A); **~lijk** [-'zi:nlək] beträchtlich, ansehnlich; angesehen

aan|zitten bei Tisch sitzen; **~zoek** [-'zu:k] n Bitte f; **~zuiveren** [-'zœyvərə(n)] Schuld abtragen; **~zwengelen** [-'zϑɛŋələ(n)] ankurbeln

aap Affe m

aar Ähre f

aard Art f, Beschaffenheit f

aardappel Kartoffel f; **gebakken ~en** pl Bratkartoffeln pl; **gekookte ~en** pl Salzkartoffeln pl; **~puree** [-py:'re:] Kartoffelbrei m, -püree n; **~sla** Kartoffelsalat m

aardbei [-'bɛi] Erdbeere f

aardbeving [-'be:ϑɪŋ] Erdbeben n

aarde Erde f

aarden gedeihen; EL erden; **~ naar** kommen nach (D)

aardewerk n Töpferwaren f/pl

aardgas [-'xas] n Erdgas n

aardig ['-dəx] nett, hübsch, niedlich; artig; **~ op weg** im besten Begriff; **~heid** Spaß m; (kleine) Aufmerksamkeit f

aard|noten pl Erdnüsse f/pl; **~olie** [-li] Erdöl n; **~rijkskunde** [-'rɛikskəndə] Erdkunde f, Geografie f

aards irdisch

aard|schok Erdstoß m; **~verschuiving** [-sxɑϑ-] Erdrutsch m

aarts- in Zssgn mst Erz-

aarzel|en ['-zələ(n)] zögern, schwanken; **~ing** Zögern n

aas 1. Ass n (Karte); **2.** ~ n Aas n; Köder m

abattoir [-'tüɑːr] n Schlachthof m

abces [-'sɛs] n Abszess m

abdij [-'dɛi] Abtei f

abnormaal nicht normal

abonnee [-'ne:] Abonnent(in f) m; TEL Teilnehmer(in f) m

abonnement [-'mɛnt] n Abonnement n; **~skaart** Zeitkarte f

abonneren [-'ne:r-]: **zich ~ (op)** abonnieren

abort|eren [-'te:r-] MED abtreiben; **~us** [a'bɔrtəs] (provocatus) Schwangerschaftsunterbrechung f, Abtreibung f

abrikoos Aprikose f

absoluut [-'ly:t] absolut

absurd [-'sɛrt] absurd

abuis [a'bœys] n Irrtum m

abusievelijk [aby·'zi·və̄lək] versehentlich

acacia [-si·(j)ɑ] Akazie *f*

academicus [-'de:mi·kəs] Akademiker(in *f*) *m*; **~ie** [-'de:mi'] Akademie *f*

acceleratie [ɑksə·lə'ra·(t)si·] Beschleunigung *f*

accent [ɑk'sɛnt] *n* Akzent *m*, Betonung *f*

accepteren [ɑksɛp'te:r-] akzeptieren; **~girokaart** [-'ɟi·ro:-] vorgedrucktes Überweisungsformular *n*

accessoires [ɑksɛs'üa:rs] *pl* Zubehör *n*

accijns [ɑk'sɛĩns] Steuer *f*

accommodatie [ɑkɔ·mo·'da:(t)si:] Unterbringung *f*; Ausstattung *f*

accordeon [ɑ'kɔrde:(j)ɔn] *n* Akkordeon *n*

accu ['ɑky'] Akkumulator *m*; Batterie *f*

acht¹ acht *f*

acht²: **~ slaan op** achten auf (*A*); **~baar** achtbar, ehrenwert

achteloos achtlos, lässig

achten achten, ehren; glauben, halten für (*A*)

achter *prp* hinter (*A, D*); **~(aan)** *adv* hinten; **~af** hinterher, nachträglich

achterbaks [-'bɑks] hinterlistig, hinterhältig; **~band** Hinterreifen *m*; **~bank** Rücksitz *m*

achterblijven [-blɛĩ·ṽ-] zurückbleiben; **~er** Nachzügler

m; Zurückgebliebene(r)

achterbuurt [-by:rt] Armenviertel *n*; **~dek** *n* Achterdeck *n*

achterdocht Argwohn *m*, Misstrauen *n*; **~ig** [-'dɔxtəx] argwöhnisch, misstrauisch

achtereenvolgens [-'ṽɔl-] nacheinander; **~grond** Hintergrund *m*; **~haald** [-'ha:lt] überholt; **~halen** [-'ha:l-] einholen; ermitteln; **~houden** [-'høüə(n)] zurückbehalten; **~kant** Hinter-, Rückseite *f*, Heck *n*; **~kleinkind** *n* Urenkel(in *f*) *m*; **~klep** Auto Heckklappe *f*; **~laten** zurück-; hinterlassen; **~licht** *n* Rücklicht *n*; **~lijk** [-lək] rückständig, zurückgeblieben; **~lopen** Uhr nachgehen; **~na** [-'na:] hinterher; **~naam** Familienname *m*; **~nazitten** [-'na:-] nachstellen (*D*); **~om** [-'rɔm] hintenherum; **~over** [-'o:ṽər] rückwärts, rücklings; **~ruit** [-'rœyt] Heckscheibe *f*; **~staan** (*bij* [bɛĩ]) zurückstehen (hinter *D*); **~stallig** [-'stɑləx] rückständig; **~stand** Rückstand *m*

achterste hintere; *su f* N Hintern *m*

achterstellen zurücksetzen; **~stevoren** [-'ṽo:rə(n)] verkehrt herum

achteruit [-'rœyt] rückwärts, zurück; *su* Rückwärtsgang *m*; **~deinzen** zurückfahren; **~gaan** zurückgehen; rück-

wärts gehen; **~gaand** rückläufig; **~gang** Rückgang m;
['ax-] Hintertür f; **~kijkspie-
gel** [-keïk-] Rückspiegel m;
~krabbelen fig kneifen;
~zetten Uhr zurückstellen
achtervolg|en verfolgen; **~er**
Verfolger m
achterwaarts adv rückwärts;
adj rückwärtig
achterwege [-'ʋeː·ɣə]: **~ blijven** ['bleïʋ-] unterbleiben
achter|wielaandrijving Hin-
terradantrieb m; **~zijde** →
~kant
achting Achtung f
acht|maal achtmal; **~ste** ach-
te; su n Achtel n; **~tien** acht-
zehn; **~urendag** [-'yːr-]
Achtstundentag m
acne Akne f
acrobaat Akrobat m
acteur [-'tœr] Schauspieler
m; Darsteller m
actie ['aksi'] Aktion f
actief aktiv, tätig
activiteit Aktivität f
actrice [-'triːsə] Schauspiele-
rin f; Darstellerin f
actueel [-tyˑüèːl] aktuell,
zeitgemäß
acuut [a'kyˑt] akut
adamsappel Adamsapfel m
adder Natter f, Otter f
adel Adel m; **~lijk** [-lək] adlig
adem Atem m; **buiten**
['bəyt-] **~** außer Atem; **~en**
atmen; **~haling** Atmung f;
kunstmatige [kɔnstˈmaː-
təɣə] **~haling** künstliche Be-

atmung f; **~loos** atemlos
ader Ader f, Vene f; **~lating**
Aderlass m; **~ontsteking**
[-steːk-] Venenentzündung f
administrat|eur [-'tœr] Ver-
walter m; **~ie** [-'straː(t)si']
Verwaltung f; **~iekosten** pl
Verwaltungsgebühr f
adopteren [-'teːr-] adoptie-
ren
adres n Adresse f, Anschrift f;
~boek [-buˈk] n Adressbuch
n; **~kaart** Paketkarte f
advent Advent m
advert|entie [-'tensi'] Anzei-
ge f, Inserat n; **~eren** [-'teːr-]
inserieren
ad|vies n Rat m, Gutachten n;
~viseren [-'zeːr-] (be)raten;
~viseur [-'zœr] Berater m;
~vocaat (Rechts)Anwalt m;
Eierlikör m
af ab; fertig; **~ en toe** [tuˈ] ab
und zu, dann und wann
af|beelding Abbildung f;
~bestellen abbestellen
afbetal|en abzahlen, F abstot-
tern; **~ing: op ~ing** in Raten,
auf Abzahlung
afbeulen ['-bøˑl-] schinden,
strapazieren; **zich ~** sich abrackern
af|bladderen ['-bladərə(n)]
abblättern; **~blijven**
['-bleïʋ-] nicht anrühren;
~boeken [-buˈk-] abbu-
chen; **~borstelen** abbürsten;
~braak Abbruch m, Abriss
m; **~branden** ab-, nieder-
brennen; **~breken** ['-breˑk-]

abbrechen; abreißen; *BIOL*
abbauen; **~brengen** (*van*)
abbringen (von *D*)

afbreuk ['brø:k]: **~ doen**
[du·n] *aan* beeinträchtigen,
Abbruch tun (*D*)

af|brokkelen abbröckeln;
~buigen ['-bœyɣə(n)] abbiegen; **~dak** *n* Schutz-, Vordach *n*

afdal|en hinab-, herabsteigen;
~ing Abstieg *m*; Abfahrt *f*

af|danken entlassen; abbauen,
ausrangieren; **~dekken** abdecken

afdeling Abteilung *f*; (Krankenhaus)Station *f*; *Sport* Liga
f

afdoen ['-du·n] abmachen; erledigen; **~d** entscheidend,
triftig

af|drogen abtrocknen;
~droogdoek [-du·k] Ge-
schirrtuch *n*

afdruk ['-drøk] Abdruck *m*;
FOT Abzug *m*; **~ken** abdru-
cken; abdrücken

af|dwalen abirren, abschwei-
fen; **~dwingen** erzwingen

affaire [ɑ'fɛ:rə] Affäre *f*

affiche [ɑ'fi·ʃə] Aushang *m*;
Plakat *n*, Anschlag *m*

afgaan (*op*) zugehen (auf *A*)

afge|daan erledigt; **~legen**
abgelegen, entlegen

afgelopen abgelaufen; *is* ~ ist
aus, ist vorbei

afge|past abgezählt; **~spro-
ken** [-spro:k-] abgemacht,
verabredet; **~vaardigde**

[-dəɣdə] Abgeordnete(r)

afgeven abgeben

afge|zaagd abgedroschen;
~zien van abgesehen von
(*D*)

af|gifte Abgabe *f*; **~god** Ab-
gott *m*; **~grendelen** abrie-
geln; **~grijselijk** ['-xreïsələk]
grässlich, grauenhaft; **~grij-
zen** ['ɑf-] *n* Grauen *n*;
~grond Abgrund *m*

afgunst ['-xɛnst] Neid *m*; **~ig**
[-'xɛnstəx] neidisch

af|halen abholen; *Geld* abhe-
ben; abziehen, abmachen;
~handelen erledigen

afhandig [-'hɑndəx]: **~ maken** ['ma:k-] abspenstig machen

afhangen (*van*) abhängen
(von *D*)

afhankelijk ['-hɑŋkələk] abhängig; **~heid** Abhängigkeit *f*

afhouden ['-hɑ̈ʊ̈ə(n)] abhal-
ten, zurückhalten; *Geld* abziehen

afjakkeren ['-jɑkərə(n)]:
zich ~ hetzen, sich beeilen

af|kammen *fig* herunterma-
chen, schlecht machen;
~kappen abhacken; **~keer**
Abneigung *f*, Ekel *m*, Über-
druss *m*; **~kerig** ['-ke:rəx] abgeneigt

afkeuren ['-kør-] missbilli-
gen, tadeln; **~d** missbilligend,
abfällig

af|knippen abschneiden, ab-
trennen; **~koelen** ['-ku·l-]
abkühlen

afkomen ['ko:m-] herabkommen; herkommen; ~ **op** zugehen auf (A); **er** ~ davonkommen

afkomst Abkunft f, Herkunft f; ~**ig** ['komstəx] herstammend, gebürtig; ~**ig zijn** [sẽin] (**van**) herrühren (von D), stammen (aus D)

af|kondig|en [-də$\hat{y}$ə(n)] verkünd(ig)en, erlassen; ~**koopsom** Abfindungssumme f; ~**korten** abkürzen; ~**laden** abladen; ~**laten** ['-la:t-] ablassen

afleggen ab-, niederlegen; Weg zurücklegen; Besuch abstatten; **het** ~ **tegen** ['te:$\hat{y}$ə(n)] unterliegen (D)

afleiden ableiten; folgern, schließen; ablenken

af|leren abgewöhnen; ~**leveren** abliefern; ~**loop** Ablauf m; Ausgang m; ~**lopen** ablaufen; ausgehen

aflossen Schulden abtragen; (**elkaar**) (sich) ablösen, (sich) abwechseln

af|luisteren ['-lœystərə(n)] abhören, belauschen; ~**maken** erledigen; beend(ig)en; umbringen; Studium absolvieren; ~**matten** erschöpfen, aufreiben; ~**meren** ['-me:r-] festmachen

afnem|en abnehmen; vli a. nachlassen, abflauen; Karte abheben; ~**er** Abnehmer m

af|pakken ab-, wegnehmen; ~**persen** erpressen; ~**prij-**

zen ['-preiz-] herabsetzen; ~**raken** abkommen, abweichen; ~**ranselen** verprügeln; ~**rastering** ['-rastər-] (Draht)Zaun m; ~**rekenen** ['-re:kənə(n)] abrechnen; ~**remmen** abbremsen

Afrika n Afrika n

Afrikaan Afrikaner m; ~**s** afrikanisch; ~**se** Afrikanerin f

afrit Abfahrt f

af|ronden abrunden; **naar boven** ~ aufrunden

af|rossen verprügeln, zusammenschlagen; ~**ruimen** ['-rœym-] abräumen; ~**rukken** ['-rœk-] abreißen; ~**schaffen** abschaffen, abstellen

afscheid ['-sxɛit] n Abschied m; ~ **nemen** a. sich verabschieden

af|scheiden (ab)trennen; ausscheiden; ~**schepen** fig abspeisen; abwimmeln

afscheur|en ['-sxø:r-] abreißen; abtrennen; ~**kalender** Abreißkalender m

af|schrift n Abschrift f; ~**schrikken** abschrecken; ~**schroeven** ['-sxru-$\hat{v}$-] abschrauben; ~**schudden** ['-sxœd-] abschütteln

afschuw ['-sxy$\ddot{u}$] Abscheu m; ~**elijk** ['-sxy$\ddot{u}$ələk] abscheulich, scheußlich

af|slaan abschlagen; abweisen, ausschlagen; Preise billiger werden; Motor aussetzen;

Verkehr abbiegen; **~slag**
['-slax] *Verkehr* Abzweigung
f, Ausfahrt *f*; **~slijten** ['-sleìt-]
(sich) abnutzen

afsloven: zich ~ sich (ab)quä-
len, sich plagen

afsluit|en ['-sløyt-] abschlie-
ßen; abdrehen; (ab)sperren;
~ing Verschluss *m*; Sperre *f*

af|snijden ['-snèìə(n)] ab-
schneiden; sperren; **~spoe-
len** ['-spu·l-] abspülen; **~
spraak** Verabredung *f*,
Vereinbarung *f*; **~spreken
(met)** (sich) verabreden (mit
D); **~staan** abstehen; abtre-
ten; **~stammeling** Nach-
komme *m*; Sprössling *m*

afstand Entfernung *f*, Distanz *f*; Abstand *m*; Verzicht
m; **~doen (du·n) van** verzichten auf (*A*)

afstandsbediening Fernbe-
dienung *f*

af|stappen absteigen, herab-,
hinabsteigen

afsteken abstechen; *Feuerwerk* abbrennen; **~ tegen**
kontrastieren mit (*D*)

afstel *n* Aufschub *m*; **~len** abstellen; einstellen, regulieren

af|stemmen ablehnen; ab-
stimmen; **~sterven** abster-
ben, eingehen; **~stoffen** ab-
stauben

afstot|elijk ['-sto:tələk] ab-
stoßend; **~en** abstoßen

af|strijken ['-strèìk-] abstrei-
chen; **~strijkje** *n* Abstrich *m*;
~studeren ['-sty·de:r-] das

Studium beenden; **~takking**
Abzweigung *f*; **~tasten** ab-
tasten; **~tekenen** ['-te:
kənə(n)] (**zich**) (sich) ab-
zeichnen; **~tikken** abtippen

aftobben: zich ~ sich abmühen

af|tocht Rückzug *m*; **~trap**
Sport Anstoß *m*

aftreden zurücktreten, ausscheiden; *su n* Rücktritt *m*

aftrek Absatz *m*; Abzug *m*;
~ken abziehen; subtrahieren

af|troggelen ablisten; **~vaar-
diging** [-dəʁ-] Abordnung *f*

afval Abfall *m*; Abfälle *m/pl*,
Müll *m*; **~len** abfallen; abnehmen; **~lig** [-'fələx] abtrünnig;
~scheiding Mülltrennung *f*;
~stoffen *pl* **giftige ~stof-
fen** Giftmüll *m*; **~water** *n*
Abwässer *n/pl*; **~wedstrijd**
Ausscheidungskampf *m*,
-spiel *n*

af|vegen abwischen; **~vijlen**
['-feìl-] abfeilen; **~vinken** ab-
haken; **~vloeien** ['-fluˈiə(n)]
abfließen

afvoer Abfuhr *f*; Abfluss *m*;
~pijp [-peìp] Abflussrohr *n*

afvragen: zich ~ sich fragen

af|vuren abfeuern, abdrü-
cken; **~wachten** abwarten

afwas Abwasch *m*; **~bak**
Spülbecken *n*; **~middel** *n*
Spülmittel *n*; **~sen** abwa-
schen; *Geschirr* spülen

af|wegen abwägen; *fig* abwä-
gen; **~wenden** abwenden; **~
wennen** abgewöhnen; **~**

wentelen abwälzen; **~werken** erledigen; vollenden; **~werpen** ab-, hinab-, herabwerfen; *su n* Abwurf *m*

afwezig [-'ʋeːzəx] abwesend; **~heid** Abwesenheit *f*

af|wijken ['-ʋɛik-] abweichen; **~wijzen** ab-, zurückweisen; **~wisselen** abwechseln; **~wrijven** ['afrɛiˀ-] abreiben; **~zagen** absägen; **~zakken** herunterrutschen; absinken

afzegg|en absagen; **~ing** Absage *f*

afzender Absender(in *f*) *m*

afzet Absatz *m*; **~ten** absetzen; amputieren; abstellen; F schröpfen; **~terij** [-təˀrɛi] Schwindel *m*, Prellerei *f*

afzichtelijk ['-sɪxtələk] abscheulich

afzien absehen; (*van*) *a.* verzichten (auf *A*); **~baar** [-'sirm-] absehbar

afzonder|en absondern; **~lijk** ['-sɔndərlək] einzeln, gesondert; vereinzelt

agenda [aˀɣenda] Notizbuch *n*, Terminkalender *m*; Tagesordnung *f*

agent Agent *m*; Polizist *m*; **~schap** Agentur *f*

agressie [-siˀ] Aggression *f*, **~f** aggressiv, angriffslustig

a.h.w. → **ware**

airconditioning ['ɛːrkɔndɪʃənɪŋ] Klimaanlage *f*

akelig ['aːkələx] widerwärtig; unheimlich, schauerlich

Aken *n* Aachen *n*

akker Acker *m*

akkoord einverstanden; *su n* Einverständnis *n*; Abkommen *n*

akoestiek [akuˀs'tiˀk] Akustik *f*

akte Akte *f*, Urkunde *f*

aktetas Aktentasche *f*

al all, alles; *adv* schon, bereits; *cj* obwohl; wenn auch; **~ te** allzu; → **naar** (**gelang**)

alarm *n* Alarm *m*; **staat van ~** Alarmbereitschaft *f*; **~installatie** [-la:(t)si˺] Alarm-, Warnanlage *f*; **~nummer** [-nemər] *n* Notrufnummer *f*

album ['-bəm] *n* Album *n*

alcohol Alkohol *m*; **~list** (*e f*) *m* Alkoholiker(in *f*) *m*

al|daar [-'daːr] dort; **~door** unaufhörlich; **~dus** [-'dəs] also; folgendermaßen

alfabet ['alfabet] *n* Alphabet *n*

algemeen allgemein; *in het ~* im Allgemeinen; *over het ~* im Allgemeinen; überhaupt

algen *pl* Algen *f*/*pl*

al|hier [-'hiːr] hier; **~hoewel** [-huˀʋel] obwohl, obgleich

alibi *n* Alibi *n*

alinea [-'liˀneˀia] Absatz *m*

allang längst

alle *pl* alle, sämtliche *pl*, gesamte *pl*; **~bei** [-'bɛi] beide; **~daags** alltäglich

alleen allein; nur, bloß; *niet ~ ... maar ook* nicht nur ..., sondern auch; **~staand** allein stehend

allemaal

allemaal alle; *(het)* ~ alles
allengs allmählich
allereerst zuerst, zunächst
allergisch [-i·s] allergisch
Allerheiligen [-'hɛîlə̯ɣə(n)]
  Allerheiligen *n*
aller|laatste allerletzte; **~lei**
  allerhand, allerlei; **~minst**
  adv am (aller)wenigsten; alles andere als
Allerzielen Allerseelen *n*
alles alles; *voor* ~ vor allen
  Dingen; **~behalve** alles andere als; **~zins** in jeder Hinsicht, durchaus
all in [ɔ·'lɪn] pauschal
allooi *n* Gehalt *m*
all-riskverzekering [ɔ·l-
  'rɪskfərzə:kər-] (Voll)Kas-
  koversicherung *f*
alom überall
als als; *bei Vergleich* wie; *comp*
  als, denn; wenn, falls; **~mede**
  ['-me:də] sowie; **~nog** [-'nɔx]
  nachträglich; **~of** als ob;
  ~ook wie auch
alstublieft [-ty·'-] bitte (sehr)
altaar *n* Altar *m*
althans [-'tans] wenigstens
altijd ['-tɛît] immer, jederzeit,
  immerzu
aluminiumfolie [aly·'mi·-
  niəmfo:li·] Aluminiumfolie *f*
al|vast [-'ɸast] inzwischen
  (schon); einstweilen; **~vo-**
  rens [-'ɸo:rə(n)s] bevor;
  ~weer [-'ʋe:r] schon wieder
amandel Mandel *f*; **~ontste-**
  king [-ste:k-] Mandelent-
  zündung *f*

amateur [-'tœːr] Amateur(in
  f) *m*
ambacht *n* Handwerk *n*, Gewerbe *n*; **~sman** Handwer-
  ker *m*
ambassa|de Botschaft *f*;
  ~deur [-'døːr] *m* (**~drice**
  [-'dri·sə] *f*) Botschafter(in *f*)
  m
ambt [amt] *n* Amt *n*
ambte|lijk [-lək] amtlich;
  ~naar Beamte(r); **~nares**
  [-'res] Beamtin *f*
ambulance [-by·'lãːsə] Ret-
  tungswagen *m*
Amerika *n* Amerika *n*
Amerikaan Amerikaner *m*;
  ~s amerikanisch
ameublement [amœblə-
  'ment] *n* Mobiliar *n*
amnestie Amnestie *f*
amper kaum
ampul [-'pøl] Ampulle *f*
amputeren [-py·'teːr-] amputieren
amus|ant [amy·'zant] amü-
  sant; **~ement** [-'ment] *n* Unterhaltung *f*; **~eren** [-'zeːr-]
  (zich) (sich) vergnügen,
  (sich) unterhalten
ananas Ananas *f*
anatomisch [-i·s] anatomisch
ander ander, sonstig
andere andere; *onder* ~ (*Abk*
  o.a.) unter anderem (*Abk*
  u.a.); *aan de* ~ *kant* ander-
  der(er)seits
anderhalf anderthalb
ander|s anders; sonst; **~zijds**
  [-zɛîts] andererseits

andijvie [-'dɛiɣi] Endivie f

angel Angelhaken m; Stachel m

angst Angst f; **~aanjagend** beängstigend; **~ig** ['-stəx] ängstlich; **~vallig** ['-fɑləx] ängstlich; peinlich

anijs [ɑ'nɛis] Anis m

animerend [-'me:rənt] anregend

anjelier, anjer Nelke f

anker n Anker m

an|nexeren [-'kse:r-] annektieren; **~nuleren** [-ny°'-] annullieren

anoniem anonym

anorak Anorak m

ansjovis [-'ʃo:-] Anschovis f, Sardelle f

antenne Antenne f

antibioticum [-kəm] n Antibiotikum n

antiek antik; su n Antiquitäten fpl

anti|lichaam n Antikörper m; **~quair** [-'kɛːr] Antiquitätenhändler m, -laden m; **~quariaat** [-'kŭar'-] n Antiquariat n; **~semitisme** n Antisemitismus m; **~slip** rutschfest; **~vriesmiddel** n Frostschutzmittel n

antwoord n Antwort f; **~apparaat** n Anrufbeantworter m; **~en** antworten, erwidern

anus ['a:nəs] After m

apart einzeln; bes

apenootje n Erdnuss f

apoth|eek Apotheke f; **~eker** Apotheker(in f) m

apparaat n Apparat m, Gerät n

appartement [-'mɛnt] n Etagenwohnung f, Apartment n

appel Apfel m; **~flap** Apfeltasche f; **~moes** [-'mus-] Apfelmus n; **~taart** Apfelkuchen m

applau|disseren [-'se:r-] Beifall klatschen, applaudieren (D); **~s** n Applaus m, Beifall m

appreciëren [-'sïe:r-] schätzen, anerkennen

april April m; **~grap** Aprilscherz m

aqua|rel Aquarell n; **~rium** [-ri°(j)əm] n Aquarium n

Arab|ier [-'bi:r] Araber m; **~isch** [-ïs] arabisch

arbeid Arbeit f; **~er** Arbeiter m

arbeids|bureau [-by°ro:] n Arbeitsamt n; **~ongeschikt** arbeitsunfähig

arbeidsovereenkomst *collectieve ~* Tarifvertrag m

arbeidster Arbeiterin f

archeologie Archäologie f

archief n Archiv n

architect(e f) Architekt(in f) m; **~uur** [-'ty:r] Architektur f

arend Adler m

arg|eloos arglos, ahnungslos; **~listig** [-'listəx] arg-, hinterlistig; **~waan** Argwohn m

aria Arie f

aristocratisch [-ïs] aristokratisch

arm¹ arm

arm 22

arm² Arm *m*; **~band** Armband *n*

armoede ['muˑdə] Armut *f*

armzalig [-'zaːləx] armselig, dürftig

Arnhem ['nɛm] *n* Arnheim *n*

arrestatie ['taˑ(t)siˑ] Verhaftung *f*, Festnahme *f*; **~bevel** [-ˈʋɛl] *n* Haftbefehl *m*

arresteren [-'teːr-] verhaften, festnehmen

artiest(e *f*) Artist(in *f*) *m*

artikel *n* Artikel *m*; *Gesetz* Paragraph *m*

artisjok [-'ʃɔk] Artischocke *f*

artistiek [-'tiˑk] künstlerisch

arts Arzt *m*; Ärztin *f*

as 1. Achse *f*; 2. Asche *f*; **~bak** Aschenbecher *m*

asfalt *n* Asphalt *m*

asiel *n* Asyl *n*; **~zoeker** [-zuˑkər] Asylbewerber *m*; **~zoekerscentrum** [-sɛntrəm] *n* Asylantenheim *n*

asjeblief(t) ['aʃəbliˑf(t)] bitte (sehr); **~ niet!** nicht doch!

asociaal [-'siaˑl] asozial

asperge [-'pɛrʒə] Spargel *m*

aspic: (*vlees* in *n* in) **~** Sülze *f*

aspirant Anwärter *m*; **~tie** [-'raˑ(t)siˑ] Ambition *f*, Bestrebung *f*

assistent(e *f*) Assistent(in *f*) *m*

assortiment *n* Sortiment *n*

assurantie [asyˑ'rɑnsiˑ] Versicherung *f*

aster Aster *f*

astma Asthma *n*

astrakan *n* Persianer *m*

astro|naut Astronaut *m*; **~nomie** Astronomie *f*

aswoensdag [-'ʋuˑnz-] Aschermittwoch *m*

atlas Atlas *m*

atl|eet Athlet *m*; **~etiek** [-'tiˑk] (Leicht)Athletik *f*

atmosfeer Atmosphäre *f*

atoomcentrale [-sɛn-] Kern-, Atomkraftwerk *n*

atten|deren [-'deːr-] (*op*) aufmerksam machen (auf *A*); **~t** aufmerksam, rücksichtsvoll; **~tie** [ɑ'tɛnsiˑ] Aufmerksamkeit *f*

attest *n* Attest *n*, Bescheinigung *f*, Zeugnis *n*; **~eren** [-'teːr-] bescheinigen

a.u.b. → *alstublieft*

augurk [-'ɣɛr(ə)k] (Gewürz-)Gurke *f*

augustus [-'ɣɛstəs] *Monat* August *m*

Austral|ië *n* Australien *n*; **~isch** [-iˑs] australisch

auteur [-'tøːr] Autor(in *f*) *m*, Verfasser(in *f*) *m*; Urheber(in *f*) *m*

authentiek [-'tiˑk] authentisch

auto ['autoˑ, 'oˑtoˑ] Auto *n*; **~accessoires** [-aksesüaˑrs] *pl* Autozubehör *n*; **~band** Autoreifen *m*; **~bus** [-bəs] Autobus *m*; **~coureur** [-kuˑrøːr] Rennfahrer *m*; **~luw** [-lyˑü] verkehrsberuhigt

auto|maat Automat *m*; *KFZ* Automatik *f*; **~matiek** [-'tiˑk]

Automatenrestaurant n; ~**matisch** [-i˙s] automatisch, selbsttätig; zwangsläufig

automobilist [-] (e f) Auto-, Kraftfahrer(in f) m; ~**enclub** [-klɔp] Automobilklub m

auto|monteur [-tø:r] Automechaniker m; ~**papieren** n/pl Kraftfahrzeugpapiere n/pl; ~**ped** [-pet] Roller m; ~**race** [-re:s] Autorennen n

autoritair [-'tɛ:r] autoritär

auto|slaaptrein Autoreisezug m; ~**snelweg** Autobahn f; ~**veer** n Autofähre f; ~**verhuur** [-hy:r] Autovermietung f; ~**wasinstallatie** ['-la:(t)si] Autowaschanlage f; ~**weg** [-vɛx] Auto-

straße f

averechts verkehrt, entgegengesetzt

averij [a:və'rɛi] Havarie f

avond ['a:vɔnt] Abend m; ~**elke** ~ allabendlich; ~**eten** [-e:tə(n)] n Abendbrot n, -essen n; ~**japon** [-japɔn] Abendkleid n; ~**schemering** [-sxe:mər-] Abenddämmerung f; ~**s**: 's ~**s** am Abend, abends

avontuur [ɑvɔn'ty:r] n Abenteuer n; ~**lijk** [-lək] abenteuerlich

azalea [ɑ'za:le'ia] Azalee f

Aziatisch [-i˙s] asiatisch

Azië n Asien n

azijn [ɑ'zɛin] Essig m

B

baai Bai f, Bucht f

baal Ballen m

baan Bahn f; Stelle f, Stellung f; Umlaufbahn f; **op de lange ~ schuiven** ['sxœʏ̯f-] auf die lange Bank schieben; ~**vak** n Bahn Strecke f

baar **1.** Bahre f; **2.** (Gold-) Barren m

baard Bart m

baarmoeder ['-mu:dər] Gebärmutter f

baars Barsch m

baas Meister m; Boss m, Herr m, Chef m

baat Nutzen m; ~**zuchtig** [-'sœxtəx] eigennützig

babbel|aar Schwätzer m; ~**en** schwatzen, plaudern; ~**kous** [-kɑus] Schwätzerin f

baby Baby n; ~**voeding** [-ʋu:dɪŋ] Babynahrung f

bacteriën [-'tɛri˙(j)ə(n)] pl Bakterien f/pl

bad [bɑt] n Bad n

baden (sich) baden

bad|gast Badegast m, Kurgast m; ~**handdoek** [-du:k] Badetuch n, Frotteetuch n; ~**inrichting** Badeanstalt f; ~**jas** Bademantel m; ~**kuip** ['-kœʏ̯p] Badewanne f

badminton ['bɛtmɪntən] n Federball m

bad|muts ['-məts] Badekappe f; **~pak** n Badeanzug m; **~plaats** Badeort m, Kurort m; **~stof** Frottee n

bagage [ba'ɣa:ʒə] Gepäck n; **~bureau** [-byro:] n Gepäckannahme(stelle) f; **~depot** [-depo:] n Gepäckaufbewahrung f; **~drager** Gepäckträger m; **~kluis** [-kløys] Gepäckschließfach n; **~reçu** [-rəsy'] n Gepäckschein m; **~rek** n Gepäckhalter m; **~verzekering** [-ze:kər-] Reisegepäckversicherung f; **~wagentje** n Gepäckroller m

baggeren baggern

bak Gefäß n, Behälter m, Kasten m

bakermat fig Wiege f

bakfiets Lieferrad n

bakje n Kasten m; Napf m; **een** [ən] **~koffie** F eine Tasse Kaffee

bakkeleien [-kə'leɪə(n)] sich (herum)streiten

bakken backen; braten

bakker Bäcker m; **~ij** [-'rɛi] Bäckerei f

bak|oven Backofen m; **~poeder** [-'puːdər] n Backpulver n; **~steen** Ziegel(stein) m

bal¹ m Ball m, Kugel f; Knödel m, Kloß m; **~ gehakt** Bulette f, Frikadelle f

bal² n Tanz Ball m

balans Waage f; Bilanz f

baldadig [-'da:dəx] gewalttätig

balen F die Nase voll haben

balie ['ba:li] Schalter m

balk Balken m

balkon [-'kɔn] n Balkon m

ballet n Ballett n

ballingschap Verbannung f, Exil n

ballon Ballon m

ballpoint ['bɔːlpɔɪnt], **balpen** ['-pɛn] Kugelschreiber m

banaal banal

banaan Banane f

band Band n; Buch Einband m; KFZ Reifen m; Tonband n; Kleidung Bund m; Binde f; Bindung f; **lopende ~** Fließband n; **aan de lopende ~** am laufenden Band

bandeloos zügellos

banden|pech Reifenpanne f; **~spanning** Reifendruck m

bandiet Bandit m

band|opnemer, **~recorder** ['bɑntriˑkɔrdər] Tonbandgerät n

bang ängstlich; **~ zijn** [zɛin] Angst haben, sich fürchten; **~elijk** [-lək] furchtsam

bank Bank f; **~biljet** [-jɛt] n Banknote f, Geldschein m; **~employé** [-'ɑːmplüaːjeˑ] m, **~employee** f Bankangestellte(r)

banketbakkerij [-'rɛi] Konditorei f

bankrekening ['-reːkən-] Bankkonto n

bankroet [-'ruˑt] **1.** bankrott; **2.** su n Bankrott m, Pleite f

bank|schroef Schraubstock m; **~stel** ['-stɛl] n Couchgarnitur f; **~werker** Schlosser m

bar[bar] schlimm; rau; dürr

bar²[ba:r] Bar f, Nachtlokal n; Theke f

barak Baracke f

barbaars barbarisch

barbecuen ['ba:rbəkɪu:ə(n)] grillen

baren gebären; *Kummer* verursachen; → **opzien**

bar|kruk ['-krɔk] Barhocker m; **~meisje** ['-mɛiʃə] n Bardame f

barmhartig [-tax] barmherzig

barrevoets ['barəvʊ'ts] barfuß

bars barsch, unwirsch

barst Riss m, Sprung m; Knick m; **~en** bersten, platzen, zerspringen

bas Bass m; Bassist m; Bassgeige f

baseren ['ze:r-] basieren

basis Basis f; **~school** Grundschule f

bast Rinde f; Bast m

baten nützen, nutzen (D)

batig ['ba:tǝx]; **~ saldo** n Gewinnsaldo m

batterij [-'rɛi] Batterie f

bazaar Basar m

bazelen F faseln

bazuin [-'zœyn] Posaune f

beambte [-'ɑmtǝ] Beamte(r)

beantwoorden beantworten; **~ aan** entsprechen (D)

bebouwen [-'bɑ̈uǝ(n)] bebauen

bed n Bett n; Beet n

bedaard gelassen, gefasst

bedachtzaam bedächtig

bedanken danken; sich bedanken

bedaren (sich) beruhigen

bedden|laken n Bettlaken n; **~linnen** n Bettwäsche f

bedding (Fluss)Bett n

bedeesd schüchtern, kleinlaut, zaghaft

bedekk|en bedecken; verhüllen; **~ing** Bedeckung f; Belag m

bedel|aar ['be:də-] Bettler m; **~ares** [-'rɛs] Bettlerin f; **~en** betteln

be|delen [-'de:l-] austeilen; **~delven** begraben, verschütten

bedenk|elijk [-lǝk] bedenklich; **~en** bedenken; sich ausdenken; **~ing** Bedenken n

bederf n Fäulnis f; **aan ~ onderhevig** [-'he:vǝx] (leicht) verderblich

bederven verderben; verfaulen

bedevaart ['be:də-] Wallfahrt f, Pilgerfahrt f; **~soord** n Wallfahrtsort m

bedien|de Angestellte(r); Diener m; **~en** bedienen; betätigen; **~ing: met (zonder) ~ing** Bedienung f (nicht) inbegriffen

bedisselen regeln, unter sich ausmachen

bedoel|d [-'du:lt] gemeint, fraglich; **~en** beabsichtigen;

meinen; **~ing** Absicht f

be|**dompt** stickig; **~donderen** F beschummeln; **~dorven** abgestanden; verdorben; **~dotten** hereinlegen, betrügen

be**drag** [-'drɑx] n Betrag m; **~ ineens** Pauschale f; **~en** ['dra:ɣ-] betragen

be**dreigen** ['drɛiɣ-] bedrohen

be**drieg|en** betrügen; trügen; **~er** Betrüger m; **~lijk** [-lək] betrügerisch; trügerisch

be**drijf** ['drɛif] n Betrieb m, Unternehmen n; THEA Akt m, Aufzug m

be**drijfs|belasting** Gewerbesteuer f; **~economie** Betriebswirtschaft f; **~leider** Betriebsleiter m; Geschäftsführer m; **~ongeval** n Betriebsunfall m; **~vakantie** [-kɑnsi-] Betriebsferien pl

be**drijv|en** Mord verüben; **~ig** [-ɣəx] geschäftig, rührig

be|**droefd** ['dru:ft] betrübt, traurig; **~droevend** betrüblich; **~drog** ['drɔx] n Betrug m, Schwindel m; **~drukt** ['drʏkt] bedrückt

bed|**rust** Bettruhe f; **~sprei** Bettdecke f

be|**duusd** ['dy:st] bestürzt; **~dwelmen** (zich) (sich) berauschen; (sich) betäuben; **~ëdigen** [bə'e:dəɣə(n)] vereidigen; **~ëindigen** ['εindəɣ-] beenden, abschließen

beek Bach m

beeld n Bild n; Statue f; **~houwer** ['hɑuər] Bildhauer m; **~ig** ['dɑx] bildschön; **~scherm** n Bildschirm m; **~spraak** figürliche Rede f

be**en** n Bein n; Knochen m; MATH Schenkel m; **~breuk** ['brø:k] Beinbruch m; **~merg** n Knochenmark n

beer Bär m; Eber m

beest n Bestie f; Tier n, F Biest n; **~achtig** [-təx] bestialisch; tierisch

beet Biss m; Happen m

beetje: een [ən] ~ ein bisschen, etwas

beet**nemen** hereinlegen, beschwindeln

be|**faamd** berühmt, bekannt; **~gaafdheid** Begabung f

be**gaan** Mord begehen; laten ~ gewähren lassen

begelei**d|en** begleiten; **~er** Begleiter m; **~ster** f Begleiterin f

be**ger|enswaard(ig)** ['va:rd(əx)] begehrenswert; **~ig** [-rəx] gierig, lüstern, begierig

be**geven** versagen; zich ~ sich begeben

be**gin** Anfang m, Beginn m; in het ~ zu Beginn, am Anfang; van het ~ af von Anfang an; auf Anhieb

be**ginn|eling(e** (f) Anfänger(in (f) m; **~en** anfangen, beginnen

be**ginsel** n Grundsatz m

be**graafplaats** Friedhof m

be**grafenis** Begräbnis n;

~onderneming Bestattungsinstitut n

begraven beerdigen, begraben, bestatten; vergraben

begrijpelijk [-'ɣrɛipələk] verständlich, begreiflich

begrijpen begreifen, verstehen, erfassen; moeilijk ~ **verstehen;** *moeilijk* ['mu˞'ɪlək] *te* ~ schwer verständlich; **~d** verständnisvoll

begrip n Begriff m; Verständnis n

be|groeien [-'ɣru˞'ɪə(n)] bewachsen; **~groeten** begrüßen; **~groting** Etat m, Haushalt m; Kostenvoranschlag m

beha [be˞'ha:] BH m

be|haaglijk [-lək] behaglich; **~haard** behaart; **~hagen** gefallen (D); **~halen** erzielen, erringen

be|halve außer (D), ausgenommen; **~handelen** behandeln; bearbeiten

behang(sel) n Tapete f; **~en** tapezieren

beheer n Verwaltung f; **~der** Verwalter m

beheers|en (zich) (sich) beherrschen; **~t** beherrscht, gelassen

behelpen zich ~ sich behelfen

be|hendig [-'hendəx] behände, geschickt; **~heren** [-'he:r-] verwalten, leiten

behoed|en [-'hu˞d-] behüten; **~zaam** behutsam

behoeft|e Bedürfnis n; Bedarf m; **~ig** [-təx] bedürftig, notleidend

behoeve: ten ~ van zwecks (G)

behoeven brauchen

behoorlijk [-lək] passend, ordentlich; gehörig

behoren gehören; sich gehören

behoud [-'hαut] n Erhaltung f, Wahrung f

behouden [-'hαu˞ə(n)] **1.** v/t (bei)behalten; **2.** adj wohlbehalten; **~s** vorbehaltlich (G), außer (D)

behulp [-'hɛl(ə)p] n: **met ~ van** mittels (G), mit Hilfe (G); **~zaam** behilflich

beide(n) beide

Beier Bayer m; **~s** bayerisch

beïnvloeden [bə˞'ɪnˀvlu˞d-] beeinflussen

beitel Meißel m

bejaard bejahrt, betagt

bejaardentehuis [-təhəys] n Altersheim n

bejegenen begegnen (D), behandeln

bek Schnabel m; Maul n; Schnauze f; **~af** erschöpft, F fix und fertig

bekend bekannt; namhaft; **~maken** bekannt geben; **~making** Bekanntmachung f, -gabe f

beken|nen gestehen, bekennen; **~tenis** Bekenntnis n, Geständnis n

beker ['be:kər] Becher m; Pokal m; **~wedstrijd** [-strɛit]

Sport Pokalspiel *n*

bekeuring [-'kø:r-] Anzeige *f*, gebührenpflichtige Verwarnung *f*

bekijken [-'kɛik-] besehen; ansehen

bekken *n* Becken *n*

beklaagde Angeklagte(r)

beklag Klage *f*, Beschwerde *f*; **~en** beklagen; *zich ~en over* sich beklagen über (*A*), sich beschweren über (*A*)

bekleden bekleiden; verkleiden; täfeln; polstern

beklem|men beklemmen; **~toning** Betonung *f*

be|klimmen besteigen; **~knibbelen** schmälern; **~knopt** bündig, kurz gefasst; **~komen** [-'ko:m-] bekommen; sich erholen

bekommeren: *zich ~ om* sich kümmern um (*A*)

bekoorlijk [-lək] reizend, anmutig; **~heid** Anmut *f*, Reiz *m*

be|kopen büßen (für *A*); **~koren** reizen; verführen; **~kostigen** [-'kɔstəɣ-] finanzieren; **~krachtigen** bekräftigen; **~krompen** (*van geest*) borniert; **~kroond** preisgekrönt

bekwaam tüchtig, fähig; **~heid** Fähigkeit *f*, Tüchtigkeit *f*

bel Klingel *f*, Schelle *f*, Glocke *f*; (Luft)Blase *f*

be|labberd miserabel; **~lachelijk** [-lək] lächerlich;

~landen landen

belang *n* Wichtigkeit *f*, Gewicht *n*; Interesse *n*; **~rijk** [-rɛik] wichtig, bedeutend

belangstel|lend interessiert; **~lende** Interessent(in *f*) *m*; **~ling** Interesse *n*

belangwekkend [-'vɛk-] interessant

belast|en beladen; belasten; besteuern; beaufträgen; **~eren** [-tərə(n)] verleumden

belasting Belastung *f*, Steuer *f*; **~ op de toegevoegde** ['tu'ɣə-] *waarde* (*Abk BTW*) Mehrwertsteuer *f*; **~aangifte** Steuererklärung *f*, Jahresausgleich *m*; **~betaler** Steuerzahler *m*; **~consulent(e** *f*) [-kɔnsy'lɛnt(ə)] Steuerberater(in *f*) *m*; **~kantoor** *n* Finanzamt *n*; **~ontduiking** [-dɔyk-] Steuerhinterziehung *f*; **~opbrengst** Steuereinnahmen *f/pl*

be|lazeren [-'la:zərə(n)] F beschummeln; **~ledigen** [-'le:dəɣ-] beleidigen

beleefd höflich; verbindlich; **~heid** Höflichkeit *f*

belegen [-'le:ɣ-] *Käse* alt; *jong ~* mittelalt

belegeren [-'le:ɣər-] belagern

beleg|gen belegen; anberaumen; *Geld* anlegen; **~sel** *n* Belag *m*

be|leid *n* Politik *f*; Takt *m*, Umsicht *f*; **~lemmeren** [-'lɛmər-] behindern; **~let-**

ten verhindern, hindern an (*D*)

beleven erleben; **~is** Erlebnis *n*

Belg Belgier *m*; **~ië** ['-ɣiˑ(j)ə] *n* Belgien *n*; **~ische** ['-ɣiˑsə] Belgierin *f*

be|lichamen verkörpern; **~lichting** FOT Belichtung *f*; **~liegen** belügen; **~lieven** belieben; → **alstublieft**; **~lijdenis** ['-lɛidənɪs] Bekenntnis *n*, Konfession *f*

bellen klingeln; anrufen; **er wordt gebeld** es klingelt

be|lofte Versprechen *n*; **~lonen** belohnen; **~lopen** sich belaufen auf (*A*)

beloven versprechen; (*vast*) ~ zuschern; **plechtig** ['-təx] ~ geloben

belust ['-ləst]: ~ **op** erpicht auf (*A*)

bemanning Mannschaft *f*; Besatzung *f*

be|mantelen bemänteln, verschleiern; **~merken** bemerken, verspüren; **~mesten** düngen

bemiddel|aar(ster (*f*) *m*) Vermittler(in *f*) *m*; **~en** vermitteln

beminnen lieben

bemoeien [-'muˑiə(n)]: **zich ~ met** sich einmischen in (*A*)

be|moeilijken [-ləkə(n)] erschweren; **~nadelen** [-deːl-] benachteiligen, schädigen

benader|en sich nähern (*D*); herantreten an (*A*); **~ing**; *bij*

[beˑi] **~ing** annähernd

be|nadrukken betonen; **~naming** Bezeichnung *f*; **~nard** bedrängt; **~nauwd** eng; stickig; schwül; ängstlich

bende Bande *f*

beneden [-'neːdə(n)] *adv* unten; *prp* unter (*A*, *D*), unterhalb (*G*); **naar** ~ her-, hinunter; herab, hinab; **~dek** *n* Unterdeck *n*; **~verdieping** Erdgeschoss *n*

be|nepen ['-neːp-] eng; verlegen; engherzig; **~neveld** benebelt; **~nevens** nebst (*D*)

bengel Bengel *m*

benieuwd ['-niˑüt] gespannt

benijden ['-nɛid-] beneiden; **~benijdenswaardig** ['-vaˑrdəx] beneidenswert

benodigdheden ['-noːdəxtheˑdə(n)] *pl* Benötigte(s); Utensilien *fpl*

benoemen ['-nuˑm-] benennen; ernennen, berufen

benul ['-nəl] *n*: **geen ~ hebben** keine Ahnung haben

benutten benutzen, auswerten

benzine Benzin *n*; **~blik** *n*, **~bus** [-bəs] Benzinkanister *m*; **~meter** Benzinuhr *f*; **~pomp**, **~station** [-staˑsiɔn] *n* Zapfsäule *f*, Tankstelle *f*

beogen [bəˈoˑɣə(n)] beabsichtigen, bezwecken

beoordelen [-deːl-] beurteilen

be|paald bestimmt; **~palen** bestimmen; festsetzen; anordnen

beperken beschränken, einschränken; **zich ~ tot** sich beschränken auf (A)

be|planten bepflanzen; **~proefd** [-'pru:ft] erprobt, bewährt; **~proeven** [-'pru:v-] versuchen; ausprobieren; erproben; **~raadslaging** Beratung f; **~ramen** planen; **~redderen** [-'redərə(n)] ordnen; **~redeneerd** logisch, überlegt

bereid bereit; **~en** (zu)bereiten; **~willig** [-'ʊılax] bereitwillig

bereik n Bereich m; Reichweite f; **~en** erreichen

berekenen [-'re:kənə(n)] berechnen, kalkulieren

berg Berg m; **~achtig** [-tax] bergig; **~af** bergab; **~beklimmen** n Bergsteigen n

berge: **te ~ rijzen** ['reɪz-] sich sträuben

berg|en bergen; **~gids** Bergführer m; **~op** bergan, bergauf; **~pas** Gebirgspass m; **~plaats**, **~ruimte** ['-rœymtə] Abstellraum m

bergweide Alm f

bericht n Nachricht f, Meldung f

berijdbaar [-'reɪd-] befahrbar

berisp|en tadeln, schelten; **~ing** Tadel m, Rüge f

berk Birke f

Berlijn [-'leɪn] n Berlin n

berm Straßenrand m; Böschung f

beroemd [-'ru:mt] berühmt;

~en: zich ~en (op) sich rühmen (G)

beroep n Beruf m; **een** [ən] **~ doen op** appellieren an (A); **in (hoger) ~ gaan** Berufung einlegen; **zich ~en op** sich berufen auf (A)

beroer|d [-'ru:rt] erbärmlich; schäbig; **~te** Schlag(anfall) m

be|rokkenen [-'rokənə(n)] zufügen; **~rooid** verarmt

berouw [-'raʊ] n Reue f; **~en** bereuen; **~vol** reuevoll, zerknirscht

be|roven berauben; **~rucht** [-'rɛxt] berüchtigt, verrufen; **~rusten** beruhen; resignieren, sich abfinden

bes Beere f

beschaafd gebildet; zivilisiert; **algemeen ~** n Hochsprache f

beschaamd beschämt; verschämt, schamhaft

beschadig|d [-'sxa:dxt] beschädigt, schadhaft; **~en** beschädigen

be|schamen beschämen; **~schaving** Bildung f, Kultur f; Zivilisation f; **~scheiden** bescheiden, anspruchslos

bescherm|en (tegen) (be-)schützen (vor D); **~eling(e** f) Schützling m; **~ing** Schutz m

beschieting Beschuss m

beschik|baar verfügbar; **~baar stellen** zur Verfügung stellen, bereitstellen; **~ken** anordnen; **(over)** verfügen (über A) be|schilderen [-'sxɪldərə(n)] bemalen; **~schimmelen** (ver)schimmeln; **~schonken** betrunken

beschouw|en [-'sxɑu̯ə(n)] betrachten; **~ing: buiten** ['bɔytə(n)] **~ing laten** außer Acht lassen

be|schrijven [-'sxrei̯v-] beschreiben, schildern; **~schroomd** scheu; **~schuit** [-'sxɔyt] Zwieback m

beschuldig|d [-'sxɛldəxt]: **~d worden** JUR unter Anklage stehen; **~en** beschuldigen; anklagen

beschutt|en **(tegen)** (be)schützen (vor D); **~ing** Schutz m

besef n Bewusstsein n; Ahnung f; **~fen** sich bewusst sein

beslaan beschlagen

beslag n Beschlag m; ~ **leggen op, in ~ nemen** beschlagnahmen; sicherstellen; pfänden; beanspruchen

beslechten schlichten, beilegen

beslis|sen (sich) entscheiden; **~send** entscheidend, maßgebend, maßgeblich; **~sing** Entscheidung f; Bescheid m; **~t** entschieden, bestimmt, unbedingt, durchaus

besluit [-'slœyt] n Beschluss m, Entschluss m; Erlass m; Schluss(folgerung f) m; **~eloos** [-'tələ:s] unschlüssig, unentschlossen; **~en** beschließen; schließen

besmettelijk [-'smɛtələk] ansteckend; **~e ziekte** Infektionskrankheit f

besmetten anstecken; verseuchen

be|snoeien [-'snuȷ̈ə(n)] beschneiden; **~sparen** (er-) sparen; einsparen; **~speuren** [-'spø:r-] (ver)spüren; **~spieden** belauschen; belauern; **~spioneren** [-'ne:r-] bespitzeln; **~spiegeling** Betrachtung f; **~spoedigen** [-'spudaɣ-] beschleunigen

bespott|elijk [-'spɔtələk] lächerlich; **~en** verspotten

be|spreken [-'spre:k-] besprechen; erörtern; vorbestellen; Platz belegen; **~sproeien** [-'spruȷ̈ə(n)] begießen; berieseln; sprengen

best best; **het ~** am besten; **het ~e!** alles Gute!; → **eerste**

bestaan 1. bestehen, existieren; 2. su n Dasein n, Existenz f; **~sminimum** [-məm] n Existenzminimum n

bestand n Bestand m; EDV Datei f; **~deel** n Bestandteil m; Zutat f

besteden [-'ste:d-] ausgeben; ver-, aufwenden

bestek n Besteck n; Plan m; Rahmen m

bestel|bon [-bɔn] Bestellschein m; **~dienst** Kundendienst m, Zubringerdienst m

bestelen bestehlen

bestel|len bestel|len; austra

gen, zustellen; **~wagen** Lieferwagen m

bestemm|en bestimmen; **~ing: plaats van ~ing** Bestimmungsort m

be|stendig [-dax] beständig, stetig; **~stijgen** [-'stɛiɣ-] besteigen; **~stoken** beschießen; j-m zusetzen; **~stormen** stürmen; **~straffen** bestrafen; **~stralen** bestrahlen; **~straten** pflastern; **~strijden** [-'strɛid-] bekämpfen; bestreiten; **~studeren** [-sty'-'deːr-] studieren

bestur|en [-'styːr-] lenken; verwalten; **~ing** Steuerung f, Lenkung f

bestuur n Regierung f; Behörde f; Verwaltung f; Vorstand m; **~der** Fahrer m; Verwalter m; **~ster** Fahrerin f, Verwalterin f

betaal|baar zahlbar, fällig; **~cheque** [-ʃɛk] Barscheck m; **~middel** n Zahlungsmittel n; **~pasje** [-paʃə] n Scheckkarte f

betalen (be)zahlen

betalings|mandaat n Zahlungsanweisung f; **~voorwaarden** pl Zahlungsbedingungen f|pl

betamen sich gehören

betegeld [-'teːɣəlt] gekachelt

beteken|en [-'teːkənə(n)]bedeuten, heißen; **~is** Bedeutung f

beter ['beːtər] besser; **des te ~** umso (od desto) besser; **~**

worden a. sich bessern; **~schap** Besserung f

be|teugelen[-'tøːɣələ(n)]zügeln, bändigen; **~teuterd** verdutzt; **~tichten (van)** bezichtigen (G); **~timmering** [-'tɪmər-] Täfelung f

betog|en darlegen; demonstrieren; **~ing** Demonstration f, Kundgebung f

betonen zeigen, bekunden

betoog n Darlegung f

betoveren [-'toːʋərə(n)] be-, verzaubern; **~d** bezaubernd, zauberhaft

be|trachten erfüllen, üben; **~trappen** ertappen, erwischen; **~treden** betreten

betreffen betreffen, angehen; **het ~t** a. es handelt sich um (A); **wat mij** [mɛi] **~t** was mich betrifft; von mir aus

betrekkelijk [-kələk] verhältnismäßig, relativ

betrekken beziehen; sich bewölken; **(in, bij** [bɛi]) einbeziehen (in A)

betrekking Beziehung f, Verhältnis n; Stellung f; **met ~ tot** hinsichtlich (G), in Bezug auf (A); **aangeboden ~(en** pl) Stellenangebot n

betreuren ['trøːr-] bedauern; **~swaardig** [-'ʋaːrdəx] bedauernswert, bedauerlich

betrokken bewölkt, trübe; **(bij** [bɛi]) beteiligt (an D)

betrouwbaar ['trɑu̯-] zuverlässig, verlässlich; **~heid** Zuverlässigkeit f be|tuigen [-'tœy-] bezeugen, beteuern; **tuttelen** [-'tøtəl-] bevormunden; **twijfelen** [-'tœifələ(n)] bezweifeln

betwist strittig, umstritten; **en bestreiten**

beu [bø:]: *het ~ zijn* [zeïn] es satt haben

beugel Bügel *m*; (Zahn-) Spange *f*

beuk Buche *f*; **en** donnern

beul Henker *m*

beuren *Geld* kassieren

beurs [bø:rs] Börse *f*; Messe *f*; Stipendium *n*; **koers** ['ku:rs] Börsenkurs *m*

beurt [bø:rt] Reihe *f*, Turnus *m*; Inspektion *f*; *aan de ~ zijn* [zeïn] an der Reihe sein, dran sein; *aan de ~ komen* ['ko:m-] dran-, herankommen; *om de ~*, **elings** ['-təlıŋs] der Reihe nach

bevaarbaar schiffbar

beval|len gefallen (*D*), zusagen (*D*); (*van*) gebären; **ig** [-ləx] gefällig, graziös; **ing** Entbindung *f*

bevatt|elijk [-'vatələk] begreiflich; intelligent; **en** enthalten, fassen

beveili|gen [-'vεïlə$-] (ab-) sichern; **ing** Sicherung *f*

bevel [-'vεl] *n* Befehl *m*; **en** [-'ve:l-] befehlen, anweisen

bev|en beben, zittern; **er** Biber *m*; **erig** ['be:vərəx] zittrig

bevestigen [-təɣə(n)] befestigen; bestätigen

bevind|en (*zich*) (sich) befinden; **ing** Befund *m*

bevoegd [-'vu:xt] befugt, kompetent; zuständig; **heid** Befugnis *f*, Kompetenz *f*; Zuständigkeit *f*

bevolking Bevölkerung *f*; **sbureau** [-by:ro:] *n* Einwohnermeldeamt *n*

bevoogden bevormunden

bevoor|delen [-de:l-] begünstigen; **oordeeld** voreingenommen; **rading** Nachschub *m*, Versorgung *f*

bevorderen [-dərə(n)] fördern; befördern; **vredigen** [-'vre:dəɣə(n)] befriedigen, zufrieden stellen; **vreesd** ängstlich; **vriend** befreundet; **vriezen** gefrieren; erfrieren; **vrijden** ['-vrεïd-] befreien; **vroren** gefroren; vereist; **vruchting** [-'vrøxt-] Befruchtung *f*; **vuilen** [-'vœyl-] beschmutzen; **waarplaats** Aufbewahrungsort *m*

bewak|en [-'va:k-] be-, überwachen; **er** Bewacher *m*; Wärter *m*; Wächter *m*; **ingspersoneel** *n* Aufsichtspersonal *n*

bewapenen [-'va:pənə(n)] bewaffnen; (auf)rüsten

bewar|en aufheben, (auf)bewahren, erhalten, konservieren; wahren; **ing** (Auf)Bewahrung *f*; Verwahrung *f*; **verzekerde** [-'ze:kərdə] **ing** JUR Polizeigewahrsam *m* be|weeglijk [-lək] beweeglich; **~weegreden** Beweggrund m; **~wegen (zich)** (sich) bewegen, (sich) regen

beweren [-'ve:r-] behaupten

bewerken bearbeiten, aufarbeiten; Feld bestellen; bewirken

bewijs [-'vɛis] n Beweis m, Nachweis m; Bescheinigung f, Beleg m, Schein m; **~stukken** [-stɔk-] n/pl Unterlagen f/pl, Dokumente n/pl

bewijzen be-, nachweisen; erweisen; belegen

bewind n Regime n, Regierung f; **~voerder** [-fu:rdər] Machthaber m

be|wogen bewegt; Foto verwackelt; **~wolking** Bewölkung f

bewonderen bewundern; **~swaardig** [-'va:rdəx] bewundernswert

bewon|en bewohnen; **~er** Bewohner m

bewoonster Bewohnerin f

bewust [-'vəst] bewusst; **~eloos** bewusstlos; **~zijn** [-sɛin] n Bewusstsein n

be|zadigd [-'za:dəxt] bedächtig; besinnt: **zich ~zatten** F sich besaufen

bezem Besen m

bezeren [-'ze:r-] verletzen

bezet besetzt

bezeten [-'ze:t-] besessen

bezet|ten besetzen; belegen; **~ting** Besetzung f; MIL Besatzung f; **~toon** TEL Besetztzeichen n

bezichtigen [-'zɪxtəɣ-] besichtigen

bezien besehen

bezienswaardig [-'va:rdəx] sehenswert; **~heit** [-heit] Sehenswürdigkeit f

bezig ['be:zəx] beschäftigt; **~en** gebrauchen; **~heid** Beschäftigung f, Tätigkeit f

bezighouden [-'hɑuə(n)]: **zich ~ met** sich beschäftigen mit (D), sich befassen mit (D)

bezink|en (sich) niederschlagen, sich absetzen; **~sel** n Niederschlag m, Bodensatz m

bezinning Besinnung f

bezit n Besitz m, Habe f; Gut n; **~ten** besitzen; **~ter** Besitzer m, Eigentümer m

bezoek [-'zu:k] n Besuch m; Abstecher m; **~en** besuchen; **~er** Besucher m; **~ster** Besucherin f

be|zoldiging [-dəɣiŋ] Besoldung f; **~zonnen** besonnen

bezopen [-'zo:p-] F besoffen n; fig verrückt

bezorgd besorgt; **~zijn** [sɛin] **(voor** od **om)** sich sorgen (um A); **~heid** Besorgnis f

bezorgen besorgen, beschaffen; zustellen

bezuiniging [-'zœynəɣ-] Einsparung f

bezwaar n Beschwerde f; Bedenken n; **zonder ~** anstandslos; **~lijk** [-lək] beschwerlich; schwerlich be|zweren [-'zữeːr-] beschwören; heraufbeschwören; **~zwijken** [-'zữẽik-] erliegen; sterben; **~zwijming** Ohnmacht *f*

bibberen ['bɪbər-] zittern

bibliotheek Bibliothek *f*

bidden beten; bitten

biecht Beichte *f*

bieden bieten, anbieten; *Widerstand* leisten; *hoger ~* überbieten

biefstuk ['-stɛk] Beefsteak *n*; *~ van de haas* Filetsteak *n*

bier *n* Bier *n*; **~viltje** *n* Bierdeckel *m*

bieslook *n* Schnittlauch *m*

biet Rübe *f*; *rode ~* Rote Bete *f*

biezen *pl* Schilf *n*

big Ferkel *n*

biggetje: *Guinees* [ɣữiˑ-]*~* Meerschweinchen *n*

bij¹ [bɛi] Biene *f*

bij² bei (*D*), zu (*D*)

bijbaan(tje *n*) Nebenbeschäftigung *f*

bijbel ['bɛibəl] Bibel *f*; **~s** biblisch

bij|bestellen nachbestellen; **~betalen** zuzahlen; nachzahlen; *Fahrkarte* nachlösen; **~bouwen** [-'bɑ̃ũ(n)] anbauen; **~brengen** beibringen; **~dehand** gewandt

bijdrag|e Beitrag *m*; **~en** beitragen

bijeen [bɛi'eːn] beisammen, zusammen; **~binden** zusammenbinden; **~brengen** zu-

sammenbringen; **~komst** Zusammenkunft *f*; **~roepen** [-rʊˈp-] zusammenrufen, versammeln; einberufen

bijenkorf ['bɛiə(n)-] Bienenstock *m*

bij|gaand anbei; **~gebouw** [-bɑ̃ũ] *n* Anbau *m*; **~gedachte** Hintergedanke *m*; **~geloof** *n* Aberglaube *m*; **~gelovig** [-'loːʋəx] abergläubisch; **~gevolg** ['-ʋə-lɔ(ə)x] somit, folglich; **~gieten** aufschütten; **~houden** *n* (*D*); führen; **~knippen** stutzen

bijkom|en ['-koːm-] hinzu-, näher kommen; sich erholen; **~end** zusätzlich; **~stig** [-'komstəx] nebensächlich

bijl [bɛil] Beil *n*, Axt *f*

bijlage Beilage *f*; Anlage *f*

bijlange [-'laŋə]: *~ (na) niet* bei weitem nicht

bij|leggen beilegen; schlichten; zulegen; **~lessen** *pl* Nachhilfeunterricht *m*

bijna ['bɛinaː] beinah(e), fast

bij|naam Beiname *m*; Spitzname *m*; **~rivier** Nebenfluss *m*; **~slag** ['-slɑx] Zuschlag *m*; **~smaak** Beigeschmack *m*; **~staan** beistehen (*D*); **~stand** Beistand *m*, Unterstützung *f*; Sozialhilfe *f*

bijster ['bɛistər]: *het spoor ~* die Spur verloren; auf dem Holzweg; *niet ~* nicht sonderlich bijtachtig [-tǝx] bissig

bijtanken ['-tɛŋk-] auftanken

bijten beißen, ätzen, beizen

bij|tijds [-'tɛits] beizeiten; **~vak** n Nebenfach n; **~val** Beifall m; **~voegen** ['-ϑу̂-] bei-, hinzufügen; zusetzen

bijvoorbeeld [bǝ'-] zum Beispiel, beispielsweise

bij|vullen ['bɛiϑǝl-] nachfüllen; **~werking** Nebenwirkung f; **~wonen** beiwohnen (D); **~zaak** Nebensache f; **~ziend** kurzsichtig; **~zin** Nebensatz m

bijzonder [bi'-] besonder; besonders; eigentümlich; **in 't ~** insbesondere, besonders

bijzonderheden pl Nähere(s); **in ~** im Einzelnen; in Einzelheiten

bijzonderheid Besonderheit f; Einzelheit f

bil|jartkeu [-kø:] Billardstock m; **~et** [-'jɛt] n Schein m; Zettel m

billen pl Gesäß n, F Popo m

billijk ['-lǝk] gerecht

bind|en binden; knüpfen; schnüren; **~end** bindend, verbindlich; **~middel** n Bindemittel n; **~weefsel** n Bindegewebe n

binnen prp in (D), innerhalb (G), binnen (D od G); adv innen, drinnen; **~!** herein!; **(naar)** ~ herein, hinein; **van ~ uit** [ǝyt] von innen heraus

binnen|band (Luft)Schlauch m; **~dringen** (her)eindringen; **~gaan** hereingehen; **~huisarchitect** [-hǝys-] Innenarchitekt m; **~kant** Innenseite f; **~komen** [-ko:m-] hereinkommen; eintreten; **~kort** demnächst

binnenland n Inland n; Binnenland n; **~s** inländisch, Binnen-

binnen|laten [-la:t-] (her)einlassen; vorlassen; **~lopen** hereinlaufen; Schiff einlaufen; **~plaats** Hof m; **~reizen** einreisen; **~rijden** [-reiǝ(n)] (her)einfahren; zur Einfahrt f; **~sluipen** [-slǝyp-] sich einschleichen

binnen|stad Innenstadt f; Altstadt f; **~ste** innere; su n Innere(s)

bio|bak Biotonne f; **~grafie** Biografie f, -graphie f

bios(coop) Kino n

biscuit [-'kü] n Keks m

bis|dom n Bistum n; **~schop** ['-sxɔp] Bischof m

bits bissig

bitter bitter, herb; **~koekje** [-ku·kiǝ] n Makrone f

blaam Tadel m

blaar, blaas Blase f

blad n Blatt n

blader|deeg ['bla:dǝr-] n Blätterteig m; **~en** blättern

bladzijde ['-sɛidǝ] Seite f

blaffen bellen

blameren [-'me:r-] (zich) (sich) blamieren

blanco blanko

blank blank; weiß; **een** [ən]
~e ein Weißer

blaten meckern, blöken

blauw blau; ~achtig [-təx]
bläulich; ~ogig blauäugig

blazen blasen, pusten

bleek blass, bleich; ~heid
Blässe f

blèren ['blɛ:r-] plärren

blessure [-'sy:rə] Verletzung f

blij [blɛi] froh, fröhlich; freudig; ~dschap Freude f

blijk Beweis m, Zeichen n;
~baar offenbar; ~en sich
herausstellen; sich zeigen;
sich ergeben, hervorgehen;
laten ~en bekunden

blijspel ['blɛispəl] n Lustspiel
n, Komödie f

blijven bleiben; dableiben;
beneden [-'ne:d-] **iets** ~ etwas unterbieten; ~d bleibend; nachhaltig

blik 1. n Blech n; Büchse f,
(Blech)Dose f; Blechschaufel
f; 2. m Blick m; **ruime**
['rœymə] ~ Weitblick m;
~groente ['xru:ntə] Konservengemüse n; ~opener
['-o:pənər] Büchsenöffner m

bliksem Blitz m; ~en blitzen;
~snel blitzschnell

blind blind; ~ **worden** erblinden; ~e|darmontsteking
[-stek-] Blinddarmentzündung f; ~lings blindlings

blinken blinken, funkeln; ~d
blinkend; blank

blocnote ['blɔkno:t] Notiz-,
Schreibblock m

bloed [blu:t] n Blut n; ~donor
m od f Blutspender(in f) m;
~druk ['-drək] Blutdruck m;
~en bluten; ~ig ['-dəx] blutig;
~proef Blutprobe f; ~somloop
Kreislauf m; ~stelpend blutstillend; ~transfusie
[-fy'zi-] Bluttransfusion f;
~uitstorting Bluterguss m;
~vat n Blutgefäß n; ~verwant
(Bluts)Verwandte(r);
~worst Blutwurst f

bloei [blui] Blüte f; ~en blühen; fig a. florieren; ~tijd
['-tɛit] Blütezeit f

bloem [blu:m] Blume f; ~bed
n Blumenbeet n; ~bol (Blumen)Zwiebel f; ~enwinkel
Blumenhandlung f; ~isterij
[-mistə'rɛi] Gärtnerei f; Blumengeschäft n; ~kool Blumenkohl m; ~lezing Anthologie f; ~pot Blumentopf m

bloes [blu:s] Bluse f

bloesem ['blu:səm] Blüte f

blok n Block m; Klotz m; Würfel m; ~fluit ['-flœyt] Blockflöte f

blok|kade Blockade f; ~eren
[-'ke:r-] blockieren, sperren

blond blond

bloot nackt, bloß; ~staan
(aan) ausgesetzt sein (D);
~stellen aussetzen; ~svoets
['-fu:ts] barfuß

blos [blɔs] (Wangen)Röte f

blouse ['blu:zə] Bluse f

blozen erröten

blubber ['blǝbǝr] Matsch *m*
bluf [blǝf] Aufschneiderei *f*;
~fen aufschneiden, protzen
blunder Dummheit *f*, Schnitzer *m*
blussen löschen
bobbel Wulst *m*
bobine Bobine *f*; Zündspule *f*
bobsleebaan Bobbahn *f*
bochel Buckel *m*; Bucklige(r)
bocht **1.** Kurve *f*, Krümmung
f; Schleife *f*; *scherpe* ~ Knick
m; **2.** Schund *m*; **~ig** ['-tǝx]
kurvenreich
bod [bɔt] *n* (An)Gebot *n*
bode Bote *m*
bodem Boden *m*; Sohle *f*;
~loos bodenlos; **~schatten**
pl Bodenschätze *m/pl*
boedel ['buːdǝl] Besitztum *n*,
Hab und Gut *n*; (Konkurs-,
Erb)Masse *f*
boef Schurke *m*, Ganove *m*
boeg [buːx] Bug *m*
boei [buˑi] Fessel *f*; Boje *f*; **~en**
fesseln
boek [buˑk] *n* Buch *n*; **~deel** *n*
Band *m*; **~en** buchen, eintragen; *fig* verbuchen; **~enkast**
Bücherschrank *m*
boeket [buˑket] *n* Blumenstrauß *m*
boek|handel Buchhandlung
f, **~houder** ['-hɑudǝr] Buchhalter *m*; **~jaar** *n* Geschäftsjahr *n*; **~weit** Buchweizen *m*
boel Menge *f*; Kram *m*
boen|en bohnern; **~was** Bohnerwachs *n*
boer [buːr] Bauer *m*; *Karte*

Bube *m*; **~derij** [-dǝ'rɛi] Bauernhof *m*; **~en** F rülpsen
boeren|bedrog *n* Schwindel
m; **~kool** Grünkohl *m*
boerin [-'rɪn] Bäuerin *f*
boete ['buːtǝ] Bußgeld *n*,
Geldstrafe *f*; Sühne *f*, Buße *f*;
~n büßen
boetiek [buˑtiˑk] Boutique *f*
boetseren [-'seːr-] modellieren
boeventaal Gaunersprache *f*
boezem ['buˑzǝm] Busen *m*
bof *MED* Mumps *m*
boffen Glück *n* (*od* F Schwein
n) haben
bogen (**op**) sich rühmen (*G*)
bok Bock *m*
bokaal Pokal *m*
bokking Bückling *m*
boks|en boxen; **~wedstrijd**
[-strɛit] Boxkampf *m*
bol **1.** Kugel *f*; Blumenzwiebel
f; **2.** *adj* rund; konvex; **~hoed**
['-huˑt] steifer Hut *m*, Melone *f*
bom Bombe *f*; **~barderen**
bombardieren
bomen plaudern; staken
bommenwerper Bombenflugzeug *n*, Bomber *m*
bon [bɔn] Bon *m*, Gutschein
m; Kassenbon *m*; Marke *f*
bonbon [bɔm'bɔn] Bonbon
m od n; Praline *f*
bond Bund *m*; Bündnis *n*;
Verband *m*
bondgenoot Bundesgenosse
m, Verbündete(r); **~schap** *n*
Bündnis *n*

bondig ['-dəx] bündig, kurz (gefasst)

Bondsrepubliek [-py'bli:k] Bundesrepublik f

bons Schlag m

bont[1] bunt, scheckig

bont[2] n Pelzwaren fl pl; Pelz m; **~jas** Pelzmantel m; **~werker** Kürschner m

bonzen schlagen

boodschap Besorgung f; Botschaft f

boodschappen pl: **~ doen** [dun] einkaufen, Besorgungen fl pl machen; **~tas** Einkaufstasche f

boog Bogen m; **~schutter** ['-sxɵtər] Bogenschütze m

boom Baum m; Stange f, Schlagbaum m

boon Bohne f

boor Bohrer m

boord Rand m, Kante f; a. n Kragen m; MAR Bord m; **~wijdte** ['-ʋɛitə] Kragenweite f

booreiland n Bohrinsel f

boos böse, ärgerlich; übel; **~aardig** ['-a:rdəx] boshaft, bösartig; **~doener** ['-dunər] Übeltäter m

boot Boot n; Dampfer m; **~tocht** Bootsfahrt f; Kreuzfahrt f; **~verhuring** [-hy:r-] Bootsverleih m

bord n Teller m; (Wand)Tafel f; Brett n; Schild n

bordeel n Bordell n

borduren [-'dy:r-] sticken; **~uursel** n ['-dy:rsəl] Sticke-

rei f

boren bohren

borg(som, -tocht) Bürgschaft f, Kaution f; **borg staan** bürgen

borrel (ein Glas) Schnaps m; **~en** einen Schnaps trinken; sprudeln

borst Brust f; **de ~ geven** stillen

borstel Bürste f; **~en** bürsten

borstkas Brustkorb m

bos **1.** n Wald m; Forst m; **2.** Bund n; Bündel n; Büschel n; (Blumen)Strauß m; **~bes** ['-bɛs] Heidelbeere f; Preiselbeere f; **blauwe ~bes** Blaubeere f; **~bouw** ['-bɑu] Forstwirtschaft f; **~brand** Waldbrand m

Bosch [bɔs] n: **Den ~** Herzogenbusch n

bos|**pad** [-pɑt] n Waldweg m; **~rijk** ['-rɛik] waldig, waldreich; **~wachter** Förster m, Waldhüter m

bot[1] Butt m, Flunder f

bot[2] n Knochen m

bot[3] stumpf; plump

botanie f; **botanik** f

boter ['bo:tər] Butter f; **~ham** ['bo:tərɑm] Butterbrot n; Brotschnitte f; **~vlootje** [-'vlo:tjə] n Butterdose f

botsen zusammenstoßen, -prallen; **~ing** An-, Aufprall m, Zusammenstoß m, Kollision f; fig Konflikt m

bottelen abfüllen

botvieren frönen (D)

boud [baut] dreist

bougie [bu'ʒi] Zündkerze f

bouillon [bu(l)'jɔn] Bouillon f, Brühe f; **~blokje** n Brühwürfel m

bout [baut] Bolzen m; GASTR Keule f

bouw [baũ] Bau m; Anbau m; **~en** bauen

bouwkundig [-'kəndəx]: **~ ingenieur** Bauingenieur m

bouw|kunst ['-kənst] Architektur f, Baukunst f; **~pakket** n Bausatz m; **~terrein** ['-terɛin] n Baustelle f; **~arbeider**, **~vakker** Bauarbeiter m; **~vallig** [-'ɣɑləx] baufällig

boven adv oben; prp über (A, D), oberhalb (G); **naar ~** herauf, hinauf, empor; **te ~ komen** ['ko:m-] überwinden, überstehen; verkraften

boven|aan obenan; **~al** vor allem, zumal; **~arm** Oberarm m; **~deel** n Oberteil m od n; **~dien** [-'di:n] außerdem, zudem, darüber hinaus; **~huis** [-həʏs] n Wohnung f im oberen Stock; **~kant** Oberseite f; **~kleding** Oberbekleidung f; **~lichaam** n Oberkörper m; **~matig** ['-ma:təx] übermäßig; ungemein; **~natuurlijk** ['-tyrlək] übernatürlich; **~staand** obig; **~ste** obere, oberste; **~verdieping** Obergeschoss n

boycotten boykottieren

box Box f; Laufgitter n

braadkip Brathähnchen n

braaf brav, bieder, redlich

braakliggend: ~ land n Brachland n

braakneiging Brechreiz m

braam (bes ['-bes]) Brombeere f

braden braten

brailleschrift ['braiəsxrɪft] n Blindenschrift f

braken brechen, sich erbrechen, sich übergeben

brancard [brã'ka:r] Tragbahre f

branche ['brã:ʃə] Branche f

brand Brand m, Feuer n; **~baar** brennbar; **~blusser** ['-bləsər] Feuerlöscher m; **~en** brennen; **~er** Brenner m

brandewijn ['-dəʋɛin] Branntwein m

branding Brandung f

brand|kast Tresor m, Safe m, Panzerschrank m; **~kraan** Hydrant m; **~netel** ['-ne:təl] Brennnessel f; **~spiritus** [-təs] Brennspiritus m; **~stichter** Brandstifter m; **~stof** Brenn-, Treibstoff m; **~weer** Feuerwehr f

brasem ['bra:səm] Brachse f

brassen prassen

breed breit; **~geschouderd** [-sxaudərt] breitschultrig; **~sprakig** ['spra:kəx], **~voerig** ['-fu:rəx] weitschweifig, weitläufig

breedte Breite f

breekbaar zerbrechlich

breien ['brɛiə(n)] stricken

brein n Gehirn n

breinaald Stricknadel f

breken ['bre:k-] brechen, zerbrechen, reißen

brem Ginster m

brengen bringen

bres Bresche f

bretels [brə'tɛls] pl Hosenträger m/pl

breuk [brø:k] Bruch m

brevet [brə'vɛt] n Diplom n; Schein m

brief Brief m; **per ~** brieflich; **~je** n Zettel m; **~kaart** Postkarte f; **~wisseling** Schrift-, Briefwechsel m

bries Brise f

brieven|besteller Briefträger m; **~bus** [-bəs] Briefkasten m

brij [brɛi] Brei m

briket Brikett n

bril Brille f

briljant su Brillant m

brillendoos Brillenetui n; **~montuur** [-'ty:r] n Brillenfassung f, -gestell n

brits Pritsche f

Brits britisch

broccoli Brokkoli m

broche [brɔʃ] Brosche f

brochure [-'ʃy:rə] Broschüre f

broeden ['bru'də(n)] brüten

broeder Bruder m; **~lijk** [-lək] brüderlich

broei|en ['bru'iə(n)] brüten; gären; schwül sein; **~kas** Treibhaus n

broek Hose f; **~pak** n Hosenanzug m; **~spijp** ['-pɛip] Hosenbein n; **~zak** Hosentasche f

broer [bru:r] Bruder m

brok Brocken m, Stück n; **~kelen** ['-kələ(n)] (zer)bröckeln; **~stukken** ['-stəkə(n)] n/pl Trümmer pl

brom|fiets Moped n; **~men** brummen; Moped fahren; **~mer** Moped n

bron Quelle f, Brunnen m

brons n Bronze f

bronwater ['-va:tər] n Mineralwasser n

brood n Brot n; **~beleg(sel)** ['-lɛx(səl)] n Brotbelag m, Aufstrich m; **~je** n Brötchen n; **~mandje** n Brotkorb m; **~rooster** Toaster m; **~winning** Broterwerb m

broos spröde, zerbrechlich; hinfällig

bros knusp(e)rig; spröde; mürbe

brouw|en brauen; **~rij** [brɑuˈrɛi] Brauerei f

brug [brəx] Brücke f; Sport Barren m

Brugge ['brøɣə] n Brügge f

bruid [brœyt] Braut f; **~egom** ['brœydəɣɔm] Bräutigam m

bruids|japon [-'japɔn], **~jurk** ['-jər(ə)k] Brautkleid n

bruikbaar brauchbar

bruikleen n: **in ~** leihweise

bruiloft Hochzeit f; **zilveren ~** Silberhochzeit f

bruin [brœyn] braun

bruisen ['brœysə(n)] brausen, tosen

brullen

brullen ['brøl-] brüllen; grölen

Brussel *n* Brüssel *n*; **~s lof** *n* Chicorée *f*

brut|aal [bryˈtaːl] frech, unverschämt, patzig; **~aliteit** [-ˈteɪt] Frechheit *f*

brutogewicht ['bryˈ-] *n* Brutogewicht *n*

bruusk [bryˈsk] brüsk

bruut [bryˈt] brutal

BTW → **belasting**

buffel ['bɛfəl] Büffel *m*

buffer Puffer *m*

buffet [by'-] *n* Büfett *n*; Schanktisch *m*

bui [bøɪ] (Regen)Schauer *m*; Bö *f*; *fig* Laune *f*

buidel Beutel *m*

buig|en ['bøɪɣ-] biegen; sich beugen; sich verbeugen; **~zaam** biegsam, schmiegsam

buiig ['bøɪɣɑx] regnerisch

buik Bauch *m*; Leib *m*; **~pijn** ['-peɪn] Bauchschmerzen *m/pl*; **~vliesontsteking** [-stek-] Bauchfellentzündung *f*

buil Beule *f*

buis Röhre *f*; Rohr *n*

buit [bøɪt] Beute *f*

buiteling Purzelbaum *m*

buiten ['bøɪtə(n)] *adv* außen, draußen; *prp* außerhalb (*G*); außer (*D*); **van ~** von auswärts, von außen; *fig* auswendig; **naar ~** heraus; hinaus; auswärts; ins Freie; **op de ~** auf dem Lande; **~aards** außerirdisch

buitenaf: **van ~** von auswärts, von außen

buiten|band (Reifen)Mantel *m*; **~boordmotor** [-ˈboːrt-] Außenbordmotor *m*; **~echtelijk** [-ˈɛxtələk] außerehelich; **~gewoon** außerordentlich, außergewöhnlich; **~gooien** hinauswerfen; **~issig** [-ˈnɪsəx] extravagant; **~kans** Glücksfall *m*; günstige Gelegenheit *f*; **~kant** Außenseite *f*

buitenland *n* Ausland *n*; **~er** Ausländer *m*; **~s** ausländisch, auswärtig; **~se** Ausländerin *f*

buiten|shuis auswärts, außerhalb; **~sluiten** ausschließen, aussperren; **~spel** [-ˈspɛl] *n* Sport Abseits *n*; **~sporig** [-ˈspoːrəx] übermäßig, unmäßig; **~wijk** [-ʋeɪk] Außenviertel *n*

buitmaken erbeuten

buizerd ['bøɪzərt] Bussard *m*

bukken ['bøk-] **zich ~** sich bücken

buks Büchse *f*, Flinte *f*

bulderen ['bøldərə(n)] poltern; toben

buldog Bulldogge *f*

bult Buckel *m*; Beule *f*

bumper ['bɛmpər] Stoßstange *f*

bundel Bündel *n*; Bund *n*; Sammlung *f*

bungalow ['bɵŋɣaloʊ] Bungalow *m*; **~park** *n* Feriendorf *n*

burcht Burg *f*

bureau [by·'ro:] *n* Büro *n*; Dienststelle *f*, Amt *n*; Schreibtisch *m*; ~ **voor gevonden voorwerpen** Fundbüro *n*; ~**lamp** Schreibtischlampe *f*

burgemeester [bərɣə'·] Bürgermeister *m*; ~ **en wethouders** ['·haudərs] (*Abk B. en W.*) Magistrat *m*

burger Bürger *m*; Zivilist *m*; **in** ~ in Zivil; ~**bevolking** Zivilbevölkerung *f*; ~**es** ['·tes] Bürgerin *f*; ~**ij** ['·'rɛi] Bürgertum *n*; ~**kleding** [·kle:d-] Zivil *n*

burgerlijk ['bərɣərlək] bürgerlich; zivil; ~**e staat** Familienstand *m*; **bureau *n* van de ~e staat** Standesamt *m*

burgeroorlog [-lɔx] Bürgerkrieg *m*

bus **1.** (Auto-, Omni)Bus *m*; **2.** Büchse *f*; Dose *f*; Kanister *m*; Briefkasten *m*; ~**chauffeur** ['bəsʃofœːr] Busfahrer *m*; ~**halte** Autobushaltestelle *f*; ~**kruit** ['·krœyt] *n* (Schieß)Pulver *n*; ~**station** [-staˈsiɔn] *n* Busbahnhof *m*

buste ['bystə] Büste *f*; ~**houder** [-haudər] Büstenhalter *m*

buur(man) ['by:r-] Nachbar *m*

buurt Nachbarschaft *f*; (Stadt)Viertel *n*; ~**en** die Nachbarn besuchen; ~**verkeer** *n* Nahverkehr *m*

buurvrouw ['·vrauˈ] Nachbarin *f*

BV [be·'ve·] GmbH *f*

B.W.: B. en W. → **burgemeester**

C

cabaret [·'rɛ(t)] *n* Kabarett *n*

cabine Kabine *f*

cacao [·'kau] Kakao *m*

cactus ['·tes] Kaktus *m*

cadeau [ka'do:] *n* Geschenk *n*; ~**bon** [-bɔn] Geschenkgutschein *m*

café [ka'fe:] *n* Wirtschaft *f*, Kneipe *f*, Lokal *n*

cafetaria [kafe·'ta:ri·(j)a] Schnellimbiss *m*; Cafeteria *f*

cahier [ka'je:] *n* Heft *n*

cake [ke:k] Rührkuchen *m*

caloriearm kalorienarm

camera Kamera *f*

camouflage [kamu·'fla:ʒə] Tarnung *f*; ~**eren** [-'fle:r-] (*zich*) (sich) tarnen

campagne Kampagne *f*

camper ['kempər] Campingbus *m*, Wohnmobil *n*; ~**ing** ['kempɪŋ] Campingplatz *m*

Canadees [-'de:s] kanadisch

cantharel [-'rɛl] Pfifferling *m*

CAO → **arbeidsovereenkomst**

capaciteit [-si'tɛit] Kapazität *f*

cape [keːp] Cape *n*, Umhang *m*

capitonnering [-'neːr-] Polsterung *f*; ~tuleren [-ty'leːr-] kapitulieren

capsule [kap'sylə] Kapsel *f*

capuchon [-py'ʃɔn] Kapuze *f*

caravan ['kɑrɑvɑn] Wohnanhänger *m*, Wohnwagen *m*

carburator [-by'-] Vergaser *m*

cardanas [kar'dɑnɑs] Kardanwelle *f*; ~olie Getriebeöl *n*

carillon [-rɪl'jɔn] *n* Glockenspiel *n*

carnaval ['kɑrnɑvɑl] *n* Karneval *m*, Fasching *m*

carrosserie Karosserie *f*

carrousel [kɑru'sel] Karussell *n*

carte: **à la** ~ à la carte, nach der Karte

cash [keʃ] (in) bar

casino *n* Kasino *n*

cassette Kassette *f*

catalogus [-'tɑːloːɣəs] Katalog *m*

catastrofe Katastrophe *f*

causerie [koːzə'riː] Plauderei *f*

cd-speler [seˈdeː-] CD-Spieler *m*

ceintuur [sɛn'tyːr] Gürtel *m*

cel [sel] Zelle *f*

celstof Zellstoff *m*

cement [sə'ment] Zement *m*

censuur [sɛn'syːr] Zensur *f*

cent [sent] (= *1/100 Gulden*) Cent *m*

centiem [sen'tiːm] (= *1/100 belgischer Franc*) Centime *m*

centimeter ['senti-] Zentimeter(maß) *n*

centraal [sen'-] zentral; **centrale verwarming** Zentralheizung *f*; ~ **station** [stɑ-'sɪɔn] *n* Hauptbahnhof *m*

centrale Zentrale *f*; ~iseren [-'zeːr-] zentralisieren

centrifuge [sentri'fyːʒə] *a.* Wäscheschleuder *f*

centrum ['sentrʌm] *n* Zentrum *n*

ceramiek [-'miːk] Keramik *f*

ceremonie [sereˈmoːniː] Zeremonie *f*

certificaat [ser-] *n* Zeugnis *n*, Zertifikat *n*

cervelaatworst [servə'-] Zervelatwurst *f*

champagne [ʃam'pɑɲə] Sekt *m*, Champagner *m*

chantage [ʃɑn'taːʒə] Erpressung *f*

chaos ['xɑːɔs] Chaos *n*

chartervlucht ['ʃɑrtərvlʌxt] Charterflug *m*

chassis [ʃɑ'siː] *n* Fahrgestell *n*

chauffeur [ʃoˈføːr] Autofahrer *m*; Chauffeur *m*

chef Chef *m*, Chefin *f*

cheque [ʃek] Scheck *m*, (Zahlungs)Anweisung *f*

chic [ʃiˈk] schick; *su* Eleganz *f*; *fig* Pfiff *m*

chimpansee ['ʃɪmpanseː] Schimpanse *m*

Chinees [ʃiˈ-] chinesisch; *su*

Chinese *m*; **~ese** Chinesin *f*
chip [(t)ʃɪp] Chip *m (a. EDV)*
chirurg [ʃiˈrʊr(ə)x] Chirurg *m*
chloor Chlor *n*
chocolade Schokolade *f*
cholera Cholera *f*
choqueren [ʃɔˈkeːr-] schockieren
christelijk [ˈxrɪs-] christlich; **~en** Christ *m*; **~endom** *n* Christentum *n*
chronisch [ˈxroːnɪs] chronisch; **~ometer** Chronometer *n*; Stoppuhr *f*
chroom Chrom *n*
chrysant [kriˈzɑnt] Chrysantheme *f*
cijfer [ˈsɛifər] Ziffer *f*; Zahl *f*; Note *f*, Zensur *f*
cilinder [siˈ-] Zylinder *m*; **~inhoud** [-haut] Hubraum *m*
ci|pier [siˈpiːr] Gefängniswärter *m*; **~pres** [-ˈprɛs] Zypresse *f*
circa [ˈsɪrka] zirka
circuit [sɪrˈkɥi] *n* Piste *f*; Kreis *m*; Szene *f*
circulaire [sɪrkyˈleːr(ə)] Rundschreiben *n*
circus [ˈsɪrkəs] *n* Zirkus *m*
cirkel [ˈsɪrkəl] Kreis *m*; **halve ~** Halbkreis *m*; **~vormig** [-max] kreisförmig; **~zaag** Kreissäge *f*
citaat [siˈ-] *n* Zitat *n*
citadel [siˈ-] *n* Zitadelle *f*
citeren [-ˈteːr-] zitieren
citroen [siˈtruːn] Zitrone *f*, **~pers** Zitronenpresse *f*

citrusvruchten [ˈsiˈtrəsfrəxtə(n)] *pl* Zitrusfrüchte *f/pl*
civiel [siˈ-] zivil
clandestien [-dɛsˈtiːn] illegal, heimlich, Schwarz-
clausule [-ˈzyːlə] Klausel *f*
claxon [klɔˈksɔn] Hupe *f*; **~neren** [-ˈneːr-] hupen
cliché *n* Klischee *n*
cliënt [kliˈjɛnt] Kunde *m*; *JUR* Mandant *m*; **~e** Kundin *f*; *JUR* Mandantin *f*
closetpapier *n* Klosett-, Toilettenpapier *n*
club [klɛp] Klub *m*
coalitie [-ˈli(t)si] Koalition *f*
cocaïne [-ˈjiːnə] Kokain *n*
coderen [-ˈdeːr-] kodieren
cognac [kɔnˈjɑk] Kognak *m*; Weinbrand *m*
cokes [koːks] Koks *m*
colbert(jasje) [-ˈbɛːr(jɑʃə)] *n* Jackett *n*; Sakko *m od* *n*; Jacke *f*
collecte [klep] Kollekte *f*; Sammlung *f*, **~ie** [-ˈlɛksi] Kollektion *f*
collega Kollege *m*, Kollegin *f*
college [-ˈleːʒə] *n* Kollegium *n*; Kolleg *n*, Vorlesung *f*; **~kaart** Studentenausweis *m*; **~zaal** Hörsaal *m*
collier [kɔlˈjeː] *n* Halsband *n*, -kette *f*
colonne Kolonne *f*
combineren [-ˈneːr-] kombinieren
comfort *n* Komfort *m*
comité *n* Komitee *n*
commando *n* Kommando *n*

commentaar n od m Kommentar m

commercieel [-'sïe:l] kommerziell, kaufmännisch; ~ **medewerker** kaufmännische(r) Angestellte(r)

commissaris n Kommissar m; Aufsichtsrat m; **raad van ~sen** Aufsichtsrat m

commissie [-si·] Kommission f, Ausschuss m

communisme [-my·'-] n Kommunismus m

compagnie [-pɑn'ji·] Kompagnie f

competent kompetent, zuständig

competitie [kɔmpə'ti·(t)si·] Wettbewerb m; Sport Spielsaison f

compleet komplett; regelrecht; ~eteren [-ple·'te:r-] vervollständigen

compli|catie [-'ka:(t)si·] Komplikation f; ~ment [-'ment] n Kompliment n

componist(e f) Komponist(in) m

compote [-'pɔt] Kompott n

compromis n Kompromiss m

concentratie [-sɛn'tra:(t)si·] Konzentration f; ~kamp n Konzentrationslager n

concept [-'sept] n Konzept n

concern [-'sɛrn, -'sœ:r(n)] n Konzern m

concert [-'sert] n Konzert n

con|cessie [-'sesi·] Konzession f; ~ciërge [-'sïɛrʒə] Hausmeister(in f) m

conclu|deren [-kly·'de:r-] folgern; schließen; ~sie [-zi·] (Schluss)Folgerung f

concreet konkret

con|currentie [-kə'rensi·] Konkurrenz f, Wettbewerb m; ~ditie [-'di'(t)si·] Kondition f; ~doleren [-'le:r-] kondolieren (D); ~doom n Kondom n od m

conduct|eur [-dɵk'tø:r-] Schaffner m; ~rice [-'tri'sə] Schaffnerin f

con|fectie [-'fɛksi·] Konfektion f; ~ferentie [-'rensi·] Konferenz f

confirmatie [-'ma:(t)si·] REL Konfirmation f

conflict n Konflikt m

congres n Kongress m, Tagung f

conjunctuur [kɔnjɵŋk'ty:r] Konjunktur f

consequent konsequent

conserv|en pl Konserven f|pl; ~eringsmiddel [-'θe:r-] n Konservierungsmittel n

consideratie [-'ra:(t)si·] Erwägung f; Rücksicht(nahme) f

constru|ctie [-'strɛksi·] Konstruktion f, en [-stry·-'üe:rə(n)] konstruieren

consul [-'sɵl] Konsul m; ~-generaal Generalkonsul m; ~t(atie) [-'ta:(t)si·] f) n Konsultation f; Beratung f; ~tatiebureau [-bʏro:] n Beratungsstelle f

consumptie [-'sɵmpsi·] Konsum *m*, Verbrauch *m*; das Verzehrte, Zeche *f*; **~ijs** [-ɛɪs] *n* Speiseeis *n*

contact *n* Kontakt *m*; **~ krijgen** ['kreɪɣ-] Anschluss *m* finden; **~sleutel** [-slø:təl] Zündschlüssel *m*

contant *bijv* **~ geld** *n* Bargeld *n*; **~en** *pl* Barschaft *f*

con|**tinent** [-'nɛnt] *n* Kontinent *m*; **~tingent** *n* Kontingent *n*; Zuweisung *f*; **~tinu** [-'ny·] kontinuierlich

contract *n* Vertrag *m*; **~ueel** [-ty·'ʋe:l] vertraglich

contributie [-'by·(t)si·] (Mitglieds)Beitrag *m*

controle [-'tro:lə] Kontrolle *f*; **~beurt** [-bø:rt] Inspektion *f*

controleren [-'le:r] kontrollieren, nach-, überprüfen

conventioneel [-sio·'ne:l] konventionell

conver|**satie** [-'sa:(t)si·] Unterhaltung *f*, Konversation *f*; **~eren** [-'se:r] sich unterhalten

coöperatie [ko·'o·pə'ra:-(t)si·] **coöperatieve** [-'ti·-ʋə] **vereniging** [-'e:nəɣ-] Genossenschaft *f*

coördinatie [ko·ɔrdi·'na:-(t)si·] Koordination *f*

cor|**rectie** [-'rɛksi·] Korrektur *f*; **~espondentie** [-'den-si·] Korrespondenz *f*; **~ige-ren** [-'ɣe:r-, -'ʒe:r-] korrigieren; **~uptie** [-'røpsi·] Korruption *f*

corsage [kɔr'sa:ʒə] Ansteckblume *f*

couchette [ku'ʃɛt] *Bahn* Liegeplatz *m*; **~rijtuig** [-rɛɪt əɣx] *n* Liegewagen *m*

coupe ['ku·p(ə)] Schnitt *m*, Fasson *f*

coupé [ku·'pe:] Abteil *n*

coupon [ku·'pɔn] Kupon *m*

courant [ku·'rɑnt] **1.** gängig; **2.** *su* Zeitung *f*

coureur [ku·'rø:r] Rennfahrer *m*

courgette [kur'ʒɛt(ə)] Zucchini *f*

couvert [-'ʋɛ:r] *n* Briefumschlag *m*; Gedeck *n*; Besteck *n*

crawlen ['krɔ:lə(n)] *schwimmen* kraulen

crèche [krɛʃ] Kinderkrippe *f*

credit ['kre:dɪt] *n* Haben *n*; **~eren** [-'te:r-] kreditieren; gutschreiben

crem|**atie** [-'ma:(t)si·] Feuerbestattung *f*; **~eren** [-'me:r-] einäschern

crêpepapier ['krɛp-] *n* Krepppapier *n*

creperen [-'pe:r] krepieren

criminaliteit Kriminalität *f*

crisis Krise *f*

criticus [-kəs] Kritiker(in *f*) *m*

cruise [kru:s] Kreuzfahrt *f*

C.S. [se·'ɛs] → **centraal**

cultus ['kɛltəs] Kult *m*

cultuur [kəl'ty:r] Kultur *f*

curriculum vitae [kə'riky**lem** 'ʋiˑtə] n Lebenslauf m

cursus ['kɔrsəs] Kurs m

curve ['kɛrʋə] Kurve f

cyaankali [siˑ(j)aːŋ'-] Zyankali n

cyclus ['siˑkləs] Zyklus m

cynisch ['siˑniˑs] zynisch

D

daad Tat f

daags: ~ tevoren am Tage zuvor

daar adv dort, da; da-, dorthin; cj da, weil, indem

daar|aan daran; **~bij** [-'bɛi] dabei; dazu, hinzu; **~binnen** (da) drinnen; **~boven** darüber; oben; **~door** dadurch; **~enboven** [-'boˑʋə(n)] außerdem, überdies; **~entegen** [-ɛnˑteˑʏ-] da-, hingegen; **~heen** dort-, dahin; da-rin; **~in** darin; darein, dahinein; **~mee** damit; **~na** danach, darauf; **~naar** danach; **~naast** daneben; **~net** [-'nɛt] vorhin, soeben; **~om** darum, deshalb, deswegen; **~op** darauf; daraufhin; **~over** darüber; davon

daartegen dagegen; **~over** demgegenüber

daar|toe [-'tuˑ] dazu; **~uit** [-'ɔyt] daraus; **~van** davon; **~voor** davor; dafür

dadel ['daːdəl] Dattel f

dadelijk ['daːdələk] (so-)gleich

dader(es f) Täter(in f) f

dag [dɔx] Tag m; ~ **van aankomst** Ankunfts-, Anreise-

tag m; **~blad** n Zeitung f; **~boek** ['-buˑk] n Tagebuch n

dagelijks ['daˑʏələks] täglich; **~e pot** Hausmannskost f; **~ leven** n Alltag m

dage|nlang tagelang; **~raad** Tagesanbruch m

dag|jesmens (Sonntags-) Ausflügler m; **~koers** ['dɔx-kurs] Tageskurs m; **~licht** n Tageslicht m; **~schotel** ['-sxoˑtəl] Tagesgericht n; **~tocht** Tagesausflug m; **~vaarding** (Vor)Ladung f

dahlia Dahlie f

dak n Dach m; **~goot** Dachrin-ne f; **~loos** obdachlos; **~pan** (Dach)Ziegel m

dal [dɑl] n Tal n

dalen sinken, sich senken; ab-nehmen; **~d** a. rückläufig

dalkom (Tal)Mulde f

dam Damm m

dame Dame f

dames|kapper Damenfri-seur m; **~ondergoed** [-'ʏuˑt] n Damenwäsche f

dammen Dame spielen

damp Dampf m, Dunst m, Qualm m; **~ig** ['-pəx] dunstig; **~kring** Atmosphäre f dan (als)dann; da; denn; *nach comp* als; denn

dancing ['dɛnsɪŋ] Tanzlokal *n*

danig ['da:nəx] ordentlich, tüchtig

dank Dank *m*; ~ *je wel*, ~ *u* [y·] *wel* danke schön; ~baar [·] betuiging [·təɤ̄] Danksagung *f*

danken danken (*D*), sich bedanken; *te ~ hebben (aan)* verdanken (j-m *A*); *niets te ~!* keine Ursache!

dankzij [·sɛi] dank (*D*)

dans Tanz *m*; ~en tanzen; ~er(es [·'rɛs] *f*) Tänzer(in *f*) *m*; ~gelegenheid Tanzlokal *n*; ~orkest Tanzkapelle *f*; ~pas Tanzschritt *m*; ~vloer ['·flu:r] Tanzfläche *f*

dapper tapfer

darm Darm *m*

dartel ausgelassen, munter

das 1. Krawatte *f*, Schlips *m*; 2. ZO Dachs *m*

dashboard ['dɛʃbɔrt] *n* Armaturenbrett *n*

dashond Dackel *m*

dat *pron* das; jenes; dieses; *cj* dass

dat|abank Datenbank *f*; ~eren [·'te:r·] datieren; ~um ['·təm] Datum *n*

dauw Tau *m*

daveren ['da:ʋərə(n)] dröhnen

de *Art* der, die

dealer ['di:lər] Vertragswerkstatt *f*; Drogenhändler *m*

debat *n* Debatte *f*

debet ['de:bɛt] *n* ECON Debet *n*, Soll *n*; ~nota Lastschrift *f*

debiteur [·bi·'tø:r] Schuldner *m*

dec|ember [·'sɛmbər] Dezember *m*; ~ennium ['·sɛ·ni·(j)əm] *n* Jahrzehnt *n*

declareren [·'re:r·] deklarieren, verzollen

decolleté *n* Dekolleté *n*, Ausschnitt *m*

decoreren [·'re:r·] dekorieren

deeg *n* Teig *m*

deel *n* Teil *m* (*u. n*); Buch Band *m*; Anteil *m*; ten ~ *vallen* zuteil werden (*D*); ~genoot Teilhaber *m*

deelnemen|en teilnehmen, sich beteiligen; Anteil nehmen; ~ing Teilnahme *f*, Beteiligung *f*; Anteilnahme *f*; Beileid *n*

deel|s teils; ~staat Teilstaat *m*; Bundesland *n*

Deen Däne *m*; ~se Dänin *f*

deerlijk ['·lək] kläglich

defect defekt, schadhaft; *su n* Defekt *m*, Schaden *m*

defensie [·'fɛnsi] (Landes-) Verteidigung *f*

deficit [·sit] *n* Defizit *n*

definitie [·'ni·(t)si] Definition *f*; ~f endgültig, definitiv

deftig ['dɛftəx] vornehm, würdig

degelijk ['de:ɤ̄ələk] solide, gediegen

degen Degen *m*

degene [də'ɤ̄e:nə] der-, diejenige(n)

degradatie [-'da:(t)si'] De-
gradierung f, Sport Abstieg
m

dein|en wiegen; auf- und nie-
derwogen; **~ing** Dünung f, fig
Aufsehen n, Aufregung f

dek n Decke f; (Ver)Deck n;
~bed n Daunendecke f, **ve-**
ren ~bed Federbett n

deken ['de:kə(n)] **1.** (Bett-)
Decke f; **2.** Dekan m

dek|ken decken; **~sel** n De-
ckel m; **~sels** verteufelt;
~zeil ['-sɛil] n Plane f

dele: **ten** ~ teils

delen teilen; verteilen; MATH
a. dividieren

delftstof Mineral n

delgen tilgen

delicatessenzaak Feinkost-
handlung f

delict n Delikt n, Straftat f

deling ['de:lɪŋ] Teilung f

delven (aus)graben; GEOL
fördern

democratie [-'kra(t)si'] De-
mokratie f

demon|stratie [-'stra:(t)si']
Vorführung f, Kundgebung f;
~teren [-'te:r-] ab-, demontieren

dempen dämpfen; Graben
zuschütten

den Kiefer f

denkbaar denkbar

denkbeeld n Idee f; **~ig**
['-bɛildəx] eingebildet

denken denken; meinen; ge-
denken, beabsichtigen; **doen**
[du'n] ~ **aan** erinnern an (A)

dennenappel (Tannen)Zapfen m

de|partement [-'mɛnt] n Mi-
nisterium n; **~poneren**
[-'ne:r-] deponieren, hinter-
legen; **~porteren** depor-
tieren, verschleppen; **~pressie**
[-si-] Depression f; Tief
(-druckgebiet) n

derde dritte(r, -s); su n Drittel
n; **ten** ~ drittens

deren ['de:r-] schaden (D)

der|gelijk ['derγəlɛik] derar-
tig, solch; **~halve** [der'-] des-
halb; demnach; **~mate**
['der-] dermaßen

der|tien dreizehn; **~tig** ['-təx]
dreißig

derv|en entbehren; **~ing** Ver-
lust m, Ausfall m

des: ~ **te** desto, umso

des|alniettemin dessen unge-
achtet; **~gewenst** auf
Wunsch

desinfecteren [-'te:r-] desin-
fizieren

deskundig ['-kendəx] sach-
kundig; **~e** Sachverständi-
ge(r), Fachmann m

desniettegenstaande nichts-
destoweniger

des|noods notfalls; **~on-**
danks dessen ungeachtet

dessin [dɛ'sɛ̃:] n Muster n

destijds ['-tɛits] damals

detail|handel Einzelhandel
m; **~list** [-'jɪst] m Einzel-
händler m

detective [di'tɛktɪf] Detektiv m; **~film** Kriminalfilm m

deugd [dø:xt] Tugend *f*; **~
doen** [du'n] wohl tun (*D*)
deug|**delijkheid** ['-dələk-
hεɪt] Tauglichkeit *f*; Güte *f*;
~en taugen; **~niet** Tauge-
nichts *m*
deuk Beule *f*
deun(**tje** *n*) Melodie *f*
deur [dø:r] Tür *f*; **~ dicht!** Tür
zu!; **~klink**, **~knop** Türklin-
ke *f*, -griff *m*; **~waarder** Ge-
richtsvollzieher *m*
deux-pièces Deuxpièces *n*,
zweiteiliges Kleid *n*
devaluatie [-ly·'üa:(t)si·] Ab-
wertung *f*
deviezen *pl* Devisen *pl*
deze diese(*r*)
dezelfde derselbe; diesel-
be(n)
dia ['di·ja] Dia(positiv) *n*
diafrag|**ma** *n Foto* Blende *f*;
~meren [-'me:r-] abblenden
dia|**gnose** Diagnose *f*, Be-
fund *m*; **~lect** *n* Dialekt *m*,
Mundart *f*; **~mant** Diamant
m; **~meter** [-me:tər] Durch-
messer *m*; **~raampje** *n* Dia-
rähmchen *f*
diarree Durchfall *m*
dicht dicht; zu, verschlossen;
~bij [-'bεɪ] nahe (*D*), dicht an
(*D*); **~doen** ['-du'n] zumachen
dicht|**en** dichten (*a. TECH*);
~er Dichter *m*
dicht|**erbij** [-'bεɪ] näher (he-
ran); **~erlijk** [-lək] dich-
terisch; **~gooien** zuschla-
gen; zuschütten; **~houden**

['-haʊə(n)] zuhalten; **~ing**
TECH Dichtung *f*; **~kunst**
['-kεnst] Dichtung *f*, Dicht-
kunst *f*
dichtstbijzijnd ['-bεɪzεɪnt]
nächste(*r*, -*s*)
dictaat *n* Diktat *n*
die *pron* der, die; jene(*r*)
dieet *n* Diät *f*; **~kost** Schon-
kost *f*
dief Dieb *m*; **~stal** ['-stɑl]
Diebstahl *m*
diegene der-, diejenige(n)
dien|**blad** *n* Tablett *n*; **~en**
dienen (*D*)
dienovereenkomstig [-'kɔm-
stɑx] dementsprechend
diens dessen
dienst Dienst *m*; Gefälligkeit
f; Amt *n*, Dienststelle *f*; **militaire** [-'te:rə] **~** Wehrdienst
m; **buiten ~** außer Dienst;
außer Betrieb; **~betoon**
['-bəto:n] *n* Hilfe *f*; Service *m*;
~er Serviererin *f*; **~plicht**
Wehrpflicht *f*; **~regeling**
['-re:ɣəl-] *Bahn* Fahrplan *m*;
~weigeraar ['-vεɪɣəra:r]
Wehrdienstverweigerer *m*;
~willig ['-ʋɪləx] dienstbereit
dientengevolge infolgedes-
sen, demzufolge
diep tief; **~gaand** tiefgehend,
einschneidend; **~gang** Tief-
gang *m*; **~te** Tiefe *f*
diepvries Tiefgekühlte(s);
~kastje *n* Gefrier-
fach *n*; **~kist** Tiefkühltruhe *f*
dier *n* Tier *n*
dierbaar teuer, wert, lieb

dierenarts

dieren|arts Tierarzt m, -ärztin f; **~bescherming** Tierschutz m; **~kwelling, ~mishandeling** Tierquälerei f; **~riem** Tierkreis m; **~tuin** [-təyn] Zoo m

dierlijk ['-lək] tierisch

dieselolie [-o:li] Dieselöl n

dievegge [-'vɛɣə] Diebin f

differentieel [-'sie:l] n Differenzialgetriebe n

difterie Diphtherie f

dij [dɛi] (Ober)Schenkel m

dijk Deich m, Damm m; **aan de ~ zetten** fig kaltstellen

dik dick; **~te** Dicke f; Stärke f

dikwijls ['-ʋəls] oft, häufig

dille ['dɪlə] Dill m

dim|licht n Abblendlicht n; **~men** abblenden

ding n Ding n, Sache f

dingen feilschen; **~ naar** sich bewerben um (A), werben um (A)

dinsdag Dienstag m

diploma n Diplom n, Zeugnis n; **~tiek** [-'tiˑk] n diplomatisch

direct direkt, unmittelbar

directeur [-'tøːr] Direktor m; **~generaal** Generaldirektor m

directie [-'rɛksi] Direktion f; Vorstand m

discipline [disi'-] Disziplin f

dis|contovoet [-ʋuˑt] Diskontosatz m; **~cotheek** [-ko'teːk] Diskothek f; **~creet** diskret; **~crimineren** [-'neːr] diskriminieren

discussie [-'kəsi] Diskus-

sion f, Aussprache f; Auseinandersetzung f; **~iëren** [-'siˑeːr] diskutieren, sich auseinander setzen

diskwalificeren [-'seːr] **(zich)** (sich) disqualifizieren

distantiëren [-tan'siˑeːr]: **zich ~** sich distanzieren

distel Distel f

district n Bezirk m

dit dies(es); **~maal** diesmal

divan Diwan m, Couch f

dividend n Dividende f

dobbel|en würfeln; **~steen** Würfel m

dobberen schaukeln

docent(e f) [-'sɛnt(ə)] Dozent(in f) m; Studienrat m, -rätin f

doch doch; aber

dochter Tochter f

doctoraalscriptie [dokto-'raːlskrɪpsi] Diplomarbeit f

document [-ky'mɛnt] n Dokument n; **~aire** [-'tɛːrə] Dokumentarfilm m

dode Tote(r); **~lijk** [-'dələk] tödlich; **~n** töten

doek [duˑk] m od n Tuch n; Leinwand f; Gemälde n; THEA Vorhang m

doel [duˑl] n Ziel n, Zweck m; Sport Tor n; **~bewust** [-ʋəst] zielbewusst; **~einde** n Zweck m; Ziel n; **~en** zielen; **~lijn** ['-lɛin] Sport Torlinie f; **~loos** ziellos; zwecklos; **~man** Torwart m; **~matig** [-'maːtəx] zweckmäßig; **~punt** ['-pɛnt] n Tor n;

~treffend [du'l'-] wirksam; **~wit** n Ziel n

doen [du'n] tun; machen; Grüße bestellen, ausrichten; **~ aan** treiben, ausüben; *ik kan er niets aan ~* ich kann nichts dafür; *ik heb met hem te ~* er tut mir Leid

dof [dɔf] dumpf; matt

dog Dogge f

dok n Dock n; **~ken (voor)** F blechen (für A)

dokter Arzt m; **~es** [-'rɛs] Ärztin f

dol toll; närrisch; **~ op** versessen auf (A)

dolfijn [-'fɛin] Delfin m

dolk Dolch m

dom[1] dumm, blöde, F doof; *zich van den ~me houden* ['houdən] sich dumm stellen

dom[2], **~kerk** [da'm] Dom m

domicilie ['si·li] n Domizil n, Wohnsitz m

dominee (*evangelische[r]*) Pfarrer(in f) m, Pastor(in f) m

dommelen ['-mələ(n)] dösen

domoor ['dɔm-] Dummkopf m

dompel[**aar** Tauchsieder m; **~en** tauchen

donder Donner m

donderdag [-dax] Donnerstag m; *Witte* ♀ Gründonnerstag m

donderen donnern

donker dunkel, finster

donor ['do:nɔr] (Blut-, Organ)Spender(in f) m

dons n Daunen f/pl; Flaum m

dood tot; *su* Tod m; **~bloeden** ['-blu·d-] verbluten; **~kist** Sarg m; **~moe**, **~op** todmüde, F fix und fertig

doods öde; **~bericht** n Todesanzeige f

dood|schieten ['-sxi·t-] erschießen; **~straf** ['-straf] Todesstrafe f; **~verven** fig (*als*) abstempeln (zu D); **~ziek** sterbenskrank

doof(stom) taub(stumm)

dooi Tauwetter n; **~en** tauen

dooier Dotter m u n; **~zwam** Pfifferling m

doolhof Irrgarten m

doop Taufe f; **~akte** Taufschein m; **~sel** n Taufe f

door *prp* durch (A); von (D); *adv* durch; hindurch; fort

door|boren ['-bo:r-] durchlöchern; **~braak** Durchbruch m; **~breken** ['-bre:k-, -'bre:k-] durchbrechen; **~brengen** ['dɔ:r-] verbringen; **~dat** [-'dat] dadurch dass, indem; **~drenken** ['-drɛŋk-] (durch)tränken

doordrijven ['-drɛiv-]: *zijn zin wil ~* sich durchsetzen

dooreen [-'e:n] durcheinander

doorgaan hindurchgehen; durchgehen; weitermachen, fortsetzen; stattfinden; **~d**: **~d verkeer** n Durchgangsverkehr m; **~s** gewöhnlich, durchweg

door|gang Durchgang m; **~geven** weitergeben; **~ha-**

len hindurchziehen; (durch-) streichen; **~hebben** kapieren; durchschauen; **~heen** ['heːn] hindurch; **~kies- nummer** [-nɛmər] n Durchwahl f; **~kiezen** TEL durchwählen; **~kijken** ['-keɪk-] durchsehen; **~kneed** fig bewandert; **~knippen** durchschneiden; **~latend** durchlässig; **~lichting** ['doːr-] Durchleuchtung f

doorlopen ['doːr- -'loːp-] durchlaufen; Buch durchsehen; Füße wund laufen; **~d** (fort)laufend

doorn Dorn m

doornat ['doːr-] durchnäßt

doornig ['-nəx] dornig

doorregen ʼ[-'reːʏə(n)] durchwachsen

doorreis: op ~ auf der Durchreise

door|rijden ['-reɪə(n)] durchfahren; weiterfahren; durch-, weiterreiten; **~schijnend** [-'sxeɪn-] durchscheinend

door|slag ['-slax] Durchschlag m; fig Ausschlag m; **~gevend** [-'xeːʏənt] ausschlaggebend

door|slikken hinunterschlucken; **~smeren** abschmieren; **~snede, ~snee** Durchschnitt m; Querschnitt m; **~spekt** [-'spɛkt] gespickt; **~staan** [-'staːn] ertragen; überstehen; **~strepen** durchstreichen; **~tastend** ['-tast-] energisch; **~tocht** Durchzug

m; Durchfahrt f; **~trapt** [-'trapt] gerissen, durchtrieben; **~trekken** ['doːr-] durchziehen, durchqueren; [-'trɛk-] fig durchdringen; **~verwijzen** [-veɪz-] überweisen; **~voed** [-'vuːt] wohlgenährt; **~voeren** ['-vuːr-] durchführen; **~werken** durcharbeiten; **~zichtig** [-'zɪxtəx] durchsichtig; **~zien** durchschauen

doos Dose f, Büchse f, Schachtel f; Karton m

dop Schale f; Hülse f

dopen taufen; tauchen

dop|erwt ['dɔpərt] junge Erbse f; **~pen** schälen

dor dürr; trocken, öde

dorp n Dorf n; **~eling(e f)** Dorfbewohner(in f) m

dorsen dreschen

dorst Durst m; **~ lijden** ['leɪə(n)] verdursten; **~ig** ['-təx] durstig

dossiernummer [dɔ'sieː- nemər, dɔ'siːr-] n Aktzeichen n

dot Knäuel m; **~ watten** pl Wattebausch m

douane [duˈ∀aːnə] Zoll m; **~beambte** [-amtə] Zollbeamte(r); **~documenten** [-kymɛn-] n/pl Zollpapiere n/pl; **~kantoor** n Zollamt n

douanier [duˈ∀aˈnieː] Zollbeamte(r)

douche ['duˈ∫(ə)] Dusche f; Brause f; **~cel** [-sɛl] Duschnische f doven löschen; erlöschen

dozijn [-'zɛin] n Dutzend n

d'r = *haar*; *daar*

draad Faden m; Draht m; Faser f; Gewinde n

draag|baar² tragbar; **∼balk** Träger m; **∼lijk** ['-lək] erträglich; zumutbar; **∼vlak** n Tragfläche f; **∼vleugelboot** ['-ᵛlɔ:g̚] Tragflügelboot m; **∼wijdte** ['-ᵛeit̚ə] Tragweite f

draai Wendung f, Drehung f; Ohrfeige f; **∼baar** drehbar; **∼cirkel** ['-sɪrkəl] KFZ Wendekreis m

draaien drehen; sich drehen; TEL wählen; *Platte* abspielen; **∼kolk** Wirbel m, Strudel m; **∼molen** Karussell m; **∼orgeltje** n Leierkasten m

draak Drache m; Rührstück n, F Schmachtfetzen m; **de ∼ steken** ['stek̚-] **met** (j-n) zum Besten haben

drab [drɔp] f od n Kaffeesatz m

draf [drɑf] Trab m

dragen tragen

dralen zaudern; zögern

drang Drang m

drank Getränk n; **sterke ∼en** pl) Spirituosen pl; **∼enautomaat** Getränkeautomat m; **∼zucht** ['-sœxt] Trunksucht f

drassig ['-səx] sumpfig m

draven traben

dreef Allee f

dreig|ement [-'mɛnt] n Drohung f; **∼en** ['dreiɣ̚-] drohen (D); **∼end** a. bedrohlich

drek Dreck m

drempel Schwelle f

drenkeling(e f) Ertrunkene(r); Ertrinkende(r)

drentelen ['drɛntəl-] schlendern

dreunen ['drøn-] dröhnen

drie drei; **∼daags** dreitägig; **∼en ∼ met;** **∼hoek** ['-hu·k̚] Dreieck n; **∼kwart** drei viertel

driest dreist

drie|voudig [-ᵛɑudəx] dreifach; **∼wieler** Dreirad n

drift Zorn m; Trieb m; **∼ig** ['-təx] hitzig, (jäh)zornig

drijf|gas n Treibgas n; **∼veer** ['drɛiᵛe:r] Triebfeder f

drijven ['drɛiᵛ-] treiben; schwimmen

dringen dringen; drängen; **opzij** ['-sei] ∼ abdrängen

drink|baar trinkbar; **∼en** trinken; *Tier* saufen; **∼water** ['-ᵛa:tər] n Trinkwasser n

drive [dra:iᶠ] EDV Laufwerk n

droef|geestig [druᶠ'xe:s-təx] trübsinnig; **∼heid** Traurigkeit f

droesem ['dru·səm] Bodensatz m

droevig ['dru·ᵛəx] traurig

drogen trocknen; **∼r** Trockner m

drogisterij [-tə'rɛi] Drogerie f

drom|en träumen; **∼erig** ['-mərəx] träumerisch

drommel: **(arme) ∼** (armer) Teufel m

dronk Schluck m; **∼aard**

Trunkenbold *m*; **~en** betrunken, F besoffen, blau; **~en-schap** Trunkenheit *f*

droog trocken; **~kap** Trockenhaube *f*; **~rek** *n* Wäscheständer *m*; **~te** Trockenheit *f*, Dürre *f*; **~trommel** Wäschetrockner *m*

droom Traum *m*

drop Lakritze *f*

drug [drœg] Droge *f*; **~dealer** ['dɪːlər] Drogenhändler *m*; **~spuiter** ['-spœytər] Fixer *m*; **~verslaafd** drogenabhängig, -süchtig

druif [drœyf] Traube *f*

druilerig ['drœylərəx] regnerisch

druipen ['drœyp-] triefen

druiper *MED* Tripper *m*

druiven|**sap** *n* Traubensaft *m*; **~tros** [-trɔs] Traube *f*, (Wein)Trauben *fpl*

druk[1] [drœk] geschäftig, rührig, lebhaft; belebt; stark befahren; viel besucht

druk[2] Druck *m*; *DRUCK a.* Auflage *f*; **hoge** ~ *METEO* Hochdruck *m*; **lage** ~ *METEO* Tief *n*

druk|**ken** drücken; *Buch* drucken; stemmen; **~ker** Drucker *m*; **~kerij** [-'rɛi] Druckerei *f*; **~letter** Druckbuchstabe *m*

drukte Gedränge *n*; Betrieb *m*; Trubel *m*; Rummel *m*; Hetze *f*

drukwerk *n* Drucksache *f*

druppel ['drœpəl] Tropfen *m*;

~(el)en tropfen

D-trein D-Zug *m*

dubbel ['dœbəl] doppelt, zweifach; **~ganger** Doppelgänger *m*; **~tje** *n* Zehncentstück *n*; **~zinnig** [-'zɪnəx] zweideutig

duchten befürchten; **~ig** ['-təx] tüchtig, gehörig

duidelijk ['dœydələk] deutlich; offenkundig

duif [dœyf] Taube *f*

duik|**boot** U-Boot *n*; **~elen** ['dœykələ(n)] purzeln; **~en** tauchen; **~vlucht** ['-flext] Sturzflug *m*

duim Daumen *m*; **~stok** Zollstock *m*

duin Düne *f*

duister ['dœystər] düster, finster; **~nis** Finsternis *f*, Dunkelheit *f*

Duits [dœyts] deutsch; *in het* ~ auf Deutsch; **~e** Deutsche *f*; **~er** Deutsche(r); **~land** ['-lant] *n* Deutschland *n*

duivel Teufel *m*; *naar de* - *lopen* F sich zum Teufel scheren; **~s** teuflisch

duizel|**en** ['dœyzələ(n)] schwindeln; [ig [-ləx] schwindlig; **~igheid** [-ləxɛit], **~ing** Schwindel *m*

duizend tausend; **~ste (deel)** *n* Tausendstel *n*

dulden ['dœldə(n)] dulden; zulassen

dun [dœn] dünn, schmal

dunk Meinung *f*

duozitting ['dy̆ŭo·-] Soziussitz *m*

dupe ['dy:pə] Opfer *n*

duplicaat [dypli·'-] *n* Duplikat *n*

duren ['dy:r-] dauern

durf Mut *m*

durven ['dœrv̌ə(n)] wagen, sich trauen

dus also, somit, demnach

dutje ['dɔtjə] *n* Nickerchen *n*; **~ten** dösen

duur[1] [dy:r] teuer

duur[2] Dauer *f*

duurte hoher Preis *m*; Teuerung *f*

duurzaam dauerhaft

duw [dy̆ŭ] Stoß *m*; **~en** schieben; stoßen, schubsen

dwaas töricht, albern; *su* Tor *m*

m, Narr *m*

dwalen irren; sich irren

dwang Zwang *m*; **~buis** ['-bœys] *n* Zwangsjacke *f*

dwarrelen ['-rələ(n)] wirbeln

dwars quer; **~bomen** in die Quere kommen (*D*); hintertreiben; **~laesie** ['-le:zi·] Querschnittslähmung *f*

dweepziek schwärmerisch

dweil Scheuertuch *n*

dwepen (met) schwärmen (für *A*)

dwerg Zwerg *m*

dwingen zwingen, nötigen

d.w.z. → **zeggen**

dynamiet [di:na·'-] *n* Dynamit *n*

dysenterie [di:sɛntə'ri·] *MED* Ruhr *f*

E

eau de cologne [o:dəko·-'lɔɲi̯ə] Kölnischwasser *n*

eb(**be**) Ebbe *f*

echec [e·'ʃɛk] *n* Misserfolg *m*

echo Echo *n*

echt[1] echt; richtig, regelrecht, wirklich

echt[2] Ehe *f*; *in de ~ verbinden* trauen

echte|**lieden** *pl*: Eheleute *pl*; **~lijk** ['-tələk] ehelich

echter jedoch, freilich

echt|**genoot** ['-xəno:t] Ehemann *m*; **~genote** Ehefrau *f*; **~paar** *n* Ehepaar *n*

economie [-'mi·] Wirtschaft

f; Volkswirtschaft *f*

eczeem [ɛk'se:m] *n* Ekzem *n*

edel edel; **~steen** Edelstein *m*

educatie [edy·'ka:(t)si·] Erziehung *f*; Bildung *f*

eed Eid *m*

eekhoorntje *n* Eichhörnchen *n*; **~sbrood** *n* Steinpilze *m*/*pl*

eelt *n* Schwiele *f*

een [ən] *Art* ein(e); [e:n] *Zahlw*. (*a. één*) ein(e), eins; **één-nul** [nøl] eins zu null; **~ en ander** einiges; **de ~ of ander**(**e**) irgendeine(r), irgendjemand; *op ~ na de grootste* zweitgrößte; **~** [ən] (*dag*) of *(twee)* etwa (zwei Tage)

eend Ente *f*

eender gleich, egal

eendracht Eintracht *f*

eengezinswoning [e:nɣə-'zɪns-] Einfamilienhaus *n*

een|heid Einheit *f*; **~jarig** ['-ja:rəx] einjährig; **~kennig** [-'kɛnəx] schüchtern; **~ling** Einzelgänger(in *f*) *m*; **~maal** einmal; **~parig** [-'pa:rəx] einstimmig; **~persoonskamer** Einzelzimmer *n*

eenrichtingsverkeer *n*: **straat met ~** Einbahnstraße *f*

eens [e:ns], *unbetont*: [ə(n)s] einst; (ein)mal; einig; *het ~ worden (zijn* [sɛin]) sich einig werden (sein); **~gezind** einig; einmütig; **~klaps** plötzlich; **~luidend** ['-lœy-dənt] gleich lautend

eentje ein(e, -er, -[e]s); *op zijn* [sən] ~ ganz allein

eentonig ['-to:nəx] eintönig

eenvoud ['-ʋɑut] Einfachheit *f*; **~ig** [-'ʋɑudəx] einfach; **~igweg** ganz einfach; schlechthin

een|zaam einsam; **~zijdig** [-'zɛidəx] einseitig

eer[1] *cj* bevor, ehe; *adv* eher, früher

eer[2] Ehre *f*

eerbied Ehrfurcht *f*; Respekt *m*; **~ig** [-'biːdəx] ehrfurchtsvoll, ehrerbietig; **~igen** achten, respektieren; **~waardig** [-'ʋa:rdəx] ehrwürdig

eer|daags ['-da:xs] → *eerst-*

daags; **~der** eher, früher; **~gisteren** vorgestern; **~lang** bald

eerlijk ['-lək] ehrlich

eerst erst; *(het)* ~ zuerst; **~daags** demnächst

eerste erste(r, -s); *de ~ de beste* der Erstbeste; *ten ~* erstens; **~klas** erstklassig

eertijds ['-tɛits] seinerzeit

eer|vol ehrenhaft; **~zucht** ['-zɛxt] Ehrgeiz *m*

eet|baar essbar; **~huis** ['-hœys] *n* Gaststätte *f*; **~kamer** ['-ka:mər] Esszimmer *n*

eetlust ['-lɛst] Appetit *m*; *gebrek n aan ~* Appetitlosigkeit *f*; *de ~ opwekkend* appetitanregend

eetzaal Speisesaal *m*

eeuw [e:ʋ] Jahrhundert *n*; **~ig** ['e:ʋəx] ewig

effect *n* Effekt *m*, Wirkung *f*

effen eben; glatt; einfarbig; **~en** ['ɛfənə(n)] ebnen

egaliseren [-'ze:r-] planieren; egalisieren

egel [e:ɣəl] Igel *m*

egoïstisch [-i's] egoistisch

Egyptisch [-'ɣiptis] ägyptisch

EHBO Erste Hilfe; **~-er** Sanitäter(in *f*) *m*; **~post** Unfallstation *f*; → *hulp*

ei[1] [ɛi] *n* Ei *n*; **zacht** *(tje)* weiches Ei

ei|er|dooier Eidotter *m od n*; **~dopje** *n* Eierbecher *m*; **~koek** [-kuk] Auflauf *m*

eigen eigen; **~aar** Eigentümer *m*, Inhaber *m*; **~aardig** [-'a:rdəx] eigenartig, seltsam; **~ares** [-'res] Eigentümerin *f*; **~dom** Eigentum *n*; **~lijk** [-lək] eigentlich; überhaupt; **~machtig** ['~maxtəx] eigenmächtig; **~schap** Eigenschaft *f*; **~tijds** [-tɛɪts] zeitgenössisch; **~wijs** [-'vɛɪs] eigensinnig

eik Eiche *f*; **~el** Eichel *f*

eikenboom Eiche *f*

eiland ['ɛɪ-] *n* Insel *f*

eind *n* ~ **weegs** Strecke *f*; **aan 't langste (kortste)** ~ am längeren (kürzeren) Hebel; → **einde**

einddiploma *n* Abschluss-, Reifezeugnis *n*

einde *n* Ende *n*; **ten** ~ zu Ende; *cj* um (zu); **te dien** ~ zu diesem Zweck

eindelijk ['ɛɪndələk] endlich

eindexamen *n* Abschlussprüfung *f*; Abitur *n*; **~igen** ['ɛɪndəɣə(n)] enden, zu Ende sein; **~je** *n* Strecke *f*; Ende *n*; **~punt** [-'pont] *n* Endpunkt *m*; Endhaltestelle *f*

eis Forderung *f*; JUR Klage *f*; **~en** fordern; erfordern; JUR klagen; **~er** Kläger *m*

eiwit *n* Eiweiß *n*

ekster Elster *f*; **~oog** *n* MED Hühnerauge *n*

elan [e'lɑ̃:] *n* Schwung *m*

elastiek [e-'ti:k] *n* Gummi *n od m*; Gummiband *n*

elders sonst wo, anderswo

elegantie [-'ɣɑnsi] *f* Eleganz *f*

electrici|**en** [e'lektri'siɛ:] Elektriker *m*; **~teit** [-si-'tɛɪt] Elektrizität *f*

elektrisch [-tri-s] elektrisch; ~ **apparaat** *n* Elektrogerät *n*

elektro|**nenflitser** Elektronenblitzgerät *n*; **~nica** Elektronik *f*; **~techniek** [-'ni·k] Elektrotechnik *f*

element *n* Element *n*; **~air** [-'tɛ:r] elementar

elf; **~tal** [-'tɑl] *n* Sport Elf *f*

elk(e) jede(r, -s)

elkaar [ɛl'ka:r], **elkander** einander; uns; euch; sich; **door** ~ durcheinander; kunterbunt

elleboog Ell(en)bogen *m*

ellende [ɛ'lɛndə] Elend *n*, Jammer *m*; **~ig** [-dəx] elend

emballage [ɑmbɑ'la:ʒə] Leergut *n*

emigratie [-'ɣra:(t)si] Emigration *f*, Auswanderung *f*

emmer Eimer *m*

employé [-lwa'je:], **~ee** *f* [ɑ̃:mplua-'je:] Angestellte(r)

en und

end *n* → **einde**

endeldarm Mastdarm *m*

energie [-'ʒi·, -'ɣi·] Energie *f*; **~k** [-'ʒi·k] energisch; **~voorziening** Energieversorgung *f*

enerzijds [-zɛɪts] einerseits

eng eng

engel Engel *m*

Engels englisch; **~e** Engländerin *f*; **~man** Engländer *m*

engte Enge *f*

enig ['e:nəx] einig; einzig; einmalig; ~ **kind** n Einzelkind n

enigszins [-sɪns] einigermaßen; irgendwie

enkel[1] adj einig; einzig; einfach; adv bloß, nur, lauter; su n *Sport* Einzel n

enkel[2] Knöchel m

enkel|**ing** Einzelne(r); ~**voud** [-ᵛaut] n Einzahl f

enquête [ãŋˈkɛːtə] (Meinungs)Umfrage f; Erhebung f

enscenering [ãseˈneːr-] Inszenierung f

entameren [ãːntaˈmeːr-] in Angriff nehmen

enten propfen; impfen

enthousiasme [entuˈziːasmə] n Begeisterung f

entrée [ãnˈtreː] Eingang m; Eintritt(sgeld n) m

enveloppe [ãnᵛaˈlɔp(ə)] Briefumschlag m

enz. = **enzovoort(s)** und so weiter (usw.)

epidemie [-dəˈmiˑ] Epidemie f, Seuche f

er da; welche(r, -s); es; ~ **is** sg, ~ **zijn** [zɛin] pl es gibt; ~ **zijn** da sein; **wat is** ~ **(gaande)**? was ist los?

erachter dahinter; hinterher

erbarmelijk [- lək] erbärmlich

er|**bij** [-ˈbɛi] dabei; herbei, heran; dazu, hinzu; ~**door** hindurch

ere|**dienst** [ˈeːrə-] Gottesdienst m; ~**woord** n Ehrenwort n

erf n Hof m; Grundstück n; ~**elijk** [ˈ-fələk] erblich; ~**enis** Erbschaft f, Erbe n; ~**genaam** Erbe m; ~**gename** Erbin f

erg schlimm; sehr

ergens irgendwo; ~ **anders** sonst wo, woanders

erger|**en (zich)** (sich) ärgern; ~**lijk** [-lək] ärgerlich; anstößig; ~**nis** Ärger m; Ärgernis n

er|**heen** (da)hin; hinüber; ~**in** darin; herein; hinein

erken|**d** (staatlich) anerkannt; ~**nen** anerkennen; erkennen; eingestehen

er|**mee** damit; ~**naast** daneben

ernst Ernst m; ~**ig** [ˈ-təx] ernst; ernsthaft

erom darum (herum); ~**heen** rings herum

erover darüber; herüber; davon; ~**(heen)** hinüber, herüber

ertoe [-ˈtuˑ] dazu

erts n Erz n

eruit [ˈeˈrœyt] her-, hinaus; ~**zien** aussehen

ervandoor weg; ~ **gaan** F abhauen; durchbrennen

ervaren erfahren, bewandert; v/t erfahren, erleben

erven erben

erwt [ɛrt] Erbse f

es Esche f

esdoorn Ahorn m

eskader n Geschwader n

essentieel [-ˈsiˑeːl] wesentlich

estafetteloop Staffellauf m

etage [eˈtaːʒə] Stockwerk n, Geschoss n; ~**kelner** Zim-

61 **ezel**

merkellner *m*

etalage [-'la:ʒə] Schaufenster *n*, Auslage *f*

eten ['e:tə(n)] essen; *Tier fressen*; **~stijden** [-teɪd-] *pl* Essenszeiten *f/pl*

ether Äther *m*

etiket *n* Etikett *n*

etmaal *n* Tag *m*

ets Radierung *f*; **~en** radieren

ettelijke ['ɛtələkə] etliche

etter Eiter *m*

etui *n* Etui *n*

Europa [øʳ'ro:pa] *n* Europa *n*

Europeaan [øʳro'pe˕'ja:n] Europäer *m*; **~ees** europäisch; **~ese** Europäerin *f*

euvel ['øˑvəl] *n* Übel *n*

evalueren [-ly'ʋe:r-] auswerten

even ['e:ʋə(n)] genauso; gerade; gleich; einen Augenblick; *om het ~* einerlei

evenaar Äquator *m*

evenals (so)wie

evenaren gleichkommen (*D*)

eveneens [-'e:ns] ebenfalls, gleichfalls; **~ement** [eʋenə-'mɛnt] *n* Veranstaltung *f*; Ereignis *n*; **~goed** [-ɣuˑt] genauso (gut); **~min** ebenso wenig; **~redig** ['-re:dəx] proportional; **~tjes** ['e:ʋətjəs] ein Weilchen

eventueel [-ty'ʋe:l] etwaig, eventuell

even|veel ebenso viel; **~wel** ['-ʋɛl] jedoch; gleichwohl

evenwicht *n* Gleichgewicht *n*; **~ig** [-'ʋɪxtəx] ausgeglichen, ausgewogen; **~sbalk** Schwebebalken *m*

even|wijdig ['-ʋeɪdəx] parallel; **~zo** ebenso, desgleichen

everzwijn [-zʋeɪn] *n* Wildschwein *n*

exam|en *n* Prüfung *f*, Examen *n*; **~ineren** [-'ne:r-] prüfen

excursie [-'kɛrsi˕] Exkursion *f*; Ausflug *m*

ex|cuseren [-ky'ze:r-] entschuldigen; **~cuus** ['-ky's] *n* Entschuldigung *f*

expedit|eur [-'tøˑr] Spediteur *m*; **~ie** [-'di(t)si˕] Expedition *f*; Spedition *f*

exploitatie [ɛksplʋa'ta:(t)si˕] Betrieb *m*; *BGB* Ausbeutung *f*

ex|port Export *m*; **~posant** ['-zɑnt] Aussteller *m*

expres|brief Eilbrief *m*; **~goed** [-xuˑt] *n* Eilgut *m*; **~se: per ~se** durch Eilboten; **~trein** Fernschnellzug *m*

extra extra; **~rit** Sonderfahrt *f*; **~trein** Sonderzug *m*

extreem extrem; **~ rechts (links)** rechtsextrem (linksextrem)

ezel 1. Esel *m*; 2. Staffelei *f*

F

faam Ruf m; Ruhm m

fabel Fabel f; **~achtig** [-tax] fabelhaft

fabriek Fabrik f, Werk n

façade [fɑˈsaːdə] Fassade f

faciliteit [-si·liˈteɪt] Erleichterung f; Vergünstigung f; Einrichtung f

fac|tuur [-ˈtyːr] Rechnung f; **~ulteit** [-kəlˈteɪt] Fakultät f

faill|iet [-ˈjiːt] bankrott; **~issement** [-jisˈəˈment] n Konkurs m, Bankrott m

fakkel Fackel f

falen misslingen; versagen

familiair [-ˈjeːr] familiär

familie [-ˈmiˑliˑ] Familie f; Verwandtschaft f; **~lid** n Familienangehörige(r); Verwandte(r)

fanatiek [-ˈtiˑk] fanatisch

fantasie Fantasie f

fase Phase f

fatsoen [-ˈsuˑn] n Anstand m; **~lijk** [-lək] anständig

fauteuil [foˈtœɪ] Sessel m

fazant [-ˈzɑnt] Fasan m

februari [feˑbryˈüaːriˑ] Februar m

feest n Fest n; Feier f; **~dag** [ˈfeˑzdɑx] Feiertag m; **~elijk** [ˈtələk] festlich; feierlich; **~maal** n Festessen n

feilloos [ˈfɛɪ-] fehlerlos; sicher

feit [fɛɪt] n Tatsache f

feite: *in ~,* **~lijk** [-lək] faktisch, tatsächlich

fel heftig; leuchtend; grell

feliciteren [-siˈteˑr-] gratulieren (D)

ferm kräftig; tüchtig

fiche [ˈfiˑʃə] Spielmarke f; Zettel m, Karteikarte f

fier stolz; **~heid** Stolz m

fiets Fahrrad n; **~en** Rad fahren; **~enverhuur** [-hyːr] Fahrradverleih m; **~er** Radfahrer m; **~pad** [-pɑt] n Rad(fahr)weg m; **~tocht** Radtour f

fig|urant(e f) [-ˈɣyˈrɑnt(ə)] Statist(in f) m; **~uur** [-ˈɣyːr] n od f Figur f

fijn [fɛɪn] fein; zart; toll; schön; **~gevoelig** [-ˈʊuˑlɑx] feinfühlig; **~proever** Feinschmecker m

fiksen F hinkriegen

file Kolonne f; Stau m; *fig* Schlange f

filiaal n Filiale f, Zweigstelle f

film film m; **~acteur** [-tøːr] Filmschauspieler m; **~actrice** [-triˈsə] Filmschauspielerin f; **~ster** [-ster] Filmstar m; **~voorstelling** Filmvorführung f

filter Filter m; **~zakje** n Filtertüte f

fin|aal gänzlich, völlig; **~ale** Finale n, Endspiel n

financieel [-ˈsieːl] finanziell;

~ciën [-si·(j)ə(n)] *pl* Finanzen *pl*

finish ['fi·ni·ʃ] Ziellinie *f*

Fins finnisch

fiscaal [-'ka:l] fiskalisch, steuerlich

fitting (Lampen)Fassung *f*

fl. → **gulden**

fladderen flattern

flakkeren flackern

flanel *n* Flanell *m*

flank Flanke *f*

flarden *pl* Fetzen *m/pl*; **aan ~ scheuren** ['sxœ:r] zerfetzen

flashback ['flɛʃbɛk] Rückblende *f*

flat [flɛt] Etagenwohnung *f*, Apartment *n*; Hochhaus *n*

flater ['fla:tər] Dummheit *f*, Schnitzer *m*

flauw flau, matt; fade, schal; → **kul**; **~vallen** ohnmächtig werden; **~tjes** schwach

flegmatiek [flexma·'ti·k] phlegmatisch

flensje ['flɛnʃə] *n* Eier-, Pfannkuchen *m*

fles Flasche *f*; **~je** ['flɛʃə] *n* Fläschchen *n*; **~opener** Flaschenöffner *m*

flessentrekker Hochstapler *m*, Schwindler *m*

flets fahl, matt

fleurig ['flø:rəx] frisch, munter

flik|flooien ['fli·-] liebkosen; schmeicheln (*D*); **~je** *n* Schokoladenplätzchen *n*

flikkeren flimmern, flackern

flink tüchtig, gehörig; rüstig; energisch; *fig* saftig

flits|blokje *n* Blitzwürfel *m*; **~en** flitzen; *FOT* blitzen

flop [flɔp] F Reinfall *m*

fluisteren ['flœystərə(n)] flüstern; tuscheln

fluit Flöte *f*, Pfeife *f*; **~en** pfeifen

fluweel [fly·'üe:l] *n* Samt *m*

FM UKW

foefje ['fu·fjə] *n* F Trick *m*

foei! [fu·i] pfui!

foeteren ['fu·tərə(n)] F schimpfen

fokk|en züchten; **~erij** [-'rɛi] (Auf)Zucht *f*

folder Faltprospekt *m*

folie ['fo:li·] Folie *f*

folteren foltern

fonds [fɔnts] *n* Fonds *m*, Stiftung *f*; **Krankenkasse** *f*; **~dokter** Kassenarzt *m*

fonkelen funkeln

fontein [-'tɛin] Fontäne *f*, Springbrunnen *m*

fooi [fo:i] Trinkgeld *n*

fop|pen foppen; **~speen** Schnuller *m*

forel Forelle *f*

forensentrein Vorortzug *m*

forfaitair [-fɛ'tɛ:r] pauschal

for|maat *n* Format *n*; **~maliteit** [-'tɛit] Formalität *f*; **~meel** formell, förmlich; formal; **~mule** [-'my·lə] Formel *f*; **~mulier** [-my·'li:r] *n* Vordruck *m*, Formular *n*; **~nuis** [-'nœys] *n* (Koch)Herd *m*

fors stark, kräftig

fortuin [-'tœyn] *n* Vermögen *n*; Glück *n*

foto

foto Foto *n*, Bild *n*; **~graaf** *m*;
~grafe *f* Fotograf(in *f*) *m*;
~graferen [-'fe·r-] fotogra-
fieren; **~zaak** Fotogeschäft *n*
fouilleren [fu·'je·r-] durchsu-
chen
foundation [faun'de·ʃən]
Mieder *n*
fournituren [furni·'ty·-] *pl*
Kurzwaren *f*/*pl*
fout falsch, fehlerhaft; *su* Fehler *m*; **~ief** [fou'ti·f] falsch;
~parkeren *n* Falschparken *n*
fraai schön
fractie ['-si·] Fraktion *f*;
Bruchteil *m*
framboos Himbeere *f*
frame [fre:m] *n* Rahmen *m*,
Gestell *n*
franjes *pl* Fransen *f*/*pl*
frank Franken *m*; Franc *m*
frankeren [-'ke:r-] frankieren, freimachen
Frankrijk ['-rɛik] *n* Frankreich *n*
Frans französisch; **~man**
Franzose *m*
frats Fratze *f*
fraude ['fraudə] Betrug *m*

friemelen F fummeln
friet(en *pl*) Pommes frites *pl*
frika(n)del Frikadelle *f*, Bulette *f*; holländisches Fleisch-
röllchen *n*
fris frisch, kühl; **~drank** alko-
holfreies Getränk *n*
frituren [-'ty:-] frittieren
frommelen fingern; (ver-)
stecken
fronsen runzeln
front *n* Front *f*; **~aal** frontal
fruit [frœyt] *n* Obst *n*; **~sap** *n*
Obstsaft *m*; **~sla** Obstsalat *m*;
~teelt Obstbau *m*
frunniken ['frœnəkə(n)] F
fummeln
fuif [fœyf] Feier *f*, Party *f*
fuiven feiern; zechen
functie ['fœŋksi·] Funktion *f*
functio|naris [-ksio·'na:ris]
Funktionär(in *f*) *m*; **~neren**
[-'ne:rə(n)] funktionieren
fundament [fœnda'mɛnt] *n*
Fundament *n*; **~eel** grundle-
gend
fusie ['fy·zi·] Fusion *f*
fut [fœt] Schwung *m*, Energie *f*
fysica ['fi·zi·ka] Physik *f*

G

gaaf heil; ganz; F dufte
gaan gehen; werden, anfan-
gen; *van elkaar ~* sich trennen; *het gaat (niet)* es geht
(nicht); *hoe gaat het (met
u)?* wie gehts (Ihnen)?
gaar gar

gaarne gern(e)
gaas *n* Gaze *f* (*Stoff*)
gadeslaan beobachten
gading Geschmack *m*
gal Galle *f*
galg Galgen *m*
galm Schall *m*, Widerhall *m*

~en hallen, schallen

galop Galopp m

galsteen Gallenstein m

gang Gang m; Verlauf m; Flur m; Korridor m, Gang m; **op ~ in** Gang; **~maker** ['-ma:kər] Schrittmacher m

gans¹ ganz

gans² Gans f

gapen ['ɣa:p-] gaffen; gähnen; *Wunde* klaffen

gaping Öffnung f, Lücke f

gappen F klauen

garage Garage f; Autowerkstatt f

garanderen ['-'de:r-] garantieren; **~tie** ['-'ronsi] Garantie f, Gewähr f; **~tiebewijs** [-vɛis] Garantieschein m

garen n Garn n, Zwirn m

garnaal Garnele f, Krabbe f

garnering Garnierung f, Besatz m; *GASTR* Beilage f

gas [ɣas] n Gas n; **~aanste-ker** [-stɛːk-] Gasfeuerzeug n; **~bedrijf** ['-badrɛif] n Gaswerk n; **~fles** Gasflasche f; **~fornuis** ['-fɔrnœys] n Gasherd m; **~meter** ['-me:tər] Gaszähler m; **~pedaal** n Gaspedal n

gast Gast m; **betalend ~** zahlender Gast; **~heer** Gastgeber m

gastronomisch [-i·s] **~ res-taurant** [-to·'rã:] n Feinschmeckerrestaurant n

gastvrij ['-frɛi] gastfreundlich; **~vrouw** ['-frɑu] Gastgeberin f

gat n Loch n; F Hintern m

gauw [ɣɑu] rasch; schnell; bald

gave Gabe f

gazon ['-zɔn] n Rasen m

geaardheid Beschaffenheit f

geacht (*zeer*) **~e heer** (sehr) geehrter Herr (*in Briefen*)

geadresseerde ['-'se:rdə] Adressat(in f) m

gebaar n Gebärde f

gebabbel n Geplauder n

gebak n Gebäck n; Kuchen m; **~je** n Törtchen n

gebarentaal Gebärden-, Zeichensprache f

gebed ['-bɛt] n Gebet n

gebergte n Gebirge n

gebeuren ['-bø:r-] geschehen, sich ereignen; erfolgen; **~tenis** Ereignis n

gebied n Gebiet n; Bereich m; Revier n

gebit n Gebiss n

gebladerte ['-bla:dərtə] n Laub n

geblaf n Gebell n

gebloemd ['-blu·mt] geblümt

gebod ['-bɔt] n Gebot n

geboomte n Bäume m/pl

geboorte Geburt f; **~beper-king** Geburtenbeschränkung f; Empfängnisverhütung f; **~bewijs** [-vɛis] n Geburtsurkunde f; **~datum** Geburtsdatum n; **~plaats** Geburtsort m; **~streek** Heimat f

geboortig [-təx] gebürtig

gebouw ['-bɑu] n Gebäude n

gebraad n Braten m

gebrek n Mangel m; Fehler m; Gebrechen n; Not f; **bij ~ aan** mangels (G); **~kig** [-kəx] mangelhaft; lückenhaft; gebrechlich

gebruik [-'brəyk] n Gebrauch m; Verwendung f; Brauch m; Essen Genuss m; **~elijk** [-kələk] gebräuchlich, üblich

gebruik|en gebrauchen, benutzen, anwenden; verwerten; einnehmen; **~er** Benutzer m

gebruiks|aanwijzing [-veiz-] Gebrauchsanweisung f; **~klaar** gebrauchsfertig; **~ter** Benutzerin f

gebrul [-'brøl] n Gebrüll(e) n

gecompliceerd [-'se:rt] kompliziert

gecondenseerd: **~e melk** Kondensmilch f

gedaante Gestalt f

gedachte Gedanke m; **~loos** gedankenlos; **~nis** Andenken n; **~streep** Gedankenstrich m; **~wisseling** Gedankenaustausch m, Aussprache f

gedecolleteerd dekolletiert, ausgeschnitten

gedeelte n Teil m, Partie f, Abschnitt m; **~lijk** [-lək] zum Teil, teilweise

gede|primeerd deprimiert; **~tineerde** Häftling m

gedicht n Gedicht n

gedienstig [-təx] dienstfertig, gefällig

gedijen [-'dɛiə(n)] gedeihen

gedistilleerd destilliert; su n Spirituosen pl

gedoe [-'du·] n Getue n

gedogen dulden

gedoogbeleid n Politik f der Duldung

gedrag [-'drɑx] n Benehmen n, Verhalten n; **bewijs** [-'ʋɛis] n **van goed** [ʃu·t] **~** Führungszeugnis n; **~en** [-'dra:ɣ-]: **zich ~en** sich benehmen, sich verhalten

gedrang n Gedränge n

gedruis [-'drœys] n Geräusch n; Getöse n

geduld [-'dølt] n Geduld f; **~ig** [-dəx] geduldig

gedurende [-'dy:rəndə] während (G)

gedurfd [-'dørft] gewagt, wagemutig

gedwee gefügig

geefster Spenderin f

geel gelb; **~zucht** ['-zøxt] Gelbsucht f

geëmailleerd [-e'ma·je:rt] emailliert

geen kein; **~szins** ['ʃe·nsins] keinesfalls

geest Geist m

geestdrift Begeisterung f; **~ig** [-'drıftəx] begeistert

geestelijk ['-tələk] geistig; geistlich; **~e** Geistliche(r)

geest|esziek geisteskrank; **~ig** [-'təx] geistreich, witzig; **~rijk** ['-reik] geistig

geeuwen ['-e·wə(n)] gähnen

gefeliciteerd [-si·'te:rt]: **van harte ~!** herzlichen Glückwunsch!

gefileerd [ɣəfiˈleːrt] filetiert

geflambeerd flambiert

gefluister [-ˈflœystər] n Geflüster n

gefluit n Pfeifen n; Pfiff m

gegadigde [-ˈɣaːdəɣdə] Interessent(in f) m

gegevens [-ˈɣeːvə(n)s] n/pl Daten n/pl

gegoed [-ɣuːt] wohlhabend

gegrond begründet, triftig

gehaaid F gerissen

gehaat verhasst

gehakt n Gehackte(s), Hackfleisch n; **~enbal** n ~ Klops m; **~bal** Bulette f

ge|halten Gehalt m; **~handicapt** [-ˈhendikept] behindert; **~harrewar** [-ˈharəvar] n Scherereien f/pl; Durcheinander n

geheel ganz, gesamt; durchaus; **~ en al** ganz und gar, voll und ganz; **over 't ~** im Ganzen; **~onthouder** [-ˈhɑudər] Abstinenzler(in f) m

geheim [-ˈhɛim] geheim; heimlich; su n Geheimnis n

geheimzinnig [-ˈzɪnəx] geheimnisvoll; **~heid** Heimlichkeit f; Zwielicht n

ge|hemelte [-ˈheːməltə] n Gaumen m; **~heugen** [-ˈhøːɣ̩] n Gedächtnis n

gehoor n Gehör n; Zuhörerschaft f; **geen ~ krijgen** [ˈkrɛiɣ̩] TEL keine Verbindung bekommen; **~zaam** gehorsam; **~zaamheid** Gehor-

sam m; **~zamen** gehorchen (D)

gehucht [-ˈhœxt] n Weiler m

gehumeurd [-hyˈmøːrt]: **goed** [ɣuːt] **(slecht)** ~ gut (schlecht) gelaunt

gentje n F Spaß m

geiser [ˈɣɛizər] Geysir m; Durchlauferhitzer m

geit [ɣɛit] Ziege f, Geiß f; **~enbok** Ziegenbock m; **~enkaas** Ziegenkäse m

ge|jubel [-ˈjybəl] n, **~juich** [-ˈjɔyx] n Jubel m

gek verrückt, toll, irre; sonderbar; su Verrückte(r), Narr m, Tor m; **voor de ~ houden** [ˈhɑu̯ə(n)] zum Narren halten

gekarteld zackig

gekheid Unsinn m; Scherz m

gekibbel n Gezänk n

gekkenhuis [-ˈhœys] n Irrenhaus n

gekleed angezogen; kleidsam

geklets [-ˈklɛts] n Geschwätz n, Klatsch m

ge|konfijt [-ˈfɛit] kandiert; **~kookt** gekocht

ge|krakeel n Zänkerei f; **~krioel** [-kriˈjuːl] n Gewimmel n

ge|kruid [-ˈkrœyt] würzig; **~kruld** [-ˈkrœlt] lockig

gelaat n Gesicht m; **~strekken** pl Gesichtszüge m/pl; **~suitdrukking** [-əydrøk-] Miene f

gelach n Lachen n; Gelächter n

gelag [-'lɑx] n Zeche f; Gelage n; **~kamer** Wirtsstube f

gelang → **naar(gelang)**

gelanterfant n Bummelei f

gelardeerd gespickt

geld n Geld n; **~boete** ['-buːtə] Geldstrafe f, -buße f; **~elijk** [-'-ələk] finanziell

geld|en gelten; **doen** [duːn] **~en** geltend machen; **~ig** ['-dəx] gültig; **~igheid** Gültigkeit f; Geltung f

geleden [-'leːdə(n)]: **(een week) ~** vor (einer Woche); **het is lang ~** es ist lange her

geleerde Gelehrte(r)

gelegaliseerd beglaubigt

gelegenheid Gelegenheit f

gelei [ʒə'lɛi] Gelee n od m

geleide|lijk [-'lɛidələk] allmählich; **~r** PHYS Leiter m

gelid n Glied n

geliefd geliebt; beliebt

gelijk[1] ['-lɛik] gleich

gelijk[2] n: **~ hebben** Recht haben

gelijk|en gleichen; **~enis** Ähnlichkeit f; Gleichnis n; **~soortig** ['-soːrtəx] gleichartig, ähnlich; **~spel** n Unentschieden n; **~stroom** Gleichstrom m; **~tijdig** ['-tɛidəx] gleichzeitig; **~vloers** [-'fluːrs] ebenerdig; **~zetten** Uhr richtig stellen

gelofte ['-lɔftə] Gelübde n

gelood verbleit

geloof n Glaube m; **~waardig** [-'vaːrdəx] glaubhaft,

glaubwürdig

gelov|en glauben; **~ig** [-'loːvəx] gläubig

gelui ['-lœy] n Geläut n

geluid n Schall m; Laut m; Geräusch n; **~sband** Tonband n; **~sdemper** Schalldämpfer m; **~smuur** [-myːr] Schallmauer f

geluimd [-'lœymt] gelaunt

geluk ['-lœk] n Glück n; **~ken** gelingen (D), glücken (D); **~kig** [-kəx] glücklich; zum Glück

gelukwens Glückwunsch m; **~en** beglückwünschen, gratulieren (D)

gelukzaligheid [-'saːləxɛit] Glückseligkeit f

gemaakt gekünstelt

gemak n Bequemlichkeit f; Leichtigkeit f; **op zijn** [sən] **~** gemächlich; **~kelijk** [-kələk] leicht, einfach; bequem; **~zucht** [-sɛxt] Bequemlichkeit f

gemarineerd mariniert; **~ vlees** n Sauerbraten m

gematigd [-'maːtəxt] gemäßigt; maßvoll

gember n Ingwer m

gemeen gemein, niederträchtig; gemein(sam)

gemeenschap Gemeinschaft f; **~pelijk** [-'sxɑpələk] gemeinsam

gemeente Gemeinde f; **~huis** [-hœys] n Gemeindeamt n, Rathaus n

gemeenzaam vertraulich

gemeubileerd [-mø:bi'-] möbliert

gemiddeld durchschnittlich; mittlere; **~e** *n* Durchschnitt *m*

gemis [-'mɪs] *n* Mangel *m*

gemoed [-'mu't] *n* Gemüt *n*; **~elijk** [-dələk] geruhsam; gemütlich

gems Gämse *f*

genaamd genannt, namens

genade Gnade *f*; **~slag** [-slɑx] Gnadenstoß *m*

genationaliseerd [-na-(t)sĭo·-] verstaatlicht

geneesheer Arzt *m*; **controlerend** [-'le:r-] **~** Vertrauensarzt *m*

geneeskrachtig [-'krɑxtəx] **~e plant** Heilpflanze *f*

geneeskunde [-kəndə] Medizin *f*; **~ig** [-'kɛndəx] medizinisch, ärztlich; **~ige** Arzt *m*, Ärztin *f*; Heilpraktiker(in *f*) *m*

geneeslijk [-lək] heilbar; **~middel** *n* Heil-, Arzneimittel *n*

genegen [-'ne:ɣə(n)] geneigt; zugetan (*D*); **~heid** Zuneigung *f*

geneigd geneigt, willens

generaal General *m*

generatie [-'ra:(t)si·] Generation *f*

generen [ʒə'ne:r-]: **zich ~** sich genieren

genezen genesen; heilen; ausheilen

geniaal genial

geniepig [-'ni·pəx] (heim-)

tückisch

genieten genießen; *Gehalt* beziehen

genoeg [-'nu·x] genug; **het is ~** *a.* es reicht; **~doening** Genugtuung *f*

genoeg|en [-'nu·ɣə(n)] *n* Vergnügen *n*; Gefallen *m*; **~en nemen met** sich begnügen mit (*D*); **~lijk** [-lək] vergnüglich, gemütlich

genootschap *n* Gesellschaft *f*, Verein *m*

genot *n* Genuss *m*

ge|oorloofd zulässig; **~opend** [-'o:pənt] geöffnet; **~paneerd** paniert; **~past** passend; abgezählt

gepeins [-'pɛɪns] *n* Sinnen *n*

ge|pekeld [-'pe:kəlt] gepökelt; **~pensioneerde** [-pensĭo·-] Rentner(in *f*) *m*, Pensionär(in *f*) *m*; **~peperd** [-'pe:pərt] gepfeffert

ge|peupel [-'pø:pəl] *n* Pöbel *m*; **~plisseerd** plissiert; **~plooid** faltig; gefaltet

gepraat *n* Geplauder *n*; Gerede *n*

geprefabriceerd [-prefɑbri'se:rt]: **~ huis** [høys] *n* Fertighaus *n*

ge|prikkeld gereizt; **~raakt** getroffen; gereizt

geraamte *n* Gerippe *n*

geraas *n* Getöse *n*, Gepolter *n*; Raserei *f*

geraken gelangen, geraten

geranium [ɣə'ra:ni·(j)əm] Geranie *f*

gerant [ʒeˈrãː] Geschäftsführer *m*

gerecht *n* Gericht *n*

gerecht|elijk [-tələk] gerichtlich; ~igd [-təxt], ~vaardigd [-ˈfaːrdəxt] berechtigt

gereed fertig, bereit; ~heid Bereitschaft *f*

gereedmaken (**zich**) (sich) fertig machen; (sich) rüsten

gereedschap *n* Gerät *n*, Werkzeug *n*; ~skist Werkzeugkasten *m*

gere|formeerd kalvinistisch; ~regeld regelmäßig; ~rei [-ˈreɪ] *n* Sachen *f*/*pl*; ~reserveerd reserviert; ~riefelijk [-ˈriːfələk] bequem; ~rimpeld runz(e)lig, faltig

gering gering; ~schatting Geringschätzung *f*

geroezemoes [-ˈruːzəmus] *n* (Stimmen)Gewirr *n*

gerst Gerste *f*

gerucht [-ˈrʏxt] *n* Gerücht *n*; Lärm *m*

geruis [-ˈrœys] *n* Geräusch *n*; ~loos geräuschlos

geruit kariert

gerust [-ˈrʏst] ruhig; unbesorgt; ~stellen beruhigen

geschenk *n* Geschenk *n*

geschieden geschieden

geschied|enis [-ˈsxiːdənɪs] Geschichte *f*; ~kundig [-ˈkɔndəx] geschichtlich

geschikt geeignet, tauglich; ~heid Eignung *f*; Befähigung *f*

geschil *n* Konflikt *m*, Streitigkeit *f*

geschoold geschult, gelernt; ~arbeider Facharbeiter *m*

ge|schreeuw [-ˈsxreːʊ] Geschrei *n*; ~schrift *n* Schriftstück *n*; Schrift *f*; ~schut [-ˈsxʏt] *n* Geschütz *n*

geslacht *n* Geschlecht *n*; ~elijk [-tələk] geschlechtlich

geslachts|daad Geschlechtsakt *m*; ~gemeenschap Geschlechtsverkehr *m*; ~ziekte Geschlechtskrankheit *f*

geslepen [-ˈsleːp-] *fig* gerieben

gesp Schnalle *f*, Spange *f*

ge|spannen gespannt; ~spierd muskulös; ~spleten gespalten; zerklüftet

ge|sprek [-ˈsprɛk] *n* Gespräch *n*; ~spuis [-ˈspœys] *n* Gesindel *n*; ~stalte Gestalt *f*; Wuchs *m*

geste [ˈʒɛstə] Geste *f*

ge|steente *n* Gestein *n*; ~stel [-ˈstɛl] *n* Konstitution *f*

gesteld bestellt; ~ **dat** angenommen dass; ~ **zijn** [seɪn] **op** großen Wert legen auf (*A*); ~heid Zustand *m*, Beschaffenheit *f*, Verfassung *f*

gesticht *n* Anstalt *f*; Stift *n*

gestoffeerd: ~e meubelen [ˈmøːbələ(n)] *n*/*pl* Polstermöbel *n*/*pl*

gestoofd: ~ vlees *n* Schmorbraten *m*

ge|streept gestreift; ~streng streng

getal [-ˈtɑl] *n* Zahl *f*

getand zackig, gezahnt

ge|tijden [-'tɛi-] *n/pl* Gezeiten *f/pl*; **⁓tjilp** [-'tiil(ə)p] *n* Gezwitscher *n*; **⁓touw** [-'tɑu] *n* Webstuhl *m*

ge|troffen betroffen; betroffen; **⁓trouw** [-'trɑu] (ge)treu; **⁓trouwd** verheiratet

getuige [-'tœyɣə] Zeuge *m*, Zeugin *f*; **⁓n** zeugen; bezeugen; **⁓nis** [-ɣənɪs] *n* Zeugnis *n*, **⁓nverklaring** Aussage *f*, Zeugnis *n*

getuigschrift *n* Zeugnis *n*

geul [ɣøːl] Rinne *f*

geur [ɣøːr] Geruch *m*; Duft *m*; **⁓en** duften; **⁓ig** ['-rəx] duftend

gevaar *n* Gefahr *f*; **⁓lijk** [-lək] gefährlich

geval *n* Fall *m*; Vorfall *m*; **het speciaal ⁓** der Sonderfall; **in elk** (*od* **ieder** ['i'dər]) **⁓** jedenfalls; unbedingt; sowieso; **in geen ⁓** auf keinen Fall, keinesfalls; **in het gunstigste** ['χɔnstəxstə] **⁓** bestenfalls

gevangen|e Gefangene(r) **⁓is** Gefängnis *n*

gevarendriehoek [-huˑk] Warndreieck *n*

ge|vat schlagfertig; **⁓vecht** *n* Gefecht *n*

gevel [ˈɣeːʋəl] Fassade *f*

geven geben; schenken, spenden; *Vorrang* einräumen; erteilen; hergeben; **dat geeft niets** das macht nichts (aus)

gever Geber *m*; Spender *m*

geverfd: pas ⁓ frisch gestrichen

gevlekt fleckig, scheckig

gevoel [-'ʋuːl] *n* Gefühl *n*; **⁓en** fühlen, empfinden; **zich doen ⁓en** sich bemerkbar machen; **⁓ig** [-ləx] empfindlich, sensibel; gefühlvoll

gevogelte *n* Geflügel *n*

gevolg *n* Folge *f*; Gefolge *n*; **ten ⁓e van** infolge (*G*); **⁓trekking** (Schluss)Folgerung *f*

gevolmachtigde [-təɣdə] Bevollmächtigte(r)

gevorderd fortgeschritten

gevriesdroogd gefriergetrocknet

gewaad *n* Gewand *n*

gewaarwordjen merken, verspüren; **⁓ing** Empfindung *f*

gewas *n* Gewächs *n*

geweer *n* Gewehr *n*; Flinte *f*

gewei [-'ʋɛi] *n* Geweih *n*

geweld *n* Gewalt *f*; **⁓dadig** [-'daːdəx] gewalttätig; gewaltsam; **⁓ig** [-dəx] gewaltig, mächtig

gewelf *n* Gewölbe *n*

ge|wend gewohnt; **⁓wenst** erwünscht, wünschenswert

gewest *n* Region *f*

geweten [-'ʋeːtə(n)] *n* Gewissen *n*; **⁓bezwaren** *n/pl* Skrupel *m/pl*; **⁓svol** gewissenhaft; **⁓swroeging** [-fruˑ'ɣ-] *f* Gewissensbisse *m/pl*

gewezen ehemalig

gewicht *n* Gewicht *n*; **⁓heffen** *n* Gewichtheben *n*

gewichtig [-təx] wichtig;
~**doenerij** [-'rɛɪ] Wichtigtuerei f

gewicht|loos schwerelos;
~**svermindering** Gewichtsabnahme f

gewiekst gerieben

gewil|d gewollt; gefragt; ~**lig**
[-lək] willig

gewoel [-'vuʼl] n Gewühl n,
Getümmel n

gewonde Verletzte(r), Verwundete(r)

gewoon gewöhnlich; gewohnt; einfach; normal; ~**lijk**
[-lək] gewöhnlich; ~**te** Gewohnheit f, Brauch m; **slechte ~ ~weg** [-vɛx]
einfach, geradezu

gewricht [-'vrɪxt] n Gelenk n

gezag [-'zɑx] n Autorität f;
~**hebbend** maßgeblich; ~**voerder** [-fuːrdər] Schiffs-,
Flugkapitän m

gezang n Gesang m

gezapig [-'za:pəx] gemächlich

gezegde n das Gesagte; Redensart f; **gr** Prädikat n

gezel Geselle m

gezellig [-'zɛləx] gemütlich;
gesellig; ~**heid** Gemütlichkeit f

gezelschap n Gesellschaft f

gezet [-'zɛt] rundlich; regelmäßig

gezicht n Gesicht n, Miene f;
Anblick m; Aussicht f; **van ~
kennen** vom Sehen kennen;
op het eerste ~ auf den ers-

ten Blick; ~**sstoornis** Sehstörung f

gezien adj angesehen; prp angesichts (G)

gezin n Familie f

gezind gelaunt; ~**heid** Gesinnung f; ~**te** Konfession f

gezinslid n Familienangehörige(r)

ge|zond gesund; ~**zouten**
[-'zɑut-] gesalzen; ~**zwel** n
Geschwulst f; ~**zwollen**
[-'zɵlə(n)] geschwollen

gids Führer m

giechelen kichern

gier 1. Geier m; **2.** Jauche f

gieren sausen; wiehern, lachen

gierig ['-rəx] geizig; ~**aard**
Geizhals m; ~**heid** Geiz m

gierst Hirse f

gieten gießen, schütten; ~**er**
Gießkanne f; ~**ijzer** ['-ɛɪzər]
n Gusseisen n

gift¹ Gabe f, Geschenk n;
Spende f

gif(t)² n Gift n

giftig [-] giftig

gij [ɣɛɪ; ɣə] du; ihr; Sie

gijzel|aar(ster f) Geisel f;
~**ing** Geiselnahme f

gil (Auf)Schrei m

gild(e) n Zunft f, Gilde f

gillen schreien, kreischen

gind|er, ~s dort; drüben

girorekening [-re:kən-] Girokonto n

gissen vermuten, raten

gist Hefe f; ~**en** gären

gister|en gestern; ~**(en)-**

avond [-a:ʋɔnt] gestern Abend

gitaar Gitarre f

glaasje [ˈɣlaːʃə] n Gläschen n

glaceren [-ˈseːr-] glasieren

glad glatt; **~heid** Glätte f; **~maken** glätten

glans Glanz m

glanzen glänzen, schimmern

glas [ɣlas] n Glas n; Wein a. Schoppen m

glazen gläsern; **~maker 1.** Glaser m; **2.** Libelle f; **~wasser** Fensterputzer m

glazuur [-ˈzyːr] n Glasur f

gleuf [ɣløːf] Schlitz m, Spalte f; Rille f

glibberig [ˈ-bərəx] schlüpfrig, glitschig, glatt

glijbaan [ˈɣlɛi-] Rutschbahn f; **~den** [ˈɣlɛidə(n)] gleiten; rutschen; **~vlucht** [ˈ-ʋlɛxt] Gleitflug m

glimlach Lächeln n; **~lachen** lächeln; **~men** glimmen; glänzen

glinsteren glitzern; schillern

glippen schlüpfen; rutschen

globaal pauschal, global; ungefähr

gloed [ɣluˑt] Glut f; **~nieuw** [ˈ-niˑu] nagelneu

gloeien [ˈɣluˑiə(n)] glühen; **~lamp** Glühbirne f

glooiing [ˈɣloːi(j)ɪŋ] Böschung f; Abhang m

gluiper(d) [ˈɣlœyp-] Schleicher m

gluren [ˈɣlyːr-] spähen, schielen

gnuiven [ˈɣnəyʋ-] schmunzeln

goal [ɣoːl] Tor n

God Gott m

goddelijk [ˈ-dələk] göttlich

godsdienst Religion f; **~ig** [ˈ-diˑnstəx] religiös

godsnaam: **in ~!** um Gottes willen!

goed [ɣuˑt] gut; richtig; wohl; **heel ~** ganz gut, bestens; **te ~** zu gut; **ten ~e** zugute; **su ~** Gut n, Habe f; Landgut n; Zeug n; Stoff m; **~emiddag!** guten Tag!; Mahlzeit!; **~endag!** [ˈɣuˑiˑə(n)dɑx] guten Tag!

goederen n/pl Güter n/pl; **~lift** Lastenaufzug m; **~station** [-staˈsiˑɔn] n Güterbahnhof m; **~zending** Warensendung f

goed~geefs freigebig; **~gelovig** [-ˈloːʋəx] gutgläubig; **~geluimd** [-ləymt], **~gemutst** [-mœtst] gut gelaunt; **~heid** Güte f; **~ig** [ˈ-dəx] gütig; **~keuren** [ˈ-køːr-] gutheißen, billigen; genehmigen; **~koop** [ˈ-koːp] billig, preiswert; **~leers** [ˈ-leːrs] gelehrig; **~vinden** gutheißen

gok~automaat Spielautomat m; **~ken** raten; spielen

golf¹ Welle f; Woge f; Golf m; **korte ~** Kurzwelle f

golf² n, **~baan** f Golf m; **golf~bad** n Wellenbad n; **~er** Golfspieler(in) f m; **~lengte** Wellenlänge f; **~slag** Wellengang m; **~stick** Golfschläger m

golven wogen; wallen; **~d** wogend; wellig

gom → **gum**; **~beertje** n Gummibärchen n

gonzen summen

goochel|aar Zauberkünstler m; **~en** zaubern

gooi [ɣo:i] Wurf m; **~en** werfen, schmeißen

goor schmutzig, schmuddelig

goot Gosse f; Rinne f; **~steen** Spülbecken n

gordel Gurt m, Gürtel m

gordijn ['dɛin] n od f Gardine f, Vorhang m

gorgelen gurgeln

gorilla Gorilla m

gort(en)pap Grützbrei m

goud [ɣaut] n Gold n; **~en** [ɣaudə(n)] golden; **~smid** Goldschmied m

goulash [ɣuˑlaʃ] Gulasch m

graad Grad m

graaf Graf m

graag gern; **ik zou ~ (willen)** ich möchte; **~ gedaan!** gern geschehen!

graan n Getreide n, Korn n; **~jenever** ['-jəneˑʋər] Korn(-branntwein) m

graat Gräte f; **zonder ~** entgrätet

gracht Graben m; Gracht f

gracieus [-'siøˑs] graziös

graf [ɣraf] n Grab n

grafiek [-'fiˑk] Grafik f

graf|kuil ['-kɵyl] Gruft f; **~steen** Grabplatte f, -stein m

gram n Gramm n

grammaticaal [-'ka:l] grammatisch

grammofoonplaat Schallplatte f

granaat Granate f

graniet n Granit m

grap Spaß m, Scherz m; Witz m; **voor de ~** zum Spaß; **~jas**, **~penmaker** Witzbold m, Spaßvogel m; **~pig** ['-pɔx] drollig, ulkig, lustig

gras [ɣras] n Gras n; **~maaier** Rasenmäher m; **~perk** n Rasen m; **~sprietje** n Grashalm m; **~veld** n Rasen m

gratie ['-(t)siˑ] Grazie f, Anmut f; Gnade f; **~ verlenen** [-'leˑn] begnadigen

gratis gratis, umsonst; gebührenfrei

grauw grau, fahl; trübe

graven graben, F buddeln

Gravenhage: **'s-~** n Den Haag n

gravin [-'ʋɪn] Gräfin f

gravure [-'ʋyˑrə] (Kupfer-)Stich m

grazen grasen, weiden

greep Griff m

grendel Riegel m

grens Grenze f; fig a. Schranke f; **~overgang**, **~post** Grenzübergang(sstelle f) m; **~wachter** Grenzposten m

grenze|loos grenzenlos; **~n** grenzen

greppel (Straßen)Graben m

gretig ['ɣreˑtəx] gierig; reißend

grief Beschwerde f

Grieks griechisch

griep Grippe f

griesmeelpap Grießbrei m

griet F Mädel n

grieven kränken

griezelig ['-zələx] gruselig

grif gern; schnell

griffen einritzen

griffie ['-fi·] Kanzlei f; **~r** [-'fi:r] Gerichtsschreiber m; Schriftführer m

grijnzen ['ɣrεinz-] grinsen

grijpen greifen; ergreifen, fassen

grijs grau; **~aard** Greis m

gril Grille f, Laune f

grill Grill m, Rost m

grillig ['-ləx] launenhaft

grimeersel [-'me:rsəl] ~
Schminke f

grimmig ['-məx] grimmig

grind n (a. **grint**) Kies m

grinniken ['ɣrinəkə(n)] grinsen; kichern

grissen haschen

groef [ɣru:f] Rille f; Furche f

groei [ɣru:i] Wachstum n, Wuchs m; Zuwachs m; **~en** wachsen

groen grün; fig unreif; **~container** Biotonne f

groente Gemüse n; **~boer** [-bu:r] Gemüsehändler m; **~soep** Gemüsesuppe f

groep Gruppe f, Schar f, Trupp m; **~sleider** Gruppenführer m

groet Gruß m; **~en** grüßen

groeve ['ɣru·və] Grube f;

Gruft f; Furche f

grof [ɣrɔf] grob; derb; **~vuil** ['-fœyl] n Sperrmüll m

grommen knurren, brummen

grond Grund m; Boden m; **op ~ van** aufgrund (G); **~begin-sel** n Grundsatz m

gronde: **te ~** zugrunde

grond|gebied n Gebiet n; Territorium n; **~ig** ['-dəx] gründlich; **~legger** Gründer m, Urheber m; **~slag** Grundlage f; **~stof** Rohstoff m; **~vlak** n Grundfläche f; **~wet** Grundgesetz n, Verfassung f; **~wettelijk** [-'vεtələk] verfassungsmäßig

groot groß; **~brengen** groß-, aufziehen; **~handel** Großhandel m; Großhandlung f; **~heid** Größe f; **~hoeklens** ['-hu·k-] Weitwinkelobjektiv n; **~moeder** ['-mu·dər] Großmutter f; **~ouders** ['-audərs] pl Großeltern pl

groots großartig

grootte Größe f

grootvader Großvater m

grot Grotte f

grotendeels größtenteils

grut [ɣrɵt] n Grütze f; kleines Zeug

gruwel ['ɣrӱəl] Gräuel m

GSM [ɣe'ɛs'εm] Handy n

guirlande [ɣir'-] Girlande f

guit [ɣœyt] Schelm m

gul [ɣɵl] freigebig; gastfreundlich

gulden Gulden m

gulp [ɣɵl(ə)p] Hosenschlitz m

gulzig ['-zəx] gierig; gefräßig;
~aard Vielfraß m
gum n od m Gummi n od m;
Radiergummi m
gunnen gönnen
gunst Gunst f; ~e: *ten ~e van*

zugunsten (G)
gunstig ['-təx] günstig
guur [ɣ̌yːr] rau
gym|nastiek [ɣ̌ɪmnɑsˈtiˑk]
Gymnastik f; ~schoen
['-sxuˑn] Turnschuh m

H

haag Hecke f
haai Hai m
haak Haken m; Angel f; *niet
in de ~* nicht geheuer
haal Strich m; Zug m; *aan de
~ gaan* sich davonmachen;
~baar machbar
haan ZO Hahn m; ~tje-de-
-voorste n Draufgänger m
haar[1] sie; ihr
haar[2] n Haar n; ~borstel
Haarbürste f; ~bos (Haar-)
Schopf m
haard Herd m; *open ~* Kamin
m
haar|droger Haartrockner
m; ~kloverij [-klo:ʋ̌əˈrɛɪ]
Haarspalterei f; ~lak Haarspray m od n; ~lotion
['-loˑsɪon] Haarwasser n;
~speld Haarnadel f; ~stukje
['-støkɪə] n Haarteil n
haas Hase m
haast[1] fast, beinahe
haast[2] Eile f; Hast f; *~ hebben* es eilig haben; *er is ~ bij*
[bɛɪ] es eilt
haasten: *zich ~* sich beeilen
haastig ['-tɑx] eilig, hastig
haat Hass m; ~dragend

nachtragend
hachee n od m Haschee n
hachelijk ['hɑxələk] heikel,
brenzlig
hagedis [haːɣ̌əˈdɪs] Eidechse
f
hagel|en hageln; ~slag
[-slɑx] Schokoladenstreusel
pl
hak 1. Ferse f; (Schuh)Absatz
m; 2. Hieb m
haken haken; häkeln
hakkelend stotternd, hol-
p(e)rig
hakken hacken, hauen
hal Halle f, Flur m
halen holen; erreichen; *het ~*
durchkommen
half halb; ~rond n Halbkugel
f; ~slag [-slɑx] halbmast;
~stok [-ˈstɔk] halbmast;
~time [haːfˈtaim] Halbzeit f;
~weg → *halverwege*
hals Hals m; *zich op de ~ halen* sich zuziehen; *~ over kop*
kopfüber
halt halt; ~e Haltestelle f; Station f; Stopp m
halter Hantel f
halvemaan [-'maːn] Halb-
mond m

harp

halver|en [-'ʋɛːr-] halbieren; ~wege [-'ʋeːɣə] auf halbem Wege

ham Schinken *m*

hamer ['haːmər] Hammer *m*; **pneumatische** [pnø'maːtiˑsə] ~ Presslufthammer *m*; ~en hämmern

hand Hand *f*; **aan de ~ van** anhand (*G*); **voor de ~ liggen** auf der Hand liegen; **van de ~ wijzen** ['ʋɛiz-] zurückweisen; ~bagage ['baɣaːʒə] Handgepäck *n*; ~bal *n* Handball *m*; ~boei ['buˑi] Handschelle *f*; ~doek ['duˑk] Handtuch *n*; ~druk ['-drɛk] Händedruck *m*

handel¹ Handel *m*; Handlung *f*

handel² ['hɛndəl] Kurbel *f*; Hebel *m*

handel|aar Händler *m*; ~drijven [-drɛiˑ-] (**in**) handeln (mit *D*); ~en handeln

handels|betrekkingen *pl* Handelsbeziehungen *f/pl*; ~merk *n* Warenzeichen *n*; ~vertegenwoordiging [-teːɣə(n)'voːrdəɣɪŋ] Handelsvertretung *f*

handelwijze [-'ʋɛizə] Handlungsweise *f*, Verfahren *n*

hand|greep Handgriff *m*; ~haven behaupten; aufrechterhalten; ~ig ['-dəx] geschickt, behende; handlich; ~je *n* Händchen *n*; **een ~je helpen** nachhelfen (*D*); ~langer Helfershelfer *m*;

~leiding Anleitung *f*, Leitfaden *m*; ~palm Handfläche *f*; ~rem ['-rem] Handbremse *f*; ~schoen ['-sxuˑn] Handschuh *m*; ~schoenenkastje [-kaʃə] *n* Handschuhfach *n*; ~schrift *n* Handschrift *f*; ~tas Handtasche *f*; ~tastelijk [-'tɑstələk] tätlich; ~tekening ['-teːkən-] Unterschrift *f*; ~vat(sel) *n* (Hand)Griff *m*

hang|en hängen; ~klok Wanduhr *f*; ~mat Hängematte *f*; ~op Buttermilchspeise *f*; ~slot *n* Vorhängeschloss *n*

hanteren [-'teːr-] handhaben, hantieren (mit *D*)

hap Happen *m*, Bissen *m*

haperen hapern; stocken

hap|je *n* Häppchen *n*; Imbiss *m*; ~pen schnappen; beißen

hard hart; schnell; ~draverij ['-reiˑ] Trabrennen *n*; ~en (**zich**) (sich) abhärten; ~handig ['-hɑndəx] unsanft; ~heid Härte *f*; ~horig ['-hoːrəx] schwerhörig; ~leers begriffsstutzig; unbelehrbar; ~nekkig ['-nɛkəx] hartnäckig; ~op laut; ~vochtig ['-fɔxtəx] hart(herzig)

hare **de** (**het**) ~ der, die (das) ihrige

haring Hering *m*

hark Harke *f*, Rechen *m*; ~en harken, rechen

harmonica (Zieh)Harmonika *f*

harp Harfe *f*

harpoen [-'puˑn] Harpune f

hars m od n Harz n

hart n Herz n; **~elijk** ['-tələk]
herzlich; **~en** Karte Herz n;
~ig ['-təx] kräftig; würzig;
herzhaft; **~insufficiëntie**
[-søfi'sïensï] Herzversagen
n; **~kwaal** Herzleiden n

hartstocht Leidenschaft f;
~elijk [-'toxtələk] leidenschaftlich

hartverlamming Herzschlag
m

hate|lijk ['haˑtələk] gehässig;
~n hassen

haveloos zerlumpt, schäbig

haven Hafen m; **~kwartier**
[-küartiˑr] n Hafenviertel n;
~rechten n/pl Hafengebühr f

haver Hafer m; **~mout**
[-maut] Haferflocken f/pl

havik Habicht m

havo(-school) Realschule f

hazelnoot Haselnuss f

hebbelijkheid ['hɛbələkhɛɪt]
Unsitte f, Unart f

heb|ben haben; **~zucht**
['-sext] Habgier f

hecht fest; **~en** heften; bei-
messen

hechtenis ['hɛxtə-] Haft f;
Gefängnisstrafe f; **voorlopige** [-'loˑpəʋə] Untersu-
chungshaft f; in ~ nemen inhaftieren

hechtpleister Heftpflaster n

hectare [-'taˑrə] Hektar n od
m

heden [-'heˑdə(n)] heute; ~
ten dage heutzutage; ~

daags heutig

heel ganz, heil; sehr; ~ wat
mancherlei, eine Menge

heel|al [-'lɑl] n (Welt)All n;
~huids ['-høyts] unversehrt

heen hin; **~ en weer** hin und
her; **~gaan** hingehen; weggehen; **~reis** Hinfahrt f; **~ en
terugreis** [tə'rœx-] Hin- und
Rückfahrt f; **~weg** ['-vɛx]
Hinweg m

heer Herr m; Karte König m;
~ des huizes ['həyzəs] Haus-
herr m

heerlijk [-'lɑl] herrlich

heerschappij [-sxa'pɛi]
Herrschaft f

heers|en herrschen; grassie-
ren; **~zuchtig** ['-sextəx]
herrschsüchtig, herrisch

hees heiser

heester Strauch m

heet heiß

heethoofd Hitzkopf m

hefboom ['hɛv-] Hebel m

hef|fen heben; erheben; **~ing**
Gebühr f

heftig ['-təx] heftig

heg [hɛx] Hecke f

heide Heide f

heiden Heide m

heien [hɛiˈ(n)] (ein)rammen

heil n Heil n; Leger ['leˑʒər]
des 2s Heilsarmee f

heilig [-'lɑx] heilig; **~dom**
[-dəm] n Heiligtum n;
~schennis [-sxɛnɪs] Sakri-
leg n

heimelijk ['-mələk] heimlich,
verstohlen

heimwee n Heimweh n

hek n Zaun m; Gitter n; Gartentor n

hekel ['he:kəl] Abneigung f; **~en** fig durchhecheln, scharf kritisieren

heks Hexe f

hel Hölle f

helaas [he·'la:s] leider

helder hell, klar; sauber; **~ziende** [-'zi·ndə] Hellseher(in f) m

heldhaftig ['he:ldhaftəx] heldenhaft

heleboel ['he:ləbu·l] F: **een** [ən] **~** eine (ganze) Menge

helemaal ['he:lə-] gänzlich, völlig; ganz; überhaupt; **~ niet** nicht im Geringsten, durchaus nicht

heler Hehler m

helft Hälfte f; **voor de ~** zur Hälfte

helikopter Hubschrauber m

hell|en überhängen; sich neigen, abfallen; **~ing** Abhang m, Hang m; Neigung f; Gefälle n; Steigung f

help! (zu) Hilfe!

helpen helfen (D); bedienen, abfertigen; **~ aan** verhelfen zu (D)

hels höllisch

hem ihn; ihm

hemd n Hemd n; **~smouw** ['-mɑu] Hemdsärmel m

hemel ['he:məl] Himmel m; **~lichaam** n Himmelskörper m; **~s** himmlisch; **~sbreed** in der Luftlinie; himmelweit;

~streek Himmelsrichtung f

Hemelvaart Himmelfahrt f

hen¹ sie; ihnen

hen² Henne f

hendel → handel²

hengel Angel f; **~aar** Angler m; **~en** angeln

hengsel n Henkel m; Türangel f

hennep [henəp] Hanf m

herademen ['hɛra:dəm-] aufatmen

herberg Herberge f, Wirtshaus n; **~en** beherbergen; **~ier(ster)** f [-'ɣi·r-] Wirt(in f) m

herdenk|en gedenken (G); **~ingsdag** [-dɑx] Gedenktag m

herder Hirt(e) m; **~shond** Schäferhund m

herdruk [-drɛk] Neudruck m; Neuauflage f

hereniging [-'e:nəɣ-] Wiedervereinigung f

heren|pak ['hɛrə(n)-] Herrenanzug m; **~toilet** [-tũa'let] n Herrentoilette f

herexamen n Wiederholungsprüfung f

herfst Herbst m

hergroepering ['hɛrɣru·'pe:r]- Neugruppierung f

her|haaldelijk [her'ha:ldə-lək] wiederholt, öfter(s); **~halen** wiederholen; **~inneren** erinnern; **~kauwer** ['-kɑuər] Wiederkäuer m; **her|kennen** erkennen; wieder erkennen; **~kiesbaar**

[-'kiːz-] wieder wählbar; ~**komst** ['her-] Herkunft f; ~**leiden** [-'lεidə(n)] zurückführen; reduzieren; umrechnen; ~**nieuwen** [-'niːuə(n)] erneuern; ~**openen** [-'oːpənə(n)] wieder eröffnen

heroïne [-ro·'üïnə] Heroin n; **aan ~ verslaafd** heroinsüchtig

herrie ['hεri·] Krach m, Radau m; ~ **schoppen** Krach machen; randalieren

her|**roepen** [hε'ruːp-] widerrufen; ~**scholen** umschulen

hersen|**en** pl, ~s pl Gehirn n, Hirn n; ~**pan** Schädel(decke f) m; ~**schim** Hirngespinst n; ~**schudding** [-sxədɪŋ] Gehirnerschütterung f; ~**vliesontsteking** [-stεːk-] Hirnhautentzündung f

herstel [hεr'stεl] n Wiederherstellung f; Erholung f, Genesung f; ~**len** wiederherstellen; ausbessern, reparieren; **sich erholen**; ~**lingsoord** n Heilanstalt f; ~**werkplaats** Reparaturwerkstatt f

her|**stemming** Stichwahl f; ~**structureren** [-strøkty·'reːr-] umstrukturieren

hert n Hirsch m

hertogdom f ['-tɔxdɔm] n Herzogtum f

Hertogenbosch [-bɔs] n: **'s-~** Herzogenbusch n

her|**trouwen** [hεr'traüə(n)] wieder heiraten; ~**vatten** [-'ʋat-] wieder aufnehmen;

~**verkiezing** Wiederwahl f

hervorm|**en** reformieren; ~**ing** Reform f; Neuerung f; REL Reformation f

her|**waardering** ['hεrʋaːrdeːr-] Neubewertung f; Aufwertung f; ~**winnen** wiedergewinnen; ~**zien** revidieren

het Art das; pron es

heten ['heːt-] heißen

het|**geen** dasjenige; ~**welk** das, welches; was; ~**zelfde** dasselbe; ~**zij** ['-sεi] sei es

heug|**en** ['høːɣ-] sich erinnern; ~**lijk** [-lək] erfreulich; denkwürdig

heup [høːp] Hüfte f; ~**gewricht** [-'ʋrɪxt] n Hüftgelenk n

heus wirklich

heuvel Hügel m; ~**achtig** [-təx] hügelig

hevig ['heːʋəx] heftig

hiel Ferse f, Hacke f

hier hier; her; ~**bij** [-'bεi] hierbei; anbei; dazu; ~**door** hierdurch; ~**heen** hierher, herbei; ~**hin** hierhin, herüber; ~**me(d)e** hiermit; ~**naast** hierneben; nebenan

hier(toe) [-'tuː]): **tot ~** bis hierher

hij [hεi, nach Verb, cj od pron i'] er

hijgen ['hεiɣ-] keuchen, schnaufen

hijsen hissen

hik Schluckauf m

hinder|**en** hindern; behindern; **dat ~t niet** das macht

nichts; **~laag** Hinterhalt *m*;
~lijk [-lək] hinderlich, lästig
hinken hinken, humpeln
hinniken ['nəkə(n)] wiehern
hippodroom Pferderennbahn *f*
historisch [-i·s] historisch
hitte Hitze *f*; Schwüle *f*; **~golf**
Hitzewelle *f*
hobbel|ig ['-bələx] holp(e)rig; **~paard** *n* Schaukelpferd *n*
hobo ['ho:bo'] Oboe *f*
hoe [hu·] wie; **~ ... ~** je ... desto;
~ dan ook wie auch immer,
so oder so
hoed [hu·t] Hut *m*; **hoge ~**
Zylinder *m*
hoedanigheid [-'da:nəxɛit]
Beschaffenheit *f*; Qualität *f*
hoede Obhut *f*; **op zijn** [sən]
~ zijn [zɛïn] auf der Hut sein,
sich versehen
hoeden hüten
hoef Huf *m*; **~ijzer** ['-ɛïzər] *n*
Hufeisen *n*
hoek [hu·k] Ecke *f*; Winkel *m*;
~ig ['-kəx] eckig; **~schop**
['-sxɔp] Eckball *m*
hoen *n* Huhn *n*
hoepel ['hu·pəl] Reifen *m*
hoer [hu:r] Hure *f*
hoes [hu·s] Überzug *m*; **beschermende** [-'sxɛrmən-] ~
Schonbezug *m*
hoest Husten *m*; **~drankje** *n*
Hustensaft *m*; **~en** husten
hoeve ['hu·və] Gehöft *n*
hoeveel wie viel; **~heid** [hu·'-]
Menge *f*; **~ste** wievielte

hoeven brauchen
hoever(re) ['-ṽer(ə):]: **(in)** ~
wieweit; inwiefern
hoewel ['-vɛl] obwohl, obgleich
hof [hɔf] *n* Hof *m*; Gerichtshof
m
hoffelijk ['-fələk] höflich, galant
hoger höher
hoge|school [-'sxo:l] Hochschule *f*; **~snelheidstrein**
Hochgeschwindigkeitszug *m*
hok *n* Stall *m*; Schuppen *m*;
Käfig, *m*; Kasten *m*
hokken hocken
hol [hɔl] hohl; *su n* Höhle *f*;
iem. het hoofd op ~ brengen j-m den Kopf verdrehen
Hollands holländisch
hol|en rennen; **~te** Hohlraum
m; Höhle *f*
homeopathie [ho·me·io·-]
Homöopathie *f*
hommel Hummel *f*
homo F Schwule(r)
hond Hund *m*; **~enhok** *n*
Hundehütte *f*; **~envoer**
[-ṽu:r] *n* Hundefutter *n*
honderd hundert; **~ste** *n*
Hundertstel *n*
hondsdolheid Tollwut *f*
honend höhnisch
Hongaars ['ɣa:rs] ungarisch
honger Hunger *m*; **~ lijden**
['lɛïə(n)] hungern; **~ig** [-rəx]
hungrig; **~staking** Hungerstreik *m*
honi(n)g Honig *m*; **~raat** Honigwabe *f*

honorarium [-ri'(·)əm] *n* Honorar *n*

hoofd *n* Kopf *m*, Haupt *n*; (Hafen)Mole *f*; Leiter *m*; *over het ~ zien* übersehen; **~artikel** *n* Leitartikel *m*; **~conducteur** ['kɔndɛk-tø:r] Zugführer *m*; **~doek** ['du:k] Kopftuch *n*

hoofdelijk ['ho:vdələk] persönlich; namentlich; pro Kopf

hoofd|kussen ['·kes-] *n* Kopfkissen *n*; **~letter** Großbuchstabe *m*; **~pijn** ['·pɛin] Kopfschmerzen *m/pl*; **~prijs** Hauptgewinn *m*; **~rol** Hauptrolle *f*; **~stad** Hauptstadt *f*; **~steun** ['·støn] Kopfstütze *f*; **~stuk** ['·stɛk] *n* Kapitel *n*; **~weg** ['·vɛx] Hauptstraße *f*; **~zaak** Hauptsache *f*; **~zakelijk** [-'sa:kələk] hauptsächlich; **~zuster** ['·sɛstər] Oberschwester *f*

hoog hoch; **~achtend** hochachtungsvoll; **~hartig** ['·hɑr-təx], **~moedig** ['·mu'dəx] hochmütig; **~oven** Hochofen *m*; Hüttenwerk *n*; **~springen** *n* Hochsprung *n*

hoogst höchst; *ten ~e*, *~ens* höchstens, allenfalls

hoogte Höhe *f*; Anhöhe *f*; *op de ~ brengen* benachrichtigen, verständigen, Bescheid sagen; *op de ~ zijn* [zɛin] Bescheid wissen, auf dem Laufenden sein, sich auskennen; *zich op de ~ stellen* (*van*) sich informieren (über *A*);

~punt [-pɛnt] *n* Höhepunkt *m*; **~verschil** *n* Höhenunterschied *m*

hoog|uit ['·əyt] höchstens; **~verraad** *n* Hochverrat *m*; **~vlakte** Hochebene *f*; **~waardig** ['·va:rdəx] hochwertig; **~water** ['·va:tər] *n* Hochwasser *n*

hooi [ho:i] *n* Heu *n*; **~koorts** Heuschnupfen *m*

hoon Hohn *m*

hoop[1] Hoffnung *f*

hoop[2] Haufen *m*, Masse *f*; Stapel *m*; *bij hopen* haufenweise

hoopvol hoffnungsvoll

hoorn Horn *n*, *TEL* Hörer *m*; **~vlies** *n* Hornhaut *f*

hop Hopfen *m*

hope|lijk ['ho:pələk] hoffentlich; **~loos** hoffnungslos, aussichtslos; **~n** hoffen

horde Hürde *f*

horeca(sector) ['ho:re·ka-] Hotel- und Gaststättengewerbe *n*

horen hören; gehören; sich gehören, sich schicken; *bij* [bɛi] *elkaar ~* zusammengehören

horizon ['ho:-] Horizont *m*

horloge [-'lo:jə] *n* Uhr *f*; **~maker** Uhrmacher *m*

hortend stoß-, ruckweise

horzel Hornisse *f*

hospita ['hɔs-] Wirtin *f*

hospitaal *n* Krankenhaus *n*; **~soldaat** Sanitäter *m*

hostie ['·ti] Hostie *f*

hotel *n* Hotel *n*; **~ier** [-tɛl'je:]

Hotelier *m*; Wirt *m*; **~kamer** [-ka:mər] Hotelzimmer *n*

houd|baar ['hɑut-] haltbar; **~en** ['hɑu̯ə(n)] (be-, ab)halten; austragen; **~en van** lieben, mögen; **~ing** ['hɑud-] Haltung *f*; Einstellung *f*

hout *n* Holz *n*; **~en**, **~erig** ['-tərəx] hölzern; **~hakker** Holzfäller *m*; **~skool** Holzkohle *f*; **~snede** ['-sne:də] Holzschnitt *m*

houvast ['hɑu̯-] *n* Halt *m*

houweel [hɑu̯'ve:l] *n* Hacke *f*

houwen hauen

huichel|aar(ster) *f* ['hɑyxə-] Heuchler(in *f*) *m*; **~en** heucheln

huid Haut *f*; Fell *n*

huidig ['hɑydəx] heutig

huid|skleur [-klø:r] Hautfarbe *f*; **~uitslag** [-slɑx] Hautausschlag *m*; **~ziekte** [-zi:ktə] Hautkrankheit *f*

huif Haube *f*; Plane *f*

huig Zäpfchen *n*

huilen weinen; heulen

huis [hɑys] *n* Haus *n*; **eigen ~** Eigenheim *n*; **naar ~** nach Hause, heim; **~baas** Hauswirt *m*; **~bazin** Hauswirtin *f*; **~dier** *n* Haustier *n*; **~eigenaar** ['-eiɣə̯na:r] Hausbesitzer *m*; **~elijk** ['hɑysələk] häuslich; **~gezin** *n* Familie *f*

huishoud|elijk [-'hɑudələk] häuslich; **~en**, ['-hɑu̯ə(n)] haushalten, wirtschaften; hausen; *su n* (*a.* **~ing**) Haushalt *m*; **~ster** Haushälterin *f*

huis|huur ['-hy:r] Miete *f*; **~kamer** ['-ka:mər] Wohnzimmer *n*; **~reglement** [-'mɛnt] *n* Hausordnung *f*; **~sleutel** ['-slø:təl] Hausschlüssel *m*; schlafen unterbringen, beherbergen; **~vrouw** ['-frɑu̯] Hausfrau *f*; **~vuil** ['-fœyl] *n* Müll *m*; **~werk** *n* Haus-, Schularbeiten *fpl*

huiver|en ['hœyvər-] schaudern, frösteln; **ik ~ voor** mir graut vor (*D*); **~ingwekkend** ['-ʋɛkənt] schauderhaft

huld|e, **~iging** ['hɛldəɣɪŋ] Huldigung *f*

hulp [hœl(ə)p] Hilfe *f*, Beistand *m*; Gehilfe *m*, Gehilfin *f*, Hilfskraft *f*; **eerste ~ bij** [beɪ] *ongevallen* erste Hilfe; **post voor eerste ~** Unfallstation *f*

hulp|behoevend [-hu'ʋənt] hilfsbedürftig; **~betoon** *n* Hilfeleistung *f*; **~eloos** ['hœlpə-] hilflos; **~kracht** (Aus)Hilfskraft *f*; **~kreet** Hilferuf *m*; **~middel** *n* Hilfsmittel *n*; **~vaardig** ['fa:rdəx] hilfsbereit; **~verlener** [-le:n-] Helfer(in *f*) *m*; **~verlening** Hilfeleistung *f*; Hilfsaktion *f*

huls [hœls] Hülse *f*

humeur [hy'mø:r] *n* Laune *f*; **~ig** [-rəx] launenhaft

humor ['hy'mər] Humor *m*

hun [hən] ihnen; ihr; *de* **~ne** ihrige

hunker|en ['hɔŋkər-] sich sehnen; **~ing** Sehnsucht *f*
huppelen['hɔpələ(n)] hüpfen
huren ['hyːr] mieten
hurken ['hœrk-] hocken, kauern
hut Hütte *f*, Kajüte *f*, Kabine *f*
huur [hyːr] Miete *f*; **~auto** Mietwagen *m*; **~contract** *n* Mietvertrag *m*; **~der** Mieter *m*; **~ling** Söldner *m*; **~prijs** ['-prɛis] Mietpreis *m*; Leihgebühr *f*; **~ster** *f* Mieterin *f*

huwelijk ['hyˈüələk] *n* Heirat *f*; Ehe *f*
huwelijks|aanzoek [-zuˑk] *n* Heiratsantrag *m*; **~adver-tentie** [-tɛnsiˑ] Heiratsanzeige *f*; **~reis** Hochzeitsreise *f*; **~voltrekking** Trauung *f*
huwen ['hyˈüə(n)] heiraten, sich vermählen
hygiëne [hiˈ-] Hygiene *f*
hypnose [hɪpˈnoːzə] Hypnose *f*
hysterisch [hɪsˈteːriˑs] hysterisch

I

ideaal ideal
idee *f od n* Idee *f*
ident|iek [-tiˑk] identisch; **~ificeren** [-ˈseːr-] identifizieren; **~iteitskaart** (Personal)Ausweis *m*
idioot idiotisch, blöde; *su* Idiot *m*
ie **~ → *hij***
ieder [ˈiˑdər] jede(r, -s); **~een** [-ˈeːn] jedermann
iemand jemand, einer
ier Ire *m*; **~s** irisch; **~se** Irin *f*
iets etwas, einiges; **~je** [ˈiˑtʃə] ganz wenig
ijdel[ˈɛidəl] eitel; **~heid** Eitelkeit *f*
ijl [ɛil] dünn; leer; **~en** eilen; irreLeden; **~ings** eilends
ijs *n* Eis *n*; **~beer** Eisbär *m*; **~blokje** *n* Eiswürfel *m*; **~elijk** [ˈɛisələk] schaurig; **~je**

[ˈɛiʃə] *n* Eis *n*; **~kast** Kühlschrank *m*; **~korst** Eisdecke *f*; **~koud** [ˈ-kaut] eiskalt; **~salon** [-lɔn] Eisdiele *f*; **~schol, ~schots** [ˈ-sxɔts] Eisscholle *f*
ijverEifer *m*; **~ig** [-rəx] fleißig, eifrig, emsig
ijzel[ˈɛizəl] Glatteis *n*; Reif *m*; **~en**: *het* **~*et*** es ist Glatteis
ijzen schaudern
ijzer *n* Eisen *n*; **~en** eisern; **~houdend** [-haudənt] eisenhaltig
ijzig [ˈ-zəx] eisig; schrecklich
ik ich
illusie [-ˈlyˑziˑ] Illusion *f*
illustratie [iˑləsˈtraˑ(t)siˑ] Illustration *f*
imitatie [-ˈtaˑ(t)siˑ] Imitation *f*
immers ja; doch

immigrant(e *f*) Immigrant(in *f*) *m*

immoreel unmoralisch

immuun ['my·n] immun

impasse Sackgasse *f*

imperiaal [-pe·'ria:l] *f od* *n* *KFZ* Dachgepäckträger *m*

imponeren [-'ne·r-] imponieren (*D*)

impopulair [-py·'le·r] unbeliebt

im|porteren [-'te·r-] importieren; **~proviseren** [-'ze·r-] improvisieren

in in (*A*, *D*); → **Duits**

in|achtneming Beschlag[-ne:m-] Berücksichtigung *f*, Beachtung *f*; **~beelding** Einbildung *f*; **~begrepen** [-ɣ̣re·p-] inbegriffen

inbegrip *n*: **met ~ van** einschließlich (*G*), samt (*D*)

in|beslagneming Beschlagnahme *f*; **~binden** *fig* zurückstecken; **~boedel** ['-bu·dəl] Mobiliar *n*; Inventar *n*; **~boezemen** ['-bu·zəmə(n)] einflößen; **~boorling(e** *f*) Eingeborene(r)

inbraak Einbruch *m*; **~vrij** [-frɛi] einbruchsicher

inbrek|en ['-bre·k-] einbrechen; **~er** Einbrecher *m*

in|brengen hereinbringen; einbringen; vorbringen, einwenden; **~breuk** ['-brøk] Eingriff *m*, Verstoß *m*; **~casseren** [-kα'se:r-] kassieren; einstecken; **~cident** [-si·dɛnt] *n* Zwischenfall *m*;

~cluis ['-kløys], **~clusief** [-kly·'zi·f] einschließlich (*G*), inklusive (*G*); **~delen** ['-de·l-] einteilen; gliedern

inder|daad in der Tat, tatsächlich; **~tijd** ['-tɛit] seinerzeit, damals

in|deuken ['-dø·k-] einbeulen

indien [-'di·n] wenn, falls

in|dienen einreichen; *Klage* erheben

indiensttreding ['-di·nstre:d-] Dienst-, Amtsantritt *m*

Indiër ['-di·(j)ər] Inder *m*

indigestie [-'ɣ̣esti·] Magenverstimmung *f*

in|dijken ['-dɛik-] eindeichen; **~direct** indirekt, mittelbar; **~dividueel** [-dy·'üe:l] individuell

in|dopen eintauchen; **~dringer** Eindringling *m*

indruk ['-drœk] Eindruck *m*; **~ maken** ['ma:k-] *op* eindrucken; **onder de ~ zijn** [sɛin] beeindruckt sein; **globale ~** Gesamteindruck *m*; **~ken** eindrücken; **~wekkend** ['-ʋekənt] beeindruckend; stattlich

industrie [-dəs'-] Industrie *f*; **~ieel** [-tri·'je:l] industriell

ineen [-'e·n] ineinander; zusammen

ineens auf einmal

ineenzakken zusammenbrechen

inenten impfen

inenting Impfung *f*; **preven-**

tieve ~ Schutzimpfung f
inentingsbewijs [-ʋɛis] n
Impfschein m
in|fecteren [-'teːr-] infizieren; **~flatie** [-'fla:(t)si˙] Inflation f
informaticus [-kəs] Informatiker(in f) m
informatie [-'ma:(t)si˙] Information f; Auskunft f; **~bureau** [-byˑro˙] n Auskunftsbüro n, -stelle f; **~verwerking** Datenverarbeitung f
informeren [-'meːr-] sich erkundigen; informieren
ingaan hineingehen; **~op** eingehen auf (A)
ingang Eingang m; **met ~van**
vom ... an
inge|naaid *Buch* geheftet, broschiert; **~sloten** [-slo:t-] anbei; **~val** [-ʁɔ'ʋɑl] falls; **~volge** infolge (G); **~wanden** pl Eingeweide n/pl; **~wikkeld** kompliziert
ingooi *Sport* Einwurf m
ingrediënten [-di˙'jɛntə(n)] n/pl Zutaten f/pl
in|greep Eingriff m; **~grijpen** ['ʁrɛip-] eingreifen; **~haalverbod** [-bɔt] n Überholverbot n; **~halen** (her)einholen; auf-, nachholen; überholen; **~haleren** [-'leːr-] inhalieren; **~ham** Bucht f; Einbuchtung f; **~heems** einheimisch
inhoud ['-hɑut] Inhalt m
inhoud|en [-'hɑuə(n)] enthalten; zurückhalten; einbehalten; **zich ~en** sich zurückhal-

ten; sich beherrschen; **~s-opgave** Inhaltsverzeichnis n
inhuren ['-hyːr-] engagieren
initiatief -(t)siɑ'tiˑf] n Initiative f
injectie [-'jɛksi˙] Injektion f
inklar|en verzollen; **~ing** (Zoll)Abfertigung f
inkomen ['-ko:m-] (her)einkommen; eingehen; *su n* Einkommen n
inkomsten Einkünfte f/pl; **~belasting** Einkommensteuer f
inkoop Einkauf m
inkorten kürzen
inkt Tinte f; **~vis** Tintenfisch m
in|laden ein-, verladen; **~lands** inländisch, einheimisch; **~lassen** einfügen; **~leg** Einsatz m; Einlage f; **~legkruisje** [-krɔyʃə] n Slipeinlage f; **~leiden** einleiten, einführen; **~leveren** kürzer treten (müssen)
in|lichten Auskunft geben; benachrichtigen; aufklären; **~ing** Bescheid m; Erkundigung f; **~ing(en) pl** Auskunft f
in|lijsten [-'lɛist-] einrahmen; **~lossen** einlösen; **~maken** ['-ma:k-] einmachen; **~mengen** Einmischung f; **~middels** [-'mɪd-] inzwischen
innemen einnehmen; *su n* Einnahme f
inn|en einziehen, kassieren; **~erlijk** [-lək] innerlich; inner;

~ig ['ɪnəx] innig; inbrünstig
inoefenen ['ɪn'ufən-] einüben
in|pak|ken (ein)packen; **~papier** *n* Einwickelpapier *n*
in|pikken sich aneignen; stibitzen; **~prenten** einprägen; **~rekenen** ['re:kənə(n)] verhaften
inricht|en einrichten; **~ing** Einrichtung *f*; Vorrichtung *f*; Anstalt *f*
in|rijden ['ɪn'reɪə(n)] einfahren; (**op**) einfahren (auf *A*); **~rit** Einfahrt *f*; **~ruimen** ['ɪn'rœym-] einräumen; **~schakelen** ['sxa:kəl-] einschalten (*A*, *fig*); **~schepen** ['sxe:p-] einschiffen; **~schieten** einbüßen, zusetzen; *MIL* einschießen; **~schikkelijk** ['sxɪkələk] nachgiebig; **~schrijfgeld** ['sxreif-] *n* Einschreibegebühr *f*; **~schrijven** einschreiben, eintragen; zeichnen
insgelijks   [ɪnsxə'lɛiks]
gleichfalls
insigne [-'si·niə] *n* Abzeichen *n*
in|slaan einschlagen; einbiegen in (*A*); *fig* zünden; **~slapen** einschlafen; **~slikken** (ver-, hinunter)schlucken
in|sluipen ['slœyp-] sich einschleichen; **~sluiten** einschließen; **~snijding** ['snei-] Einschnitt *m*
insolvent [-sɔl'ʔvɛnt] zahlungsunfähig
inspann|en anspannen; an-

strengen; **~ing** Anstrengung *f*, Strapaze *f*
inspec|teren [-'te:r-] inspizieren; *MIL* mustern; **~teur** [-'tø:r] Inspektor(in *f*) *m*; **~tie** [-si·] Inspektion *f*
in|spelen (**op**) sich einstellen (auf *A*); **~spraak** Mitbestimmung *f*; **~spuiten** ['spœyt-] einspritzen; **~staan** (**voor**) haften (für *A*), sich verbürgen (für *A*)
installatie [-'la:(t)si·] Installation *f*, Anlage *f*; Vorrichtung *f*; **~stantie** [-'stansi·] Instanz *f*; Behörde *f*
instap|kaart *AER* Bordkarte *f*; **~pen** einsteigen; zusteigen
instell|en einsetzen; einführen; einstellen; **een** [ən] **onderzoek** ['ɔndərzu·k] *n* **~en** eine Untersuchung durchführen; *JUR* ermitteln; **~ing** Institution *f*, Anstalt *f*; Einstellung *f*
instemmen (**met**) beipflichten (*D*)
instituut [-'ty·t] *n* Institut *n*, Anstalt *f*
instort|en ein-, zusammenstürzen; zusammenbrechen; **~ing** Einsturz *m*; Zusammenbruch *m*; Rückfall *m*
instructeur [-strøk'tø:r] Lehrer *m*; Ausbilder *m*
instructie ['strøksi·] Instruktion *f*, Anweisung *f*; **rechter van ~** Untersuchungsrichter *m*
in|strument [-stry·'-] *n* In-

strument n; **~suline** [-sy˥·] Insulin n

integendeel [-'te:ɣən-] im Gegenteil

intelligent intelligent; **~ie** [-'ɣɛnsɪ] Intelligenz f

intens(ief) intensiv; äußerst **intensive care** [-'tɛnsɪf kɛːr] Intensivstation f

interes|sant interessant; aufschlussreich; **~se** Interesse n

int(e)rest ['ɪn-] Zinsen m/pl

interlokaal: **~ telefoongesprek** n Ferngespräch n

intern intern; **~e geneeskunde** [-kəndə] innere Medizin f **inter|nationaal** [-nɑ(t)sɪo·'naːl] international; **~punctie** [-'pɔŋksɪ] Zeichensetzung f; **~ruptie** [-'rɔpsɪ] Unterbrechung f; Zwischenruf m

intiem intim

intikken eintippen

intimideren [-'de:r-] einschüchtern

in|tocht Einzug m; **~tomen** zügeln; **~trede** ['tre:də] Eintritt m; **~trekken** einziehen; widerrufen; zurücknehmen

introduc|é [-dy'se:] Gast m; **~eren** [-dy'se:r-] einführen; **~tieprijs** ['dɔksi·preɪs] Einführungspreis m

intussen [-'tɔsə(n)] inzwischen, unterdessen; jedoch

inval Einfall m

invalide Invalide m, Körperbehinderte(r)

inval|len einfallen; einstür-

zen; **~er** Vertreter m; Ersatzmann m

in|vasie [-'ʋaːzi·] Invasion f, **~ventarisatie** [-'za:(t)si·] Inventur f; **~vestering** [-'te:r-] Investition f; **~vi-teren** [-'te:r-] einladen

invloed [-'ʋlut] Einfluss m; **~rijk** [-reɪk] einflussreich

invoer ['ʋu:r] Einfuhr f; **~en** einführen; **~rechten** n/pl Einfuhrzoll m; **~vergunning** [-ɣən-] Einfuhrgenehmigung f

invrijheidstelling ['ʋreɪheɪt-] Ent-, Freilassung f

in|vullen ['ʋəl-] ausfüllen; **~wendig** ['ʋɛndəx] inwendig; innerlich; inner-; **~wij-den** ['ʋɛid-] einweihen; **~wikkelen** einwickeln, einhüllen; **~winnen** Erkundigungen einziehen, einholen

inwon|en wohnen (bei D); **~er** Einwohner m

inwrijven [-'ʋreɪʋ-] (zich) (sich) einreiben

inzage: ter ~ zur Kenntnisnahme; Buch zur Ansicht **inzake** ['za:kə] bezüglich (G)

inzamel|en einsammeln; sammeln; **~ing** Sammlung f, Kollekte f

inzet Einsatz m; **~ten** (zich) (sich) einsetzen

inzicht n Einsicht f, Erkenntnis f; Ansicht f

inzien einsehen; **mijns ~s** meines Erachtens

in|zinking Rückfall m; Zusammenbruch m; **zittende** Insasse m

ironisch [-is] ironisch

irri|gatie [-'ɣa(t)si] Bewässerung f; **tant** [-'tant] irritierend

islamitisch [-'miti·s] islamisch

isol|atieband [-'la:(t)si-] Isolierband n; **eren** [-'le:r-] isolieren

Israëlisch [-is] israelisch

Italiaan Italiener m; **se** italienisch; **se** Italienerin f

ivoor n Elfenbein n

J

ja ja

jaar n Jahr n; **beurs** ['-bø:rs] Messe f; **getij(de)** ['-ɣətei(də)] n Jahreszeit f; **lijks** ['-ləks] jährlich; **tal** [-'tal] n Jahreszahl f; **verslag** [-'slax] n Jahresbericht m

jacht¹ Jagd f; Hetze f

jacht² n Jacht f

jacht|akte Jagdschein m; **ig** ['-təx] hektisch; **terrein** ['-terein] n Jagdrevier n

jack [jɛk] n Jacke f

jagen jagen; hetzen

jager Jäger m

jakkeren ['jakərə(n)] hetzen

jaloers [-'lu:rs] eifersüchtig, neidisch; **heid** Eifersucht f

jaloezie [ʒalu'zi'] 1. Eifersucht f; 2. Jalousie f

jam [ʒem] Marmelade f

jammer schade; **en** jammern, wimmern; **lijk** [-lək] jämmerlich

janken heulen, winseln; plärren

januari [-ny'ʋa:ri'] Januar m

Japans [-'pans] japanisch

japon [-'pɔn] Kleid n

jarenlang jahrelang

jarig ['ja:rəx] ~ **zijn** [sein] Geburtstag haben

jarretel(le) [ʒarə'tɛl(ə)] Strumpfhalter m

jas Jacke f; Mantel m

jatten F klauen

jawel [-'vɛl] jawohl

je 1. du; dir; dich; ihr; euch; man; 2. dein; euer

jegens ['je:ɣəns] gegen (A)

jenever [jə'ne:vər] Wacholder m; Schnaps m; Korn (-branntwein) m, Genever m

jengelen quengeln

jennen piesacken

jeugd [jø:xt] Jugend f; **herberg** Jugendherberge f; **ig** ['-dəx] jugendlich

jeuk [jø:k] Juckreiz m; **en** jucken

jicht Gicht f

jij [jɛi, jə] du

jodiumtinctuur ['-di·(j)əm- tɪŋkty:r] Jodtinktur f

jokken lügen, schwindeln

jol Jolle f

jolig ['joːləx] lustig

jong jung; *su n* Junge(s)

jonge|ling, **~man** [-'man] Jüngling *m*; Bursche *m*

jong|en 1. Junge *m*, Knabe *m*, Bube *m*; **2.** *v/i* jungen; **~eren** ['jɔŋərə(n)] *pl* Jugendliche(n) *pl*; Nachwuchs *m*; **~mens** [-'mens] *n* Jüngling *m*

jongstleden [-'leː-] letzt; dieses Jahres

jood Jude *m*; **~s** jüdisch; **~se** Jüdin *f*

jou [jau] dich; dir

journaal [ʒʊr'-] *n* Journal *n*; Wochenschau *f*; TV Tagesschau *f*, Nachrichtensendung *f*

jouw [jau] dein

jubelen ['jyː-] jubeln

jubileum [jyˑbiˑ'leːiəm] *n* Jubiläum *n*

juffrouw ['jəfrau] Fräulein *n*

juichen ['jəʏxə(ń)] jauchzen, jubeln

juist richtig, recht; *adv* gerade, eben; **~heid** Richtigkeit *f*

juk [jɛk] *n* Joch *n*

jukebox ['dʒuˑkbɔks] Musikbox *f*

juli ['jyˑliˑ] Juli *m*

jullie ['jəliˑ] **1.** ihr; euch; **2.** eu-er(e)

jungle ['dʒəŋəl] Dschungel *m*

juni ['jyˑ-] Juni *m*

juri|disch [jyˑ'riˑdiˑs] juristisch, rechtlich; **~id** [jyˑ'riˑdis] *n* Geschworene(r); *Sport* Kampf-, Preisrichter(in *f*) *m*

jurk [jœr(ə)k] Kleid *n*

jury ['ʒyˑriˑ] Jury *f*; Schwurgericht *n*; **~lid** *n* Geschworene(r); *Sport* Kampf-, Preisrichter(in *f*) *m*

jus [ʒyˑ] Soße *f*, Tunke *f*; **~ d'orange** [ʒyˑ dɔ'rãːʃ] Orangensaft *m*

justitie [jəs'tiˑ(t)siˑ] Justiz *f*

juwelen [jyˑ'ʉeːlə(n)] *n/pl* Juwelen *n/pl*

K

kaai Kai *m*

kaak Kiefer *m*; **aan de ~ stellen** anprangern; **~holte** Kieferhöhle *f*

kaal kahl; *fig* schäbig; **~ hoofd** *n* Glatze *f*

kaars Kerze *f*; **~houder** ['-haudər] Kerzenhalter *m*

kaart Karte *f*; **~ en** Karten spielen; **~enbak** Kartei *f*; **~je** *n* Kärtchen *n*; Visitenkarte *f*; Fahrschein *m*, -karte *f*; **~jes-**

loket *n* Fahrkartenschalter *m*

kaas Käse *m*; **~mes** *n* Käsemesser *n*

kabaal *n* Lärm *m*, F Radau *m*

kabbelen ['-bələ(n)] plätschern

kabel Kabel *n*; Seil *n*

kabeljauw [kɑbəl'jaʊ] Kabeljau *m*

kabel|spoor *n* Seilbahn *f*; **~televisie** [-ˑʋiˑziˑ] Kabelfernsehen *n*

kabinet n Kabinett n; Büro n

kabouter [-'bɑutər] Zwerg m, Kobold m

kachel Ofen m

kade Kai m

kader n Rahmen m; Kader m

kadetje [-'detjə] n Brötchen n

kaduuk [-'dy·k] F kaputt

kaf n Spreu n

kajuit [-'jɔyt] Kajüte f

kakelen ['ka:kəl-] schnattern

kalebas [kalə'bɑs] Kürbis m

kalender Kalender m

kalf n Kalb n

kalfs|**gebraad** n Kalbsbraten m; **~lapje** n: **gepaneerd ~lapje** Wiener Schnitzel n; **~oester** [-'u·stər] Kalbsmedaillon n; **~schenkel** ['-sxeŋkəl] Kalbshachse f; **~vlees** n Kalbfleisch n

kalk Kalk m; **~houdend** ['-hɑudənt] kalkhaltig

kalkoen [-'ku·n] Truthahn m, Pute f; **~se haan** Puter m

kalm ruhig, gefasst, gelassen

kalmer|**en** [-'me:r-] (sich) beruhigen, (sich) besänftigen; **~ingsmiddel** n Beruhigungsmittel n

kalmte Ruhe f, Fassung f

kam Kamm m

kameel Kamel n

kamer ['ka:mər] Zimmer n, Stube f, Raum m; Kammer f; **~ van koophandel** Handelskammer f; **de ~ doen** das Zimmer (sauber) machen; **donkere ~** Dunkelkammer f

kameraad Kamerad(in f) m, Genosse m, Genossin f; **~schap** Kameradschaft f

kamer|**meisje** [-meiʃə] n Zimmermädchen n; **~muziek** [-my-] Kammermusik f; **~sleutel** [-sløytəl] Zimmerschlüssel m

kamille Kamille f

kammen kämmen

kamp n Lager n

kampeer|**der** Camper m; **~kaart** Campingausweis m; **~terrein** [-terein] n Camping-, Zeltplatz m

kamperen zelten, kampieren, lagern

kampioen|(**e** f) [-pi-'ju·n(ə)] Meister(in f) m; **~schap** n Meisterschaft f

kan Kanne f, Krug m; Kanister m, Behälter m

kanaal n Kanal m

kanarie [-'na:ri·] Kanarienvogel m

kandelaar Leuchter m, Kerzenständer m

kandij [-'deï] Kandis m

kaneel m od n Zimt m

kangoeroe ['-ĝu·ru·] Känguru n

kanker Krebs m; **~en** F stänkern, meckern; **~verwekkend** [-ərvekənt] Krebs erregend

kano Paddelboot n, Kanu n

kanon [-'non] n Kanone f

kans Chance f

kansel Kanzel f

kanselier [-'li:r] Kanzler m

kansspel ['-spɛl] *n* Glücksspiel *n*

kant¹ Seite *f*; Kante *f*; Rand *m*; *van de ~ van* seitens (*G*); *aan deze ~ van* diesseits (*G*); *aan de andere ~ van* jenseits (*G*, von *D*); *van zijn* [zɛln] ~ seinerseits; *van ~ maken* ['maːk-] umbringen

kant² Spitzen *f/pl*

kant|elen ['-tələ(n)] (um)kippen; *~en: zich ~en (tegen)* sich wenden (*gegen A*)

kant-en-klaar fix und fertig; *~menu* [-mə'nyˑ] *n* Fertiggericht *n*

kanton [-'tɔn] *n* (Land)Kreis *m*; Kanton *m*; *~gerecht n* Amtsgericht *n*

kantoor *n* Büro *n*; *~bediende* kaufmännische(r) Angestellte(r); Büroangestellte(r); *~boekhandel* [-buˑk-] Schreibwarengeschäft *n*

kanttekening ['-teːkən-] Randbemerkung *f*

kap Kappe *f*; (Lampen-) Schirm *m*; Haube *f*; Verdeck *n*; Mütze *f*, Kapuze *f*

kapel Kapelle *f*; *~aan* [kapə-'laːn] Kaplan *m*

kapen kapern, entführen

kapitein [-'tɛln] Kapitän *m*; Hauptmann *m*

kaplaarzen *pl* Schaftstiefel *m/pl*

kapot kaputt

kapp|en frisieren; kappen, schlagen; *~er* Friseur *m*; *~erszaak* Friseursalon *m*

kappertjes *n/pl* Kapern *f/pl*

kapseizen ['-sɛlz-] kentern

kap|sel *n* Frisur *f*; *~ster* Friseuse *f*; *~stok* Kleiderständer *m*

kar Karre(n *m*) *f*

karaat *n* Karat *n*

karaf Karaffe *f*

karakter *n* Charakter *m*; *~istiek* [-'tiˑk] charakteristisch

karamels *pl* Karamellen *pl*

karavaan Karawane *f*

karbonade [-'naː-] Kotelett *n*

karig ['kaˑrəx] karg, spärlich

karikatuur [-'tyˑr] Karikatur *f*

karnemelk Buttermilch *f*

karper Karpfen *m*

karpet [-'pɛt] *n* Teppich *m*

karton *n* Karton *m*, Pappe *f*

karwei [-'vɛl] *n od f* Arbeit *f*

kas(sa) Kasse *f*

kas|sabon [-bɔn] Kassenzettel *m*; *~sier(ster f)* Kassierer(in *f*) *m*

kast Schrank *m*; Gehäuse *n*; *ingebouwde* [-bɑˑudə] ~ Einbauschrank *m*

kastanje Kastanie *f*

kasteel *n* Schloss *n*

kastelein [-'lɛln] Gastwirt *m*

kat Katze *f*

kater Kater *m*

katholiek [-'liˑk] katholisch; *su* Katholik(in *f*)

katoen [-'tuˑn] *n* Baumwolle *f*

katrol [-'trɔl] Flaschenzug *m*

katt|enkwaad *n* Schelmerei *f*; Unfug *m*; *~ig* [-'təx] schnippisch

kauw|en kauen; **~gom** *m od n* Kaugummi *m*

kaviaar [-'jaːr] Kaviar *m*

kazerne Kaserne *f*

keel Kehle *f*, Hals *m*, Gurgel *f*; **~holte** Rachen(höhle *f*) *m*; **~ontsteking** [-steːk-] Halsentzündung *f*

keep Kerbe *f*

keeper ['kiːpər] Torwart *m*

keer Mal *n*; Wendung *f*; **deze ~** diesmal; **drie ~** dreimal; **voor de eerste ~** zum ersten Mal, erstmalig; **elke ~** jedes Mal; **~punt** [-'pɔnt] *n* Wendepunkt *m*; **~zijde** ['-zɛidə] Kehr-, Rückseite *f*

keertje: *een* [ən] **~** *mal*

keet Schuppen *m*; Lärm *m*

kegel Kegel *m*

keil Stein *m*; **~hard** steinhart; *fig* knallhart

keizer Kaiser *m*; **~snede** [-sneːdə] Kaiserschnitt *m*

kelder Keller *m*

kelk Kelch *m*

kelner (**in** [-'rɪn] *f*) Kellner(in *f*) *m*

kengetal *n* Vorwahl *f*

kenmerk *n* Kennzeichen *n*, Merkmal *n*; **~en** kennzeichnen; **~end** bezeichnend

kennelijk ['-nələk] sichtlich, offenbar

kennen kennen, wissen; können; **te ~ geven** zu erkennen geben

kennis¹ Kenntnis(se *pl*) *f*, Wissen *n*; **~ van zaken** Sach-

kenntnis *f*; **~ geven van** anzeigen; **in ~ stellen** in Kenntnis setzen, verständigen; **buiten ['bɐyt-] ~ raken** das Bewusstsein verlieren

kennis² Bekannte(r); **~sen** *pl* Bekanntschaft *f*

kennisgeving Anzeige *f*; Bekanntmachung *f*

kenschetsen kennzeichnen

kenteken [-teːk-] *n* Kennzeichen *n*; **~bewijs** [-ʋɛis] *n* Kraftfahrzeugschein *m*, Zulassung *f*

kenteren kentern

keramiek [-'miːk] Keramik *f*

kerel ['keːrəl] Kerl *m*

keren kehren, fegen; wenden; abwenden

kerf Kerbe *f*

kerk Kirche *f*; **~dienst** Gottesdienst *m*; **~elijk** ['-kələk] kirchlich; **~hof** ['-hɔf] *m* Friedhof *m*; **~toren** Kirchturm *m*

kermen wimmern, winseln

kermis Kirmes *f*; Rummelplatz *m*; **~kraam, ~tent** Kirmesbude *f*

kern Kern *m*, Mark *n*; markig; **~centrale** ['-sɛn-] Kernkraftwerk *n*

kerrie Curry *m*

kers Kirsche *f*

kerst|avond [-'aːʋənt] Heiligabend *m*; **~boom** Weihnachtsbaum *m*; **~mis** ['kɛrsmɪs] Weihnachten (*pl*); **~stol** Weihnachtsstollen *m*

kervel Kerbel *m*

ketchup ['ketʃəp] Ketschup *n od m*

ketel ['ke:təl] Kessel *m*

keten ['ke:tə(n)] Kette *f*; EL Stromkreis *m*

ketter Ketzer *m*

ketting Kette *f*; **~botsing** Auffahrunfall *m*, Massenkarambolage *f*; **~roker** [-ro:k-] Kettenraucher *m*

keuken ['kø:kə(n)] Küche *f*; **ingebouwde ~** Einbauküche *f*; **~gerei** [-ɣəreɪ] n Küchengeschirr *n*; **~zout** [-zɑut] n Kochsalz *n*

Keulen ['kø:l-] *n* Köln *n*

keur|en prüfen; untersuchen; *Fleisch* beschauen; MIL mustern; **~ig** [-rəx] sauber; tadellos; hübsch, gepflegt

keus, keuze Wahl *f*; Auswahl *f*, Auslese *f*; **naar ~** nach freier Wahl, wahlweise

keuzevak *n* Wahlfach *n*

kever ['ke:vər] Käfer *m*

kibbelen ['-bələ(n)] sich zanken, sich streiten

kiek|en *Foto* knipsen; **~je** *n* Foto *n*

kiel 1. Kittel *m*; **2.** Kiel *m*

kiem Keim *m*; **~en** keimen

kien pfiffig

kiep(er) kippen

kier Spalte *f*, Spalt *m*; **de deur** [dø:r] **staat op een ~** die Tür ist angelehnt

kies¹ Backenzahn *m*

kies² taktvoll, feinfühlig; **~heid** Zartgefühl *n*; **~keurig** ['-kø:rəx] wählerisch

kiespijn ['-peɪn] Zahnschmerzen *m/pl*

kiesrecht *n* Wahlrecht *n*

kietel|achtig [-təx] kitzlig; **~en** kitzeln

kieuw [kiːu] Kieme *f*

kievit ZO Kiebitz *m*

kiezel Kiesel *m*; Kies *m*

kiez|en wählen; **~er(es)** *f*) Wähler(in *f*) *m*

kijk|en ['keɪk-] gucken, schauen; **~er** Zuschauer *m*; Fernglas *n*; **~ster** Zuschauerin *f*

kijven schimpfen

kik|ker, ~vors Frosch *m*

kil nasskalt, kühl

kin Kinn *n*

kind Kind *n*

kinder|achtig [-təx] kindisch; **~bijslag** [-beɪslɑx] Kindergeld *n*; **~lijk** [-lək] kindlich; **~slot** *n* Kindersicherung *f*; **~tehuis** [-həys] *n* Kinderheim *n*; **~verlamming** Kinderlähmung *f*

kinds kindisch; **~heid** Altersschwäche *f*; Kindheit *f*

kinine Chinin *n*

kinkel Lümmel *m*

kinkhoest ['-huːst] Keuchhusten *m*

kip Huhn *n*, Henne *f*; GASTR Hähnchen *n*

kippen|bouillon [-buˈ(l)ˈjɔn] Hühnerbrühe *f*; **~hok** *n* Hühnerstall *m*; **~vel** *n* Gänsehaut *f*

kist Kiste *f*; Truhe *f*; Kasten *m*; Sarg *m*

klaar klar; fertig; bereit; **~blijkelijk** [-kɔlək] offenbar; **~leggen** bereit, zurechtlegen; **~maken** fertig machen; zubereiten; **~spelen** ['-spe:l-] fertig bringen, schaffen; **~zetten** bereitstellen

klacht Klage *f*; Beschwerde *f*; Strafanzeige *f*; **een ~ indienen** klagen; anzeigen

klachtenboek [-bu·k] *n* Beschwerdebuch *n*

kladden klecksen, schmieren

klagen klagen; **~er** Kläger *m*

klandizie [-'di·zi·] Kundschaft *f*

klank Klang *m*, Ton *m*, Schall *m*, Laut *m*

klant Kunde *m*, Kundin *f*; **vaste ~** Stammkunde *m*, -kundin *f*; **~enservice** ['-sœ:(r)ϑıs] Kundendienst *m*

klap Schlag *m*; Klaps *m*; Knall *m*; **~band** geplatzte(r) Reifen *m*; **~loper** Schmarotzer *m*; **~pen** klatschen

klapperen klappern

klaproos Mohn *m*

klaptafel Klapptisch *m*

klare Klare(r), Schnaps *m*

klas|(se) Klasse *f*; **~lokaal** *n* Klassenzimmer *n*

klassiek [-'si·k] klassisch

klauteren klettern

klauw Klaue *f*; Kralle *f*; Tatze *f*

klaver Klee *m*; **~en** Karte Kreuz *n*

kleden (be-, an)kleiden; **~erdracht** (Kleider)Tracht *f*; **~ij** [-'dɛi], **~ing** Kleidung *f*

kleed *n* Kleid *n*; Teppich *m*; Decke *f*; **~hokje** *n* An-, Umkleidekabine *f*

kleer|kast Kleiderschrank *m*; **~maker** Schneider *m*; → **kleren**

klei Lehm *m*, Ton *m*; Klei(boden) *m*

klein klein; **~dochter** Enkelin *f*; **~geestig** [-'ɣe·stəx] kleinlich, engherzig; **~geld** *n* Kleingeld *m*; **~handel** Einzelhandel *m*; **~igheid** ['-nəxɛɪt] Kleinigkeit *f*; **~kind** *n* Enkelkind *n*; **~maken** zerkleinern; **~zielig** ['-zi·lər] kleinlich; **~zoon** Enkel *m*

klem Falle *f*; Klemme *f*; Klammer *f*; **met ~** nachdrücklich; **~men** klemmen

klemtoon Betonung *f*

klep Klappe *f*; Schirm *m*; Ventil *n*

klepel ['kle·pəl] Schwengel *m*

klepperen klappern

kleren *n/pl* Kleider *n/pl*; **~hanger** Kleiderbügel *m*

klerk Schreiber *m*

klets|en klatschen, quatschen; **~koek** [-'ku·k] F Quatsch *m*; **~kous** ['-kaus], **~majoor** F Schwätzer(in *f*) *m*; **~praat** F Quatsch *m*, dummes Zeug *n*

kletteren prasseln; klirren

kleur [klø:r] Farbe *f*; **een ~ krijgen** ['krɛɪ̯-] erröten; **~echt** farbecht

kleuren färben; tönen; erröten; **~blind** farbenblind; **~te-**

levisie Farbfernsehen n; Farbfernseher m

kleur|ig ['-rəx] farbig; **~ling** (e f) Farbige(r); **~potlood** n Buntstift m; **~stof** Farbstoff m

kleuter ['kløttər] Knirps m; Kleinkind n; **~leidster** [-leïtstər] Kindergärtnerin f; **~school** Kindergarten m

klev|en kleben; haften; **~erig** ['-∇ərəx] klebrig

kliek Clique f

klier Drüse f

klikken klicken; petzen

klimaat n Klima n

klimmen steigen; klettern

klimop Efeu m

kling Klinge f

kliniek [-'nïk] Klinik f

klink Klinke f

klinken klingen, tönen; nieten; *mit den Gläsern* anstoßen

klinker Vokal m

klinkkl|aar: ~are onzin barer Unsinn m

klinknagel Niet m

klip Klippe f

klis, klit Klette f

klittenband Klettverschluss m

kloek [klu'k] stramm; stattlich; wacker

klok Uhr f; Glocke f; **~huis** ['-høəs] n Kerngehäuse n; **~slag** ['-slɑx] (*twee uur* [y:r]) Punkt m (zwei Uhr)

klomp Klumpen m; Holzschuh m

klont(er) Klumpen m

klontje n Zuckerwürfel m; Klümpchen n; **~ssuiker** [-səykər] Würfelzucker m

kloof Kluft f; Schlucht f; Spalte f

klooster n Kloster n

kloot F Hoden m; Idiot m

klop|jacht Treibjagd f; **~partij** [-teï] Rauferei f

kloppen klopfen, pochen; schlagen, besiegen; stimmen, zutreffen, aufgehen; *er werd geklopt* es hat geklopft

klos [klɔs] Spule f; Garnrolle f

kloven spalten

klucht [klɛxt] Posse f

kluis [klœys] Klause f, Zelle f; Tresor m; Schließfach n

kluit Klumpen m; Scholle f

kluiven abnagen

kluizenaar Einsiedler m

klus [klɛs] (*Stück* n) Arbeit f

kluts: de ~ kwijt [küeït] *zijn* (*raken*) F den Kopf verloren haben (verlieren)

klutsen quirlen; schlagen

kluwen ['klyʉə(n)] n Knäuel m

knaagdier n Nagetier n

knaap Knabe m; Bursche m

knabbelen knabbern

knagen nagen

knak|ken knicken; **~worst** Knackwurst f

knal Knall m; **~len** knallen, krachen; **~pot** Auspufftopf m

knap hübsch, schmuck; tüchtig, gescheit; sauber

knappend knusprig

knarsen knirschen; krächzen; knarren

knecht Knecht *m*; Geselle *m*; Diener *m*

kneden kneten

kneep Kniff *m*

knel|len klemmen, kneifen; *fig* drücken; **~punt** ['-pɔnt] *n* Engpass *m*

knetteren knattern, knistern

kneuz|en ['knø:z-] quetschen; **~ing** Prellung *f*

knie Knie *n*

knielen knien

knieschijf ['-sxɛif] Kniescheibe *f*

kniesoor Griesgram *m*

knijpen ['knɛip-] kneifen, zwicken

knikken nicken; knicken

knikker Murmel *f*

knip *Tür* Schieber *m*

knipogen zwinkern, blinzeln

knippen schneiden; zuschneiden; knipsen; lochen; entwerten

knipper|en ['-pərə(n)] *KFZ* blinken; **~licht** *n* Blinker *m*, Blinklicht *n*

knipsel *n* Ausschnitt *m*

knobbel Wulst *f*; Knoten *m*

knoei|en ['knuˑiˑə(n)] pfuschen; mogeln; **~er** Pfuscher *m*, Stümper *m*

knoflook Knoblauch *m*; **teentje** *n* ~ Knoblauchzehe *f*

knokk|el Knöchel *m*; **~en** sich raufen; kämpfen

knol **1.** Knolle *f*; Rübe *f*; **2.** Gaul *m*

knook Knochen *m*

knoop Knopf *m*; Knoten *m*; **~cel** ['-sɛl] Knopfbatterie *f*; **~punt** ['-pɔnt] *n* Knotenpunkt *m*; Autobahnkreuz *n*

knoopsgat *n* Knopfloch *n*

knop Knopf *m*, Taste *f*; Knospe *f*; (Tür) Griff *m*

knopen knöpfen, knüpfen

knorr|en knurren, grunzen; **~ig** ['-rəx] mürrisch

knots Keule *f*

knuffelen ['knœfələ(n)] F knutschen, hätscheln

knuist [knɔyst] Faust *f*

knuppel ['knøp-] Knüppel *m*

knul Lümmel *m*; Kerl *m*

knus|jes ['knøʃəs] gemütlich, behaglich

knutsel|aar ['-səlaːr] Bastler *m*; **~en** basteln

koddig ['-dəx] drollig

koe [kuˑ] (*pl* **koeien**) Kuh *f*

koek Kuchen *m*; **~je** *n* Plätzchen *n*, Keks *m*

koekoek Kuckuck *m*

koel kühl, kalt; **~bloedig** [-'bluˑdəx] kaltblütig; **~kast** Kühlschrank *m*; **~te** Kühle *f*; **~vloeistof** ['-ɬluˑiˑ-] Kühlflüssigkeit *f*

koen kühn

koepel Kuppel *f*

koers [kuːrs] Kurs *m*

koesteren ['kuˑstərə(n)] wärmen; hegen, pflegen

koeterwaals ['kuˑtər'-] *n* Kauderwelsch *n*

koets Kutsche *f*; **~ier** [-'siːr] Kutscher *m*

koevoet ['ku·ʋu·t] Brecheisen *n*

koffer Koffer *m*; Truhe *f*; **~(bak)** *KFZ* Kofferraum *m*

koffie Kaffee *m*; **~ verkeerd** Milchkaffee *m*; **~dik** *n* Kaffeesatz *m*; **~kan** Kaffeekanne *f*; **~zetapparaat** *n* Kaffeemaschine *f*

kogel Kugel *f*; **~lager** *n* Kugellager *n*

kok Koch *m*; **~en** ['ko:k-] kochen, sieden

koker Köcher *m*; Behälter *m*, Futteral *n*

kokhalzen würgen

kokkin [kɔ'kɪn] Köchin *f*

kokosnoot Kokosnuss *f*

kolen *pl* → **steenkool**; **~mijn** [-mɛin] Kohlenbergwerk *n*

kolf Kolben *m*

koliek [-'li·k] *f od n* Kolik *f*

kolom [ko'lɔm] Pfeiler *m*, Säule *f*; *DRUCK* Spalte *f*

kolonel [-'nɛl] Oberst *m*

kolonie [-'lo:ni·] Kolonie *f*

kom Schale *f*; Tasse *f*; Napf *m*; Zentrum *n*

komedie [-'me:di·] Komödie *f*

komen ['ko:mə(n)] kommen; herkommen; gelangen

komiek [ko'mi·k] ulkig; *su* Komiker *m*; **~isch** [-'i·s] komisch

komijn [-'mɛin] Kümmel *m*

komkommer Gurke *f*; **~sla** Gurkensalat *m*

kompel Kumpel *m*

kompres *n* Kompresse *f*

komst Ankunft *f*, Kommen *n*

konijn [-'nɛin] *n* Kaninchen *n*

koning König *m*; **~in** [ko·nə'ŋɪn] Königin *f*

koninklijk [-lək] königlich; **~rijk** [-rɛik] *n* Königreich *n*

kont V Arsch *m*

kooi [ko:i] Käfig *m*; Koje *f*

kook Kochen *n*; **~boek** ['bu·k] *n* Kochbuch *n*; **~echt** ['koːk-] kochfest; **~gerei** ['-xərɛi] *n* Kochgeschirr *n*; **~hoek** ['-hu·k] Kochnische *f*; **~pan** Kochtopf *m*; **~punt** ['-pønt] *n* Siedepunkt *m*; **~stel** ['-stɛl] *n* Kocher *m*; **~was** Kochwäsche *f*

kool 1. Kohle *f*; **2.** Kohl *m*

koolzuur [-'zy:r] *n* Kohlensäure *f*

koop Kauf *m*; Einkauf *m*; *op de ~ toe* ['tu·] obendrein; *te ~* zu verkaufen; verkäuflich; **~avond** ['-a:ʋənt] Einkaufsabend *m*

koopje *n* Gelegenheitskauf *m*, billiger Einkauf *m*; **~man** Kaufmann *m*; **~vaardij** (**-vloot**) ['-dɛi-] Handelsmarine *f*; **~waar** Handelsware *f*

koor *n* Chor *m*

koord *f od n* Schnur *f*, Leine *f*, Seil *m*, Strick *m*

koorts Fieber *n*; **~achtig** [-taχ] fiebrig; *fig* fieberhaft; **~werend** fiebersenkend

kop Kopf *m*; Tasse *f*; Schlagzeile *f*; Spitze *f*; *over de ~ slaan* sich überschlagen

kopen kaufen, erstehen

koper¹ Käufer m;
koper² n Kupfer n; **~gravure** [-ɣy:rə] Kupferstich m
kopiëren [-ˈpiːr-] kopieren
kop|je n Köpfchen n; Tasse f; **~lamp** KFZ Scheinwerfer m
koppeling Kupplung f
koppig [ˈpɔx] dickköpfig, trotzig, stur; **~heid** Trotz m
koptelefoon Kopfhörer m
koraal Koralle f
kordaat [-ˈdaːt] tapfer; energisch
koren [ˈkoːrə(n)] n Korn n, Getreide n
korf Korb m; **~bal** n Korbball m
korrel Korn n, Körnchen n; **~ig** [ˈ-rələx] körnig
korset n Korsett n
korst Rinde f, Kruste f, Schorf m
kort kurz; **~af** kurz angebunden, wortkarg
kort|en kürzen, abziehen; **~ing** Rabatt m; Skonto m od n; Abzug m; **~sluiting** [ˈ-slœyt-] Kurzschluss m; **~wieken** (die Flügel) stutzen; **~zichtig** [ˈsɪxtəx] kurzsichtig
kost Kost f, Verpflegung f; **~en inwoning** Unterkunft und Verpflegung; **ten ~e van** auf Kosten (G); **~baar** kostbar
kostelijk [ˈ-tələk] köstlich
kosteloos kostenlos, gebührenfrei
kosten 1. pl (Un)Kosten pl,

Gebühr f; 2. kosten
kost|huis [ˈ-həys] n Pension f; **~school** Internat n
kostuum [-ˈtyˑm] n Anzug m, Kostüm n
kotelet Kotelett n
kotsen F kotzen
kotter Kutter m
kou(de) [ˈkau-] Kälte f; ~ **vatten** sich erkälten
koud kalt; *het* ~ **hebben** frieren; **~egolf** Kältewelle f
kous Strumpf m
kouwelijk [ˈkɑ̃ʉələk] fröst(e)lig
kozijn [-ˈzɛin] n (Fenster-, Tür)Rahmen m
kraag Kragen m
kraai Krähe f; **~en** krähen
kraak|been n Knorpel m; **~zindelijk** [-dələk] blitzsauber
kraal Koralle f
kraam n od f Bude f; **~afdeling** Entbindungsstation f
kraan Kran m; (Wasser-) Hahn m; **~vogel** Kranich m
krab 1. Krabbe f; 2. Kratzer m, Schramme f
krabb|elen [ˈ-bələ(n)] kraulen; kritzeln; **~en** kratzen; scharren
kracht Kraft f; Wucht f; **~dadig** [ˈ-daːdəx] kräftig, tatkräftig; **~eloos** kraftlos; **~ens** kraft (G); **~ig** [ˈ-təx] kräftig, energisch
krakeling [ˈkraːkə-] Brezel f
kraken [ˈkraː-] krachen; knarren; knacken; *Haus* (instand) besetzen

kramp Krampf *m*; **~achtig** [-'axtəx] krampfhaft

kranig ['kra:nəx] tüchtig; zackig

krankzinnig [-'sɪnəx] geisteskrank, verrückt; **~enge- sticht** *n* Irrenanstalt *f*

krans Kranz *m*

krant Zeitung *f*

kranten|rek *n* Zeitungsständer *m*; **~stalletje** [-stalətjə] *n* Zeitungskiosk *m*

krap knapp, eng

kras krass; rüstig; *dat is ~!* F das ist stark!; **~ su** Kratzer *m*

krassen kratzen; ritzen; krächzen

krat *n* Kasten *m*

krauwen kraulen

krediet *n* Kredit *m*; **~ verle- nen** [-'le:n] Kredit gewähren; **~kaart** Kreditkarte *f*

kreeft Krebs *m*; Hummer *m*

kreet Schrei *m*

krekel ['kre:kəl] Grille *f*

kreng *n* Aas *n*

krenken kränken

krent Korinthe *f*; **~erig** ['-tərəx] knauserig; kleinlich

kreuk(el)en ['krø:k(ə)lə(n)] knittern; **~vrij** ['-frɛi] knitterfrei

kreunen ächzen, stöhnen

kreupel ['krø:pəl] lahm; **~hout** [-haut] *n* Gestrüpp *n*

kribbig ['-bəx] mürrisch

kriebelen kribbeln; kitzeln

krijgen ['krɛiɣ-] bekommen, erhalten, F kriegen

krijgsgevangene Kriegsge- fangene(r)

krijsen ['krɛisə(n)] kreischen

krijt *n* Kreide *f*

krik Wagenheber *m*

krimpen schrumpfen, eingehen, einlaufen

kring Kreis *m*; Zirkel *m*; **~loop** Kreislauf *m*

krioelen [kri·'ju·lə(n)] wimmeln

kriskras kreuz und quer

kristal *n* Kristall *m* od *n*

krit|iek kritisch; *su* Kritik *f*; **~isch** ['-i·s] kritisch

kroeg [kru·x] Kneipe *f*

kroes kraus

krokant [-'kant] knusprig

krokodil [-'dɪl] Krokodil *n*

krom krumm; **~me** Kurve *f*; **~men** krümmen

kroniek [-'ni·k] Chronik *f*

kronkel Krümmung *f*; Windung *f*; **~en** sich winden, sich schlängeln

kroon Krone *f*; **~luchter** ['-lextər] Kronleuchter *m*

kroost *n* Nachkommenschaft *f*, Kinder *n/pl*

krop Kopf *m*; Kopf *m*; **~sla** Kopfsalat *m*

krot *n* Elendswohnung *f*; **~tenwijk** [-vɛik] Elendsviertel *n*

kruid [krɛyt] *n* Kraut *n*

kruiden würzen; **~ier** [-də'ni:r] Lebensmittelgeschäft *n*; **~ier** Krämer *m*

kruidnagel Gewürznelke *f*

kruier ['krɔyʲər] Gepäckträger *m*

kruik Krug *m*

kruimel ['krœyməl] Krümel *m*, Brosame *f*

kruin Scheitel *m*; Gipfel *m*; Wipfel *m*

kruip|en kriechen; **~pakje** *n* Strampelhöschen *n*; **~spoor** *n* Kriechspur *f*

kruis *n* Kreuz *n*; *pijn* [peïn] *in het ~* Kreuzschmerzen *m/pl*; **~beeld** *n* Kruzifix *n*; **~bes** ['~bɛs] Stachelbeere *f*

kruis|en (*elkaar*) (sich) kreuzen; **~er** Kreuzer *m*; **~punt** ['~pɔnt] *n* (Straßen)Kreuzung *f*; **~snelheid** Reise-, Dauergeschwindigkeit *f*; **~tocht, ~vaart** Kreuzfahrt *f*

kruit *n* (Schieß)Pulver *n*

kruiwagen ['krœy-] Schubkarre *f*

kruk [krɔk] Krücke *f*; Hocker *m*; Schemel *m*; Griff *m*; Kurbel *f*; **~as** Kurbelwelle *f*

krul Locke *f*; Hobelspan *m*; Schnörkel *m*; **~len** locken, kräuseln; **~speld** Lockenwickler *m*

kubiek [ky-'-]: **~e meter** Kubikmeter *m*

kubus ['ky-bəs] Würfel *m*, Kubus *m*

kuchen ['kɔx-] hüsteln

kudde Herde *f*; Rudel *n*

kuieren ['kœyīərə(n)] (langsam) spazieren

kuif [kœyf] (Haar)Tolle *f*

kuiken *n* Küken *n*

kuil Loch *n*, Grube *f*

kuip Wanne *f*; Kübel *m*; Bot-

tich *m*

kuis keusch

kuit 1. Rogen *m*; **2.** Wade *f*

kul [kɛl]: *flauwe ~* F Quatsch *m*

kundig [kəndɔx] fähig, bewährt

kunnen können; mögen; **~ tegen** ['te:ɣ-] ertragen, vertragen

kunst [kɔnst] Kunst *f*

kunsten|aar ['-tənaːr] (**~ares** ['-'rɛs] *f*) Künstler(in*f*) *m*

kunst|gebit *n* Zahnersatz *m*, Prothese *f*; **~handel** Kunsthandlung *f*; Kunsthandel *m*; **~ig** ['-təx] kunstvoll; **~matig** ['-maːtəx] künstlich; **~mest** Kunstdünger *m*; **~nijverheid** ['-nɛiˑvər-] Kunstgewerbe *n*; **~tentoonstelling** Kunstausstellung *f*; **~vezel** ['-feːzəl] Kunst-, Chemiefaser *f*

kurk [kɔr(ə)k] Korken *m*, Pfropfen *m*; Stöpsel *m*; **~entrekker** Korkenzieher *m*

kus Kuss *m*

kussen¹ (*elkaar*) (sich) küssen

kussen² *n* Kissen *n*; Polster *n*; **~sloop** (Kopf)Kissenbezug *m*

kust Küste *f*

kuur [kyːr] **1.** Laune *f*, Grille *f*; **2.** Kur *f*; **~oord** *n* Kurort *m*

kwaad böse, zornig; schlimm; übel; *su n* Böse(s), Übel *n*; *iem. ~ doen* [duˑn] j-m et. zuleide tun; **~aardig** ['-aːrdəx] bösartig; **~spreken** (*van*) verleumden; **~willig** [-'vɪləx] böswillig

kwaal Übel n, Leiden n

kwadraat n Quadrat n

kwajongen [kūa:'-] Lausbub m

kwaken quaken

kwakken F schmettern

kwal Qualle f

kwalijk ['kūa:lək] schlecht, übel; ~ **nemen** übel nehmen; **neem me niet ~** entschuldigen Sie!

kwaliteit [-'tɛit] Qualität f

kwantiteit [-'tɛit] Quantität f

kwark Quark m

kwart n Viertel n; ~ **over twee** Viertel nach zwei; **~aal** n Quartal n, Vierteljahr n

kwartel Wachtel f

kwartet n Quartett n

kwartfinale Viertelfinale n

kwartier [-'ti:r] n Viertelstunde f; Stadtviertel n; Quartier n

kwartje n ¼ Gulden

kwarts n Quarz m; **~horloge** [-lo:ʒə] n Quarzuhr f

kwast Quaste f; Pinsel m;

Narr m

kwee Quitte f

kwekeling ['kūe:kəl-] Zögling m; **~n** züchten, ziehen; su n Aufzucht f; **~rij** [-'rɛi] (Auf)Zucht f; Gärtnerei f

kwekken quaken

kwellen quälen, plagen; **~ing** Quälen n; Qual f, Plage f

kwestie ['kūesti] Frage f; **in ~** fraglich, erwähnt

kwets|en verletzen; **~uur** [-'sy:r] Verletzung f

kwijlen ['kūeil-] geifern

kwijnen verkümmern, dahinsiechen

kwijt los, weg; **iets ~ zijn** et. verloren haben

kwijten: zich van een taak ~ sich e-r Aufgabe entledigen

kwijt|raken verlieren, loswerden; **~schelding** Erlass m

kwik(zilver) n Quecksilber n

kwispel|en, ~staarten wedeln

kwistig ['-təx] verschwenderisch, üppig

kwit|antie [-'tɑnsi] Quittung f; **~eren** [-'te:r-] quittieren

L

la(de) (Schub)Lade f

laad|perron ['-pɛrɔn] n (Lade)Rampe f; **~ruimte** ['-rœymtə] Laderaum m; **~vloer** ['-flu:r] KFZ Pritsche f

laag¹ Schicht f, Lage f; Überzug m

laag² niedrig, tief, nieder; **~hartig** ['-hartəx] niederträchtig; **~heid** Niedrigkeit f; Niedertracht f; **~ste** untere, unterste; **~te** Tiefe f; Vertiefung f; Niederung f; **~vlakte** Tiefebene f; **~water**

[-'ʋɑːtər] n Ebbe f

laaien lodern

laan Allee f

laars Stiefel m

laat spät

laatst letzt; *adv* neulich, jüngst; **het ~** zuletzt; **op zijn** [sɑn] **~** spätestens

laboratorium [-'toːri'(j)em] n Labor n

lach|en lachen; **~wekkend** [-'ʋɛkənt] Lachen erregend; lächerlich

lacune [-'kyːnə] Lücke f

ladder Leiter f; Laufmasche f

lade → **la**

laden laden

laf feige; fade, schal; schwül; **~aard** Feigling m; **~hartig** [-'hɑrtəx] feige

lager niedriger, nieder; *su n* TECH Lager n

lagerwal [-'ʋɑl]: **aan ~ geraken** herunter-, verkommen

lak Lack m

laken n Tuch m; Betttuch m, Laken n

lakken lackieren

lam[1] [lɑm] lahm; gelähmt; dumm, verflixt

lam[2] n Lamm n

lambrizering [-'zeːr-] Täfelung f

lamlendig [-'lɛndəx] schlaff; *fig* lahm

lamp Lampe f; (Glüh)Birne f; *Radio* Röhre f; **staande ~** Stehlampe f; **~enkap** Lampenschirm m

lamsvlees n Lammfleisch n

land n Land n; Acker m; **het ~ hebben aan** Widerwillen empfinden gegen (A)

landbouw ['-bɑu] Landwirtschaft f; **~er** Landwirt m

landelijk ['-dələk] ländlich; national

landen landen

landenwedstrijd [-streit] Länderkampf m, -spiel n

land|genoot Landsmann m; **~genote** Landsmännin f; **~goed** ['-xuˑt] n Gut n

landings|baan Landebahn f; **~gestel** [-xɛstel] n AER Fahrwerk n

land|kaart Landkarte f; **~loper** Landstreicher m; **~schap** n Landschaft f

lang; *adv* lange; **(nog) ~ niet** bei weitem nicht; **~dradig** [-'draːdɑx] weitschweifig; **~durig** ['-dyːrəx] länger; langwierig

langs entlang (A, D); längs (G), vorbei an (D); **~komen** vorbeikommen

lang|speelplaat Langspielplatte f; **~werpig** [-pəx] länglich

langzaam langsam; **~-aan-actie** [-ɑksiˑ] Bummelstreik m

langzamerhand allmählich

lans Lanze f

lantaarn Laterne f

lanterfanten herumlungern, bummeln

lap Lappen m; **~pen** ausbessern, flicken; ledern

larie Unsinn *m*, Larifari *n*

larve Larve *f*, Made *f*

lasse|nschweißen; **~r** Schwei-
ßer *m*

last Last *f*; Ladung *f*; Steuer *f*,
Abgabe *f*; Mühe *f*; Unan-
nehmlichkeiten *f/pl*, Ärger *m*;
op *~* van Auftrag (*G*); **ten**
~e van zulasten (*G*)

laster Verleumdung *f*; **~en**
verleumden; lästern

lastig ['-təχ] schwierig,
schwer; lästig, beschwerlich,
mühsam; hinderlich; **~vallen**
bemühen; belästigen

lat Latte *f*

laten ['la:tə(n)] lassen

later später, nachher

Latijns [-'tɛïns] lateinisch

laurier [-'ri:r] Lorbeer *m*

lauw lau

lavement [lavə'mɛnt] *n* MED
Einlauf *m*

laven laben

lawaai [-'va:ï] *n* Lärm *m*; **~**
maken lärmen

laxeermiddel [-'kse:r-] *n* Abführmittel *m*

lectuur [-'ty:r] Lektüre *f*

ledematen ['le:də-] *n/pl*
Gliedmaßen *pl*

leder~ = **leeg**

ledigen ['le:dəχ-] leeren

ledikant [-'kant] *n* Bett *n*

leed *n* Leid *n*, Kummer *m*;
~vermaak *n* Schadenfreude
f; **~wezen** *n* Bedauern *n*

leeftijd ['-tɛït] Alter *n*; (**toe-**
gankelijk) **voor alle ~en** ju-
gendfrei

leeg leer; **~loop** Leerlauf *m*;
~te Leere *f*

leek Laie *m*

leem Lehm *m*

leemte Lücke *f*

leen *te* ~ leihweise

leep schlau, pfiffig

leer **1.** *n* Leder *n*; **2.** Lehre *f*

leer|boek ['-bu·k] *n* Lehrbuch
n; **~jongen** Lehrling *m*;
~ling(**e** *f*) Schüler(in *f*) *m*;
~plicht Schulpflicht *f*; **~tijd**
['-tɛït] Lehre *f*

leerwaren *pl* Lederwaren *f/pl*

leerzaam lehrreich, auf-
schlussreich; gelehrig

lees|baar leserlich; lesbar;
~zaal Lesesaal *m*

leeuw [le:ü] Löwe *m*

leeuwerik ['le:üərık] Lerche *f*

lef [lɛf] *n* Mumm *m*

legaliseren [-'ze:r-] legalisie-
ren; beglaubigen

legatie [-'γa:(t)si·] Gesandt-
schaft *f*

legen leeren

leger ['le:γ-] *n* Armee *f*, Heer
n; Lager *n*; → **heil**

leges ['le:γɛs] *pl* Gebühren
f/pl

leggen legen

legitim|atie [-'ma:(t)si·] Aus-
weis *m*; geleeren [-'me:r-]: **zich**
~eren sich ausweisen

lei [lɛï] **1.** *n* Schiefer *m*; **2.**
Schiefertafel *f*

leid|en leiten, führen; anfüh-
ren; lenken; **~er** Leiter *m*,
Führer *m*; Anführer *m*; **~ing**
Leitung *f* (*a.* TECH), Führung

levensonderhoud

f; **~ingbreuk** [-brøːk] Rohr-
bruch m

leidraad Leitfaden m
leidster Leiterin f, Führerin f;
Anführerin f

lek leck, undicht; **~ band**
Reifenpanne f; su n Leck n,
Loch n; **~ken** lecken

lekker lecker, schmackhaft;
angenehm; wohl; **~nij** [-'nεɪ]
Leckerbissen m

lelie [ˈleːli] Lilie f
lelijk [ˈleːlək] hässlich; übel
lemme|r [ˈlεmər] n, **~t** n Klin-
ge f

lende Lende f
lenen [ˈleːnə(n)] leihen, borgen; **zich ~** sich hergeben;
sich eignen

lengte Länge f
lenig [ˈleːnəx] gelenkig, geschmeidig

lenigen [-ˈnəɣ-] lindern
lening Anleihe f, Darlehen
n

lens Linse f
lente Frühling m
lepel [ˈleːpəl] Löffel m
leperd Schlauberger m
ler|**aar** [ˈleːraːr] n; Studienrat
m; **~ares** [-'rεs] Lehrerin f;
Studienrätin f

leren[1] ledern; **~ riem** Leder-
gürtel m

leren[2] lernen; lehren
les Lektion f, Aufgabe f;
(Schul)Stunde f; Lehre f; Unterricht m

lessen löschen, stillen
lessenaar [-ˈsənaːr] Pult n

les(sen)rooster m od n Stun-
denplan m

letsel [ˈlεtsəl] n Verletzung f
letten (**op**) Acht geben (auf
A), aufpassen (auf A); beach-
ten, berücksichtigen

letter Buchstabe m; **~en** pl Literatur f; Philologie f;
~greep Silbe f; **~kunde**
[-kəndə] Literatur f; **~lijk**
[-lək] buchstäblich; wörtlich

leugen [ˈløːɣə(n)] Lüge f;
~aar(ster) f Lügner(in f) m;
~achtig [-təx] unwahr; ver-
logen

leuk reizend, nett; hübsch
leun|**en** (sich) lehnen; sich
stützen; **~ing** f Lehne f; Geländer n, Brüstung f;
~(ing)stoel [-stuːl] Lehn-
stuhl m, -sessel m

leuren hausieren
leus Losung f, Schlagwort n
Leuven [ˈløːvə(n)] n Löwen n
leuze → leus

leven leben; su n Leben n; Gewühl n; Lärm m

levend lebend, lebendig; **~
wezen** n Lebewesen n; **~ig**
[ˈleːvəndəx] lebhaft, lebendig, rege

levenloos leblos
levens|**beschouwing**
[-sxɑuɪŋ] Weltanschauung f;
~lang lebenslänglich; **~mid-
delen** n/pl Lebensmittel n/pl
levensonderhoud [-hɑut] n
Lebensunterhalt m; **kosten**
pl **van ~** Lebenshaltungskos-
ten pl

levensvatbaar lebensfähig
lever Leber f
lever|ancier [-'si:r] Lieferant m; **~baar** lieferbar; **~en** ['le:Ʋərə(n)] liefern; **~ingstermijn** [-'tɛrmeïn] Lieferfrist f; **~ingsvoorwaarden** pl Lieferbedingungen f/pl
leverworst Leberwurst f
lez|en lesen; **~er(es** [-'res] f) Leser(in f) m; **~ing** Vorlesung f, Vortrag m
liberaal liberal
licentie ['sɛnsi·] Lizenz f
lichaam ['lɪ·] n Körper m; Körperschaft f
lichaams|oefening [-u-fən-] Leibesübung f, **~verzorging** Körperpflege f
lichamelijk [-'xa:mələk] körperlich; **~e opvoeding** Leibeserziehung f
licht[1] licht; leicht; leise
licht[2] n Licht n; Leuchte f, Beleuchtung f; Helligkeit f; Ampel f; **groot ~** KFZ Fernlicht n
lichtblauw hellblau
lichten (wetter)leuchten; lichten; rekrutieren; leeren
licht|gelovig [-'lo:rɣx] leichtgläubig; **~geraakt** [-'ra:kt] reizbar, empfindlich; **~reclame** Leuchtreklame f; **~schakelaar** ['-sxa:kəl-] Lichtschalter m; **~vaardig** [-'fa:rdɔx] leichtfertig; **~zinnig** [-'sɪnəx] leichtsinnig
lid[1] n Glied n; Gelenk n; Lid n; Mitglied n; **~maatschap** n Mitgliedschaft f; **~maat-**

schapskaart Mitgliedskarte f; **~woord** n GR Artikel m
lied n Lied n
lieden pl Leute pl
liederlijk [-lək] liederlich
lief lieb, artig, liebenswürdig; nett, niedlich; **~dadig** ['-da:dəx] wohltätig
liefde Liebe f, **~loos** lieblos; **~rijk** [-reïk] liebevoll
liefdes|brief Liebesbrief m; **~verdriet** n Liebeskummer m
liefelijk ['-fələk] lieblich
liefhebb|en lieben; **~er** Liebhaber(in f) m
liefkozen liebkosen; **~ing** Liebkosung f, Zärtlichkeit f
liefst liebst; **het ~** am liebsten
lieftallig [-'taləx] hold, anmutig
liegen lügen
lier Winde f
liesbreuk ['-brø:k] Leistenbruch m
lieve|heersbeestje [-'he:rzbe:rʃə] n Marienkäfer m; **~ling** Liebling m; **~lingsgerecht** n Leibgericht n
liever lieber; eher
lift Aufzug m, Fahrstuhl m; **~en** trampen, per Anhalter reisen
lig|gen liegen; **gaan ~gen** sich (hin)legen; **~ger** TECH Balken m, Träger m; **~ging** Lage f; **~stoel** ['-stu:l] Liegestuhl m
lijdelijk ['leïdələk] passiv, untätig

lijd|en ['lɛɪə(n)] leiden, dulden, erleiden, ertragen; *het lijdt geen twijfel* es unterliegt keinem Zweifel; **~zaam** gelassen; tatenlos

lijf [lɛɪf] *n* Leib *m*

lijk *n* Leichnam *m*, Leiche *f*

lijken scheinen; **(op)** gleichen (*D*), ähneln (*D*)

lijk|enhuis [-həʏs] *n* Leichenhalle *f*; **~wagen** Leichenwagen *m*

lijm [lɛɪm] Leim *m*

lijn *n* Linie *f*, Leine *f*, Seil *n*; Strich *m*; *TEL* Leitung *f*, Bahn Strecke *f*; **~bus** [-bəs] Linienbus *m*; **~recht** schnurgerade

lijntje *n*: *aan 't ~ houden* ['hɑʊə(n)] hinhalten, vertrösten

lijnvlucht ['-vlɛxt] Linienflug *m*

lijnzaad *n* Leinsamen *m*

lijst Liste *f*, Verzeichnis *n*, Rahmen *m*; Leiste *f*; **~aanvoerder** [-vʊːrdər] Spitzenkandidat *m*

lijster Drossel *f*

lijvig ['lɛɪvəx] beleibt, dick

likdoorn Hühnerauge *n*

likeur [-'køːr] Likör *m*

likken lecken

linde Linde *f*

lingerie [lɛ̃ːʒə'riˑ] Damenwäsche *f*

liniaal Lineal *n*

linie ['liˑniˑ] Linie *f*

link F schlau; brenzlig

linker- linke; **~hand** Linke *f*;

~zijde [-zɛɪdə] linke Seite *f*; *POL* Linke *f*

links [lɪŋs] linke; links; linkisch; linkshändig; **~af** (nach) links; **~handige** ['-hɑndəx] Linkshänder(in *f*) *m*

linnen leinen, aus Leinen; *su n* Leinen *n*, Leinwand *f*; **~kast** Wäscheschrank *m*

lint *n* Band *n*; **~worm** Bandwurm *m*

linzensoep [-suˑp] Linsensuppe *f*

lip Lippe *f*

lispelen lispeln

liter Liter *n od m*

liter|air [-'reːr] literarisch; **~atuur** [-'tyːr] Literatur *f*

lits-jumeaux [liˑʒyˑ'moː] *n* Doppelbett *n*

litteken ['-teːk-] *n* Narbe *f*

loco-burgemeester ['-bər-ɣə-] stellvertretender (Ober-) Bürgermeister *m*

locomotief Lokomotive *f*

loden[1] bleiern

loden[2] Lodenmantel *m*

loef [luˑf] Luvseite *f*; *iem. de ~ afsteken* ['-steːk-] j-m den Rang ablaufen

loeien ['luˑiə(n)] muhen, blöken; heulen, tosen

loempia ['luˑmpiˑja] Frühlingsrolle *f*

loep Lupe *f*

loeren ['luˑr-] lauern, spähen

lof [lɔf] Lob *n*; **~felijk** ['-fələk], **~waardig** ['-vaˑrdəx] lobenswert log [lɔx] schwerfällig, plump

logboek ['lo·k] Logbuch n

loge ['lo:ʒǝ, 'lɔ:-] Loge f

logi(e (f) [lo'ʒe:] Gast m (zum Übernachten); **~eer-kamer** ['ʒe:rkɑ:mǝr] Gäste-, Fremdenzimmer n; **~e-ment** [-'mɛnt] n Unterkunft f; Gasthof m; **~eren** [-'ʒe:r-] wohnen (als Gast)

logica Logik f

logies [-'ʒi·s] n Logis n; Unterkunft f

logisch [-i·s] logisch, folgerichtig

lok Locke f

lokaal Lokal n, Raum m; adj lokal; **~** (telefoon)gesprek [-sprek] n TEL Ortsgespräch n; **~trein** Vorortzug m

lokaas n Köder m

loket [-'ket] n Schalter m; **~beambte** [-ɑmtǝ] Schalterbeamte(r)

lokken locken; ködern

lol [lɔl] Spaß m, Jux m; **~lig** ['l·lɔx] lustig

lolly ['lɔli'] Lutscher m

lommerd Pfandhaus n

lomp[1] plump; ungeschickt; grob

lomp[2] Lumpen m

long Lunge f; **~ontsteking** [-ste:k-] Lungenentzündung f

lont Lunte f, Zündschnur f

loochenen ['l·xǝnǝ(n)] leugnen, abstreiten

lood n Blei n; Lot n; **~gieter** Klempner m; **~je** n Plombe f; **~recht** senkrecht

loods[1] Lotse m

loods[2] Schuppen m

loodsdienst Lotsendienst m

loodvrij [-'freı] bleifrei

loof n Laub n

loog Lauge f

look n Lauch m

loom matt, träge; schwül

loon n Lohn m; **~belasting** Lohnsteuer f; **~inhoudin-gen** [-hɑud-] pl Lohnabzüge m/pl; **~staat** Lohnliste f

loonsverhoging Lohnerhöhung f

loop Lauf m, Gang m; Verlauf m; op de **~** gaan ausreißen; in de **~** van im Laufe (G); **~baan** Laufbahn f; **~jongen** Laufbursche m; **~plank** Laufsteg m; **~ster** Läuferin f

loos schlau; blind; taub

loot BOT Trieb m

lopen gehen; laufen; erin **~** fig hereinfallen; erin laten **~** fig hereinlegen

loper Läufer m; Dietrich m

los [lɔs] lose, locker, los; **~bandig** [-'bɑndx] zügellos, liederlich; **~barsten** aus-, losbrechen; **~gaan** aufgehen, sich lockern; **~geld** n Lösegeld n; **~laten** ['-lɑ:t-] loslassen; **~krijgen** ['-kreı̆∀-] loskriegen, abbekommen; **~maken** ['-mɑ:k-] lösen, lockern; auftrennen; **~raken** sich lösen

lossen aus-, entladen; Ladung a. löschen; Schuss abfeuern

lostornen (auf)trennen

lot [lɔt] *n* Los *n*; Schicksal *n*

lot|en ['lo:t-] losen; **~erij** [-tə'rɛi] Lotterie *f*

lotgevallen *n/pl* Erlebnisse *n/pl*, Schicksal *n*

lotje: *van ~ getikt zijn* [sɛin] F spinnen, übergeschnappt sein

louche [lu'ʃ] zwielichtig

louter ['lautər] lauter

loven loben; *~ en bieden* feilschen

lozen abführen, (ab)leiten; ausstoßen

lucht [lœxt] Luft *f*; Himmel *m*; Duft *m*; Geruch *m*; *in de open* ['o:pə(n)] *~* im Freien; **~bed** *n* Luftmatratze *f*; **~bel** ['-bel] Luftblase *f*; **~bus** ['-bəs] Airbus *m*; **~druk** ['-drɛk] Luftdruck *m*; **~en** (durch)lüften; ausstehen

luchter (Kron)Leuchter *m*

lucht|hartig ['-hartəx] leichtherzig; **~haven** Flughafen *m*; **~ig** ['-təx] luftig; leicht, locker, unbesorgt; **~kussenvaartuig** [-təx] *n* Luftkissenboot *n*; **~ledig** ['-le:dəx] luftleer; **~lijn** ['-lɛin] Fluglinie *f*; **~macht** Luftwaffe *f*; **~pijp** ['-pɛip] Luftröhre *f*; **~vaartmaatschappij** [-sxa'pɛi] Flug-, Luftfahrtgesellschaft *f* **~verkeer** *n* Flugverkehr *m*; **~verontreiniging** Luftverschmutzung *f*; **~versing** Ventilation *f*

lucifer ['ly·si·fər] Streichholz *n*

luguber [ly·'ɣy·bər] unheimlich

lui¹ [lœy] laut, träge

lui² *pl* Leute *pl*

luiaard Faulenzer *m*

luid [lœyt] laut; **~en** lauten; läuten; **~keels** aus vollem Halse; **~ruchtig** ['-rɛxtəx] laut; **~spreker** ['-spre:kər] Lautsprecher *m*

luier ['lœyər] Windel *f*

lui|eren faulenzen; **~heid** Faulheit *f*

luik *n* Luke *f*; Fensterladen *m*

Luik *n* Lüttich *n*

lui|lakken faulenzen; **~lekkerland** [lœy'-] *n* Schlaraffenland *n*

luim Laune *f*

luis [lœys] Laus *f*

luister Pracht *f*, Glanz *m*

luisteraar Zuhörer *m*; Rundfunkhörer *m*

luisteren ['lœystərə(n)] zuhören (*D*); horchen, lauschen (*D*); *~ naar* zuhören (*D*), sich anhören (*A*); hören auf (*A*), gehorchen (*D*)

luister|geld *n* Rundfunkgebühr *f*; **~rijk** [-rɛik] prunkvoll; **~vink** Horcher *m*

luitenant ['lœytənant] Leutnant *m*

luk|ken gelingen, glücken; **~raak** ['lœk-] aufs Geratewohl, planlos

lullig ['lœləx] F dumm, doof; gemein

lummel ['lœməl] Lümmel *m*

lunapark ['ly·-] *n* Rummel-

platz m; Vergnügungspark m
lunch [lenʃ] Lunch m; **~room**
['-ru:m] Café n, Konditorei f
lus Schlinge f; Schleife f; *Kleid*
Aufhänger m
lust [lest] Lust f
lusten mögen, gern essen

lux|e ['lʏksə] Luxus m;
~ueus [-ksy'ʋøːs] luxuriös
lyceum [li'se:ɪ̈əm] n Gymnasium n
lymfeklier ['lɪmfə-] Lymphknoten m
lynx [lɪŋks] Luchs m

M

ma [ma:] Mama f
maag Magen m; **~pijn** ['-peɪn]
Magenschmerzen m/pl; **~**
zweer Magengeschwür n
maagd Jungfrau f
maaien mähen, schneiden
maakloon n Arbeitslohn m
maal¹ n Mahl n, Mahlzeit f
maal² mal; *su* Mal n; → *a*. **keer**
maalstroom Strudel m
maaltijd ['-teɪt] Mahlzeit f;
lichte ~ Imbiss m; **~bon**
[-bɔn] Essensgutschein m,
-bon m
maan Mond m; *nieuwe*
['niˑⁿə] ~ Neumond m; *volle* ~
Vollmond m
maand Monat m
maandag ['-dax] Montag m;
~s montags
maand|elijks ['-ələks] monatlich; **~kaart** Monatskarte
f; **~verband** n Damenbinde f
maansverduistering [-dəʏstə-
tər-] Mondfinsternis f
maar aber, sondern; nur, bloß;
al — door immerfort, immerzu
maart März m

maas Masche f
maat¹ Kamerad m
maat² Maß n; Takt m; Größe
f; **~houden** ['-hɑʊə(n)] Maß
halten; → *a*. **mate**
maatjesharing Matjeshering
m
maatkostuum [-tyˑm] n
Maßanzug m
maatregel ['-reːɣəl] Maßnahme f
maatschappelijk [-'sxapə-
lək] gesellschaftlich, sozial; ~
werkster (Sozial)Fürsorgerin f
maatschappij [-'peɪ] Gesellschaft f
maatstaf ['-staf] Maßstab m
macaroni Makkaroni pl, Nudeln f/pl
machin|aal [-ʃiˑ'-] maschinell; mechanisch; **~e** Maschine f; **~ist** Maschinist m; Lokomotivführer m
macht Macht f, Gewalt f,
Kraft f, MATH Potenz f;
~eloos ['-təlo:s] machtlos,
ohnmächtig; **~hebber**
Machthaber m; **~ig** ['-təx]

mächtig, gewaltig; **~igen** ermächtigen

made Made f

madeliefje [-'li·fjə] n Gänseblümchen n

maga|zijn [-'zɛin] n Lager n, Magazin n; Laden m; **~zine** Magazin n, Zeitschrift f

mager mager, hager

magistraal meisterhaft

magneet Magnet m

magnetron ['maxnətrɔn] Mikrowellenherd m

mahonie|hout [-hout] n Mahagoniholz n

maïs Mais m; **~kolf** Maiskolben m

majesteit ['ma·iǝsteit] Majestät f

majoor Major m

mak zahm

makel|aar ['ma·kǝ-] Makler m; **~ij** [-'lɛi] Bauart f

maken ['ma·kǝ(n)] machen; herstellen; **hoe** [hu·] **maakt u** [y·] **het?** wie geht es Ihnen?; **met iem. niets te ~ hebben** mit j-m nichts zu schaffen haben

maker Hersteller m

makkelijk ['kǝlǝk] bequem, leicht

makker Gefährte m, Genosse m

makreel Makrele f

mal [mɑl] töricht, verrückt

malen mahlen

maling: *daar heb ik ~ aan* ich pfeife darauf; *in de ~ nemen* verulken

mals saftig; weich

man Mann m

manchetknoop [-'ʃɛt-] Manschettenknopf m

mand Korb m

mandarijntje ['rɛintjǝ] n Mandarine f

manen¹ pl Mähne f

manen² mahnen

maneschijn [-sxein] Mondschein m

manicure [-'ky:r(ǝ)] Maniküre f

manier Weise f, Art f, Manier f; Art und Weise

manifestatie [-'ta:(t)si] Veranstaltung f; Kundgebung f

manipuleren [-py·'le:r-] manipulieren

mank lahm

mankeren [-'ke:r-] fehlen

manne|lijk ['nǝlǝk] männlich; **~tje** n Männchen n

manoeuvre [-'nœ·vrǝ] Manöver n

manschappen pl Mannschaft(en pl) f

mantel Mantel m; **~pak(je)** n Jackenkleid n, (Damen)Kostüm n

map Mappe f

mar|chanderen [-ʃɑn'de:r-] feilschen; **~cheren** [-'ʃe:r-] marschieren

marechaussee [marǝʃo·'se:] Grenzschutz m, Gendarmerie f

marge ['mɑrʒǝ] Rand m; *ECON* Spanne f, Marge f

marionet [-'nɛt] Marionette f

marjolein [-'lɛɪn] Majoran m

mark Mark f

markering [-'ke:r-] Markierung f

markt Markt m; **~plein** ['-plɛɪn] n Marktplatz m

marmer n Marmor m

marmot [-'mɔt] Murmeltier n; Meerschweinchen n

Marokkaans marokkanisch

mars Marsch m

marsepein [-sə'pɛɪn] Marzipan n

marskramer Hausierer m

martelaar Märtyrer m

marter Marder m

marxisme n Marxismus m

masker n Maske f; **~en** [-'ke:r-] maskieren

massa Masse f, Menge f; **~aal** [-'sa:l] massenhaft; **~media** n/pl Massenmedien n/pl; **~eren** [-'se:r-] massieren

mast Mast m

mat¹ matt, flau

mat² (Fuß)Matte f

match [mɛtʃ] Wettspiel n

mate Maß n; Grad m; *in hoge ~* in hohem Maße; **~loos** maßlos

materiaal n Material n; **~ie** [-'te:ri] Materie f; **~ieel** [-ter'je:l] materiell; su n Material n

matig ['ma:təx] mäßig; **~en** mäßigen

matras f od n Matratze f

matrijs [-'trɛɪs] Matrize f

matroos Matrose m

mavo(-school) Hauptschule f

maximum [-məm] maximal, Höchst-; su n Maximum n; **~snelheid** Höchstgeschwindigkeit f

mayonaise Mayonnaise f

mazelen [-'zələ(n) pl Masern pl

me [mə] mich; mir

me|canicien [-kɑni'siɛ̃:] Mechaniker m; **~chanica** [-'xa:-] Mechanik f; **~chanisme** n Mechanismus m

me(d)e ['me:də, me:] mit

mede|burger [-bɐrɣər] Mitbürger m; **~deling** [-de:-] Mitteilung f; Durchsage f; **~dinging** Wettbewerb m, Konkurrenz f; **~gebruik** [-brøyk] n Mitbenutzung f; **~klinker** Konsonant m; **~leerling(e** f) Mitschüler(in f) m; **~leven** [-le:v̇-] n Mitgefühl n; **~lijden** [-lɛɪd-] n Mitleid n

mede|plichtig [-'plɪxtəx] mitschuldig; **~e** Komplize m, Komplizin f

mede|reiziger Mitreisende(r); **~speler** [-spe:l-] Mitspieler m; **~stander** Mitkämpfer m; **~werker** Mitarbeiter m; **~werking** Mitarbeit f, Mitwirkung f; **~werkster** Mitarbeiterin f; **~weter** [-ve:tər] Mitwisser m; **~zeggenschap** [-sxap] Mitbestimmung f

media pl Medien pl

med|icament ['-mɛnt] n Medikament n, Arzneimittel n; **~icijn** [-'sɛɪn] Medizin f, Arznei f; **~isch** ['-i·s] medizinisch

mee = *mede*

mee|brengen mitbringen; **~delen** ['-de:l] mitteilen; **~doen** ['-du·n] mitmachen, sich beteiligen; **~dogenloos** ['-do:ɣə(n)-] erbarmungslos, schonungslos; **~gaan** mitgehen; **~gaand** ['-ɣa:nt] nachgiebig, gefügig; **~geven** mitgeben; nachgeben

meel n Mehl n

meelij → *medelijden*

meeloper Mitläufer m

meelproducten [-dɛk-] n/pl Teigwaren f/pl

mee|maken ['-ma:k] mitmachen, durchmachen; **~nemen** mitnehmen

meer[1] mehr; **onder ~** unter anderem

meer[2] n See m

meerdaags mehrtägig

meerder höher, größer; **~e** mehrere; *su* Vorgesetzte(r); **~heid** Mehrheit f; **~jarig** [-'ja:rəx] volljährig

meerijcentrale ['-rɛɪsən-] Mitfahrzentrale f

meer|maals, ~malen mehrmals

meerschuim ['-sxœʏm] n Meerschaum m

meervoud ['-vɑut] n Mehrzahl f; **~ig** [-dəx] mehrfach; im Plural stehend

mees Meise f

meeslepen ['-sle:p-] mitschleppen; *fig* hinreißen

meest meist; meistens; **het ~** am meisten; **~al** meistens

meester Meister m, Herr m; Lehrer m; **~ in de rechten** (*Mr.*) Doktor m der Rechte; **~es** [-'rɛs] Meisterin f, Herrin f; **~lijk** [-lək] meisterhaft; **~schap** n Meisterschaft f

meet|baar messbar; **~kunde** ['-kɛndə] Geometrie f; **~lint** n Messband n

meeuw [me:ü] Möwe f

mee|vallen die Erwartung(en) übertreffen, besser sein als erwartet; **~varen** *Schiff* mitfahren; **~warig** ['-va:rəx] mitleidig; **~werken** mitarbeiten, mitwirken

mei [mɛɪ] Mai m

meid Dienstmädchen n, Magd f; F Mädchen n; Dirne f

mei|kever Maikäfer m; **~klokje** n Maiglöckchen n

meineed Meineid m

meisje ['mɛɪʃə] n Mädchen n; **~snaam** Mädchenname m

Mej. = *mejuffrouw* [mə-'jøfrau] Fräulein n

mekaar einander; → *elkaar*

melaats aussätzig

melden melden

melding Meldung f, Bericht m; **~ maken van** erwähnen

melk Milch f; **~boer** ['-bu:r] Milchmann m; **~en** melken; **~erij** [-kə'rɛɪ] Molkerei f; **~fles** Milchflasche f; **~kannetje** ['-kɑnətiə] n Milchkännchen n; **~poeder** ['-pu·?ər] n od f Trockenmilch f; **~tand** Milchzahn m; **~weg** ASTR Milchstraße f

meloen [-'lu·n] Melone f

men man

meneer Herr m

menen meinen, glauben; **het is ~s** es ist ernst

meng|eling Mischung f; **~elmoes** [-mu·s] Mischmasch m; **~en** (ver)mischen; **~sel** n Mischung f, Gemisch n

menig ['me·nəx] manche(r), -s); **~een** manche(r); **~maal** öfters; **~te** Menge f, Masse f

mening Meinung f, Ansicht f; **van ~ zijn** [zɛin] der Meinung sein; **~verschil** n Meinungsverschiedenheit f

mens Mensch m; Person f; **~dom** [-'dɔm] n Menschheit f; **~elijk** ['-sələk] menschlich

mensen pl Leute pl; **~schuw** [-sxy·ʉ] menschenscheu

mens|heid Menschheit f; **~lievend** ['-li·Ɵənt] menschenfreundlich; **~onwaardig** [-dəx] menschenunwürdig

menstruatie [-stry·'ʉa:(t)si·] Menstruation f

mentaliteit [-'tɛit] Mentalität f

menu [-'ny·] n Menü n; Speisekarte f

mep klaps m; **~pen** schlagen

merel ['me·rəl] Amsel f

meren Schiff festmachen

merendeel n Mehrzahl f;

voor 't ~ zum größeren Teil

merg n Mark n

merk n Marke f; **~artikel** n Markenartikel m

merk|baar bemerkbar; merk-lich; **~en** (be)merken; bezeichnen; **niets laten ~en** sich nichts anmerken lassen

merkwaardig ['-va:rdəx] merkwürdig

merrie ['-ri·] Stute f

mes n Messer n

mest n Mist m; Dünger m; **~en** düngen; mästen; **~hoop,** **~vaalt** Misthaufen m

met mit (D); **~ Kerstmis** zu Weihnachten; **~ zijn** [sən] **tweeën** ['tϋe:?ə(n)] **(drieën)** zu zweit (dritt)

metaal n Metall n; **~bewerker** Metallarbeiter m

meteen [me'te:n] (so)gleich; zugleich

meten ['me:t-] (ver)messen

meter¹ Meter m od n; Person Vermesser m; Zähler m

meter² Patin f

metgezel ['-xəzɛl] Gefährte m

methode Methode f, Verfahren n

meting ['me:tɪŋ] Messung f

metro U-Bahn f

metselaar ['-sələ:r] Maurer m

metterdaad ['-da:t] in der Tat, wirklich

metworst Mettwurst f

meubel ['møbəl] n Möbel n; **~maker** Tischler m

nevrouw [mə'vrɑu] Frau *f*; *Anrede* gnädige Frau

Mexicaans mexikanisch

microfoon Mikrophon *n*

microscoop Mikroskop *n*

middag ['-dɑx] Mittag *m*; Nachmittag *m*; **~eten** [-e:tə(n)] *n*, **~maal** *n* Mittagessen *n*; **~s:** 's **~s** (nach)mittags; **~uur** [-y:r] *n* Mittagszeit *f*

middel *n* **1.** Mittel *n*; *door ~ van* mittels (*G*); **2.** Taille *f*

middelbare mittlere; **~ school** weiterführende Schule *f*

middel|eeuwen [-e:üə(n)] *pl* Mittelalter *n*, **~eeuws** mittelalterlich; **~groot** mittelgroß; **~landse Zee** Mittelmeer *n*; **~lijn** [-lɛin] Durchmesser *m*; **~matig** ['-ma:təx] mittelmäßig; **~punt** [-pɛnt] *n* Mittelpunkt *m*; **~ste** mittlere

midden mitten; *te ~ van* inmitten (*G*); *su n* Mitte *f*; **~berm** Mittelstreifen *m*; **~door** ['-do:r] mittendurch, entzwei; **~golf** Mittelwelle *f*; **~in** [-'in] **(er) ~in** mittendrin; **~oorontsteking** [-ste:k-] Mittelohrentzündung *f*; **~rif** *n* Zwerchfell *n*; **~stand** Mittelstand *m*

mid|dernacht ['-nɑxt] Mitternacht *f*; **~voor** *Sport* Mittelstürmer *m*

mier Ameise *f*

mierik(swortel) Meerrettich *m*

mieters F dufte, toll

migraine [-'ɣrɛːnə] Migräne *f*

mij [mɛi, mə] mich; mir

mijden ['mɛid-] (ver)meiden

mijl Meile *f*

mijmeren ['mɛimər-] sinnen, nachdenken

mijn[1] [mɛin, mən] mein(e)

mijn[2] [mɛin] Bergwerk *n*, Zeche *f*; *MIL* Mine *f*; **~bouw** ['-bɑu] Bergbau *m*; **~gang** Stollen *m*

mijnheer [mə'ne:r] Herr *m*

mijnwerker Bergmann *m*

mik|ken zielen; **~punt** ['-pɛnt] *n* Zielscheibe *f*

mild mild; freigebig

milieu [-'liø:] *n* Umwelt *f*; Milieu *n*; **~bescherming** Umweltschutz *m*; **~verontreiniging** Umweltverschmutzung *f*; **~vriendelijk** [-dələk] umweltfreundlich

militair [-'te:r] militärisch; *su* Soldat *m*

miljard [-'jɑrt] *n* Milliarde *f*; **~joen** [-'ju:n] *n* Million *f*; **~jonair(e)** [-'nɛːr(ə)] Millionär(in *f) m*

milkshake [-'ʃe:k] Milchmixgetränk *n*

millimeter Millimeter *m od n*

milt Milz *f*; **~vuur** ['-fy:r] *n* Milzbrand *m*

min minus; gering; niederträchtig; *~ of meer* mehr oder weniger; **~achten** gering schätzen

minder weniger, minder, schlechter; **~e** *su* Untergebene(r); Unterlegene(r); **~heid** Minderheit f; **~jarig** [-'ja:rəx] minderjährig; **~waardig** [-'ʋa:rdəx] minderwertig

miner|aal mineralisch; su n Mineral n; **~ale bron** Mineralquelle f

mi|nijurk [-jər(ə)k] Minikleid n; **~niem**, **~nimaal** minimal; **~nimum** [-məm] Mindest-; su n Minimum n

minister Minister m; **~eerste ~** Ministerpräsident m

ministerie [-'ste:ri·] n Ministerium n; **~ van buitenlandse** [-'bytə(n)-] **zaken** Außenministerium n

minn|aar Liebhaber m; Geliebte(r); **~ares** [-'rɛs] Geliebte f

minnelijk ['minələk] gütlich

minst wenigst-, mindest-; **het ~** am wenigsten; **op zijn ['zən] ~**, **~ens** mindestens, wenigstens, zumindest

minus ['nəs] minus

minuut [-'ny·t] Minute f

minzaam freundlich; gönnerhaft

mis¹ verfehlt; **het ~ hebben** sich irren

mis² Messe f

mis|bruik ['brøyk] n Missbrauch m; **~daad** Verbrechen n; **~daadfilm** Kriminalfilm m

misdadig|er ['-da:dəɣər] Verbrecher m; **~heid** Kriminalität f

mis|deeld [-'de:lt] schlecht

bedacht, benachteiligt; **~drijf** ['-drɛif] n Verbrechen n; Vergehen n; **~handelen** misshandeln; **~kennen** verkennen; **~kraam** ['mis-] Fehlgeburt f; **~leiden** irreführen, täuschen; **~lopen** ['mis-] verfehlen; schief gehen

mislukk|en ['-lœk-] misslingen (D); **~ing** Fehlschlag m, Misserfolg m

mis|maakt ['-ma:kt] verkrüppelt, verunstaltet; **~moedig** ['-'mu·dəx] missmutig; **~noegd** ['-'nu·xt] verstimmt, unmutig; **~plaatst** [mis'-] unangebracht; **~prijzen** ['-'prɛiz-] missbilligen

misrekenen ['-re:kənə(n)]: **zich ~** sich verrechnen

misschien [mə'sxi·n] vielleicht; etwa

misselijk ['-sələk] übel; widerlich; **ik word ~** mir wird übel (od schlecht)

miss|en vermissen; entbehren; (ver)fehlen; verpassen; **~er** Reinfall m

missie ['-si·] Mission f

misstap Fehltritt m

mist Nebel m, Dunst m; **~achterlicht** n Nebelschlussleuchte f; **~en: het ~** es ist neblig; **~ig** ['-təx] dunstig, neblig; **~lamp** Nebelscheinwerfer m

mis|troostig ['-tro:stəx] missmutig; **~verstand** n Missverständnis n; **~vormen** entstellen mits vorausgesetzt, dass

mobilofoon [-'fo:n] Sprechfunkgerät *n*

modder Schlamm *m*; Kot *m*; **~bad** [-bat] *n* Moorbad *n*; **~en** pfuschen; **~ig** [-rəx] schlammig

mode Mode *f*

model *n* Modell *n*; Muster *n*; Zuschnitt *m*

modern modern, zeitgemäß

mode|ontwerper Modeschöpfer *m*; **~show** [-ʃoːu] Mode(n)schau *f*; **~snufje** [-snøfiə] *n* letzter Modeschrei *m*

modieus [-'diøːs] modisch

moe [muː] müde; *het ~ zijn* [zɛin] es satt haben

moed Mut *m*

moeder Mutter *f*; **~lijk** [-lək] mütterlich; **~taal** Muttersprache *f*; **~vlek** Muttermal *n*

moed|ig ['muˈdəx] mutig; **~willig** [-ʋɪləx] mutwillig

moeheid Müdigkeit *f*

moeilijk ['muˈilək] schwierig, schwer; mühsam; **~heid** Schwierigkeit *f*

moei|te Mühe *f*; Bemühung *f*; Aufwand *m*; **~te doen** sich bemühen; **~zaam** mühsam

moer [muːr] (Schrauben-) Mutter *f*

moeras [muˈras] *n* Morast *m*, Sumpf *m*

moes [muːs] *n* Mus *n*; **~tuin** ['-tœyn] Gemüsegarten *m*

moeten müssen; sollen

Moezel *de ~* die Mosel

mof *Schimpfwort für Deutsche*

mogelijk ['moːɣə̣lək] möglich; möglicherweise; *zo (veel) ~* möglichst (viel); *zo ~* womöglich; wenn möglich; **~heid** Möglichkeit *f*

mogen dürfen; mögen

mogendheid: *grote ~* Großmacht *f*

mohammedaan(se *f*) Mohammedaner(in *f*) *m*

mokken schmollen, F maulen

mol [mɔl] Maulwurf *m*

molen Mühle *f*

mollig ['-ləx] mollig

moment *n* Moment *m*; **~eel** [-'teːl] momentan

mompelen murmeln

mond[mɔnt] Mund *m*; **~eling** ['-dəl-] mündlich; **~ig** ['-dəx] mündig; **~ing** Mündung *f*

monnik Mönch *m*

monopolie [-'poːliˀ] *n* Monopol *n*

monster *n* Muster *n*, Probe *f*; Scheusal *n*, Ungeheuer *n*; **~achtig** [-təx] scheußlich; **~en** ['-stərə(n)] mustern

mont|eren [-'teːr-] montieren; **~eur** [-'tøːr] Monteur *m*; Schlosser *m*; **~uur** [-'tyːr] *n* Brillenfassung *f*

monument [-ny'ment] *n* Denkmal *n*, Monument *n*; **~enzorg** Denkmalschutz *m*

mooi schön, hübsch

moord Mord *m*; **~en** morden

moordenaar Mörder *m*

moot Stück *n* Fisch

mop Witz m

mopperen ['-pərə(n)] murren, nörgelen

moraal Moral f

moreel moralisch; su n Moral f, Stimmung f

morfine ['-fi'nə] Morphium n

morgen morgen; su Morgen m; ~avond [-a·ˀɔnt] (~ochtend, ~vroeg [-ˀru·x]) morgen Abend (früh); ~s: 's ~s morgens

morrelelen ['morəl-] (herum-)fingern; ~en murren

morselen kleckern, schmieren, verschütten; ~ig ['-səx] schmutzig, fleckig

mortel Mörtel m

mos [mɔs] n Moos n

moslkee Moschee f; ~lim Muslim(e f) m

mossel (Mies)Muschel f

mosterd Senf m; ~pot Senfglas n

mot Motte f

motel n Motel n

moltie ['-(t)si'] Antrag m; ~tief n Motiv n; ~tiveren [-'ˀe·r-] motivieren, begründen

motor ['mo:tɔr] Motor m; ~(fiets) Motorrad n; ~brandstof Treib-, Kraftstoff m; ~defect n Motorschaden m; ~kap Motorhaube f; ~rijder [-reidər] Motorradfahrer m; ~(spoor)wagen Triebwagen m; ~voertuig [-ˀu:rtəyx] n Kraftfahrzeug n

motregen ['-re:ˀɣ(ə)n] Niesel-, Sprühregen m; ~en: het ~t es nieselt

mousseren [mu'se:r-] Wein schäumen

mout [maut] Malz n

mouw [maŭ] Ärmel m

mozaïek n Mosaik n

Mr. → meester

muesli ['my:sli'] Müsli n

muf [mɛf] muffig

mug [mɛx] Mücke f; ~genbeet Mückenstich m

muil [məyl] Maul n, Rachen m; →~tje; ~ezel Maulesel m; ~korf Maulkorb m; ~tje n Pantoffel m

muis Maus f

muite|n ['məyt-] meutern; ~rij [-'rɛi] Meuterei f

muizenval Mausefalle f

mul [mɛl] locker

munitie [my'ni'(t)si'] Munition f

munt [mɛnt] Münze f; Währung f

murw [mɛr(ə)ŭ] mürbe

mus Spatz m

museum [my'ze:ïəm] n Museum n

musi|ceren [my·zi·'se:r-] musizieren; ~cus [-kəs] Musiker(in f) m

muts [mɛts] Mütze f, Haube f

mutualiteit [my·ty·ʉali·'tɛit] Krankenkasse f

muur [my:r] Mauer f, Wand f; ~kast Wandschrank m;

~krant Wandzeitung f
muziek [my'·] Musik f
muzi|kaal musikalisch; **~**

kant(e f) Musikant(in f) m
mysterieus [mi'ste·'riø:s]
mysteriös

N

na nach (D); **op één ~** bis auf
einen; → a. **een**
naad Naht f
naaf Nabe f
naai|doos Nähkasten m; **~en**
nähen; **~gerei** ['-ɣə̃rɛi] n
Nähzeug n; **~machine**
['-maʃi·nə] Nähmaschine f;
~ster [-stər] Schneiderin f
naakt nackt; su n Kunst Akt
m; **~strand** n FKK-Strand m
naald Nadel f; **~bos** ['-bos] n
Nadelwald m
naam Name m; **~dag** ['-dax]
Namenstag m; **~loos → vennootschap**
naar[1] nach (D); zufolge (G od
D); zu (D); in (A); cj wie
naar[2] unheimlich; widerwärtig, übel; widrig
naar(gelang): **(al)** ~ je nach-
(dem)
naargeestig [-'ɣe:stəx] trüb-
selig
naarmate [-'ma:tə] in dem
Maße, wie
naarstig [-'stəx] eifrig
naast neben (A, D); nächst
naasten verstaatlichen
nabestaanden pl Hinterblie-
bene(n) pl
nabij [-'bɛi] nahe (D), in der
Nähe (G); adj **~(gelegen)**

nahe, benachbart, umlie-
gend; **~heid** Nähe f
na|bootsen nachahmen, -bil-
den; **~burig** [-'by·rəx] nahe,
benachbart
nacht Nacht f
nachte|gaal Nachtigall f;
~lijk [-lək] nächtlich
nacht|japon [-pɔn] Nacht-
hemd n; **~kastje** [-kaʃə] n
Nachttisch m; **~merrie**
['-meri] Albtraum m;
~ploeg ['-plu·x] Nacht-
schicht f; **~portier** [-ti·r]
Nachtportier m; **~rust**
[-'rəst] Nachtruhe f
nachts: **'s ~** [snaxs] nachts
nacht|vorst Nachtfrost m;
~wacht Nachtwächter m;
Nachtwache f; **~waker**
['-va:kər] Nachtwächter m
nadat nachdem
na|deel n Nachteil m, Scha-
den m; **ten ~dele van** zuungunsten (G), auf Kosten (G);
~delig [-'de:ləx] nachteilig,
schädlich
nadenken nachdenken, sich
überlegen; **~d** nachdenklich
nader näher; (D)
(näher) heran; **~en** ['-də-
rə(n)] sich nähern (D), herankommen; **~hand** nachher,

später; **~ing** Herannahen n, (An)Näherung f

na|dien [-'di:n] danach, hinterher; **~doen** [-'du:n] nachmachen; nachahmen

nadruk ['-drɛk] Nachdruck m; Betonung f; **de ~ leggen op** betonen; **~kelijk** ['-drɛkələk] eindringlich; nachdrücklich

na|gaan nachgehen (D); prüfen; **~gedachtenis** Andenken n

nagel Nagel m; **~schaartje** [-sxa:rtjə] n Nagelschere f

nagenoeg ['-nu:x] nahezu

na|gerecht ['-ɣərɛxt] n Nachtisch m; **~geslacht** n Nachkommenschaft f; Nachwelt f

naïef naiv

na|ijver [-'εivər] Neid m; **~jaar** n Spätjahr n, Herbst m; **~kijken** [-'kεik-] nachsehen; **~komeling** [-'ko:mə-] Nachkomme m; **~komer(tje** n) Nachzügler(in f) m

na|laten ['-la:t-] hinterlassen; unterlassen; **~enschap** ['-la:tə(n)sxap] Hinterlassenschaft f, Nachlass m; **~ig** ['-la:təx] nachlässig

na|lopen nachlaufen (D); nachsehen; **~maak** Nachahmung f; **~maken** ['-ma:k-] nachmachen

name: met ~ namentlich; **~lijk** ['na:mələk] nämlich

namens im Namen (G)

namiddag ['-mɪdax] Nachmittag m; **'s ~s** nachmittags

naoorlogs ['-o:rlɔxs]: **~e jaren** n/pl Nachkriegszeit f

narcis [-'sɪs] Narzisse f

narigheid ['na:rəxεit] Unannehmlichkeit f, Ärger m

na|slagwerk ['-slax-] n Nachschlagewerk n; **~smaak** Nachgeschmack m; **~sturen** ['-sty:r-] nachschicken

nat nass

na|tellen ['-tɛl-] nach-, durchzählen

nat(tig)heid ['nɑt(əx)hεit] Nässe f

natie ['na:(t)si·] Nation f

nationali|seren [na(t)sio·na·li:'ze:r-] nationalisieren, verstaatlichen; **~teit** Nationalität f; Staatsangehörigkeit f

natmaken be-, anfeuchten

natrekken ['na:-] überprüfen

natuur [-'ty:r] Natur f; **~bescherming** Naturschutz m; **~geneeskunde** [-kəndə] Naturheilkunde f; **~reservaat** n Naturschutzgebiet n; **~getrouw** [-traü] naturgetreu; **~kunde** [-kəndə] Physik f; **~kundig** [-dəx] physikalisch; **~lijk** [-lək] natürlich; **~ramp** Naturkatastrophe f; **~verschijnsel** [-sxεinsəl] n Naturereignis n; **~voedingswinkel** [-ɤu·dɪŋs-] Bioladen m

nauw eng, knapp; **in 't ~ brengen** bedrängen, zusetzen (D)

nauwelijks ['naüələks] kaum

nauw|gezet [-'ɣəzɛt] gewissenhaft, pünktlich; **~keurig**

[-'køːrəx], **lettend** [-'lɛt-] genau; **sluitend** ['-sləʏtənt] eng anliegend, hauteng

navel Nabel *m*

navenant [-'ɵə'nɑnt] (dem-) entsprechend

navolgen nachfolgen (*D*); nachahmen, nacheifern (*D*); **~d** nachstehend

navorsen nachforschen (*D*); **~ing** (Nach)Forschung *f*

navulling ['-ɵəl-] Nachfüllung *f*; Nachfüllpackung *f*; **~zien** nachsehen, nach-, überprüfen; **~zomer** ['-zoː-mər] Spätsommer *m*

neder → **neer**

nederig [-'deːrəx] bescheiden; demütig

nederlaag Niederlage *f*

Nederland *n* Niederlande *n/pl*; **~er** Niederländer *m*; **~s** niederländisch; **~se** Niederländerin *f*

nederzetting Siedlung *f*

neef Neffe *m*; Vetter *m*

nee(n) nein

neer nieder; her-, hinunter; her-, hinab; **~buigend** [-'bɵʏ̯ɣənt] herablassend; **~kijken** ['-kɛik-] herabblicken; **~klappen** herunterklappen; **~komen** herunterkommen; niedergehen; (*op*) hinauslaufen (auf *A*); **~laten** ['-laːt-] herunterlassen, senken

neerleggen niederlegen; hinlegen; **zich ~ bij** [bɛi̯] sich abfinden mit (*D*), resignieren

neerploffen aufschlagen; **~schieten** abschießen; erschießen; **~slaan** niederschlagen; **~slachtig** ['-slɑx-tax] niedergeschlagen; **~slag** ['-slɑx] Niederschläge *m/pl*; **~storten** abstürzen; **~vallen** hinab-, hinunterfallen; hinfallen; **~zetten** niedersetzen; absetzen, hinstellen; **~zien** herab-, hinabsehen

negatief negativ; *su n* Negativ *n*

negen ['neːɣ-] neun; **~de** neunte; **~tien** neunzehn; **~tig** ['neːɣ(ə)ntəx] neunzig

negeren [nə'ɣeːr-] ignorieren

neigen neigen

nek Nacken *m*, Genick *n*

nemen nehmen; *Fahrkarte* lösen; *Wort* ergreifen; **op zich ~** auf sich nehmen, übernehmen

neonbuis [-bɵʏ̯s] Neonröhre *f*

neppen F neppen

nergens ['nɛrɣ(ə)ns] nirgends, nirgendwo

neringdoende [neːrɪŋ'duːn-də] Gewerbetreibende(r)

nerts *n* Nerz *m*

nerveus [-'ɵøːs] nervös

nest *n* Nest *n*

nestelen ['-tələ(n)] nisten

net nett; sauber; anständig; *adv* gerade, eben, vorhin; knapp; **~ zo** genauso

net² *n* Netz *n*; **eerste ~** erstes Programm *n*

netelig ['neːtələx] heikel

netelroos ['ne:təl-] Nesselfieber n

netjes nett, säuberlich, anständig

net|kaart Netzkarte f; **~nummer** ['-nɔmər] n Vorwahl f; **~vlies** n Netzhaut f; **~werk** n EDV Netzwerk n

neuken ['nø:k-] V ficken

neus [nø:s] Nase f; **~bloeding** ['-blu:d-] Nasenbluten n; **~gat** n Nasenloch n; **~hoorn** Nashorn n

neutraal [nø'-] neutral

nevel Nebel m; **~ig** [-ləx] neblig

nicht Nichte f; Kusine f

nicotine Nikotin n

niemand niemand, keiner

nier Niere f; **~steen** Nierenstein m

niet¹ nicht

niet² Niete f; Heftklammer f

nieten nieten

nietig ['-təx] nichtig; winzig, unscheinbar

nietmachine Hefter m

niet-roker Nichtraucher m

niets nichts; **voor ~** umsonst

nietsnut ['-net] Müßiggänger m; Gammler m

niet|tegenstaande [-te:ɣə(n)'-] ungeachtet (G), trotz (G); **~temin** nichtsdestoweniger, trotzdem

nieuw [ni'ü] neu; **~eling(e f)** ['ni'üə-] Neuling m; **~igheid** ['-əxɛit] Neuheit f; Neuerung f; **~jaar** n Neujahr n

nieuws n Neue(s); Nach-

richt(en pl) f; **~berichten** n/pl Nachrichten f/pl; **~gierig** [-'xi:rəx] neugierig, gespannt; **~uitzending** ['-əyt-] Nachrichtensendung f

nieuwtje n Neuigkeit f; Neuheit f

niezen niesen

nijd [nɛit] Neid m; **~ig** ['-dəx] grimmig, böse, verbissen

nijlpaard n Nilpferd n

Nijmegen ['nɛime:ɣə(n)] n Nimwegen n

nijptang Kneifzange f

nijverheid Gewerbe n; Industrie f

niks F nichts

nimmer nie, nimmer

nippen nippen

nippertje: **op het ~** knapp, im letzten Augenblick

nipt knapp; gerade

nis Nische f

nl. → namelijk

noch ... noch weder ... noch

nochtans [-'tɑns] gleichwohl, trotzdem

nodeloos ['no:də-] unnötig

nodig ['-dəx] nötig, notwendig; **~ hebben** brauchen

noemen ['nu:m-] nennen

noemenswaardig [-'va:rdəx] nennenswert

nog noch; **~ eens** [ə(n)s] nochmals

noga Nougat m

noglal [nɔ'-] ziemlich; **~maals** nochmals, abermals

nok First m; Nocken m; **~kenas** Nockenwelle f

nomade Nomade *m*
non Nonne *f*
nonchalant [-ʃɑ'lɑnt] (nach-)lässig, ungezwungen
nonsens ['-sɛns] Unsinn *m*
nood Not *f*, **~gedwongen** notgedrungen; **~landing** Notlandung *f*
noodlot *n* Schicksal *n*, Verhängnis *n*; **~tig** ['-lɔtəx] verhängnisvoll
nood|rem Notbremse *f*; **~uitgang** ['-əʏt]Notausgang *m*; **~verband** *n* Notverband *m*; **~weer 1.** Notwehr *f*; **2.** *n* Unwetter *n*; **~zaak** Notwendigkeit *f*, **~zakelijk** ['-sa:kələk] notwendig, unerlässlich
nooit [no:it] nie(mals)
noordelijk ['-dələk] nördlich
noorden *n* Norden *m*; **ten ~ van** nördlich von (*D*); **~wind** Nordwind *m*
noord|erlicht *n* Nordlicht *n*, **~kant** Nordseite *f*; **~pool** Nordpol *m*; **~zee** Nordsee *f*
Noors norwegisch
noot Nuss *f*, Note *f*; Anmerkung *f*; **~muskaat** [-məs'-] Muskatnuss *f*
nopen zwingen, nötigen
nopens bezüglich (*G*)
nors unwirsch, mürrisch
nota Not *f*, ECON Rechnung *f*; **~ nemen van** zur Kenntnis nehmen
notaris Notar *m*
noten|boom ['no:tə-] Nussbaum *m*; **~kraker** [-kra:kər]

Nussknacker *m*
noteren [-'te:r-] notieren; vormerken
notitie [-'ti·(t)si·] Notiz *f*, Eintragung *f*; **~boekje** [-bu'kiə] *n* Notizbuch *n*
notulen ['no:ty·] *pl* Protokoll *n*
nou [nɑu] nun, jetzt
november November *m*
nozem ['no:zəm] Halbstarke(r), Gammler *m*
'ns [ə(n)s] → **eens**
nu [ny·] nun, jetzt; (**en**) **~** *a.* nunmehr; **~ en dan** dann und wann; **tot ~ toe** [tu·] bis jetzt; **van ~ af (aan)** von nun an
nuchter ['nəxtər] nüchtern
nudist(e *f*) [ny'-] Nudist(in *f*) *m*
nukkig ['nɛkəx] launisch
nul null; *su* Null *f*
numeriek [ny'me·'-] numerisch; zahlenmäßig
nummer ['nəmər] *n* Nummer *f*, **~en** ['-mərə(n)] nummerieren; **~bord** *n* KFZ Nummernschild *n*
nut *n* Nutzen *m*; **van ~ zijn** [sɛin] nützen (*D*); **van algemeen ~** gemeinnützig
nutte: **zich iets ten ~ maken** sich et. zunutze machen
nutt|eloos ['-tələ:s] nutzlos; **~ig** ['-tɑx] nützlich; **~ige last** Nutzlast *f*
N. V. → **vennootschap**
nylonkousen ['nɛilɔnkɑusə(n), 'nailɔŋ-] *pl* Nylonstrümpfe *m*/*pl*

O

oase Oase f

ober Ober m

object n Objekt n; **~ief** objektiv

obsceen [-'se:n] obszön

obstakel n Hindernis n

oceaan [o'se:'ja:n] Ozean m; **Stille** ♀ Pazifik m

ochtend Morgen m; **~jas** Morgenrock m; **~scheme-ring** [-sxe:mər-] Morgendämmerung f

octrooi [-'tro:i] n Patent n

oefenen ['u:fənə(n)] üben

oer|oud ['u:rɑut] uralt; **~sterk** strapazierfähig; sehr stark; **~woud** n Urwald m

oester Auster f

oever Ufer n; **buiten** ['bəyt-] **de ~s treden** über die Ufer treten

of oder; ob; **~(wel)** ... **~** entweder ... oder

offensief n Offensive f

offer n Opfer n

officieel [-'sie:l] offiziell, amtlich

officier [-'si:r] Offizier m; **~ van justitie** [jɔs'ti(t)si'] Staatsanwalt m

ofschoon obgleich, obschon

ogenblik n Augenblick m; **op het ~** augenblicklich, zurzeit; **~kelijk** [-'blɪkələk] augenblicklich

ogenschijnlijk [-'sxɛ:inlək]

scheinbar; anscheinend

oksel Achsel f

oktober Oktober m

olie ['o:li'] Öl n; **ruwe** ['ry'üə] **~** Rohöl n; **~achtig** [-tǝx] ölig; **~en-azijnstelletje** [-azɛ:instelɑti'ə] n Essig- und Ölständer m

oliën ['o:li'j)ǝ(n)] (ein)ölen

olie|peil n Ölstand m; **~stook** Ölheizung f; **~verf** Ölfarbe f; **~verfschilderij** f od n Ölgemälde n

olifant ['o:li'-] Elefant m

olijf [o'lɛif] Olive f; **~olie** Olivenöl n

om um (A); wegen (G); adv herum; vorbei, um

om|armen (**elkaar**) (sich) umarmen, **~brengen** umbringen

omdat [-'dɑt] weil, da

omdraaien (her)umdrehen

omelet Omelett n

omgaan umgehen; herumgehen; sich ereignen; vergehen; **~de: per ~de** umgehend, postwendend

omgang Umgang m, Verkehr m; Prozession f; **~staal** Umgangssprache f

om|gekeerd umgekehrt; **~gespen** umschnallen; **~geving** Umgebung f

omhaal: **zonder ~** ohne Umschweife

om|heen [-'he:n] umhin(-), herum; **~heining** Einzäunung f, Zaun m; **~helzen** (*elkaar*) (sich) umarmen; **~hoog** [-'ho:x] empor, aufwärts, hoch; herauf; hinauf; **~hulsel** [-'hɛlsəl] n Umhüllung f, Hülle f; Gehäuse n

om|kantelen ['-kɑntələ(n)] umkippen; **~keer** Umkehr f; Umschwung m; Wende f; **~kiep(er)en** F umkippen; **~kijken** [-'kɛik-] sich umsehen; **~komen** [-'ko:m-] umkommen; **~koopbaar** [-'ko:-ba:r] bestechlich; **~kopen** ['om-] bestechen; **~koperij** [-ko:pə'rɛi] Bestechung f

omlaag [-'la:x] abwärts, herab, hinab; herunter, hinunter

om|leiden umleiten; **~leiding** Umleitung f; **~lijsten** [-'lɛist-] umrahmen; **~loop** Umlauf m

omme- → om-

ommezijde [-zɛidə] Rückseite f

om|praten ['-pra:t-] überreden, umstimmen; **~rekenen** ['-re:kənə(n)] umrechnen; **~ringen** ['rɪŋə(n)] umgeben

omroep [-'ru'p] Rundfunk m, Funk m; **~er** Radio Ansager m, Sprecher m; **~station** [-stasion] n Rundfunksender m; **~ster** Ansagerin f

om|roeren ['-ru:r-] umrühren; **~ruilen** ['-rœyl-] umtauschen; **~ruiling** Umtausch

m; **~schakelen** ['-sxa:kəl-] umschalten; **~schrijven** [-'sxrɛiv-] umschreiben; **~singelen** ['-sɪŋəl-] einkreisen

omslaan umschlagen; *de hoek* [hu·k] ~ um die Ecke biegen; *een blad* ~ umblättern

om|slachtig [-'slɑxtəx] umständlich; **~slag** [-'slɑx] Umschlag m

omstander m Umstehende(r); **~igheid** ['-standəxɛit] Umstand m; Verhältnis n

omstreden [-'stre:d-] umstritten, strittig

omstreeks ungefähr, um (A)

omtrek Umgebung f; Umkreis m; Umrisse m/pl; Umfang m

omtrent [-'trɛnt] gegen (A), ungefähr, um (A); über (A)

omvang Umfang m, Ausmaß n; **~rijk** [-'vɑŋrɛik] umfangreich; umfassend

omvatten umfassen; umklammern

omver [-'vɛr] um(-), über den Haufen

om(ver)|trekken umziehen; **~werpen** umwerfen, umstürzen

omverwerping *fig* Umsturz m

om|vormen umgestalten; **~weg** ['-vɛx] Umweg m; **~wenteling** ['-vɛntəl-] (Um)Drehung f; Umwälzung f; **~werken** umarbeiten, überarbeiten; **~wille** (*van*) um ... (*G*) willen, wegen (*G*);

~zeilen *fig* umgehen; **~zet** Umsatz *m*; **~zetbelasting** Umsatzsteuer *f*; **~zichtig** [-'zɪxtəx] umsichtig; **~zien** sich umsehen

onaangenaam [-'a:n] unangenehm, ärgerlich; **~heid** Unannehmlichkeit *f*, Ärger *m*

onaan|geroerd [-'a:ŋɣəru:rt] unberührt; **~vaardbaar** unannehmbar; **~zienlijk** [-'zi:nlək] unansehnlich

onaardig [-'a:rdəx] unfreundlich; *niet* ~ nicht übel

onachtzaam [-'ɔxt-] unachtsam, fahrlässig

onaf|gebroken [-bro:k-] ununterbrochen; **~hankelijk** [-'haŋkələk] unabhängig; **~scheidelijk** [-'sxɛidələk] unzertrennlich; **~wendbaar** unabwendbar; **~zienbaar** unabsehbar

on|baatzuchtig [-'sɛxtəx] uneigennützig, selbstlos; **~barmhartig** [-'hartəx] unbarmherzig

onbe|duidend [-'dəydənt] unbedeutend, geringfügig; **~gaanbaar** unwegsam; **~grensd** unbegrenzt; **~grijpelijk** [-'ɣrɛipələk] unbegreiflich, unverständlich; **~haaglijk** [-'ha:xlək] unbehaglich; **~heerd** herrenlos; **~holpen** unbeholfen; **~houwen** [-hɑ̈ʊ(n)] plump; **~kend** unbekannt; **~kwaam**

unfähig; **~langrijk** [-rɛik] unwichtig, unwesentlich, belanglos; **~last** unbeschwert; unbesteuert, steuerfrei; **~leefd** [-'le:ft] unhöflich

onbe|mand unbemannt; **~middeld** unbemittelt, mittellos; **~nullig** [-'nələx] unbedeutend; albern; **~paald** unbestimmt; **~perkt** unbeschränkt, uneingeschränkt; **~redeneerd** [-baredə'ne:rt] unüberlegt; **~reikbaar** unerreichbar; **~rijdbaar** [-'rɛid-] unbefahrbar; **~rispelijk** [-lək] tadellos, einwandfrei

onbe|schaafd ungebildet, roh; **~schaamd** unverschämt, frech; **~schermd** schutzlos; **~schoft** [-'sxɔft] frech, grob; **~schrijfelijk** [-'sxrɛifələk] unbeschreiblich; **~slist** unentschieden; **~spoten** [-'spo:t-] unbespritzt; **~stendig** [-dəx] unbeständig; **~suisd** [-'səyst] unbesonnen; **~tamelijk** [-'ta:mələk] ungebührlich; **~tekenend** [-'te:kənənt] unbedeutend, bedeutungslos; **~trouwbaar** [-'trɑʊ-] unzuverlässig; **~twistbaar** unbestreitbar; **~voegd** [-'ʋu:xt] unbefugt; **~vooroordeeld** [-'o:r-] vorurteilsfrei, unvoreingenommen; **~vredigend** [-'ʋre:dəɣənt] unbefriedigend; **~vreesd** furchtlos; **~weeglijk** [-lək] unbeweglich, regungslos; **~zonnen**

unbesonnen; **~zorgd** unbesorgt, unbekümmert
n|**billijk** [~brlɔk] ungerecht;
~blusbaar [~blez~] unlösch-
bar, unauslöschlich; **~breek-
baar** unzerbrechlich; **~
bruikbaar** [~brɔvg~] un-
brauchbar; **~danks** trotz
(G), ungeachtet (G)
n**der** unter (A, D); unterhalb
(G); während (G); adv
~(aan) unten; **helemaal**
['he:loma:l] am zuunterst
n**der|aards** unterirdisch; **~
belicht** unterbelichtet; **~
breken** ['bre:k~] unterbrechen; **~broek** [~bruk] Unter-
hose f; **~daan** Untertan m;
Staatsangehörige(r); **~dak** n
Unterkunft f, Quartier n;
~danig ['da:nəx] untertä-
nig, unterwürfig; **~delen**
[~de:lo(n)] n/pl Ersatzteile
n/pl, Zubehör n; **~doen**
[~du:n] (**voor**) unterliegen
(D), nachstehen (D); **~dom-
pelen** [~pələ(n)] untertauchen; **~drukken** ['drɔk~] un-
terdrücken; **~duiken** [~dɔvk~]
untertauchen; **~gaan** untergehen; [~'ɣa:n] erleiden, erfahren; **~geschikt** unter-
geordnet; **~geschikte** Unter-
gebene(r); **~gesneeuwd**
[~ɣəsne:ut] verschneit; **~ge-
tekende** ['te:kəndə] Unter-
zeichnete(r); **~goed** [~ɣu:t] n
(Unter)Wäsche f
n**dergronds** unterirdisch;
~e U-Bahn f; Illegalität f

onder|hand inzwischen; **~
handelen** verhandeln; **~
hands** unter der Hand; **~ha-
vig** ['ha:vəx] betreffend,
vorliegend
onderhevig ['he:vəx]: **~ zijn**
[sein] **aan** unterliegen (D),
ausgesetzt sein (D)
onder|houd [~haut] n Unter-
halt m; Unterhaltung f; Un-
terredung f; Pflege f; Wartung f; **~en** unterhalten; er-
nähren; pflegen, warten
onder|huurder [~hy:rdər]
Untermieter m; **~kaak** Un-
terkiefer m; **~kant** Unter-
seite f; **~komen** [~ko:m~] n
Unterkunft f; **~kruiper**
[~krœypər] Preisverderber m;
Streikbrecher m; **~legd**
[~lext] beschlagen, geschult;
~legger Unterlage f
onderling gegenseitig, unter-
einander
ondermijnen [~'mɛinə(n)]
untergraben, zersetzen
ondernemen unternehmen;
~end unternehmungslustig;
~er Unternehmer m; **~ing**
Unternehmen n; **~ingsraad**
Betriebsrat m
onder|officier [~si:r] Unter-
offizier m; **~richten** unter-
richten, belehren; **~schat-
ten** unterschätzen
onderscheid [~sxɛit] n Unterschied m; **~en 1.** unter-
scheiden; auszeichnen; **2.** adj
verschieden; **~ingsteken**
[~te:k~] n Abzeichen n

onderscheppen [-'sxɛp-] abfangen

onderspitn: *het ~ delven* unterliegen

onderstaand nachstehend

onderste untere, unterste; **~boven** [-'bo:'ʋə(n)] das Unterste zuoberst, über den Haufen

onder|stel [-stɛl] *n* (Unter-)Gestell *n*; **~stelling** [-'stɛl-] Voraussetzung *f*, Annahme *f*; **~steunen** [-'stø:n-] unterstützen; **~strepen** [-'stre:p-] unterstreichen; **~tekenen** [-'te:kənə(n)] unterzeichnen, -schreiben; **~tussen** [-'tøsə(n)] inzwischen, unterdessen; **~vinden** [-'ʋɪnd-] erfahren, erleben; **~voed** [-'ʋut] unterernährt; **~vragen** [-'ʋra:ɣ-] be-, ausfragen; vernehmen, verhören; **~weg** [-'ʋɛx] unterwegs; **~wereld** Unterwelt *f*

onderwerp ['ɔndər-] *n* Thema *n*; *GR* Subjekt *n*; **~en** [-'ʋɛrp-] unterwerfen; *zich ~en aan* sich unterziehen (*D*)

onderwij|s [-'ʋɛis] *n* Unterricht *m*; **~zen** unterrichten, lehren; **~zer(es** [-'rɛs] *f*) Lehrer(in *f*) *m*

onderzeeër[-'ze:iər] *n* U-Boot *n*

onderzoek ['ɔndərzu:k] *n* Untersuchung *f*, Prüfung *f*; Forschung *f*; Studie *f*; **~er** [-'zu:kər] Untersucher *m*; Forscher *m*; **~ster** Untersu-

---

cherin *f*; Forscherin *f*

ondeug|d [-'dø:xt] **1.** Taugenichts *m*; **2.** Untugend *f*, Laster *n*; **~end** [-'dø:ɣənt] ungezogen; verschmitzt

ondiep seicht, untief

ondoor|dacht unüberlegt **~dringbaar** [-'drɪŋ-] undurchdringlich, undurchlässig; **~grondelijk** [-'ɣrɔndələk] unergründlich; **~zichtig** [-'zɪxtəx] undurchsichtig

on|draaglijk [-'dra:xlək] unerträglich, untragbar; **~dubbelzinnig** [-'døbəlzɪnəx] unzweideutig, eindeutig; **~duidelijk** [-'dœydələk] undeutlich, unklar; **~echt** unecht, unehelich; **~eens** uneinig; **~eerlijk** [-'e:rlək] unehrlich; **~effen** uneben; **~eindig** [-'ɛindəx] unendlich; **~enigheid** Uneinigkeit *f*; **~even** [-'e:'ʋə(n)] ungerade; uneben; **~fatsoenlijk** [-'sunlək] unanständig; **~feilbaar** unfehlbar; **~fortuinlijk** [-'tœynlək] unglücklich; **~gaarne** ungern; **~gebruikelijk** [-'ɣrukələk] ungebräuchlich

ongedaan [-'da:n]: **~ maken** ['ma:k-] rückgängig machen

onge|deerd unversehrt, unverletzt; **~dierte** *n* Ungeziefer *n*; **~durig** [-'dy:rəx] unbeständig, unruhig; **~dwongen** [-'dʋɔŋ-] zwanglos; **~ëvenaard** ['-ɣəe:'ʋən-] beispiellos, unvergleichlich; **~geneerd** [-'ɣəne:'rt]

niert; **~grond** unbegründet
onge|hoord unerhört; **~huwd** [-hy·üt] unverheiratet, ledig; **~kend** ungeahnt
ongeldig [-dəx] ungültig
ongelijk [-lεĭk] n: **~ hebben** Unrecht haben
onge|lofelijk [-lo:fələk] unglaublich; **~lood** unverbleit; **~lovig** [-ɣəx] ungläubig
ongeluk [-lək] n Unglück n, Unfall m; **per ~** aus Versehen, versehentlich; **~kig** [-ˈlεkəx] unglücklich; **~kiglicherweise**
ongemak [ˈɔŋɣəmak] n Unbequemlichkeit f; **~kelijk** [-kələk] unbequem
onge|manierd unmanierlich; **~meen** überaus, ungemein; **~merkt** unbemerkt; **~moeid** [-ˈmuˑĭt] ungestört; **~naakbaar** unnahbar; **~neeslijk** [-ˈne:sləx] unheilbar; **~noegen** [-nuˑɣˑ] n Missfallen n; Streit m; **~oorloofd** unerlaubt; **~past** ungeeignet; **~permitteerd** unerlaubt; **~rechtvaardigd** [-ˈfaːrdəxt] ungerechtfertigt; **~regelheden** pl Ausschreitungen f/pl, Tumulte m/pl; **~remd** hemmungslos; **~rept** unberührt; **~rief** n Ungemach n
ongerust [-ˈrəst] besorgt; beunruhigt; **zich ~ maken** sich beunruhigen, sich Sorgen machen
onge|schikt ungeeignet, untauglich; **~schonden** unver-

sehrt; **~schoold** ungelernt; **~steld** menstruierend; unwohl; **~trouwd** [-ˈtrœüt] → **~huwd**; **~twijfeld** [-ˈtύεĭfəlt] zweifellos
ongeval n Unfall m; **~lenverzekering** [-ˈzeːkər-] Unfallversicherung f
ongeveer ungefähr, etwa
onge|voelig [-ˈϑuˑləx] unempfindlich; **~vraagd** ungebeten; **~wenst** unerwünscht; **~woon** ungewöhnlich; ungewohnt; **~zellig** [-ˈzεləx] ungemütlich; **~zond** ungesund
on|gunstig [-ˈɣϵnstəx] ungünstig; widrig; **~guur** [-ˈɣ̌yːr] widerlich; zwielichtig; rau; **~handig** [-ˈhandəx] ungeschickt; unhandlich; **~hebbelijk** [-ˈhεbələk] unartig, grob
onheil n Unheil n; **~spellend** [-ˈspεl-] unheilverkündend
onher|bergzaam unwirtlich; **~kenbaar** unkenntlich; **~roepelijk** [-ˈruˑpələk] unwiderruflich; **~stelbaar** [-hεrˈ-] unersetzlich; irreparabel; unheilbar
on|heus [-ˈhøːs] unhöflich, unfreundlich; **~juist** [-ˈjϵyst] unrichtig; **~klaar** defekt
on|kosten pl (Un)Kosten pl, Spesen pl; **~kruid** [-ˈkrϵyt] n Unkraut n; **~kuis** unkeusch; **~kunde** [ˈ-kϵndə] Unkenntnis f
onlangs neulich, unlängst, vor kurzem

on|ledig [-'le:dəx] beschäftigt; **~leesbaar** unleserlich; unlesbar; **~lusten** ['-ləst-] pl Unruhen fl/pl; **~macht** Unvermögen n, Ohnmacht f; **~meedogend** [-'do:ɣ-] schonungslos; **~merkbaar** unmerklich; **~metelijk** [-'me:təlɪk] unermesslich

onmiddellijk [-'mɪdələk] unmittelbar; sofort; **~min** Zerwürfnis n

onmis|baar [-'mɪz-] unentbehrlich; **~kenbaar** [-'kɛn-] unverkennbar, unüberhörbar

on|mogelijk [-'mo:ɣələk] unmöglich; **~mondig** ['-mɔn-dəx] unmündig; **~nadenkend** [-'dɛŋk-] unüberlegt; **~nauwkeurig** [-'kø:rəx] ungenau; **~noemelijk** ['-nu'mə-lək] unsagbar; **~nozel** ['-no:zəl] einfältig; albern; harmlos

on|omstotelijk [-'stɔ:tələk] unumstößlich; **~omstreden** ['-stre:d-] unumstritten; **~onderbroken** [-'bro:k-] ununterbrochen, pausenlos

onont|beerlijk [-'be:r-] unentbehrlich; **~koombaar** unentrinnbar, unvermeidlich; **~wikkeld** unentwickelt; ungebildet

onooglijk [-'o:xlək] unscheinbar, unansehnlich

onop|gemerkt unbemerkt; **~houdelijk** [-'hɑudələk] unaufhörlich, unablässig; **~lettend** [-'lɛt-] unaufmerksam;

~losbaar [-'lɔz-] unlösbar, unauflöslich; **~vallend** unauffällig; **~zettelijk** [-'sɛtələk] unabsichtlich

onover|komelijk [-'ko:mələk] unüberwindlich; **~winnelijk** [-lək] unschlagbar, unbesiegbar; **~zienbaar** [-'zi:n-] unabsehbar

on|partijdig [-'tɛɪdəx] unparteiisch; **~prettig** [-təx] unangenehm; **~raad** n Gefahr f; **~recht** n Unrecht n; **~rechtstreeks** mittelbar, indirekt; **~rechtvaardig** [-'fa:rdəx] ungerecht; **~redelijk** ['-re:dələk] unbillig; unbegründet onroerend [-'ru:rənt]: **~e goederen** n/pl Immobilien pl

onrust ['-rəst] Unruhe f; **~barend** [-rəzd'-] beunruhigend; **~ig** ['-rəstəx] unruhig

ons¹ uns; unser

ons² n hundert Gramm

on|schadelijk [-'sxa:dələk] unschädlich; **~scheidbaar** untrennbar; **~schendbaar** unverletzlich; **~schuldig** [-'sxɛldəx] unschuldig; harmlos; **~smakelijk** ['-sma:kələk] unappetitlich; **~stuimig** [-'stœyməx] ungestüm; **~stuitbaar** [-'stɔyd-] unaufhaltsam

ont|aarden aus-, entarten; **~beren** entbehren; **~bieden** (zu sich) bestellen

ontbijt [-'bɛɪt] n Frühstück n; **~en** frühstücken; **~koek** [-ku'k] Honigkuchen m ont|binden zersetzen; auflösen; **~bossen** entwalden; abholzen; **~branden** zünden; **~breken** ['brɛːk] fehlen, ausstehen; **~cijferen** ['sɛifərə(n)] entziffern; **~daan** bestürzt; **~dekken** entdecken

ontdoen ['duːn] befreien; **zich ~ (van)** sich entledigen (G); ablegen

ont|dooien ['doːi-] (auf)tauen; **~duiken** ['dœyk-] umgehen; hinterziehen; **~eigenen** enteignen

on|telbaar ['tɛl-] unzählig, unzählbar; **~tevreden** ['ʔreːd-] unzufrieden

ontfermen **zich ~ (over)** sich erbarmen (G)

ont|futselen ['fœtsələ(n)] entwenden; **~gaan** entgehen; **~ginnen** urbar machen; abbauen; **~glippen** entwischen; **~goocheling** Enttäuschung f; **~haal** n Empfang m; Bewirtung f; **~halen** bewirten; **~haren** enthaaren; **~heemde** Heimatvertriebene(r) m; **~heffing** Enthebung f; Befreiung f

onthouden['hɑudə(n)] behalten; vorenthalten; **zich ~ (van)** sich enthalten (G)

ont|hullen ['hœl-] enthüllen; **~hutst** bestürzt, verdutzt; **~iegelijk** ['tiʔɣələk] unheimlich; **~kennen** verneinen; leugnen; **~ketenen** ['keːtənə(n)] entfesseln;

~knoping (Auf)Lösung f, Ausgang m; **~koppelen** auskuppeln; **~kurken** ['kœrk-] entkorken; **~laden** zerlegen, zergliedern, analysieren; sezieren; **~luiken** ['lœyk-] aufblühen, sich entfalten; **~luisteren** ['lœystər-] den Glanz nehmen; **~manteling** Fabrik Demontage f; **~maskeren** ['mɑskər-] entlarven; **~moedigen** ['muːdəɣ-] entmutigen; **~moeten** ['muːt-] begegnen (D), treffen; **~nemen** nehmen; entnehmen; **~nuchtering** ['nɛxtər-] Ernüchterung f; Ausnüchterung f

ontoe|gankelijk ['tuːʔɣɑŋkələk] unzugänglich; **~geflijk** ['ʔɣeːflɑk] unnachgiebig; **~laatbaar** unzulässig; **~rekeningsvatbaar** ['reːkən-] unzurechnungsfähig

ontploff|en explodieren; platzen; **~ing** Explosion f

ont|plooien entfalten; **~redderen** ['rɛdər-] zerrütten, erschüttern; zum Chaos machen; **~roerd** ['roːrt] gerührt; **~roering** Rührung f

ontrouw ['trɑu] untreu; su Untreue f

ont|roven rauben; **~ruimen** ['rœym-] räumen; **~schieten** ein Wort entfahren; entfallen; **~sieren** verunzieren; **~slaan** entlassen, kündigen (D);

~slag [-'slɑx] *n* Entlassung *f*;
~sluiten [-'slœyt-] erschlie-
ßen; **~smetten** desinfizie-
ren; **~snappen** entwischen
ontspann|en entspannen;
zich ~en sich entspannen,
sich erholen, ausspannen;
~er *Foto* Auslöser *m*
ont|sporen entgleisen; **~**
spruiten [-'sprœyt-] (ent-)
sprießen; **~staan** entstehen;
su n Entstehung *f*; **~steking**
[-'ste:k-] Entzündung *f*;
TECH Zündung *f*
ontstel|d bestürzt; **~lend** ent-
setzlich; **~tenis** [-tənɪs] Bestürzung *f*
ont|stemd verstimmt; **~trek-**
ken entziehen
ontucht ['-tœxt] Unzucht *f*
ontvallen entfallen
ontvang|en empfangen, be-
kommen, beziehen; **~er**
Empfänger *m*; **~st** Empfang
m; **~toestel** [-'tu:stel] *n Radio* Empfänger *m*
ontvankelijk [-kələk] empfänglich
ontvlambaar entflammbar;
licht **~** feuergefährlich
ont|vluchten [-'flœxt-] ent-
fliehen; **~voeren** [-'fu:r-]
entführen; **~volking** Entvöl-
kerung *f*; **~vreemden** ent-
wenden; **~waken** [-'va:-]
auf-, erwachen; **~wapenen**
[-'va:pən-] entwaffnen; ab-
rüsten; **~waren** gewahr werden; **~warren** entwirren;
~wenning Entwöhnung *f*;

Entziehung *f*
ontwerp *n* Entwurf *m*; **~en**
entwerfen
ontwijken [-'vɛik-] auswei-
chen (*D*)
ontwikkel|d entwickelt; ge-
bildet; **~en** entwickeln, aus-
bauen; bilden; **~ing** Entwick-
lung *f*; Bildung *f*; *algemene*
~ing Allgemeinbildung *f*
ontwrichten verrenken; *fig*
zerrütten; lahm legen
ontzag [-'sɑx] *n* Respekt *m*;
~lijk [-lək] ungeheuer, kolos-
sal
ontzeggen verweigern; ab-
sprechen, aberkennen
ontzetten entsetzen; absetzen; **~d** entsetzlich
ontzien schonen; scheuen
onuit|puttelijk [-œyt'pœtələk]
unerschöpflich; **~sprekelijk**
[-'spre:kələk] unsäglich;
~staanbaar unausstehlich
on|vatbaar unempfänglich;
~veilig [-'vɛiləx] unsicher
onver|antwoord(elijk [-də-
lək]) verantwortungslos, un-
verantwortlich; **~beterlijk**
[-'be:tərlək] unverbesserlich;
~biddelijk [-'bɪdələk] uner-
bittlich
onverdraag|lijk [-lək] uner-
träglich; **~zaam** intolerant
onver|droten [-dro:t-] unver-
drossen; **~enigbaar** [-'e:-
nəɣ-] unvereinbar; **~geeflijk**
[-lək] unverzeihlich; **~gete-**
lijk [-ɣe:tələk] unvergesslich;
~hoeds [-hu:ts] unverse-

hens; ~**hoopt** unverhofft; ~**klaarbaar** unerklärlich; ~**kwikkelijk** [-kələk] unerfreulich; ~**laat** Unhold m; ~**mijdelijk** ['-mɛidələk] unvermeidlich, unumgänglich, zwangsläufig; ~**moed** [-muˑt] ungeahnt

onver|**moeibaar** [-'muˑi-] unermüdlich; ~**schillig** [-sxıləx] gleichgültig; ~**schrokken** unerschrocken; ~**staanbaar** unerständlich; ~**standig** ['-standəx] unvernünftig; ~**stoorbaar** unbeirrbar; ~**teerbaar** unverdaulich; ~**vaard** furchtlos; ~**vangbaar** unersetzlich; ~**wacht**, ~**wachts** adv unerwartet

onver|**wijld**[-ʋɛilt] unverzüglich; ~**zadigbaar** ['-za:dəɣ-] unersättlich; ~**zettelijk** [-tələk] unerschütterlich; ~**zorgd** ungepflegt

onvindbaar unauffindbar

onvol|**daan** unbefriedigt; ~**doende** [-'dundə] ungenügend, mangelhaft; ~**ledig** ['-le:dəx] unvollständig, lückenhaft; ~**maakt** unvollkommen

onvoor|**delig**[-de:ləx] unvorteilhaft; ~**waardelijk** [-dələk] unbedingt; bedingungslos; ~**zichtig** ['-zıxtəx] unvorsichtig

onvoorzien unvorhergesehen; ~**s** unversehens

on|**vriendelijk** [-'ʋri·ndələk]

---

unfreundlich; ~**waardig** [-dəx] unwürdig

onwaar|**heid** Unwahrheit f; ~**schijnlijk** ['-sxɛinlək] unwahrscheinlich

onweer n Gewitter n; ~**achtig** [-təx] gewittrig

on|**weerstaanbaar** [-'sta:m-] unwiderstehlich; ~**wel** [-'ʋɛl] unwohl, übel; ~**welvoeglijk** ['-ʋu·xlək] unanständig; ~**wetendheid** ['-ʋe:tənthɛit] Unwissenheit f; ~**wettig** ['-ʋetəx] ungesetzlich; unehelich; ~**wezenlijk** ['-ʋe:zə(n)lək] unwirklich; ~**willig** [-ləx] widerwillig; ~**wrikbaar** ['-ʋrıɣ-] unerschütterlich

onze unser(e)

on|**zedelijk** ['-ze:dələk] unsittlich; ~**zeker** ['-ze:kər] unsicher, ungewiss; ~**zijdig** ['-zɛidəx] neutral; GR sächlich; ~**zin** Unsinn m; ~**zindelijk** ['-zındələk] unsauber

oog n Auge n; (Nadel)Öhr n; Öse f; **met het** ~ **op** im Hinblick auf (A), mit Rücksicht auf (A); ~**arts** Augenarzt m, -ärztin f; ~**druppels** ['-drəp-] pl Augentropfen m/pl; ~**getuige** ['-xətœyɣə] Augenzeuge m, -zeugin f

oogluikend['-lœyk-]: ~ **toelaten** ['tuˑ-] ein Auge zudrücken

oog|**merk** n Ziel n; ~**schaduw** ['-sxaˑdyˑʋ] Lidschatten m oogst Ernte f; **~en** ernten

oogwenk: *in een* [ən] ~ im Nu

ooievaar ['oːiˀə-] Storch m

ooit je(mals), irgendwann

ook auch, ebenfalls

oom Onkel m

oor n Ohr n; Henkel m

oord n Ort m, Stelle f; Gegend f

oor|deel n Urteil n; Ansicht f; **~delen** urteilen; **~konde** Urkunde f

oorlelletje ['-lɛlətiə] n Ohrläppchen n

oorlog ['-lɔx] Krieg m

oorlogs|schip n Kriegsschiff n; **~zuchtig** [-'sœxtəx] kriegerisch

oor|sprong Ursprung m; **~spronkelijk** [-'sproːŋkələk] ursprünglich

oor|suizingen ['-səyz-] pl Ohrensausen n; **~verdovend** ohrenbetäubend; **~vijg** ['-vɛix] Ohrfeige f

oorzaak Ursache f

oosten n Osten m; **ten ~ van** östlich von (D); *het Nabije* [-'beiə] *(Verre)* ≗ Naher (Ferner) Osten

Oostenrijks [-reiks] österreichisch

oostenwind Ostwind m

oosters orientalisch

op auf (A, D); an (D); **~ zijn** [sein] alle sein

op|bellen anrufen; **~bergen** aufräumen; aufheben; **~bergmap** Schnellhefter m;

~beuren ['ɔbøːr-] aufheben; *fig* aufmuntern; **~blazen** aufblasen; aufbauschen; sprengen; **~bloeien** ['-bluˀiə(n)] aufblühen

opbod n: *verkoop per ~* Versteigerung f

op|borrelen ['ɔbɔrəl-] aufbrodeln; sprudeln; **~bouw** ['ɔbɑu] Aufbau m; **~breken** ['ɔbreːk-] aufbrechen; aufreißen; aufstoßen; **~brengen** aufbringen; einbringen; **~brengst** Ertrag m; Erlös m; Ausbeute f; **~centen** ['-sɛnt-] pl Zuschlag m; **~dat** damit, dass

op|dienen auftragen, servieren; **~dissen** auftischen; **~doen** ['-duˀn] sammeln; auftragen; aufgabeln; sich zuziehen; **~donderen** [-dərə(n)] abkratzen, sich zum Teufel scheren

opdracht Auftrag m; Widmung f; **~gever** [-xeːvər] Auftraggeber m

opdragen hinauftragen; beauftragen; widmen; *Kleid* abtragen

opdring|en vordringen; aufdrängen, aufzwingen; **~erig** ['-driŋərəx] aufdringlich

opdrinken austrinken

opeen [-'eːn] aufeinander, zusammen; **~s** auf einmal

opeisen [-'eis-] einfordern

open ['oːpə(n)] offen, geöffnet; auf; *fig* aufgeschlossen

open|baar öffentlich; **~ba-**

ren offenbaren; **~breken** [-bre:k-] aufbrechen; **~doen** [-du·n] öffnen

open|en ['o:pənə(n)] öffnen; eröffnen; **~er** Öffner *m*; **~hartig** ['-hartəx] offenherzig; **~hartigheid** Offenheit *f*; **~ingsuren** [-y·rə(n)] *n*/*pl* Öffnungszeiten *f*/*pl*

open|laten [-la:t-] offen-, auflassen; **~lijk** [-lək] offen; öffentlich

openlucht|theater [-'lext-] *n* Freilichtbühne *f*; **~zwembad** [-bat] *n* Freibad *n*

open|maken [-ma:k-] aufmachen; **~slaan** aufschlagen, aufklappen; **~staan** offen stehen

op-en-top ganz und gar

opera Oper *f*

oper|atie [-'ra:(t)si·] Operation *f*; **~eren** [-'re:r-] operieren

op|eten ['-e:t-] aufessen, verzehren; auffressen; **~frissen** auffrischen; **~gaaf** ⇒ **~gave**

opgang Aufgang *m*; **~maken** Erfolg haben

opgave Aufgabe *f*; Angabe *f*; Verzeichnis *n*

opge|dirkt F aufgedonnert; **~knapt** munter, erholt; repariert; **~let!** Achtung!; **~lucht** [-lext] erleichtert; **~past!** Achtung!; **~ruimd** [-rəymt] aufgeräumt, heiter; **~togen** entzückt

opgeven aufgeben; angeben

opgewassen: niet ~ zijn [zɛin] **tegen** et. (*D*) nicht gewachsen sein

opge|wekt lebhaft, munter; **~wonden** aufgeregt; **~zwollen** geschwollen

op|graven ausgraben; **~groeien** ['-xru·iə(n)] auf-, heranwachsen

ophalen hoch-, aufziehen; abholen; **de schouders** ['sxaudərs] *pl* **~** mit den Achseln zucken

ophanden: ~ zijn [zɛin] bevorstehen

op|hangen auf-, anhängen; erhängen; *TEL* auflegen; **~hebben** aufhaben; sehr schätzen

ophef: veel ~ maken van viel Aufhebens machen von (*D*)

op|heffen (auf)heben; **~helderen** [-hɛldərə(n)] (auf)klären; **~hitsen** (auf)hetzen; **~hoepelen** ['-hu·pəl-] F abhauen; **~hogen** aufschütten; erhöhen

ophopen auf-, anhäufen; **zich ~** sich häufen

ophouden ['-hɑuðə(n)] aufhören; auf(be)halten; aufrechterhalten

opinie [o'pi·ni·] Meinung *f*

opium ['o:pi·(j)əm] Opium *n*

op|jagen hetzen; aufwirbeln; **~kijken** ['-kɛik-] aufblicken (*van*) staunen (über *A*)

opklap|bed *n* (Wand)Klappbett *n*; **~pen** hoch-, zusammenklappen

op|klaring Aufklärung *f*; *METEO* Aufheiterung *f*; **~knappen** herrichten; instand setzen, überholen; sich erholen; **~komen** (*voor*) *fig* eintreten (für *A*); **~komst** Aufkommen *n*; Aufschwung *m*; Besuch *m*, Teilnahme *f*; **~laden** aufladen; **~lage** Auflage *f*; **~laten** ['-la:t-] auflassen; steigen lassen; **~leggen** auferlegen; auflegen; **~leiden** ausbilden; **~letten** Acht geben, aufpassen; **~leveren** ['-le:ʋər-] liefern, einbringen; übergeben

oplicht|en aufheben; beschwindeln, prellen; **~er** Schwindler *m*, Hochstapler *m*

op|loop Auflauf *m*; **~lopen** ansteigen; sich summieren; sich zuziehen; hinaufgehen

oplos|baar lösbar; löslich; **~middel** *n* Lösungsmittel *n*; **~sen** auflösen; lösen

op|luchting ['-ləxt-] Erleichterung *f*; **~luisteren** ['-løystər-] Glanz verleihen (*D*); **~maak** Aufmachung *f*, **~maat** Auftakt *m*

opmaken ['-ma:k-] (zurecht)machen; verschwenden; schließen, folgern; aufmachen; *Protokoll* aufnehmen, aufsetzen; *zich* **~** sich auf-, zurechtmachen; sich schminken

opmars Vormarsch *m*

opmerk|elijk ['-mɛrkələk] bemerkenswert, beachtlich; **~en** bemerken

op|meten ['-me:t-] vermessen; **~monteren** ['-mɔntər-]

aufmuntern, erheitern; **~name** Aufnahme *f*; Aufzeichnung *f*, **~nemen** aufnehmen; aufzeichnen; vermessen; *Zeit* abstoppen; *Geld*, *TEL* abheben

opnieuw ['-ni·ʉ] erneut, von neuem

op|noemen nennen, hersagen; **~onthoud** [-hɑut] Aufenthalt *m*; Verspätung *f*

oppas|sen aufpassen; versorgen; sich hüten; *pas op!* Vorsicht!; **~ser** Wärter *m*; **~ster** Wärterin *f*

opperbest vorzüglich, bestens

opperen ['ɔpərə(n)] äußern, vorbringen

opper|hoofd *n* Häuptling *m*; Oberhaupt *n*; **~machtig** [-təx] allmächtig

opperste oberste(r, -s)

oppervlak *n*, **~te** Oberfläche *f*, **~kig** [-'ʋlakəx] oberflächlich

oppompen aufpumpen

oppositie [-'zi·(t)si] Opposition *f*

op|potten zusammensparen; horten; **~prikken** aufspießen; **~rakelen** ['-ra:kəl-] *fig* aufwärmen; **~raken** ausgehen, zur Neige gehen; **~rapen** aufheben; **~recht** ['-rɛxt] aufrichtig

oprecht|en aufrichten; errichten, gründen; **~er** Gründer *m*; **~ster** Gründerin *f*

op|rijzen ['-rεiz-] aufragen,

sich erheben; **~rispen** rülpsen; **~rit** Auf-, Zufahrt *f*; **~roepen** ['-ru·p-] anrufen; hervorrufen; einberufen; heraufbeschwören; **~roer** ['-ru:r] *n* Aufruhr *m*; **~ruien** ['-rœyiə(n)] aufwiegeln

opruim|en ['-rœym-] aufräumen; räumen; **~ing** Schlussverkauf *m*; Räumungsverkauf *m*

op|rukken ['-rœk-] vorrücken; **~scheppen** *fig* aufschneiden, angeben; **~schieten** vorangehen, vorwärts kommen; auskommen, sich vertragen; sich beeilen; **~schik** Schmuck *m*; **~schorten** zurückstellen; aussetzen; **~schrift** *n* Auf-, In-, Überschrift *f*; **~schrijven** ['-sxrɛi̯v-] aufschreiben, notieren; **~schrikken** aufschrecken; **~schudding** ['-sxœd-] Aufregung *f*; **~schuiven** ['-sxœy̯v-] in die Höhe schieben; zusammenrücken; aufschieben

op|slaan aufschlagen; speichern, lagern; **~slag** Aufschlag *m*, Erhöhung *f*; Entsorgung *f*; **~sluiten** ['-slœyt-] einsperren; einschließen; **~snorren** F auftreiben; **~sommen** aufzählen; **~spelden** aufstecken; **~spelen** toben; **~sporen** aufspüren. ausfindig machen; ermitteln

op|spraak Gerede *n*; **~springen** aufspringen; **~staan**

aufstehen, sich erheben

opstand Aufstand *m*; **in ~ komen** sich erheben, sich empören, sich auflehnen; **~eling(e** *f*) ['-dəliŋ(ə)] Aufständische(r); **~ig** ['-standəx] aufsässig

op|stapelen ['-stapəl-] (auf-)stapeln, (auf)häufen; **~stappen** hinaufgehen; einsteigen; **~steken** ['-ste:k-] aufstecken, in die Höhe stecken; anstecken; sich erheben; lernen

op|stel ['-stɛl] *n* Aufsatz *m*; **~len** aufstellen; verfassen, aufsetzen

op|stijgen ['-stɛi̯ɣ-] aufsteigen; **~stoken** aufwiegeln; **~stootje** *n* Krawall *m*; **~stopping** Stau *m*, (Verkehrs)Stauung *f*; **~strijken** ['-strɛi̯k-] bügeln; *Geld* einstreichen; **~sturen** ['-sty·r-] schicken; nachschicken; **~tekenen** ['-te:kənə(n)] aufzeichnen; **~tellen** addieren

opticien [-'siɛ̃] Optiker(in *f*) *m*

optie ['ɔpsi] Option *f*

op|tillen (auf-, an)heben

optocht Auf-, Umzug *m*

op|treden auftreten; vorgehen; *su n* Auftritt *m*; Vorgehen *n*

op|trekken auf-, hochziehen; beschleunigen, anfahren; sich lichten; anheben

opvallen auffallen; **~d** [-'fal-] auffällig, auffallend

opvarenden pl Schiffspassagiere m/pl; Schiffsmannschaft f

opvatt|en auffassen; **~ing** Auffassung f, Anschauung f

op|vegen (zusammen)fegen, aufwischen; **~vliegend** ['fli-ɣənt] jähzornig

opvoed|en ['-fud-] erziehen; **~kunde** [-kəndə] Pädagogik f

op|voeren ['-fur-] steigern, THEA aufführen; **~volgen** nachfolgen (D); befolgen; **~vouwen** ['-fɑu-] zusammenfalten, -klappen; **~vragen** anfordern; abheben; **~vrolijken** ['-fro:lək-] erheitern; **~vullen** ['-fəl-] ausstopfen; (aus)füllen; **~waarderen** [-de:r-] aufwerten

opwaarts aufwärts, hinauf; adj steigend

opwekken aufwecken; anregen; **~d** [-'υεkənt] anregend, belebend

opwelling Regung f

opwerken: zich ~ sich hocharbeiten

opwerpen aufwerfen; einwenden

opwinden aufwickeln; (her)aufziehen; erregen; **zich ~** sich aufregen

op|wrijven ['-freiv-] polieren; **~zeggen** hersagen; kündigen

opzet 1. Entwurf m, Plan m; **2.** n Vorsatz m, Absicht f; **~telijk** ['-setələk] absichtlich, vorsätzlich; **~ten** aufsetzen; aufwiegeln; schwellen; aufrichten; ausstopfen

opzicht n Aufsicht f; Hinsicht f; **ten ~e van** bezüglich (G); **~er** Aufseher m; **~ig** auffällig

opzien aufsehen; staunen; **tegen iem. ~** j-n verehren; **tegen iets ~** sich scheuen vor (D); su n Aufsehen n; **~ baren** Aufsehen erregen

opzij ['-sɛi] beiseite; seitlich; **~dringen** zur Seite drängen, abdrängen; **~leggen** beiseite legen, zurücklegen

opzoeken ['-suːk-] aufsuchen; nachschlagen

oranje [oˈraniə] orange

orde Ordnung f, Orden m; **~bewaarder** Ordner m

ordelijk ['-dələk], **ordentelijk** ['-dɛntələk] ordentlich

order Weisung f, ECON Order f, Auftrag m; **tot nader ~** bis auf weiteres

ordinair ['-neːr] ordinär

orgaan n Organ n

organis|atie [-ˈzaː(t)siˑ] Organisation f; Veranstaltung f; **~eren** [-ˈzeːr-] organisieren, veranstalten

orgel n Orgel f

origineel [-ʒiˈneːl] originell; original; su n Original n

orkaan Orkan m

orkest n Orchester n

os Ochse m; **~senstaartsoep** [-suˑp] Ochsenschwanzsuppe f

otter Otter m

oud [aut] alt; **even** ['e:və(n)] ~
  gleichaltrig
oudejaarsavond [-'a:ʋənt]
  Silvesterabend m
ouder|dom [-dɔm] Alter n;
  ~s pl Eltern pl; ~wets
  [-'ʋɛts] altmodisch, altertüm-
  lich
oudheid Altertum n, Antike f
ouds(her [-'hɛr]): van ~ von
  (od seit) jeher
outsider ['autsaidər] Außen-
  seiter m
ouwelijk ['aüələk] ältlich
ouverture [uʋɛr'ty:rə] Ouvertüre f
ovaal oval
oven Ofen m
over prp über (A, D); adv
  über; übrig; vorbei
overal überall
over|belasten überbelasten;
  überlasten; ~bevolkt über-
  völkert; ~bezet überbelegt;
  überlaufen
over|blijven [-bleiʋ-] übrig
  bleiben; ~bluffen [-blɛf-]
  bluffen; ~bodig [-'bo:dəx]
  überflüssig; ~boeken [-bu:k-]
  umbuchen
overbreng|en ['oːʋər-] über-
  bringen, -führen; bestellen,
  übermitteln; hinterbringen;
  ~ing TECH Übersetzung f
over|bruggen [-'brøʏ-] über-
  brücken; ~dadig [-'da:dəx]
  überschwänglich; unmäßig;
  ~dag [-'dax] am Tage, tagsüber; ~doen [-'oːʋərdu'n]
  noch einmal tun (od ma-

chen); überlassen
overdracht ['oːʋər-] Über-
  tragung f; Abtretung f; ~elijk
  [-'draxtələk] übertragen, fi-
  gürlich
over|drijven [-'dreiʋ-] über-
  treiben; ~duidelijk ['oːʋər-
  dəydələk] überdeutlich, ein-
  deutig; ~dwars [-'dûars]
  quer
overeenkom|en [-'eːŋkoːm-]
  übereinkommen, vereinba-
  ren; übereinstimmen; ~st
  [-kɔmst] Abkommen n, Vereinbarung f; Übereinstim-
  mung f, Ähnlichkeit f; ~stig
  [-'kɔmstəx] übereinstim-
  mend, entsprechend; gemäß
  (D)
overeenstemm|en [-'eːn-]
  übereinstimmen; ~ing Über-
  einstimmung f, Einklang m;
  Einigung f
overeind [-'ɛïnt, -'ɛnt] aufrecht
over|gaan übergehen; vo-
  rübergehen; versetzt werden;
  ~gang Übergang m, Über-
  tritt m; Versetzung f;
  ~gangsjaren n/pl Wechsel-
  jahre n/pl; ~gave Übergabe
  f; Hingabe f
overgeven ['oːʋər-] übergeben; sich übergeben, sich erbrechen; zich ~ sich ergeben
over|gevoelig [-ʋûlax] über-
  empfindlich; ~gooier
  [-ɣoːiər] Kleid Hänger m;
  ~grootmoeder [-mu·dər]
  Urgroßmutter f; ~haast

[-'ha:st] überstürzt, übereilt; **~halen** ['o:və̃r-] herüberziehen; überreden; **~handigen** [-'hɑndəɣ-] übergeben, überreichen

overheid Behörde f; Staat m, Obrigkeit f; **gemeentelijke** [-'me:ntələkə] ~ Kommunalbehörde f

over|heersen ['he:rs-] be-, vorherrschen; **~hellen** ['o:və̃r-] überhängen; neigen; **~hemd** n Oberhemd n; **~hoop** [-'ho:p] über den Haufen, durcheinander; **~houden** [-hɑ̃və(n)] übrig behalten

overig ['o:vərəx] übrig; **~ens** übrigens

over|ijld [-'ɛïlt] übereilt; **~jas** Überzieher m, Mantel m; **~kant** gegenüberliegende Seite f; **aan de ~ kant** drüben

over|kapping [-'kɑp-] Überdachung f, Halle f; **~koken** [-ko:k-] überkochen; **~komen** ['o:və̃r-] herüber-, hinüberkommen; [-'ko:m-] passieren, zustoßen; **~laten** ['o:və̃rla:t-] übrig lassen; überlassen; **~leden** [-'le:də(n)] ge-, verstorben

overleg [-'lɛx] n Überlegung f; Beratung f; Rücksprache f; **~gen** [-'lɛɣ-] vorlegen; [-'lɛɣ-] überlegen

over|leven überleben, -dauern; **~lijden** [-'lɛïd-] verscheiden, sterben

overlijdens|akte Sterbeur-

kunde f; **~verklaring** Totenschein m

overloop Treppenabsatz m

overmaat: **tot ~ van ramp** zu allem Unglück

over|macht Übermacht f; höhere Gewalt f; **~maken** ['o:və̃rma:k-] übermitteln; *Geld* überweisen; **~moedig** [-'mu·dəx] übermütig; **~morgen** übermorgen; **~nachten** übernachten; **~plaatsen** ['o:və̃r-] versetzen; **~reden** überreden; **~rijden** [-'rɛïə(n)] überfahren; **~rompelen** überrumpeln; **~schakelen** [-sxa:kəl-] umschalten; **~schieten** übrig bleiben; **~schot** [-sxɔt] n Überschuss m, Rest m; **~schrijden** [-'sxrɛïd-] überschreiten; überjeden; **~schrijven** ['o:və̃rsxrɛïv-] abschreiben; umschreiben; überweisen; **~slaan** [-'o:və̃r-] übergehen, überschlagen; **~spanning** [-'spɑn-] Überanstrengung f; **~spel** [-spɛl] n Ehebruch m

overstap(kaart)je n Umsteigefahrschein m; **~pen** umsteigen

over|steken ['o:və̃rste:k-] überqueren; **~stelpen** überhäufen, -schütten; **~stroming** Überschwemmung f; **~stuur** [-'sty:r] durcheinander; **~tikken** abtippen; noch einmal tippen; **~tocht** Überfahrt f; **~tollig** [-'tɔləx] überflüssig, überschüssig

overtred|en [-'tre:d-] übertreten, verletzen; **~ing** Übertretung f, Verstoß m, Vergehen n

over|treffen übertreffen, -steigen, -bieten; **~trek** ['o:vər-] Bezug m, Überzug m; **~trokken** überzogen; **~tuigen** [-'tœy̆-] überzeugen; **~uur** [-y:r] n Überstunde f; **~vallen** überfallen; **~varen** ['o:vər-] Schiff überfahren; **~vermoeid** [-mu:it] übermüdet; **~vleugelen** [-'ᴚlø:ɣəl-] überflügeln

overvloed [-ᴚlu:t] Überfluss m; **in** ~ in Hülle und Fülle; **~ig** [-'ᴚlu:dəx] reichlich, üppig, ergiebig

overvol [o:vər-] überfüllt

overweg¹ ['o:vərvɛx] Bahnübergang m

overweg² [-'vɛx] **~ kunnen**

['kən-] **met elkaar** sich vertragen

over|wegen [-'ve:ɣ-] erwägen; überwiegen; **~weldigen** [-'dəɣə(n)] überwältigen

overwerken ['o:vər-] Überstunden machen; **zich ~** [-'vɛrk-] sich überanstrengen

overwicht n Übergewicht n; **~** Übergepäck n

overwinn|aar [-'vɪn-] Sieger m; **~en** (be)siegen; überwinden; **~ing** Sieg m; Überwindung f

overzees ['ze:s] überseeisch

overzicht n Übersicht f, -blick m; **~elijk** [-'zɪxtələk] übersichtlich

over|zien [-'zi:n] übersehen, -blicken; **... is niet te ~zien** [-'zi:n] ... ist nicht abzusehen; **~zijde** [-zɛi̯də] → **~kant**

P

pa [pa:] Papa m

paaien vertrösten

paal Pfahl m

paar¹ paar; gerade

paar² n Paar n

paard n Pferd n, Ross n; Schach Springer m

paarde|bloem [-blu:m] Löwenzahn m; **~nkracht** Pferdestärke f

paar|drijden [-'rɛi̯ə(n)] n Reiten n; **~lemoer** [-'mu:r] n Perlmutt n

paars violett, lila

paartje n Pärchen n

paasei n Osterei n

pacemaker ['pe:sme:kər] Herzschrittmacher m

pachten pachten; **~er** Pächter m

pact n Pakt m

pad¹ [pat] n Pfad m

pad² Kröte f

paddestoel [-stu:l] Pilz m

padvinder Pfadfinder m

paffen F qualmen

pagaaien [-'ɣaːiə(n)] paddeln

pagina ['paːɣiˑ-] Seite f

pak n Paket n, Bündel n, Päckchen n, Packung f; Anzug m;
~huis ['-hœys] n Lagerraum m, Speicher m; ~je n Päckchen n

pakken fassen, packen, greifen; (ein)packen; schnappen, ergreifen

pakket [-'ket] n Paket n, Päckchen n

pak|papier n Packpapier n; ~weg ['-vɛx] etwa

pal [pɑl] fest, unbeweglich

paleis [-'lɛis] n Palast m

Palestijn (se f) [-'tɛĭn(sə)] Palästinenser(in f) m

paling Aal m; gerookte ~ Räucheraal m

palm Palme f

pamflet [-'flet] n Pamphlet n; Flugblatt n

pan Pfanne f; (Koch)Topf m; (Dach)Ziegel m

pand n Pfand n; Haus n

paneermeel n Paniermehl n

panharing Brathering m

paniek [-'niˑk] Panik f

pannenkoek [-'kuˑk] Pfannkuchen m

pantalon [-'lɔn] Hose f

panter Pant(h)er m

pantoffel Pantoffel m, Hausschuh m

pantser n Panzer m

panty ['pentiˑ] Strumpfhose f

pap Brei m

papaver [-'paːˑvər] Mohn m

papegaai Papagei m

paperclip ['peˑpər-] Büroklammer f

papier n Papier n; ~tje n Zettel m

parachute [-'ʃyˑt] Fallschirm m

paradijs [-'dɛis] n Paradies n

paragraaf Paragraph m

parallel [-'lɛl] parallel; su Parallele f

paraplu [-'plyˑ] (Regen-)Schirm m; ~bak Schirmständer m

para|siet Parasit m; ~sol [-'sɔl] Sonnenschirm m

parcours [-'kuːr(s)] n (Renn-)Strecke f

pardon [pɑr'dɔ̃ː]: ~! Entschuldigung!, Verzeihung!; gestatten Sie?; ~? wie bitte?

parel Perle f; ~en perlen; ~moer [-muˑr] n Perlmutt n

parfum [-'fœ̃ː, -'fœm] n Parfüm n

Parijs [-'rɛis] n Paris n

park n Park m

parkeer|garage [-raːʒə] Park(hoch)haus n; ~geld n Parkgebühr f; ~klem Parkkralle f; ~licht n Standlicht n; ~meter [-meˑtər] Parkuhr f; ~plaats, ~terrein [-tereˑin] n Parkplatz m; ~verbod [-bɔt] n Parkverbot n

parkeren [-'keˑr-] parken

parket n Parkett n; JUR Staatsanwaltschaft f

parkiet [-'kiˑt] Wellensittich m

parlement n Parlament n

parochie [-'rɔxi˙] (Pfarr)Ge-
meinde f

part n (An)Teil m; **voor mijn**
[mɛin] ~ meinetwegen, von
mir aus

parterre [-'tɛrːə] Parterre n

particulier [-ky˙'liːr] privat;
su Privatperson f

partij [-'tɛi] Partei f; Partie f;
Posten m, Menge f; Party f;
~dig [-'tɛidəx] parteiisch;
~lid n Parteimitglied n

parttimewerk ['paːrt-taːim-]
n Teilzeitarbeit f

pas¹ Schritt m; (Gebirgs)Pass
m; Ausweis m, Pass m

pas²n: **te** (od van) ~ **komen**
['koːm(ə)] zustatten kommen
(D)

pas³(so)eben, erst

Pasen Ostern n

pasfoto Passbild n

pas|geborene Neugeborene-
n(e)s; **~getrouwd** [-traʊt]
jung verheiratet

paskamer ['kaːmər] Anprobe-
raum m

paspoort n Pass m

passagier [-'ʒiːr] Passagier
m, Fahr-, Fluggast m

passen passen; sich schicken;
Kleid anprobieren; **bij** [bɛi]
elkaar ~ zusammenpassen;
~d passend; angemessen, an-
gebracht

passer Zirkel m

passeren [-'seːr-] passieren;
überholen; übergehen

passief passiv, tatenlos

password ['pɑswœ(r)d] n

EDV Passwort n

pastei [-'tɛi] Pastete f

pastille [-'ti˙(j)ə] Dragee n,
Pastille f

pastoor [-'toːr] (katholi-
scher) Pfarrer m

patat F, **~es frites** [pə'tɑt
fri˙t] pl Pommes frites pl

paté [pɑ'teː] Pastete f

patiënt|e [-'siːntə] f) Pa-
tient(in f) m

patisserie[-sə'ri˙]Konditorei
f; Feingebäck n

patrijs [-'trɛis] Rebhuhn n;
~poort MAR Bullauge n

patroon 1. Schutzheilige(r);
Chef m; Arbeitgeber m; 2.
MIL Patrone f; 3. n Muster n,
Schablone f

patrouille [pɑ'truˑ(l)jə] Streife f

paus Papst m; **~elijk** ['-sələk]
päpstlich

pauw Pfau m

pauz|e Pause f, Rast f; **~eren**
[-'zeːr-] pausieren, rasten

paviljoen [-'juˑn] n Pavillon m

pech [pɛx] Pech n; Panne f

pedaal m od n Pedal n

pedagogie(k) [-'ɣiˑ(k)] Pä-
dagogik f

pedant pedantisch

pedicure [-'kyːr(ə)] Pediküre
f

peen Möhre f

peer Birne f

pees Sehne f; **~verrekking**
Sehnenzerrung f

peet|oom Pate m; **~schap** n
Patenschaft f; **~tante** Patin f

peignoir [peɲˈüaːr] Morgenrock *m*

peil *n* Pegel *m*; *fig* Stufe *f*, Niveau *n*; **∼en** peilen

peinzen sinnen, nachdenken

pek Pech *n*

pekelen ['peːkəl-] pökeln

pelgrim Pilger *m*; **∼stocht** Pilgerfahrt *f*

pelikaan [-'kaːn] Pelikan *m*

pellen schälen, pellen

pels Pelz *m*

pen (Schreib)Feder *f*; Pflock *m*

penalty ['penəltiˑ] Elfmeter *m*

pendel\|bus Zubringerbus *m*; **∼en** pendeln

penning Pfennig *m*; Gedenkmünze *f*; **∼meester** Schatzmeister *m*

pens [pens] Kutteln *fpl*; Blutwurst *f*; Wanst *m*

penseel [-'seːl] *n* Pinsel *m*

pensioen [-'siuˑn] *n* Rente *f*, Pension *f*, Ruhegehalt *n*; Ruhestand *m*

pension [-pən'sĩɔn] *n* Pension *f*, Fremdenheim *n*; *half* **∼** Halbpension *f*; *vol(ledig* [-'leːdɔx]) **∼** Vollpension *f*; **∼ering** [-'neːr-]: *vervroegde* [-'ɤˑruˑy-] **∼ering** Vorruhestand *m*; **∼gast** Pensionsgast *m*

peper ['peːpər] Pfeffer *m*; **∼koek** [-kuˑk] Pfefferkuchen *m*; **∼molen** Pfeffermühle *f*; **∼munt** [-'mønt] Pfefferminze *f*; **∼vaatje** *n* Pfefferstreuer *m*

per per (*A*); pro, je

perceel [-'seːl] *n* Grundstück *n*, Parzelle *f*

percent [-'sent] *n* Prozent *n*; **∼age** [-'taːʒə] *n* Prozentsatz *m*

perfect perfekt, vollkommen

perforator Locher *m*

period\|e Periode *f*; **∼iek** [-'diˑk] periodisch; *su n* Zeitschrift *f*

perk *n* Schranke *f*, Grenze *f*; Beet *n*

perkament *n* Pergament *n*

permanent permanent; *su* Dauerwelle *f*

permitteren erlauben; *zich* **∼** sich leisten

perron [pɛ'rɔn] *n* Bahnsteig *m*; **∼kaartje** *n* Bahnsteigkarte *f*

pers Presse *f*; **∼agentschap** *n* Nachrichtenagentur *f*; **∼en** pressen; **∼klaar** druckfertig; **∼lucht** ['-lext] Pressluft *f*

person\|age [-'naːʒə] *n od f* Person *f*; Persönlichkeit *f*; **∼alia** *pl* Personalien *pl*; **∼eel** persönlich; *su n* Personal *n*, Belegschaft *f*

personenauto Personenkraftwagen *m*, Pkw *m*

persoon Person *f*; **∼lijk** [-lək] persönlich; **∼sbewijs** [-vɛis] *n* Personalausweis *m*

pertinent [-'nent] entschieden

perzik Pfirsich *m*

pest Pest *f*; *de* **∼** *hebben aan* F nicht ausstehen können;

~en F piesacken, schikanieren; ~erij [-'rɛi] Schikane f

pet Mütze f, Kappe f

pete|kind ['pe:tə-] n Patenkind n; ~r Pate m

peterselie [-'se:li·] Petersilie f

petieterig [pə'ti·tərəx] winzig

petroleum [-le·iʔəm] Petroleum n; Erdöl n

peukje ['pø:kiə] n Stummel m

peul Schote f, Hülse f

peuter Knirps m

peuteren ['pø:tərə(n)] (herum)stochern

pezig [pe:zəx] sehnig, drahtig

piano Klavier n

pick-up [-'œp] Plattenspieler m

piek fig Spitze f; ~eren ['-kərə(n)] grübeln; ~uur ['-y:r] n Stoßzeit f, -verkehr m

pienter gescheit, klug

piep|en piepen; quietschen; ~jong blutjung

pier 1. (Regen)Wurm m; 2. Mole f; ~ebad [-bət] n Plantschbecken n

pietluttig [-'lœtəx] kleinlich

pij [pɛi] (Mönchs)Kutte f

pijl [pɛil] Pfeil m

pijler Pfeiler m

pijn Schmerz(en pl) m, Qual f; ~ doen [dun] wehtun (D), schmerzen; ~boom Kiefer f

pijn|igen ['pɛinəx-] quälen; ~lijk ['-lək] schmerzhaft; peinlich; ~loos schmerzlos; ~stillend schmerzstillend

pijp Pfeife f; Röhre f, Rohr n; ~leiding Rohrleitung f

pik Pech n

pik(ke)donker stockdunkel

pikken picken; F klauen

pil Pille f

pilaar Pfeiler m, Säule f

piloot Pilot m

pilsje ['pɪlʃə] n Bier n, Pils n

pimpelen ['-pələ(n)] zechen

pin Pflock m; Stift m; Zwecke f; Zapfen m; Bolzen m

pincet [-'sɛt] Pinzette f

pincode Geheimzahl f

pingelen ['pɪŋəl-] feilschen

pink kleine(r) Finger

Pinksteren   ['pɪŋstərə(n)] Pfingsten n

pion [pi·'jɔn] Schach Bauer m; fig Werkzeug n

piramide Pyramide f

pistache [-'taʃ] Pistazie f

pistool n Pistole f

pistolet [-'le:] Brötchen n

pit (Obst)Stein m, Kern m; Docht m; Flamme f; fig Schneid m; ~tig ['-təx] kernig, rassig; würzig

pk = paardenkracht

plaag Plage f, Qual f

plaat Platte f; Bild n; Schild n; Sandbank f; de ~ poetsen ['pu:ts-] F Reißaus nehmen

plaatijzer ['-ɛizər] n: gegolfd ~ Wellblech n

plaats Platz m; Ort m; Stelle f; Hof m; in ~ van (an)statt (G); in (op) de eerste ~ an erster Stelle; in ~ daarvan stattdessen; niet in de laatste ~

nicht zuletzt; **~bespreking**
[-spre:k] (Platz)Reservie-
rung f; **~bewijs** [-veıs] n
Platzkarte f; Fahrkarte f
plaats **ter ~** an Ort und Stelle; **~lijk** [-'sələk] örtlich, lokal
plaats|en setzen, stellen; an-
bringen; **~gebrek** [-brek] n
Platzmangel m; **~hebben** [-]
~vinden; **~naam** Ortsname
m; **~vervanger** Stellvertreter m; **~vinden** stattfinden,
vonstatten gehen
pladijs [-'deıs] Scholle f
plafond [-'fɔn(t)] n Decke f
plagen plagen, quälen; ne-
cken
plak Scheibe f, Schnitte f;
~band n Klebestreifen m
plaket Plakette f
plakkaat n Plakat n
plakken kleben; flicken
plan [plan] n Plan m, Vorhaben n; **van ~ zijn** [zeın] vorhaben; beabsichtigen; **vol-**
gens ~ planmäßig
plank Brett n; Diele f, Bohle f;
Bord n; Planke f; **~enkoorts**
Lampenfieber n
plannen [-plɛn-] planen
plant Pflanze f; **~aardig**
[-'a:rdəx] pflanzlich; **~en**
pflanzen; **~kunde** ['kendə]
Botanik f; **~soen** [-'su:n] n
Grünanlage f
plas [plas] Pfütze f; Tümpel
m; Lache f
plassen plätschern; plantschen; F pinkeln
plasticzak ['plestık-] Plastik-

beutel m, -tüte f
plat platt, flach; **~drukken**
['-drøk-] zerdrücken
platform n Plattform f
platina n Platin n
platte|grond [-'ɤrɔnt] Grund-
riss m; (Stadt)Plan m; **~land**
[-'lant] n Land n (Ggs Stadt)
plat|vloers ['-flu'rs] trivial,
derb; **~zak** F blank, pleite
plav|eisel [-'veısəl] n Pflaster
n; **~uis** [-'ɤøys] Fliese f
plechtig ['-tǝx] feierlich; eidesstattlich; **~heid** Feier f,
Zeremonie f; Feierlichkeit f
plegen pflegen; begehen, ver-
üben
pleidooi [pleı'-] n Plädoyer n
plein n Platz m
pleister¹ n Gips m, Putz m
pleister² MED Pflaster n
pleiten plädieren; **(voor)** befürworten
plek Fleck m; Stelle f
plensbui ['plɛnzbøy] Platzre-
gen m
plenzen strömen
pletter: te ~ slaan zerschmettern, zerschellen
plezier [plə'zi:r] n Freude f,
Spaß m, Lust f, Vergnügen n;
Gefallen m; **~ hebben in** Gefallen finden an (D); **~ig**
[-rəx] lustig, amüsant; **~tocht**
Vergnügungs-, Spazierfahrt f
plicht Pflicht f; **~plegingen**
pl Formalitäten flpl; Umstände m/pl
plint Fußleiste f
ploeg [plu'x] Pflug m; Gruppe

f; Schicht f; Sport Mannschaft f; **~baas** Werkmeister m; **~en** pflügen; **~endienst** Schichtarbeit f

ploert [plu·rt] Lump m

ploeteren ['·tərə(n)] plantschen; sich abrackern

plof [plɔf] (Auf)Schlag m; **~fen** aufprallen, -schlagen

plomberen [-'be·r-] plombieren

plomp plump, schwerfällig

plonzen F plumpsen

plooi [plo·i] Falte f; Runzel f; **~en** falten; runzeln; **~rok** Faltenrock m

plots|eling ['plɔtsə-], **~klaps** plötzlich, jäh, schlagartig

plug [plɛx] Dübel m, Zapfen m; Stift m

pluim [plœym] Feder f; **~vee** n Geflügel n

pluis|je ['plœyʃə] n) Fussel m

plukken ['plɛk-] pflücken; zupfen; rupfen

plunderen plündern

plunje ['plœnjə] Kleider n/pl

plus plus

p. o. → **omgaande**

pochen pochen; prahlen

pocket|boek ['pɔkədbu·k] n) Taschenbuch n

poedel ['pu·dəl] Pudel m

poeder, poeier ['pu·iər] n od m Pulver n; Puder m

poel Pfuhl m, Lache f

poelier [pu·li·r] Geflügelhändler m

poen F Pinkepinke f, Geld n

poes F (Mieze)Katze f

poëtisch [-i·s] poetisch

poets [pu·ts] Streich m; **~en** putzen

poffen F sich pumpen

pog|en versuchen; **~ing** Versuch m

poken stochern

pokken pl Pocken f/pl

polijsten [-'lɛist-] polieren

polis ['po·] Police f

politicus [-kəs] Politiker m

politie [-'li·(t)si·] Polizei f; **~agent(e)** [-aɣɛnt(ə)] Polizist(in f) m; **~el** polizeilich; **~film** Kriminalfilm m

politiek [-'ti·k] politisch; su Politik f

politie|patrouille [-tru·(l)iə] Polizeistreife f; **~post** (Polizei)Wache f, Polizeireivier n; **~spion** [-spi·(j)ɔn] Spitzel m

politioneel = **politieel**

pollepel ['lε·pəl] Kochlöffel m, Kelle f

pols Puls m; Handgelenk n; **~en** sondieren; **~horloge** ['·hɔrlo·ʒə] n Armbanduhr f; **~stok(hoog)springen** n Stabhochsprung m

pomp Pumpe f; KFZ Zapfsäule f; **~bediende** Tankwart m

pompelmoes [-mu·s] Pampelmuse f

pompen pumpen

pomp|ernikkel [-'nɪk-] Pumpernickel m; **~oen** [-'pu·n] Kürbis m

pond n Pfund n

pont Fähre f

pony Pony *n*

pooier Lump *m*; Zuhälter *m*

pook Schüreisen *n*; *KFZ* Schaltknüppel *m*

Pool Pole *m*

pool Pol *m*; **~cirkel** ['-sɪrkəl] Polarkreis *m*

Pools polnisch; **~e** Polin *f*

poort Tor *n*, Pforte *f*

poos Weile *f*; **~je** ['po:ʃə] *n* Weilchen *n*

pop Puppe *f*

popelen ['po:pələ(n)] zittern, pochen

poppenkast Puppentheater *n*

popul|air [-py-'le:r] populär; volkstümlich; **~ariteit** Popularität *f*, Beliebtheit *f*

populier [-'li:r] Pappel *f*

por [pɔr] Stoß *m*

poreus [-'røːs] porös

porie ['-ri] Pore *f*

porren stochern; (an)treiben

porselein [-sə'lɛin] *n* Porzellan *n*

port¹ Portwein *m*

port² *n od m* (Brief)Porto *n*

portaal *n* Portal *n*; Flur *m*, Vestibül *n*

porte|feuille [-'fœːjə] Brieftasche *f*, **~monnee** Portemonnaie *n*

portie ['-si] Portion *f*

portier ['-tiːr] **1.** Portier *m*, Pförtner *m*; **2.** *n* Wagentür *f*

porto → port

portret [-'trɛt] *n* Porträt *n*

Portugees [-ty-'-] portugie-

sisch; *su* Portugiese *m*

portvrij ['-frɛi] portofrei

poseren ['ze:r-] posieren

positie [-'zi(t)sit] Position *f*, Stellung *f*, Lage *f*; **~bepaling** Ortsbestimmung *f*; Stellungnahme *f*

positief positiv

positiejurk [-jər(ə)k] Umstandskleid *n*

post¹ Pfosten *m*; *MIL, ECON* Posten *m*

post² Post *f*; **~bestelling** Postzustellung *f*; **~bode** Postbote *m*, Briefträger *m*; **~box**, **~bus** ['-bəs] Postfach *n*; **~code** Postleitzahl *f*

poste: ~ **restante** postlagernd; **~n** Brief einwerfen, zur Post bringen

post|kantoor *n* Postamt *n*; **~merk** *n* Poststempel *m*; **~orderbedrijf** [-bədrɛif] *n* Versandhaus *n*; **~papier** *n* Briefpapier *n*; **~rekening** ['-re:kən-] Postgirokonto *n*; **~wissel** Postanweisung *f*; **~zegel** ['-se:ɣəl] Briefmarke *f*

pot [pɔt] Topf *m*; Kanne *f*; Glas *n*; Dose *f*; Krug *m*; Schoppen *m*

potentie [-'tɛnsi] Potenz *f*

potig ['po:təx] stämmig

potlood *n* Bleistift *m*; **rood ~** Rotstift *m*

pottenbakker Töpfer *m*

pover ['po:vər] kümmerlich, dürftig

praal Pracht *f*

praat Gerede *n*, Geschwätz *n*;

~je n Plauderei f; Gerücht n; Gerede n; **~paal** Notrufsäule f; **~ziek** geschwätzig

pracht Pracht f; **~ig** ['~təx] prächtig, prachtvoll; herrlich, wunderbar, -voll

praktijk [-'tɛik] Praxis f; Praktik f; **~assistente** Arzthelferin f

praktisch ['-tɪs] praktisch

praktiseren [-'ze:r-] praktizieren; **~d arts** praktischer Arzt m

pralen prahlen

prat [prat]: **~ gaan op** stolz sein auf (A)

praten reden; plaudern

pre|cies [prə'si·s] genau, präzise; pünktlich; eben; **~cisie** [prə'si·zi·] Präzision f, Genauigkeit f

predi|kant [-'kant] Prediger m; (evangelischer) Pfarrer m; **~kante** Predigerin f, Pfarrerin f; **~katie** [-'ka:(t)si·] Predigt f; **~ken** predigen

preek Predigt f; **~stoel** ['-stu·l] Kanzel f

prefereren [prefe're:r-] vorziehen, bevorzugt

prei [prɛi] Porree m

preken predigen

premie ['-mi·] Prämie f

premier [prə'mie:] Premier(-minister) m

première ['-mie:rə] Premiere f, Uraufführung f

prent Bild n; **~briefkaart** Ansichtskarte f

present|ator TV, Radio Moderator m; **~atrice** [-'tri·sə] TV, Radio Moderatorin f; **~eerblad** n Tablett n

president(e f) Präsident(in f) m

prest|atie [-'ta:(t)si·] Leistung f; **~eren** [-'te:r-] leisten

pret [prɛt] Vergnügen n, Spaß m; **~park** n Vergnügungspark m; **~tig** ['-təx] vergnügt, angenehm; **~tige feestdagen!** frohes Fest!

preuts [prøːts] prüde, zimperlich

prevelen ['pre:vəl-] murmeln

preventief: ~ onderzoek [-zuˑk] n Vorsorgeuntersuchung f

prieel [pri'jeːl] n Laube f

priem Pfriem f; Stricknadel f

prijken ['prɛik-] prangen

prijs [prɛis] Preis m; Belohnung f; Gewinn m; **op ~ stellen** schätzen; **~geven** preisgeben; **~opgave** Preisangabe f; **~verhoging** Preiserhöhung f; **~verlaging** Preisermäßigung f, -senkung f; **~vraag** Preisausschreiben n, Wettbewerb m

prijzen loben, preisen; ECON den Preis angeben

prik(limonade) Brause(limonade) f

prikkel Stachel m; Ansporn m; (An)Reiz m; **~baar** reizbar; **~draad** Stacheldraht m; **~en** prickeln; reizen; **~ing** Prickeln n; Reiz m

prikken stechen

pril zart, in den Anfängen steckend

primitief primitiv

primula [-'my-] Primel f

principe [-'si·pə] n Prinzip n, Grundsatz m; **~jeel** [-'pie:l] prinzipiell, grundsätzlich

prins Prinz m

prinses [-'ses] Prinzessin f

print (Computer)Ausdruck m; **~er** EDV Drucker m

pri|vaat privat; **~acy** ['praɪvəsɪ]: **bescherming van de ~acy** Datenschutz m; **~vé** privat

privilege [-'le:ʒə] n Privileg n

proberen [-'be:r-] versuchen, probieren

probleem n Problem n

procédé [-se'de:] n Verfahren n

procederen [-se'de:r-] prozessieren

procent [-'sent] n Prozent n

proces [-'ses] Prozess m; Gerichtsverhandlung f

processie [-'sesɪ] Prozession f

proces-verbaal [-'ba:l] n Protokoll n; (Straf)Anzeige f

procureur [-ky'rø:r] n Prozessbevollmächtigte(r); in Belgien Staatsanwalt m; **~generaal** Generalstaatsanwalt m

produ|cent [-dy'sent] n Produzent m, Hersteller m; **~ceren** [-'se:r-] herstellen, produzieren

product [-'dɔkt] n Produkt n, Erzeugnis n; **~ie** [-'dɛksi]

Produktion f, Herstellung f

proef [pruf] Probe f, Versuch m; **op ~** probeweise; **~je** kleine Probe f, Kostprobe f; **~neming** ['-ne:m-] Experiment n, Versuch m; **~ondervindelijk** [-'ɣɪndələk] experimentell; **~rit** Probefahrt f; **~schrift** n Dissertation f; **~werk** n Klassenarbeit f

proesten ['pru:st-] prusten

proeven kosten, schmecken

prof [prɔf] Sport Profi m; F Professor m

profeet Prophet m

professional [-'fɛʃənəl] Sport Profi m

proficiat! [-'fi:sɪat] herzlichen Glückwunsch!

profiel n Profil n

pro|fijt [-'fɛit] n Profit m, Vorteil m; **~fiteren** [-'te:r-] profitieren; (van) a. ausnutzen

program(ma) n Programm n

progressief progressiv

project n Projekt n; **~iel** n Projektil n, Geschoss n

prolong|atie [-'ɣa:tsi] Verlängerung f; **~eren** [-'ɣe:r-] verlängern

pro|millage [-'la:ʒə] n Promille n; **~moten** [-'mo:tə(n)] fördern, werben für (A); **~moveren** [-'ɣe:r-] promovieren

pronken prunken

prooi [pro:i] Beute f

prop Pfropfen m, Knäuel m

propaangas [-'ɣas] n Propangas n

rop|er ['pro:pər] sauber, reinlich; **~pen** pfropfen, stopfen; **~vol** gedrängt voll
rospectus [-təs] Prospekt *m*
rostaat [-'ta:t] Prostata *f*
rostituee [-ty-'üe:] Prostituierte *f*
rotest *n* Protest *m*, Einspruch *m*; **~ants** protestantisch, evangelisch; **~eren** [-'te:r] protestieren, Einspruch erheben
ro|viand *n od m* Proviant *m*; **eigen** ~ Selbstverpflegung *f*; **~vincie** [-'ʋinsi] Provinz *f*; **~visie** [-'ʋi:zi] Provision *f*
rovo|catie [-'ka:(t)si] Provokation *f*; **~ceren** [-'se:r] provozieren
roza *n* Prosa *f*
ruik [prœyk] Perücke *f*
ruilen schmollen
ruim Pflaume *f*; **gedroogde** ~ Backpflaume *f*; **~engelei** [-ʒəlɛi] Pflaumenmus *n*
rul [prœl] *n* Plunder *m*; *f* Schmöker *m*; Stümper *m*; **~lenmand** Papierkorb *m*
rutsen pfuschen; basteln
rutteln ['prœtəl-] brodeln; nörgeln
psych|isch ['psi·xi·s] psychisch, seelisch; **~ologisch** [-i·s] psychologisch
uberteit [-'teit] Pubertät *f*
ubliceren [py·bli·'se:r] ver-

öffentlichen, publizieren
publiek [py·'-] öffentlich; *su n* Publikum *n*; Öffentlichkeit *f*
pudding ['pœd-] Pudding *m*
puffen ['pœf-] schnaufen; tuckern
pui [pœy] Front *f*, Fassade *f*
puik [pœyk] ausgezeichnet
puin *n* Schutt *m*; Trümmer *pl*; Schotter *m*; **~hoop** Trümmer-, Schutthaufen *m*
puist Geschwür *n*; Pustel *f*
puistje ['pœyʃə], **pukkel** ['pœk-] Pickel *m*, Pustel *f*
pulken ['pœl-] zupfen; bohren; pulen
punaise [py·'nɛ:zə] Reiß-, Heftzwecke *f*
punt [pœnt] **1.** Spitze *f*, Zipfel *m*, Zinke *f*; **2.** *n* Punkt *m*; **op het** ~ **staan** im Begriff sein, dabei sein; **~gevel** ['-xe:ʋəl] (Spitz)Giebel *m*; **~ig** ['-təx] spitz, scharf; **~komma** Semikolon *n*
pupil [py·'-] Pupille *f*; Mündel *n*
puree Püree *n*
purgeermiddel [pœr'-] *n* Abführmittel *n*
put (Zieh)Brunnen *m*; Grube *f*; Loch *n*; **~ten** schöpfen
puur [py:r] pur
puzzel ['py·zəl] Puzzle *n*; Kreuzworträtsel *n*
pyjama [pi·'ja:-, pi·'dʒa:-] Pyjama *m*, Schlafanzug *m*

Q

quarantaine [-'tɛ:nə] Quarantäne f

quitte [kɪ't]: ~ *zijn* [sɛɪn] quitt sein

quiz [kʉɪs] Quiz n

quotiënt [ko'sɪɛnt] n Quotient m

R

raad Rat m; ~**(geving** ['-xe:vĭ-]) Rat(schlag) m; ~ **geven** raten; ~**gever** Ratgeber m; ~**plegen** zu Rate ziehen, befragen, konsultieren; nachschlagen

raadsel n Rätsel n; ~**achtig** [-tɔx] rätselhaft

raads|kelder Ratskeller m; ~**lid** n Stadtverordnete(r); ~**man** Ratgeber m; Anwalt m

raaf Rabe m

raak getroffen; treffend; ~ *zijn* [sɛɪn] treffen, sitzen

raam n Rahmen m; Fenster n

raap Rübe f

raar seltsam, merkwürdig

rabarber Rhabarber m

race [re:s] (Wett)Rennen n; ~**auto** Rennwagen m

racket ['rɛkət] n (Tennis-)Schläger m

rad¹ [rat] schnell, flink

rad² n Rad n; ~**braken** ['-bra:k-] radebrechen

radeloos ['ra:də-] ratlos

raden raten; erraten

radiaalband Gürtelreifen m

radia|teur [-'tø:r] *KFZ* Kühler m; ~**tor** Heizkörper m; *KFZ* Kühler m

radicaal radikal

radijsje [-'dɛɪʃə] n Radieschen n

radio Radio n, (Rund-, Hör-)Funk m; ~**omroep** [-ru:p] Rundfunk m

radiotoestel [-tu'stɛl] n Rundfunkgerät n; *draagbaar* ~ Kofferradio n

radio-uitzending [-ʌyt-] Rundfunksendung f

rafelen ['ra:fəl-] fasern

rage ['ra:ʒə] große Mode f

ragfijn ['-fɛɪn] hauchdünn

rail [re:l] Schiene f

rakelings ['ra:kəl-] hart, dicht, haarscharf

raken berühren; treffen; (*in*) geraten (in *A*)

raket [-'kɛt] Rakete f

rally ['rɛli] Rallye f, Sternfahrt f

ram [rɑm] Widder m

ramen veranschlagen, (ab-)schätzen

rammelen ['rɑmələ(n)] rattern; rütteln; klappern; klirren

rammenas [-'nɑs] Rettich m

ramp Katastrophe f, Unheil n; **~spoed** ['-sput] Unheil n; **~zalig** [-'sɑːləx] unglücklelig, katastrophal

ramsj [rɑmʃ] Ramsch m

rand Rand m; Kante f; Leiste f; Saum m, Borte f

rang Rang m; **~eren** [rɑn-'ʒeːr-] rangieren; **~orde** Rangordnung f, **~schikken** ordnen

rank rank; su Ranke f

ransel Ranzen m; Prügel pl; **~en** (ver)prügeln

rantsoeneren [-suːˈneːr-] rationieren

ranzig ['-zəx] ranzig

rap flink, behende

rapen sammeln; aufheben

rapport n Bericht m; Gutachten n; Zeugnis n

ras n Rasse f

rasp Raspel f, Reibe f

rasterwerk n Gitterwerk n

rat Ratte f

ratelen ['rɑːtəl-] rasseln; rattern; plappern

rauw roh; rau; **~kost** Rohkost f

ravage [-'ʋaːʒə] (schwere) Schäden m/pl

ravijn [-'ʋɛin] n Schlucht f

ravotten [-'ʋɔtə(n)] tollen, sich tummeln

rayon [reˈjɔn] n Bezirk m

razen rasen, tosen, toben

razernij [-'nɛi] Raserei f

reactie [reˈjɑksi-] Reaktion

f; **~geren** [-'ʝeːr-] reagieren;

realistisch [-ti's] realistisch; **~nimatiepogingen** ['-maː(t)si-] pl Wiederbelebungsversuche m/pl

rebelleren [-'leːr-] rebellieren; **~censie** [-'sensi-] Rezension f; **~cent** [-'sent] kürzlich geschehen, neulich; jüngst, neu; **~cept** [-'sept] n Rezept n

receptie [-'septsi-] Rezeption f, Empfang m; **~tioniste** [-sepsioˈ-] Empfangsdame f

recherche [-'ʃerʃə] Kriminalpolizei f; **~eur** [-'ʃøːr] Kriminalbeamte(r)

recht gerade; recht, richtig; ~ stuk [stək] n, ~ e lijn [lɛin] Gerade f; su n Recht n; Anrecht n; Berechtigung f; vast ~ Grundgebühr f; **~ geven tot** (od op) berechtigen zu (D); **~bank** Gericht n; **~door** geradeaus; **~en** n/pl Jura n/pl

rechter- rechter-

rechter Richter(in f) m

rechter|hand rechte Hand f, Rechte f; **~zijde** [-zɛidə] POL Rechte f

rechthoek [-'huːk] Rechteck n; **~ig** [-kəx] rechteckig

rechtmatig [-'maːtəx] rechtmäßig

rechtop aufrecht

rechts recht; **~chapen** [-'sxaːp-] rechtschaffen; **~geding** ['-xədɪŋ] n Prozess m, Verfahren n; **~sgeldig** [-'xeldəx] rechtskräftig; **~spraak**

Rechtsprechung *f*

rechtstreeks direkt, gerade(n)wegs

rechtszaak Prozess *m*

rechtuit ['-ɔyt] geradeaus; *fig* geradeheraus

rechtvaardig [-'fa:rdəx] gerecht; **~en** rechtfertigen; **~heid** Gerechtigkeit *f*

rechtzetten richtig stellen

recidiveren [resi·di·'ʋe:r-] rückfällig werden

reclam|atie [-'ma:(t)si·] Reklamation *f*; **~e** Reklame *f*, Werbung *f*; Reklamation *f*; **~efilm** Werbefilm *m*; **~eren** [-'me:r-] reklamieren; **~ezuil** [-zɔyl] Litfaßsäule *f*

reclassering Resozialisierung *f*

record [rə'kɔ:r, -'kɔrt] *n* Rekord *m*; **~tijd** [-tɛit] Rekord-, Bestzeit *f*

recrea|nt [-kre·'jɑnt] Erholungssuchende(r); **~tiecentrum** [-'ja:(t)si·sɛntrəm] *n* Erholungszentrum *n*

reçu [rə'sy·] *n* (Einlieferungs-, Gepäck)Schein *m*

redac|teur [-'tø:r] Redakteur *m*; **~tie** [-'dɑksi·] Redaktion *f*; Fassung *f*; **~trice** [-'tri:sə] Redakteurin *f*

redd|eloos rettungslos; **~en** retten; *zich* **~en** sich zurechtfinden; **~er** Retter *m*

reddings|boei [-buï] Rettungsring *m*; **~post** Rettungsstation *f*

rede[1] Rede *f*

rede[2] Reede *f*

redelijk ['re:dələk] vernünftig; angemessen; ziemlich, leidlich

reden ['re:də(n)] Grund *m*, Ursache *f*; *om deze* (*od die*) **~** aus diesem Grund

redeneren [-'ne:r-] argumentieren; überlegen

rederij [-'rɛi] Reederei *f*

rede|twisten sich streiten; **~voering** [-'ʋu:-] Rede *f*

reductie [-'dɛksi·] *ECON* Preisermäßigung *f*

ree Reh *n*

reeds schon, bereits

reëel [re·'jeːl] reell; real

reeks Reihe *f*; Serie *f*

reep Streifen *m*; *Schokolade* Riegel *m*

reet Ritze *f*, Spalte *f*; F Arsch *m*

regel Regel *f*; Zeile *f*; **~aar** Regler *m*; **~en** regeln; ordnen; **~matig** [-'ma:təx] regelmäßig

regen Regen *m*; **~achtig** [-tɑx] regnerisch; **~bui** [-bəy] Regenschauer *m*; **~en** regnen; **~jas** Regenmantel *m*

regeren [-'ɣeːr-] regieren

registr|atie [-'tra:(t)si·] Registrierung *f*, Registratur *f*; **~eren** [-'tre:r-] registrieren

reglement [reɣlə'mɛnt] *n* Reglement *n*, Satzung *f*; Geschäftsordnung *f*; **~air** [-'tɛ:r] vorschriftsmäßig

reguleren [-ɣy·'-] regulieren

rei Reigen *m*

eiger Reiher *m*

eiken reichen

eikhalzen sich sehnen, ausschauen

reinig|en ['-nǝɣǝ(n)] reinigen, säubern; **~ingsdienst** Müllabfuhr *f*

eis Reise *f*, Fahrt *f*, **enkele** ['ɛŋkǝlǝ] *n* einfach, Hinfahrt *f*; **op ~ gaan** verreisen; **~beurs** [-'bø:rs] Reisestipendium *n*; **~biljet** [-jet] *n* Fahrkarte *f*; **~bureau** ['-byro:] *n* Reisebüro *n*; **~cheque** ['-ʃɛk] Reisescheck *m*; **~doel** ['-duːl] *n* Reiseziel *n*; **~geld** *n* Fahrgeld *n*; **~gezelschap** ['-xǝzɛlsxap] *n* Reisegesellschaft *f*; **~gids** Reiseführer *m*; **~leider** Reiseleiter *m*; **~pas** Reisepass *m*; **~programm** *n*; **~route** Reiseroute *f*, Reiseprogramm *n*; **~vaardig** [-'faːrdǝx] reisefertig

reiz|en ['rɛīzǝ(n)] reizen; **~iger** ['-zǝɣǝr] *m*, **~igster** *f* Reisende(r)

rek *n* Gestell *n*; Regal *n*; **~baar** dehnbar

rekenen ['reːkǝn-] rechnen

rekening Rechnung *f*; Konto *n*; **~ houden** ['hɑu̯ǝ(n)] **met** berücksichtigen; Rücksicht nehmen auf (*A*); **~afschrift** *n* Kontoauszug *m*; **~houder** Kontoinhaber *m*; **~saldo** *n* Kontostand *m*

reken|schap Rechenschaft *f*; **~som** Rechenaufgabe *f*

rek|ken dehnen, strecken;

recken; **~stok** Reck *n*; **~verband** *n* Streckverband *m*

rel [rɛl] Krawall *m*

relaas *n* Bericht *m*, Beschreibung *f*

rela|tief relativ; **~ties** [-'laː(t)si's] *pl* Beziehungen *f*/*pl*, Verbindungen *f*/*pl*

relïef *n* Relief *n*

reli|gie [-'ǯir] Religion *f*; **~gieus** [-'ǯïoːs] religiös; **~kwie** ['-küï] Reliquie *f*

relschopper ['-sxɔpǝr] Rowdy *m*

rem Bremse *f*; Hemmung *f*

rembours [rɑm'buːrs] *n* Nachnahme *f*

remedie [-'meːdir] Heilmittel *n*

rem|men bremsen; hemmen; **~vloeistof** [-'vluï-] Bremsflüssigkeit *f*; **~voering** ['-vuːr-] Bremsbelag *m*

renbaan Rennbahn *f*

rendement [rɛndǝ'mɛnt] *n* Rendite *f*, Ertrag *m*; TECH Nutzeffekt *m*

renderen [-'deːr-] sich rentieren, sich bezahlt machen

rennen sich rennen; **~er** Rennfahrer *m*

rente Zins(en *pl*) *m*; Rente *f*; **~loos** unverzinslich; **~nier** [-'niːr], **~trekker** Rentner *m*; **~voet** [-'ʋuːt] Zinssatz *m*

repar|atie [-'raː(t)si'ǝ] Reparatur *f*; **~eren** [-'reːr-] reparieren

repet|eren [-'teːr-] THEA proben; **~itie** [-'tï(t)si'] THEA Probe *f*

reppen erwähnen; **zich ~** sich beeilen

reproductie [-'dəksi-] Reproduktion *f*

reptiel *n* Reptil *n*

republiek [-py'-] Republik *f*

reputatie [-py'ta:(t)si·] Ruf *m*, Leumund *m*

research [ri'zœr,rɛ:r)ʃ] Forschung *f*

reserve Reserve *f*; **~onderdeel** *n* Ersatzteil *n*; **~wiel** *n* Ersatzrad *f*

reser|veren [-'ʋe:r-] reservieren, vorbestellen; **~voir** [-'ʋɑːr] *n* Behälter *m*; Sammelbecken *n*

resolutie [-'ly·(t)si·] Resolution *f*

respect *n* Respekt *m*

respectievelijk [-'ti·ʋələk] (*Abk* **resp.**) beziehungsweise (bzw.)

rest Rest *m*

restant [-'tɑnt] *n* Rest(bestand, -posten) *m*

restaur|ant [-to'rɑ̃:] *n* Restaurant *n*, Gaststätte *f*; **~ateur** [-'tœ:r] (Gast)Wirt *m*; **~atiewagen** [-'ra:(t)si·] Speisewagen *m*

resten übrig bleiben

resterend [-'te:rɛnt] restlich; **~ bedrag** [-'drɑx] *n* Restbetrag *m*

resultaat [-zəl'-] *n* Resultat *n*, Ergebnis *n*; Erfolg *m*

retour [rə'tu:r] zurück; **~biljet** [-bɪljɛt] *n*, **~(kaar)tje** *n* Rückfahrkarte *f*; **~vlucht**

[-'ʋlɛxt] (Hin- und) Rückflug *m*

return [ri'tœ:rn] *Sport* Rückspiel *n*

reuk [rø:k] Geruch *m*; **~loos** geruchlos; **~zin** Geruchssinn *m*; Witterung *f*

reuma ['rø:ma·] *n* Rheuma *n*

reus Riese *m*; **~achtig** [-'ɑxtəx] riesig

reutelen ['rø:təl-] röcheln

reuze F fabelhaft

reuzel Schmalz *n*

revaluatie [-ly·'ü·a(t)si·] Aufwertung *f*

revolutie [-'ly·(t)si·] Revolution *f*

revue Revue *f*, Schau *f*

riant reizend; geräumig; beträchtlich

rib Rippe *f*; **~fluweel** ['-fly·üe:l] *n* Kord *m*

richel Leiste *f*, Gesims *n*

richt|en richten; **~kijker** ['-kɛikər] Zielfernrohr *n*; **~lijn** Richtlinie *f*; **~snoer** ['-snu:r] *n* Richtschnur *f*, 'Norm *f*

ridderlijk [-lək] ritterlich

riem Riemen *m*; Gürtel *m*

riet *n* Schilf *n*, Rohr *n*; **~en aus** Rohr; **~je** *n* Trink-, Strohhalm *m*; **~suiker** ['-sɔykər] Rohrzucker *m*

rij [rɛi] Reihe *f*; Schlange *f*; **in de ~ gaan staan** sich anstellen; **in de ~ staan** Schlange stehen, anstehen

rijbewijs ['-bəʋɛis] *n* Führerschein *m*

rijden ['reɪə(n)] fahren; reiten

rijgen reihen; schnüren; heften

rij-instructeur ['reɪɪnstrøktøːr] Fahrlehrer m

rijk reich; reichhaltig; ergiebig; su n Reich n; **~dom** ['-dɔm] Reichtum m; **~elijk** ['-kələk] reichlich

rijks- Staats-, staatlich

rijks|daalder [riɡzˈ-] 2¹/₂ Gulden; **~wacht** ['reɪks-] Gendarmerie f; **~weg** ['-ʋɛx] Bundes-, Fernstraße f

rij|laarzen pl Reitstiefel m/pl; **~les** ['-les] KFZ Fahrstunde f; Fahrunterricht m

Rijn: *de ~* der Rhein m

rijmen (sich) reimen

rijp reif; reiflich; su Raureif m

rijpaard n Reitpferd n

rijpen reifen

rijschool Reitschule f; Fahrschule f

rijst [reɪst] Reis m; **~epap** Milchreis m

rij|strook Fahrspur f; **~tjeshuis** [-həys] n Reihenhaus n; **~tuig** ['-təʏx] n Wagen m; **~weg** ['-ʋɛx] Straße f; Fahrbahn f

rijwiel ['reɪʋiˑl] n Fahrrad n; **~pad** [-pɑt] n Radweg n

rijzen steigen; erwachsen, entstehen

ill|en zittern, schaud(er)n, frösteln; **~ing** Schau(d)er m; **koude ~ingen** pl Schüttelfrost m

impel Runzel f, Furche f, Falte f

ring Ring m; Reifen m; **~weg** ['-ʋɛx] Umgehungs-, Ringstraße f

rinkelen ['-kələ(n)] klirren; klingeln

riolering ['-leːr-] Kanalisation f

riool [riˈjoːl] n od f Kanal(isation f) m

riskeren [-ˈkeːr-] riskieren

rit Ritt m; Fahrt f; Etappe f

ritme n Rhythmus m

ritselen ['-sələ(n)] rascheln; knistern

ritssluiting ['-sləyt-] Reißverschluss m

rivaal Rivale m, Rivalin f

rivier [-ˈʋiˑr] Fluss m; Strom m

rob Robbe f

robijn [-ˈbeɪn] Rubin m

robot ['roːbɔt] Roboter m

robuust [-ˈbyˑst] robust

rochelen röcheln

roddelen lästern

rode|hond Röteln pl; **~kool** [-ˈkoːl] Rotkohl m

roede ['ruˑdə] Rute f

roei|boot ['ruˑi-] Ruderboot n; **~en** rudern; **~riem**, **~spaan** Ruder n, Ruderriemen m

roekeloos ['ruˑkə-] tollkühn, waghalsig

roem Ruhm m

Roemeens [ruˈ-] rumänisch

roemen rühmen

roep|en rufen; **~ing** Berufung f; Beruf m

roer [ruːr] n Ruder n, Steuer n

roer|en rühren; **~loos** bewegungslos, regungslos

roes [ru·s] Rausch m

roest Rost m; ~en rosten; ~vrij ['~freɪ] rostfrei; ~vrij staal n Edelstahl m

roestwerend ['·ve:rənt]: ~ middel n Rostschutzmittel n

roet n Ruß m

roffel (Trommel)Wirbel m

rogge Roggen m; ~brood n Roggen-, Schwarzbrot n

rok Rock m; Frack m

roken rauchen; räuchern

roker Raucher m; ~ig ['·kərəx] rauchig

rol [rɔl] Rolle f; Walze f

rollade Roulade f, Rollbraten m

rollen rollen; wälzen

rol|luik['·lœyk] n Rollladen m; ~mops n Rollmops m; ~prent Film m; ~schaats Rollschuh m; ~trap Rolltreppe f

roman [·'man] Roman m

romantisch [-ti·s] romantisch

Romeins [-'meɪns] römisch

rommel Kram m, Zeug n, Plunder m, F Mist m; ~ig [-lə-x] unordentlich; ~kamer [-ka:mər] Rumpelkammer f; ~markt Trödelmarkt m

romp Rumpf m

rompslomp Scherereien f/pl; Kram m

rond rund; geradeheraus; prp um (A); ~(om) umher, rings-, rund(her)um; prp rund um (A), um (A) ... herum

rond|achtig [-təx] rundlich; ~borstig [-'bɔrstəx] offen

(-herzig); ~brengen herum tragen; austragen; ~dartele ['·dartələ(n)] sich tummeln ~dienen herumreichen; ~draaien herumdrehen; krei sen; ~dwalen herumirren

ronde Runde f

rond|gaan herum-, umgehen ~hangen herumlungern -stehen, -sitzen; ~kijke ['·keɪk·] sich umsehen, um herblicken; ~komen ['·ko:m] auskommen; ~lei den (herum)führen; ~lei ding Führung f, Rundgang m; ~lopen Herumlaufer m; ~neuzen ['·nøːz·] herum schnüffeln; ~om → rond ~reis Rundreise f; ~rijde ['·reɪə(n)] herumfahren; he rumreiten; ~rit Rundfahrt ~slenteren herumschlen dern, bummeln; ~uit ['·œyt rund-, geradeheraus; gerade zu; ~vaart (Schiffs)Rund fahrt f; ~vraag Umfrage f ~weg ['·vex] Umgehungs straße f; ~zwerven umher wandern, -irren

ronken schnarchen; brüllen

röntgen ['·xənə(n)] rönt gen

rood rot; ~vonk Scharlach m

roof Raub m; ~dier n Raub tier n

rooien ['ro:iə(n)] roden; aus graben; schaffen

rook Rauch m; ~coupé ['·ku·pe·] Raucherabteil n; ~pluim ['·plœym] Rauchfah ne f; **~vlees** n Rauchfleisch n

oom Rahm m, Sahne f

ooms römisch(-katholisch)

oomsoes ['-su·s] Windbeutel m

oos 1. Rose f; **2.** (Haar-)Schuppen f/pl; **~kleurig** ['-klø:rəx], fig ['-klø:-] rosig

ooster Rost m; **~en** rösten

os n Ross n

osig ['-səx] rötlich

osbief Roastbeef n

ot (rot) faul, verdorben; F elend; F ärgerlich

otonde Verkehr Kreis m

ots [rɔts] Felsen m; **~achtig** [-təx] felsig

ot|ten (ver)faulen; **~zooi** F Scheiße f, Schweinerei f

oute Route f

ouw [rɑu] Trauer f; **~en** trauern; **~plechtigheid** [-təxɛit] Trauerfeier f

oven rauben; **~er** Räuber m

oyaal [rūa'ja:l] großzügig, spendabel

oze ['rɔ:zə, 'rɔ:-] rosa; **~marijn** [-'rɛin] Rosmarin m

ozenbottelthee Hagebuttentee m

ozijn [-'zɛin] Rosine f

ubber ['rɔbər] Gummi n od m; **~boot** Schlauchboot n; **~laarzen** pl Gummistiefel m/pl

ubriek [ry'-] Rubrik f

ug [rɔx] Rücken m

uggen|graat Rückgrat n; **~merg** n Rückenmark n; **~steun** [-stø:n] Rückhalt m

ug|gespraak Rücksprache

f; **~leuning** Rückenlehne f; **~slag** Rückenschwimmen n; **~zak** Rucksack m

ruig [rəx] rau; struppig

ruiken riechen; wittern

ruiker (Blumen)Strauß m

ruil (Aus)Tausch m; **~en** tauschen; um-, austauschen

ruim geräumig; weit; reichlich, mehr als; su n (Schiffs)Raum m; **~en** räumen

ruimte Raum m; Kosmos m; **~lijk** [-lək] räumlich; **~vaart** Raumfahrt f; **~veer** n Raumfähre f; **~vlucht** [-vləxt] Weltraumflug m

ruïne [ry'ü:nə] Ruine f

ruisen ['rœys-] rauschen; rieseln

ruit (Fenster-, Glas)Scheibe f; Karo n; MATH Raute f; **~en** Karte Karo n; **~ensproeier** [-spru·i-] Scheibenwaschanlage f; **~enwisser** Scheibenwischer m

ruiter Reiter m; **~pad** [-pɑt] n Reitweg m; **~sport** Reitsport m

ruk [rɔk] Ruck m; **~ken** ziehen, zerren; reißen; rupfen; **~wind** Windstoß m

rum [rɔm] Rum m

rumoer [ry'mu:r] n Lärm m; **~ig** [-rəx] lärmend

rund [rɔnt] n Rind n; **~vlees** n Rindfleisch n

runnen leiten, betreiben

rups Raupe f; **~wagen** Raupenfahrzeug n

Rus Russe m; **~sisch** ['-i·s]

russisch; **~sische** Russin f
rust Ruhe f; Rast f, Pause f;
Sport Halbzeit f; **met ~ laten**
['la:t-] in Ruhe lassen; **~e-**
loos ['-lo:ɔs] ruhelos; rast-
los; **~en** ruhen, rasten;
(zu)rüsten

rustig ['-təx] ruhig; **~pauze**
Ruhepause f; **~plaats** Rast-
platz m; Ruhestätte f; **~ver**
storing Ruhestörung f
ruw [ry·ü] rau; roh, grob, bru
tal
ruzie ['ry·zi·] Streit m, Zank n

S

's [əs] → **eens**
saai [sa:ï] langweilig, öde
sabel Säbel m
sacrament n Sakrament n
Sacramentsdag ['-mendz-
dɑx] Fronleichnam m
safe Safe m; Schließfach n
saffier [-'fi:r] Saphir m
salade Salat m
salaris [-'la:rɪs]‹n Gehalt n,
Bezüge m/pl
saldo n Saldo m
salie ['sa:li·] Salbei m
salmonella's pl Salmonellen
f/pl
salon [sɑ'lɔn] Salon m
samen ['sa:mə(n)] zusammen, miteinander; **~ met** a.
mitsamt (D)
samengesteld: **~ zijn** [seïn]
sich zusammensetzen
samenkomst Zusammen-
kunft f, Treffen n; **plaats van**
~ Treffpunkt m
samenleving Zusammenle-
ben n; Gesellschaft f; **~loop**
Zusammenlauf m; Zusam-
mentreffen n
samenpersen zusammen-

pressen; **~geperste luch**
[lɛxt] Pressluft f
samenscholen sich zusam
menrotten; **~smelting** Ver
schmelzung f; **~spanne**
sich verschwören; **~spel**
Zusammenspiel n; **~spraal**
Dialog m, Gespräch n; **~**
menfallen; **~vatten** zusam
menfassen; **~werken** zusam
menarbeiten; **~wonen** zu
sammenleben; **~zweerde**
Verschwörer m; **~zwerin**
[-züe:r-] Verschwörung f
sanatorium [-'to:ri·(j)əm]
Sanatorium n, Heilansta
f
sanctie ['sɑŋksi·] Sanktion f
sandaal Sandale f
sandwich ['sɛntüïtʃ] Sand
wich n
sanitair [-'tɛ:r] n Sanitäranla
gen f/pl
sap n Saft m; **~pig** ['-pəx] sa
tig
sardien, ~dine [-'di·nə] Sar
dine f
sarren quälen, schikanieren
satelliet Satellit m; **~televi**

sie [-ˈϑiˑziˑ] Satellitenfernsehen n

saucijsje [soˈˈseɪʃə] n Würstchen n

saus Soße f, Tunke f

savooienkool [saˈϑoˑiˑə(n)-] Wirsing(kohl) m

Scandinavisch [-ϑiˑs] skandinavisch

scène [ˈsɛːnə] Szene f

sceptisch [ˈskeptiˑs] skeptisch

schaaf [sxaːf] Hobel m; **~wond** Hautabschürfung f

schaak|bord n Schachbrett n; **~mat** [-ˈmɑt] schachmatt; **~spel** n Schach(spiel) n; **~stuk** [-ˈstøk] n Schachfigur f

schaal Schale f, Schüssel f; Skala f; Maßstab m

schaamte Scham f; **~loos** schamlos

schaap n Schaf n; **~herder** Schäfer m

schaar Schere f; Schar f

schaars knapp, spärlich; rar; **~te** Knappheit f

schaats Schlittschuh m; **~en(rijden)** [-reˑiə(n)] Schlittschuh laufen; **~er** (**~ster** f) Schlittschuhläufer(in f) m

schacht Schaft m; Schacht m

schade Schaden m; **materiële ~** Sachschaden m; **~aangifte** Schadensanzeige f; **~lijk** [sxaˈdələk] schädlich; **~loosstellen** entschädigen; **~vergoeding** [-ˈɣuˑd-] Schadenersatz m

schaduw [ˈsxaˑdyˑϑ] Schatten m; **~rijk** [-reˑik] schattig

schakel [ˈsxaˑkəl] (Ketten-, Binde)Glied n; **~aar** Schalter m; **~en** aneinander reihen; schalten; **~ing** Schaltung f

schaken entführen; Schach spielen

schakering [sxɑˈkeˑr-] Schattierung f, Nuance f, Tönung f

schalk Schalk m, Schelm m; **~s** schelmisch, neckisch

schamel [ˈsxaˑməl] dürftig, ärmlich

schamen: zich ~ sich schämen

scham|pen streifen; **~per** höhnisch, abschätzig

schan|daal n Skandal m; **~dalig** [-ˈdaːlək] schändlich, skandalös

schande Schande f; **~lijk** [ˈdələk] schändlich

schans Schanze f

schapenvlees n Schaf-, Hammelfleisch n

schappelijk [ˈsxɑpələk] mäßig, ziemlich, leidlich; glimpflich

scharnier n Scharnier n, (Tür)Angel f

scharrel|ei n (Frei)Landei n; **~en** [ˈrələ(n)] wühlen; scharren; schachern; ein Techtelmechtel haben

schat Schatz m

schater|en [ˈsxaːtər-], **~lachen** aus vollem Halse lachen schat|kist Staatskasse f; ~rijk ['-rɛĭk] schwer-, steinreich; ~ten schätzen; ~tig ['-təx] niedlich, F süß

schaven hobeln

schavuit [sxa'ʋʉ̃ɐ't] Schuft m

schede ['sxe:də] Scheide f

schedel Schädel m; ~breuk [-brø:k] Schädelbruch m

scheef schief

scheel: ~ zien schielen

scheen(been n) Schienbein n

scheepsreis Schiffsreise f

scheepvaart Schifffahrt f; ~maatschappij [-pɛ̃ĭ] Schifffahrtsgesellschaft f

scheer|apparaat n Rasierapparat m; ~kwast Rasierpinsel m; ~mesje ['-mɛʃə] n Rasierklinge f; ~wol Schurwolle f

scheid|en ['sxɛĭd-] scheiden, trennen; sich trennen; ~ing Scheidung f, Trennung f; Scheitel m; Grenze f; ~(ing)smuur [-my:r] Trennwand f

scheids|gerecht n Schiedsgericht n; ~rechter Schiedsrichter(in f) m

scheikunde ['-kəndə] Chemie f; ~ige [-'kəndəɣ̊ə] Chemiker(in f) m

schel¹ grell; schrill

schel² Schelle f, Klingel f

scheld|en ['sxɛl-] schimpfen; ~woord n Schimpfwort n

schelen ['sxe:l-] verschieden sein; fehlen; *wat scheelt (er) u* [y'**]?** was fehlt Ihnen?; ...

kan mij [meĭ, mə] niets ~ ... ist mir einerlei (od F egal)

schelp Muschel f, Schale f

schelvis Schellfisch m

schemer|ing ['sxe:mər-] Dämmerung f, Zwielicht n; ~lamp Schirmlampe f

schenden schänden; verletzen

schenk|en schenken; spenden, stiften; ~er Spender m, Stifter m

schep (voller) Löffel m; Schaufel f

schep|pen schaffen; schöpfen; schaufeln; ~per Schöpfer m; ~ping Schöpfung f, ~sel n Geschöpf n

scheren ['sxe:r-] rasieren; scheren; (im Flug) streifen

scherf Scherbe f

scherm n Schirm m; Kino Leinwand f

schermen fechten

scherp scharf; ~te Schärfe f; ~zinnig [-'sɪnəx] scharfsinnig

scherts Scherz m, Spaß m

schertsend scherzhaft

schets [sxɛts] Skizze f, (Grund)Riss m; ~en skizzieren; darstellen

schetteren ['-tərə(n)] schmettern

scheur [sxøːr] Riss m; Spalte f; ~en (zer)reißen; F rasen; ~kalender Abreißkalender m

scheut Spross m, Trieb m; Schuss m

schichtig ['-təx] scheu, schreckhaft

schiereiland ['sxi:reī-] n Halbinsel f

schieten schießen; *laten ~* fallen lassen; fahren lassen; *te binnen ~* einfallen

schiet|partij [-teī] Schießerei f, **~schijf** ['-sxeīf] Zielscheibe f; **~wapen** ['-ʋa:pə(n)] n Schusswaffe f

schijf Scheibe f; *harde ~ EDV* Festplatte f; **~rem** Scheibenbremse f

schijn [sxeīn] Schein m; Anschein m; **~baar** scheinbar; **~en** scheinen; leuchten; **~sel** ['-səl] n Schein m

schik *in zijn* [zən] *~* munter, vergnügt

schikk|en ordnen; *zich ~en* sich fügen; **~ing** Anordnung f; Einigung f; *JUR* Vergleich m

schil Schale f

schild n Schild m

schilder Maler m; Anstreicher m; **~achtig** [-təx] malerisch; **~en** malen; (an)streichen; schildern; **~es** [-'res] Malerin f

schilderij [-'reī] Gemälde n; **~ententoonstelling** Gemäldeausstellung f

schild|erkunst [-kənst] Malerei f; **~klier** Schilddrüse f; **~pad** Schildkröte f

schilfers pl Schuppen f/pl; Splitter m/pl

schillen schälen

schim Schatten m

schimp Spott m, Hohn m

schip n Schiff n

schipbreuk ['sxībrø:k] Schiffbruch m; *~ lijden* ['leīə(n)] Schiffbruch erleiden; scheitern; **~eling(e)** f Schiffbrüchige(r)

schipper Schiffer m

schitteren ['sxītər-] glänzen, leuchten, strahlen

schmink Schminke f

schoen [sxu·n] Schuh m; **~borstel** Schuhbürste f; **~crème** ['-kre:m] Schuhcreme f; **~enzaak** Schuhgeschäft n; **~lapper, ~maker** ['-ma:kər] Schuster m, Schuhmacher m; **~smeer** Schuhcreme f; **~veter** ['-ʋe:tər] Schnürsenkel m

schoft [sxɔft] Schuft m

schok [sxɔk] Stoß m; Erschütterung f; Schock m; **~breker** ['-bre:kər] Stoßdämpfer m; **~ken** erschüttern; stoßen, rütteln; schockieren; zerrütten

schol Scholle f

schol|en ['sxɔ:l-] schulen; **~engemeenschap** Gesamtschule f; **~ier(e)** f ['-li:r(ə)] Schüler(in) f

schommel Schaukel f; **~en** schaukeln; schwingen; schwanken

schoof Garbe f

schooier ['sxo:īər] Bettler m; Strolch m

school Schule f; (Fisch-) Schwarm m; *lagere* ['la:ɣərə] *~* Grundschule f; → *middel-*

baar; **~bord** n Wandtafel f; **~hoofd** n Schulleiter m; **~kameraad** Schulfreund(in) f m; **~rapport** n (Schul)Zeugnis f; **~vakantie** [-kansi'] Schulferien pl

schoon rein, sauber; schön; su n Schönheit f; **~dochter** Schwiegertochter f; **~heid** Schönheit f; **~heidssalon** [-lɔn] Kosmetiksalon m; **~maak: grote ~maak** Großreinemachen n; **~maken** ['ma:k] sauber machen, putzen; **~ouders** ['ɑudərs] pl Schwiegereltern pl; **~zus(ter)** ['-zəs(tər)] Schwägerin f

schoorsteen Schornstein m; Kamin m; **~veger** Schornsteinfeger m

schoot Schoß m

schop 1. Schaufel f, Spaten m; **2.** (Fuß)Tritt m

schoppen¹ treten, stoßen

schoppen² Karte Pik n

schor [sxɔr] heiser, rau

schorpioen [-pi'ju:n] Skorpion m

schors Borke f, Rinde f

schorsen unterbrechen; suspendieren

schorseneren [-'ne:r-] pl Schwarzwurzeln f/pl

schort Schürze f

schot [sxɔt] n Schuss m; (Bretter)Verschlag m

Schot m Schotte m

schotel ['sxo:təl] Schüssel f; Platte f; **~(tje** n) Untertasse f;

~antenne Parabolantenne f

Schots schottisch; **~e** Schottin f

schouder ['sxɑudər] Schulter f, Achsel f; **~ophalen** n Achselzucken n; **~tas** Umhängetasche f; **~vulling** [-vəl-] Schulterpolster n

schouw [sxɑu] Kamin m

schouw|burg ['-bər(ə)x] Theater n; **~spel** ['-spɛl] n Schauspiel n

schraag [sxra:x] Bock m, Gestell n

schraal dürr, mager; dürftig

schragen (unter)stützen

schram Schramme f

schrander ['sxrandər] klug

schrap [sxrap]: zich **~ zetten** sich stemmen

schrapen ['sxra:p] schaben, scharren; de keel **~** sich räuspern

schrappen (durch)streichen

schrede ['sxre:də] Schritt m

schreeuw [sxre:ü] Schrei m; **~en** schreien

schreien ['sxrɛiə(n)] weinen

schrift n Schrift f; Heft n; **~elijk** ['sxrɪftələk] schriftlich

schrijden ['sxrɛid-] schreiten

schrij|flint n Farbband n; **~machine** [-'ʃi:nə] Schreibmaschine f; **~ster** Schriftstellerin f; Verfasserin f; **~tafel** Schreibtisch m

schrijlings rittlings

schrijn|end bitter; **~werker** ['sxrɛinvɛrkər] Tischler m, Schreiner m

schrijv|en schreiben; verfassen; **~er** Schriftsteller *m*, Dichter *m*; Verfasser *m*; Schreiber *m*

schrik Schreck(en) *m*; Angst *f*; **van ~** vor Schreck, vor Angst; **~barend** [-'ba:rənt] erschreckend, haarsträubend

schrikkeljaar *n* Schaltjahr *n*

schrikken erschrecken; **doen** [dʊ'n] ~ erschrecken

schril [sxrɪl] schrill, grell

schrobben schrubben

schroef [sxru:f] Schraube *f*; Propeller *m*; **~draad** Gewinde *n*; **~sleutel** ['-sløː-] Schraubenschlüssel *m*; **~sluiting** ['-slɔv-] Schraubverschluss *m*

schroeien ['sxruːˈiə(n)] sengen

schroeven schrauben; **~draaier** Schraubenzieher *m*

schrokken schlingen, fressen

schromelijk ['-mələk] arg, gewaltig

schrompelen ['-pələ(n)] schrumpfen

schroom Scheu *f*

schroot Schrot *n*; Schrott *m*

schub [sxøp] Schuppe *f*

schuchter schüchtern

schudden ['sxød-] schütteln, rütteln; *Karten* mischen

schuif|dak ['sxœyv-] *n* Schiebedach *n*; **~raam** *n* Schiebefenster *n*

schuil|en Schutz suchen, sich unterstellen; **~hoek** ['-huːk] Schlupfwinkel *m*; **~naam**

Pseudonym *n*; **~plaats** Versteck *n*, Unterschlupf *m*

schuim [sxøym] *n* Schaum *m*; Gischt *m*; Abschaum *m*; **~en** schäumen; **~rubber** ['-rəbər] *m od n* Schaumgummi *m*

schuin(s) schräg; schief; quer; abschüssig; schlüpfrig

schuit Kahn *m*, Boot *n*

schuiven schieben; rücken; rutschen

schuld [sxølt] Schuld *f*; **~bekentenis** ['-bəkentənɪs] Schuldbekenntnis *n*; Schuldschein *m*; **~eiser** ['-ɛisər] Gläubiger *m*; **~enaar** ['-dəna:r] Schuldner *m*

schuldig ['-dəx] schuldig; schuld; *zich ~ maken aan iets* sich et. zuschulden kommen lassen

schunnig ['-nəx] anzüglich

schuren ['sxy:r-] scheuern; schaben

schurft [sxœr(ə)ft] Krätze *f*; Schorf *m*

schurk Schurke *m*

schutt|er Schütze *m*; **~ing** Zaun *m*

schuur [sxyr] Scheune *f*; **~papier** *n* Schmirgelpapier *n*

schuw [sxyü] scheu; **~en** scheuen

scooter ['sku:tər] (Motor-) Roller *m*

scoren ein Tor schießen; erzielen

scrupul|e [skry'py'lə] Skrupel *m*; **~eus** [-'løːs] gewissenhaft

seconde Sekunde *f*
secretar|esse [-'rɛsə] Sekretärin *f*; **~is** [-'ta:rɪs] Sekretär *m*
secuur [sə'ky:r] peinlich genau
sedert ['se:dərt] seit (*D*); seitdem
sein [sɛĭn] *n* Signal *n*, Zeichen *n*; **~en** signalisieren; blinken; telegrafieren; funken; **~licht-schakelaar** Lichthupe *f*
seizoen [sɛĭ'zu'n] *n* Saison *f*, Jahreszeit *f*
seksueel [-sy''ŭe:l] sexuell
selder|ie, **~ij** ['sɛldərɛĭ] Sellerie *f*
select [se''lɛkt] erlesen; **~ie** [-'lɛksi'] Auslese *f*, -wahl *f*
seminarie [-'na:ri'] *n* Seminar *n*
sensatie [-'sa:(t)si'] Sensation *f*
sentimenteel sentimental
september September *m*
ser|ie ['se:ri'] Serie *f*, Reihe *f*, Satz *m*; **~ieus** [-'rĭø:s] seriös, ernst(haft)
sering [sə'rɪŋ] Flieder *m*
serre ['sɛ:rə] Glasveranda *f*, Treib-, Gewächshaus *n*
ser|veerster Serviererin *f*; **~veren** [-'v̊e:r-] servieren; **~vet** [-'v̊ɛt] *n* Serviette *f*
service ['sœ:(r)v̊i's] Service *m*, Kundendienst *m*; *Tennis* Aufschlag *m*
servies *n* Service *n*
set [sɛt] *n* Satz *m*
sfeer Sphäre *f*, Atmosphäre *f*; **~vol** stimmungsvoll
shag [ʃɛk] Feinschnitt *m*
shock [ʃɔk] Schock *m*
sidderen ['sɪdərə(n)] zittern
sier|aad *n* Zierde *f*, Schmuck *m*; **~en** schmücken; **~lijk** ['-lək] zierlich, elegant
sifon [-'fɔn] Siphon *m*
sigaar Zigarre *f*
sigaret Zigarette *f*
sign|aal [si''nĭa:l] *n* Signal *n*; **~alement** [sɪnĭɑlə'mɛnt] *n* Personenbeschreibung *f*
sijpelen ['sɛĭpəl-] sickern
sijsje ['sɛĭʃə] *n* Zeisig *m*
sikje *n* Spitzbärtchen *n*
sikkel Sichel *f*
simpel einfach, simpel; einfältig
simuleren [-my''le:r-] simulieren
sinaasappel Apfelsine *f*
sinds seit (*D*); seit(dem); **~dien** seitdem, seither
singel Ringstraße *f*
sintelbaan Aschenbahn *f*
siroop [-'ro:p] Sirup *m*
sissen zischen; fauchen
situatie [-ty''ŭa:(t)si'] Lage *f*, Situation *f*
sjaal [ʃa:l] Schal *m*
sjofel ['ʃo:fəl] schäbig
sjorren ['ʃor-] zerren
sjouwen ['ʃɑŭə(n)] schleppen; sich abrackern
skelter Gokart *m*
skiën ['ski'(j)ə(n)] Ski laufen
skiër Skifahrer *m*
skiester ['-stər] Skifahrerin *f*
sla Salat *m*

slaaf Sklave *m*

slaag: **pak** *n* ~ (Tracht *f*) Prügel *pl*; ~**s**: ~**s raken** aneinander geraten

slaan schlagen, hauen; *Münze* prägen; ~ **op** *fig* sich beziehen auf (*A*)

slaap Schlaf *m*; Schläfe *f*; ~**coupé** ['-ku:pe:] Schlafabteil *n*; ~**dronken** verschlafen; ~**kamer** ['-ka:mər] Schlafzimmer *n*; ~**zak** Schlafsack *m*

slaatje *n* Salat *m*

slabbetje ['-bɒtjə] *n* Lätzchen *n*

slacht|en schlachten; ~**erij** [-tə'rɛɪ], ~**huis** ['-hɒys] *n* Schlachthof *m*; ~**offer** *n* Opfer *n*, Todesopfer *n*

slag [slɑx] **1.** Schlag *m*, Hieb *m*; Schlacht *f*; Knall *m*; *Karten* Stich *m*; **2.** Art *f*, Sorte *f*; ~**ader** Arterie *f*, Schlagader *f*; ~**boom** Schlagbaum *m*, Schranke *f*

slagen Erfolg haben; gelingen (*D*), glücken (*D*); *Prüfung* bestehen

slager Fleischer *m*, Metzger *m*; ~**ij** [-'rɛɪ] Fleischerei *f*, Metzgerei *f*

slag|room Schlagsahne *f*; ~**vaardig** [-'fa:rdəx] schlagfertig; ~**werk** *n* Schlagzeug *n*

slak **1.** Schnecke *f*; **2.** Schlacke *f*

slalom Slalom *m*

slang Schlange *f*; Schlauch *m*

slank schlank

slaolie ['sla:-o:li] Speiseöl *n*

slap schlaff, schlapp, schwach; flau; dünn

slap|eloos ['sla:pəlo:s] schlaflos; ~**en** schlafen; ~**erig** ['-pərəx] schläfrig, verschlafen

slapte Schlaffheit *f*; *ECON* Flaute *f*

slavin [-'ʋɪn] Sklavin *f*

Slavisch ['-'ʋi:s] slawisch

slecht schlecht, böse, übel

slechten schleifen; schlichten

slechtgehumeurd ['-xə-hy'mø:rt] schlecht gelaunt

slechts [slɛxs] nur, lediglich

sle(d)e [sle:, 'sle:də] Schlitten *m*

sleeën ['sle:ɪ̯ə(n)] rodeln

sleep Schleppe *f*; Schleppzug *m*; ~**boot** Schlepper *m*; ~**kabel**, ~**touw** ['-tɑu̯] *n* (Ab-) Schleppseil *n*

sleet Verschleiß *m*

slenteren schlendern

slepen ['sle:p-] schleppen, schleifen

slet [slɛt] F Nutte *f*

sleuf [slø:f] Rille *f*; Schlitz *m*; Schneise *f*

sleur [slø:r] Trott *m*

sleuren schleppen, zerren

sleutel Schlüssel *m*; *valse* ~ Dietrich *m*, Nachschlüssel *m*; ~**been** *n* Schlüsselbein *n*; ~**bos** Schlüsselbund *n*; ~**gat** *n* Schlüsselloch *n*

slib *n*, slijk [slɛik] *n* Schlamm *m*

slijm Schleim *m*; ~**erig** ['-mərəx] schleimig; ~**vlies** *n* Schleimhaut *f*

slijpen

slijpen schleifen; (an)spitzen

slijtage [slɛi'ta:ʒə] Abnutzung f, Verschleiß m; **~en** abnutzen; verkaufen; verbringen; vorübergehen

slijterij [-tə'rɛi] Spirituosengeschäft n

slikken schlucken; einstecken

slim schlau, klug; listig; **~merd**, **~merik** Schlauberger m

slinger Schleuder f; Pendel n; Girlande f; Schwengel m; **~en** schwingen, pendeln, baumeln; schleudern; schlingern; sich schlängeln; **laten ~en** herumliegen lassen

slinken abnehmen

slip Zipfel m; Schlüpfer m, Slip m; **~gevaar** n Schleudergefahr f; **~pen** (aus)rutschen; schlüpfen; **~pertje** n Seitensprung m; **~tong** kleine Seezunge f

sloddervos Schlampe f

sloep [slu:p] Schaluppe f

slof Pantoffel m; **~fen** F latschen, schlurfen

slogan Schlagwort n

slok Schluck m; **~darm** Speiseröhre f

slon|s [slɔns] Schlampe f; **~zig** [-'zəx] schlampig

sloom träge

sloop[1] Kissenbezug m

sloop[2] Abriss m

sloot Graben m

slop [slɔp] n (Sack)Gasse f

slopen ['slo:p-] schleifen, abreißen; verschrotten; aufreiben

slordig ['slɔrdəx] nachlässig, schlampig

slot n Schloss n, Burg f; Schluss m

slotenmaker ['slo:tə(n)ma:kər] Schlosser m

slotsom Schlussfolgerung f, Fazit n

slowmotion [slo:ü'mo:ʃən] Zeitlupe f

sluier ['slœyiər] Schleier m

sluimeren schlummern

sluipen ['slœyp-] schleichen

sluis Schleuse f

sluit|en schließen; abschließen, eingehen; sperren; **~er** FOT Verschluss m

sluiting Schließung f; Verschluss m; Schloss m; Abschluss m; **~suur** [-y:r] n Ladenschlusszeit f; Polizei-, Sperrstunde f

slurf [slœr(ə)f] Rüssel m

slurpen schlürfen

sluw [slyü] schlau, listig

smaad Schmach f, Schmähung f

smaak Geschmack m; **~vol** geschmackvoll

smachten schmachten

smadelijk ['sma:dələk] schmählich

smak (Auf)Schlag m

smakelijk ['kələk] schmackhaft, appetitlich; herzlich; **~ (eten)!** guten Appetit!, Mahlzeit!

smakeloos geschmacklos

smaken schmecken

smakken schmatzen; schmettern

smal [smɑl] schmal

smart Schmerz *m*, Kummer *m*; **~elijk** ['-tələk] schmerzlich; **~lap** Schnulze *f*

smeden schmieden

smeer|kaas Streichkäse *m*; **~lap** F Schmierfink *m*; F Schwein *n*; **~olie** ['-o:li'] Schmieröl *n*

smeken flehen

smelten schmelzen; zergehen; auslassen

smeren schmieren; ölen; streichen; **'em** [əm] **~** F türmen, verduften

smerig ['sme:rəx] schmierig, schmutzig; unflätig

smet [smɛt] Fleck(en) *m*; Makel *m*

smeulen ['smø:l-] schwelen

smid Schmied *m*

smijten ['smɛit-] schmeißen

smikkelen schlemmen

smoel [smu:l] Schnauze *f*

smoesjes ['smu·ʃəs] *n/pl* F Flausen *pl*

smoez|elig ['smu·zələx] schmuddelig; **~en** tuscheln

smokkelen schmuggeln

smoren ersticken; schmoren; drosseln, abwürgen

smullen ['smœl-] schlemmen

snaak Witzbold *m*

snaar Saite *f*

snackbar ['snɛgbɑːr] Schnellimbiss *m*

snakken schmachten

snap|pen schnappen; F kapie-

ren; **~shot** ['snɛpʃɔt] *n* Schnappschuss *m*

snateren ['snɑːtər-] schnattern

snauwen (an)schnauzen

snavel Schnabel *m*

sne(d)e ['sne:də, sne:] Schnitt *m*; Schneide *f*; Schnitte *f*

snedig ['-dəx] schlagfertig

sneeuw [sne:ö] Schnee *m*; **~blubber** ['-bləb-] Schneematsch *m*; **~en** schneien; **~jacht** Schneegestöber *m*; **~ketting** Schneekette *f*; **~wit** schneeweiß

snel schnell, rasch

snelheid Geschwindigkeit *f*; Schnelligkeit *f*

snelheids|beperking Geschwindigkeitsbegrenzung *f*; **~meter** Tachometer *m*; **~overtreding** Geschwindigkeitsüberschreitung *f*

snellen eilen, stürzen

snel|stromend reißend; **~trein** Schnell-, Eil-, D-Zug *m*

snert Erbsensuppe *f*

sneuvelen ['snø:Ꝟəl-] kaputtgehen; *MIL* fallen

snibbig ['-bəx] spitz

snij|bloemen ['snɛiblu·m-] *pl* Schnittblumen *f/pl*; **~boon** Schnittbohne *f*; **~brander** Schneidbrenner *m*; **~den** ['snɛiə(n)] schneiden; schnitzen; **~patroon** *n* Schnittmuster *n*; **~werk** *n* Schnitzerei *f*; **~wond(e)** Schnittwunde *f*

snik: **niet goed** [xu't] ~ F übergeschnappt; **~heet** stickig, brütend heiß
snikken schluchzen
snipper Schnippel m u n; **~dag** [-dɑx] Wahlurlaubstag m; **~koek** [-ku'k] Streuselkuchen m
snit Schnitt m, Fasson f
snoeien ['snu'iə(n)] stutzen
snoek Hecht m; **~baars** Zander m
snoep [snu'p] Süßigkeiten f/pl, Süßwaren f/pl; **~en** naschen; **~goed** n Süßigkeiten f/pl; **~je** n Bonbon m od n
snoer [snu:r] n Schnur f; Draht m; **~en** schnüren
snoeshaan: **rare** ~ sonderbarer Kauz m
snoet Schnauze f
snoeven aufschneiden
snoezig ['snu'zəx] reizend, F süß
snol [snɔl] F Nutte f
snor [snɔr] Schnurrbart m; **~fiets** Mofa n
snorkel Schnorchel m
snorren surren, schnurren
snuffelen ['snøfəl-] schnüffeln, schnuppern; stöbern
snufje n (Mode)Neuigkeit f
snugger klug, gescheit
snuifje ['snøyfiə] n Prise f
snuisterijen [snəystə-'rɛiə(n)] pl Nippsachen f/pl
snuit Schnauze f, Maul n; Rüssel m; **~en** schnäuzen, putzen
snuiven schnauben; schnupfen
snurken ['snørk-] schnarchen

sober ['so:bər] schlicht; genügsam
sociaal [-'sia:l] sozial
socialistisch [-ti's] sozialistisch; **~ologie** [-sio'lo'-] Soziologie f
soep [su'p] Suppe f
soepel geschmeidig, biegsam, schmiegsam, gelenkig
soepgroente Suppengrün n
sojaboon Sojabohne f
soezen dösen
sok [sɔk] Socke f
soldaat Soldat m; ~ **maken** F aufessen, austrinken
soldeerbout [-baut] Lötkolben m; **~eren** [-'de:r-] löten
soldij [-'dɛi] Sold m
solidair [-'de:r] solidarisch
solist(e) f) Solist(in f) m
sollen spielen
sollicitant(e f) [-si'tant(ə)] Bewerber(in f) m; **~tatie** [-'ta:(t)si'] Bewerbung f; **~teren** [-'te:r-] sich bewerben
solvent [-'vɛnt] zahlungsfähig
som [sɔm] Summe f, Betrag m; Rechenaufgabe f
somber düster, trübe
sommige ['-məɣə] pl manche pl
soms [sɔms] manchmal; zuweilen; etwa, vielleicht
soort f od n Sorte f; Gattung f, Art f; **~gelijk** [-lɛik] derartig
sop n Brühe f; Lauge f
sorteren [-'te:r-] sortieren
soufflé [su'fle:] Auflauf m
souteneur [su'tə'nø:r] Zu-

hälter *m*; **~terrain** [-'rɛ:] *n* Kellergeschoss *n*

souvenir *n* Souvenir *n*, (Reise)Andenken *n*

spaak [spa:k] Speiche *f*

spaander Span *m*

Spaans spanisch

spaar|boekje ['-bu·kjə] *n* Sparbuch *n*; **~der** Sparer(in *f*) *m*; **~geld** *n* Ersparnisse *f/pl*; **~pot** Sparbüchse *f*

spade Spaten *m*

spalk Schiene *f*; **~en** schienen

span *n* Gespann *n*; **~doek** ['-du·k] *n* Spruchband *n*

spang Spange *f*

spannen spannen

spar [spɑr] Tanne *f*, Fichte *f*

sparen sparen; (ver)schonen

spartelen zappeln

spat Fleck *m*; Spritzer *m*; **~ader** Krampfader *f*; **~bord** *n* Kotflügel *m*, Schutzblech *n*

spatel ['spa·təl] Spachtel *m* od *f*

spatie ['-(t)si·] Zwischenraum *m*

spatten spritzen; sprühen

specerij [spe:sə'rɛi] Gewürz *n*

specht Specht *m*

speci|aal [-'sĭa:l] speziell, Sonder-; eigens; **~aalzaak** Fachgeschäft *n*; **~alist(e** *f*) Spezialist(in *f*) *m*; Facharzt *m*, -ärztin *f*; **~aliteit** [-sĭali-'tɛit] Spezialität *f*; **~fiek** [-'fi·k] spezifisch

speculaas [-ky·'-] Spekulatius *m*

speeksel *n* Speichel *m*

speel|goed ['-ɣu·t] *n* Spielzeug *n*; **~plaats, ~plein** *n* Spielplatz *m*; Schulhof *m*

speels spielerisch, verspielt; **~ter** Spielerin *f*

speen Sauger *m*; **~varken** *n* Spanferkel *n*

speer Speer *m*

spek *n* Speck *m*

spel [spɛl] *n* Spiel *n*

speld Stecknadel *f*

spel|en spielen; **~er** Spieler *m*; **~ing** Spiel(raum *m*) *n*

spell|en buchstabieren; **~ing** Rechtschreibung *f*

sperziebonen *pl* Brech-, Prinzessbohnen *f/pl*

spetteren ['spɛtər-] sprühen, spritzen

speuren ['spø:r-] spüren

spieden spähen

spiegel Spiegel *m*; **~ei** *n* Spiegelei *n*; **~en** spiegeln

spier Muskel *m*; **~pijn** ['-pɛin] Muskelkater *m*; **~verrekking** (Muskel)Zerrung *f*; **~wit** schneeweiß; kreidebleich

spijbelen ['spɛibəl-] schwänzen

spijker Nagel *m*; **~broek** [-bru·k] Nietenhose *f*; **~en** nageln

spijs [spɛis] Speise *f*, **~vertering** [-te:r-] Verdauung *f*

spijt Bedauern *n*; **~en**: **het ~ mij** [mɛi, mə] es tut mir Leid, ich bedauere; **~ig** ['-təx] schade, bedauerlich

spiksplinternieuw [-ni·ü]
(funkel)nagelneu
spin(nenkop) Spinne f
spinazie [-'na:zi·] Spinat m
spinnen spinnen; schnurren;
~web [-vεp] n Spinngewebe n
spion [spi·'jɔn] Spion m; Spitzel m
spiritus(toe)stel [-təs(tu')stεl] n Spirituskocher m
spit n Spieß m; MED Hexenschuss m
spits spitz; su Spitze f; ~uur
['y·r] n Stoß-, Berufsverkehr m; ~vondig [-'fɔndəx] spitzfindig
spitten (um)graben
spleet Spalte f, Spalt m, Ritze f; Riss m; Schlitz m
splijten ['splεit-] spalten
splinter Splitter m; ~nieuw [-'ni·ü] (funkel)nagelneu
split Schlitz m
splitsen spalten
spoed [spu't] Eile f; ~ig ['dəx] bald(ig)
spoedigste: ten ~ schleunigst
spoel Spule f
spoelen spülen
spoken spuken
sponning Fuge f
spons Schwamm m
sponsoren ['-sərə(n)] sponsern
spook n Gespenst n; ~achtig [-təx] gespenstisch; ~rijder ['-rεïdər] Geisterfahrer m
spoor¹ n Spur f; Fährte f; Gleis n; (Eisen)Bahn f

spoor² Sporn m
spoor|boekje ['-bu·kïə] n Fahrplan m, Kursbuch n; ~kaartje n Fahrkarte f; ~lijn ['-lεïn] (Eisen)Bahnlinie f; ~loos spurlos; ~vorming Spurrillen f/pl
spoorweg ['-vεx] Eisenbahn f; ~man [-dεkt] Eisenbahnübergang m; ~overgang Bahnübergang m; ~viaduct [-dεkt] m od n Bahnüberführung f
sport Sprosse f; Sport m; aan ~ doen [du·n] Sport treiben; ~beoefenaar(ster f) Sportler(in f) m; ~ief [-'ti·f] sportlich; ~manifestatie Sportveranstaltung f; ~terrein ['-tεrεïn] n, ~veld n Sportplatz m
spot Spott m; ~goedkoop ['-xu·t] spottbillig
spotten spotten; ~d spöttisch
spraak Sprache f; ~gebrek ['-xəbrεk] n Sprachfehler m; ~kunst ['-kɛnst] Grammatik f, ~zaam gesprächig, redselig
sprake Rede f; ter ~ ter ~ zur Sprache; ~loos sprachlos
spreek|beurt ['-bø:rt] Vortrag m; ~kamer [-'ka:mər] Sprechzimmer n; ~uur ['-y:r] n Sprechstunde f; ~woord n Sprichwort n
spreeuw [spre:ü] Star m
sprei [sprεï] Bettdecke f
spreiden ausbreiten; spreizen
spreken ['sprε·k-] sprechen, reden; ~er Sprecher m; Redner m

sprenkelen ['-kələ(n)] sprengen

spreuk [sprø:k] Spruch *m*

springconcours ['-konku:r(s)] *m* od *n* Reitturnier *n*

springen springen; platzen; **laten** ~ sprengen

spring|plank Sprungbrett *n*; **~stof** Sprengstoff *m*

sprinkhaan Heuschrecke *f*

sproei|en ['sprui'ə(n)] sprengen; **~er** Zerstäuber *m*; Brause *f*; Düse *f*

sproet [sprut] Sprosse *f*

sprong Sprung *m*, Satz *m*

sprookje *n* Märchen *n*; **~sachtig** [-təx] märchenhaft

sprot Sprotte *f*

spruit [sprœyt] Spross *m*, Sprössling *m*; **~jes** *n/pl* Rosenkohl *m*

spugen ['spy'ɣ̞-] speien, spucken; sich übergeben

spuit [spœyt] Spritze *f*; **~bus** ['-bəs] Sprühdose *f*; **~en** spritzen; **~water** ['-va:tər] *n* Sprudel *m*

spul [spɔl] *n* Zeug *n*; **~len** *n/pl* F Zeug *n*, Sachen *f/pl*

sputteren ['spətər-] stottern; murren

spuwen ['spy'ʉə(n)] → **spugen**

staaf [sta:f] Stab *m*; (Gold)Barren *m*

staal *n* Stahl *m*; Probe *f*, Muster *n*

staan staan; **gaan** ~ aufstehen; **laat** ~ geschweige denn; ~ **op** *fig* bestehen auf (*D*); **iem. staat er goed** [ɣ̞ut]

(*slecht*) **voor** es steht gut (schlecht) um j-n; **~plaats** Stehplatz *m*; Stellplatz *m*

staar Star *m*

staart Schwanz *m*

staat Staat *m*; Zustand *m*; Liste *f*, Verzeichnis *n*; **in ~ tot** imstande für (in der Lage, fähig) zu (*D*); **in ~ stellen** instand setzen; **iem. in ~ achten tot iets** j-m et. zutrauen; **in kennelijke** ['kenələkə] **~ betrunken; ~ van beleg** [bə'lɛx] Belagerungszustand *m*; Ausnahmezustand *m*

staats|greep Staatsstreich *m*; **~hoofd** *n* Staatsoberhaupt *n*

staatsie Staat *m*, Pomp *m*

staatsman Staatsmann *m*

stabiel stabil

stad Stadt *f*; **~huis** ['-həys] *n* Rathaus *n*

stads|tram ['-trem, '-trɑm] Stadtbahn *f*; **~wijk** ['-vɛik] Stadtteil *m*, -viertel *n*

staf [staf] Stab *m*

stag|e ['sta:ʒə] Praktikum *n*; **~iair(e** *f*) [-'ʒɛːr(e)] Praktikant(in *f*) *m*

stak|en einstellen, aufhören; streiken; **~ing** Streik *m*

stakker(d) armer Teufel *m*

stal Stall *m*

stalen stählern

stallen unter-, abstellen

stalletje ['-lətjə] *n* (Verkaufs)Stand *m*; Ställchen *n*

stam Stamm *m*

stamelen ['sta:məl-] stammeln

stamgast Stammgast *m*

stamp|en stampfen; stoßen;
~pot Eintopf *m*; ~voeten
['fuˑtə(n)] aufstampfen; ~vol
gedrängt voll

stand¹ Stand *m*; Stellung *f*; *tot
~ brengen* zustande bringen

stand² [stent] (Verkaufs-,
Messe)Stand *m*

stand|beeld *n* Statue *f*,
Standbild *n*; ~er Ständer *m*;
~houden ['-hāǖə(n)] stand-
halten (*D*); ~plaats Standort
m; ~punt ['-pønt] *n* Stand-
punkt *m*; ~vastig ['-fastəx]
standhaft

stang Stange *f*

stank Gestank *m*

stap Schritt *m*, Tritt *m*; *op ~
gaan* sich auf den Weg machen; *~ voor* schrittweise

stapel¹ Stapel *m*, Haufen *m*,
Stoß *m*; *van ~ lopen* vom Stapel laufen; *fig* vonstatten gehen

stapel² total verrückt; (*op*)
versessen (auf *A*)

stapel|bed *n* Etagenbett *n*;
~en stapeln; ~gek → ~²

stap|pen schreiten, marschie-
ren; F ausgehen; ~voets
['-fuˑts] im Schritt

star starr; ~en ['staˑr-] starren

start Start *m*; ~en starten;
Motor anlassen; ~er Anlasser
m; ~klaar startbereit

statiegeld ['staˑ(t)siˑ-] *n* (Fla-
schen)Pfand *n*

statig ['staˑtəx] stattlich; wür-
devoll

station [staˑsˈiɔn] *n* Bahnhof
m; Station *f*; ~car ['steˑ-
ʃənkar] Kombiwagen *m*

stationsrestauratie [-toˑra:-
(t)siˑ] Bahnhofsrestaurant *n*

statuut ['-tyˑt] *n* Statut *n*

staven begründen

stede|lijk ['-dələk] städtisch;
~ling(e *f*) Städter(in *f*) *m*

stedenbouw ['steˑdəbaū̄]
Städtebau *m*

steeds¹ stets, immer

steeds² städtisch

steeg Gasse *f*

steek Stich *m*; Masche *f*; ~
(*onder water*) (Seiten)Hieb
m; *in de ~ laten* ['laˑt-] im
Stich lassen; ~houdend
['-haūdənt] stichhaltig; ~
proef ['-pruˑf] Stichprobe *f*

steel Stiel *m*, Heft *n*; Stängel
m

steen Stein *m*; ~bakkerij
['-ˈreï] Ziegelei *f*; ~groeve
['-ɣruˑvə] Steinbruch *m*;
~kool Steinkohle *f*; ~puist
['-pœyst] Furunkel *m*; ~slag
['-slax] *n* Schotter *m*; Stein-
schlag *m*

steiger (Bau)Gerüst *n*

steigeren sich bäumen

steil steil, schroff

stekel ['steˑkəl] Stachel *m*;
~varken *n* Stachelschwein *n*

steken ['steˑk-] stechen; stecken

stekker Stecker *m*

stel [stel] *n* Garnitur *f*; Satz *m*;
Paar *n*

stelen stehlen

stell|age [-'la:ʒə] Gerüst *n*; **~en** stellen; setzen; verfassen; **~ig** [-'ləx] gewiss, sicher (-lich); **~ing** Stellung *f*; Gerüst *n*; Lehrsatz *m*, These *f*

stelpen stillen

stelsel *n* System *n*; **~matig** [-'ma:təx] planmäßig, systematisch

stelt Stelze *f*

stem Stimme *f*; **~biljet** [-jet] *n* Stimmzettel *m*; **~bureau** [-'by:ro:] *n* Wahllokal *n*; **~bus** [-'bøs] Wahlurne *f*; **~gerechtigd** [-təxt] stimmberechtigt

stemmen stimmen; abstimmen

stemmig ['-məx] dezent

stempel Stempel *m*

stem|recht *n* Stimmrecht *n*; **~wisseling** Stimmbruch *m*

stenen steinern

stengel Stängel *m*; **zoute** ['zautə] ~ Salzstange *f*

stenograferen [-'fe:r-] stenografieren

step [step] Roller *m*

step-in Hüfthalter *m*

ster Stern *m*, Gestirn *n*; **vallende** ~ Sternschnuppe *f*

stereo-installatie [-'la:(t)si'] Stereoanlage *f*

ster|felijk ['-fələk] sterblich; **~te** Sterblichkeit *f*

steriel steril

sterk stark, kräftig; ranzig; alkoholisch, hochprozentig; **~edrank** [-'draŋk] Alkohol *m*, Schnaps *m*; **~te** Stärke *f*

sterren|beeld *n* Sternbild *n*; **~wacht** Sternwarte *f*

sterven sterben

steun [stø:n] Stütze *f*; Unterstützung *f*; **~en** stützen; unterstützen; sich stützen; stöhnen; **~punt** ['-pent] *n* Stützpunkt *m*; Anhaltspunkt *m*; **~zool** (Schuh)Einlage *f*

steur [stø:r] Stör *m*

stevenen ['ste:və̃n-] steuern

stevig ['ste:ʋəx] fest, kräftig; stark; handfest

sticht Stift *m*; **~elijk** ['-tələk] erbaulich; **~en** gründen, stiften; erbauen; **~er** (**~ster** *f*) Gründer(in *f*) *m*; Stifter(in *f*) *m*

stiefvader Stiefvater *m*

stiekem ['sti:k-] F heimlich; hinterhältig

stier Stier *m*, Bulle *m*

stierlijk ['-lək] furchtbar

stift Stift *m*; Mine *f*

stijf [steif] steif, starr; **~hoofdig** [-'ho:vdəx] starrköpfig; **~kop** Dickkopf *m*; **~sel** *n* Stärke *f*; Kleister *m*

stijg|beugel ['-bø:ɣ̯əl] Steigbügel *m*; **~en** (an-, auf)steigen; zunehmen; **~ing** Steigung *f*; Auf-, Anstieg *m*

stijl [steil] Stil *m*; Pfosten *m*

stijven stärken; bestärken

stik|donker stockdunkel; **~ken** ersticken; steppen; **~stof** Stickstoff *m*

stil still, ruhig; lautlos

stilaan allmählich

stil|houden ['-hɑu̯ə(n)] (an-)halten; **~len** stillen; **~letjes**

['lətīəs] still, leise; **~stand**
Stillstand m; **~te** Stille f

stimuleren [-my"le:r-] stimulieren, anregen

stinken stinken

stip Tupfen m, Punkt m

stipt pünktlich

stoeien ['stu'iə(n)] sich tummeln, herumalbern

stoel [stu'l] Stuhl m; Sessel m; **~gang** Stuhlgang m; **~tjeslift** Sessellift m

stoep Bürgersteig m

stoer [stu:r] stämmig, stramm

stoet (Auf)Zug m

stof[1] Stoff m, Materie f

stof[2] m Staub m; **~bril** Schutzbrille f; **~doek** ['du·k-] Wisch-, Staubtuch n

stoffelijk ['-fələk] stofflich, materiell

stofferen [-'fe:r-] polstern

stof|**f(er)ig** ['-f(ǝr)ǝx] staubig; **~hagelbui** [-bǝy] Graupelschauer m; **~zuiger** ['-sǝyɣǝr] Staubsauger m

stok Stock m; **~brood** n Stangen(weiß)brot n

stoken ['sto:k-] heizen; Schnaps brennen; aufwiegeln

stok|**ken** stocken; **~paardje** n Steckenpferd n

stollen gerinnen

stom stumm; dumm, F doof

stome|n dampfen; **~rij** ['-rεi] Reinigung f

stommelen ['-mǝlǝ(n)] poltern

stommiteit Dummheit f

stomp stumpf; su Stumpf m,

Stummel m; Stoß m; **~zinnig**
[-'sɪnǝx] stumpfsinnig

stoofvlees n Haschee n

stookolie [-'o:li'] Heizöl n

stoom Dampf m; **~boot**
Dampfer m

stoot Stoß m

stop Stöpsel m, Pfropfen m; Sicherung f; **~contact** n Steckdose f; **~licht** n Bremslicht n; Rotlicht n; Ampel f; **~naald** Stopfnadel f

stoppels pl Stoppeln flpl

stop|**pen** (an)halten, stoppen; stopfen; stecken; **~plaats** Haltestelle f; **~trein** Personenzug m; **~verbod** [-bɔt] n Halteverbot n; **~verf** Kitt m; **~zetten** stoppen

storen stören

storm Sturm m; **~achtig** [-tǝx] stürmisch; **~en** stürmen; **~loop** Ansturm m; **~waarschuwing** [-sxy"ʊɪŋ] Sturmwarnung f

stort|**bad** ['-bɑt] n Dusche f; **~bui** ['-bǝy] (Regen)Guss m; **~en** stürzen; abladen, schütten; Geld einzahlen

storting Einzahlung f; **~sbiljet** [-jεt] n Zahlkarte f

stort|**plaats** Müllplatz m; **~regen** Platzregen m

stoten stoßen

stotteren stottern

stout [stɑut] kühn; unartig, ungezogen; **~moedig** ['-mu'-dǝx] kühn

stoven schmoren, dämpfen, dünsten

straal Strahl m; Halbmesser m; Radius m; **~motor** ['-moːtɔr] Düsentriebwerk n; **~vliegtuig** [-təɣx] n Düsenflugzeug n

straat Straße f; **doodlopende ~** Sackgasse f; **~je** n Gasse f; **~naambord** n Straßenschild n; **~naamregister** n Straßenverzeichnis n; **~schenderij** [-sxɛndə'rɛi] Unfug m; **~steen** Pflasterstein m; **~verlichting** Straßenbeleuchtung f

straf¹ straff

straf² Strafe f; **~baar** strafbar; **~fen** strafen; **~inrichting** Strafanstalt f; **~port** n od m Straf-, Nachporto n; **~proces** [-ses] n Strafverfahren n

strafschop ['-sxɔp] Strafstoß m, Elfmeter m; **~gebied** n Strafraum m

strafwetboek [-buˑk] n Strafgesetzbuch n

strak straff; stramm, prall; starr

straks bald, nachher; **(daar) ~** vorhin; **tot ~!** bis nachher!

stralen strahlen

stram starr, steif

strand n Strand m; **~en** stranden; **~stoel** [-stuˑl] Strandkorb m

streek 1. Strich m; Region f; **2.** Streich m; **~school** Berufsschule f; **~vervoer** n Nahverkehr m

streep Streifen m; Strich m; **~jescode** Strichkode m

strekken strecken, dehnen;

dienen (D); **~ing** Zweck m, Tendenz f

strelen streicheln, tätscheln; schmeicheln (D)

stremmen (ver)sperren

streng¹ streng

streng² Strang m; Strähne f

stretcher ['strɛtʃər] (Camping) Liege f

streven streben, sich bemühen

striem Striemen m

strijd [strɛit] Kampf m; Streit m; Zank m; **in ~ met** zuwider (D); **om ~** um die Wette; **~en** kämpfen, streiten; **~krachten** pl Streitkräfte f/pl

strijken streichen; streifen; bügeln; **~ijzer** n Bügeleisen n; **~plank** n Bügelbrett n; **~stok** MUS Bogen m

strik Strick m; Schleife f; Schlinge f; **(das)** Krawatte f

strikt strikt; streng

strikvraag Fangfrage f

strippenkaart nationaler Sammelfahrschein m

stro n Stroh m

stroef [struˑf] rau; abweisend, trotzig; schwerfällig; zähflüssig

stroken entsprechen (D)

strom|en strömen, fließen; **~ing** Strömung f

strompelen stolpern

stront F Scheiße f; **~je** n MED Gerstenkorn n

strooien ['stroːiə(n)] streuen

strook Streifen m; Besatz m; Abschnitt m

stroom Strom *m*; Fluss *m*;
~afwaarts stromabwärts;
~verbruik [-brøyk] *n* Stromverbrauch *m*

stroop Sirup *m*

strop Strang *m*, Strick *m*;
Reinfall *m*, Pleite *f*; **~das**
Binder *m*, Schlips *m*

stroper [-'po-] Wilderer *m*

strot [strot] Gurgel *f*, Kehle *f*;
~tenhoofd *n* Kehlkopf *m*

struik [strøyk] Strauch *m*,
Busch *m*; **~elen** straucheln,
stolpern; **~gewas** ['-xəvas] *n*
Gebüsch *n*, Gestrüpp *n*

struisvogel Strauß *m*

student(e *f)* [sty'-'] Student(in *f)* *m*

studenten|(te)huis [-(tə-)
høys] *n* Studentenheim *n*;
~restaurant [-resto'rã:] *n*
Mensa *f*; **~uitwisseling** Studentenaustausch *m*

studeren [sty'de:r-] studieren

studie ['-di·] Studium *n*; Studie *f*; **~beurs** [-bø:rs] Stipendium *n*; **~vak** *n* Studienfach *n*

stug [stœx] störrisch, trotzig,
spröde

stuip [stœyp] Krampf *m*;
~trekking Zuckung *f*

stuiten hemmen, aufhalten;
zurückprallen; zuwider sein;
(op) stoßen (auf *A*); **~d** empörend

stuiven stauben, stäuben;
sausen, rasen

stuiver Fünfcentmünze *f*

stuk [stœk] entzwei, kaputt; *su*

n Stück *n*, Teil *m u n*, Brocken
m; Schriftstück *n*, Unterlage
f; Artikel *m*; **een** [ən] **~of** ungefähr, etwa; **~breken**
['-bre:k-] zerbrechen

stuk|jes *n/pl*: **bij** [bɛĳ] **~jes en
beetjes** stückweise, nach
und nach; **~slaan** zusammen-, zerschlagen; **~werk** *n*
Akkordarbeit *f*

stumper(d) armer Schlucker
m

stuntelig ['stɒntələx] ungelenk

sturen ['sty:r-] schicken, senden; lenken; steuern

stut [stœt] Stütze *f*

stuur [sty:r] *n* Steuer *n*; Lenkrad *n*; Lenkstange *f*; **~boord**
n Steuerbord *n*; **~man** Steuermann *m*

stuurs unwirsch

stuw [styü] Wehr *n*; **~dam**
Staudamm *m*, Talsperre *f*;
~meer *n* Stausee *m*

sub|sidie [sœp'si·di·] *f od n*
Zuschuss *m*, Subvention *f*;
~stantie [-'stansi·] Substanz
f

succes [sœk'sɛs] *n* Erfolg *m*;
~nummer *n* Schlager *m*;
Knüller *m*; **~vol** erfolgreich

sudderen ['sœdər-] schmoren

suf [sœf] dus(e)lig

suiker ['sœyk-] Zucker *m*;
~biet Zuckerrübe *f*; **~goed**
[-ɣu't] *n* Konfekt *n*; **~klontje**
n Zuckerwürfel *m*; **~pot**
[-pɔt] Zuckerdose *f*; **~riet** *n*
Zuckerrohr *n*; **~ziekte** Zu

ckerkrankheit f; **~zoet** [-zuˑt] zuckersüß

suizen säuseln; sausen

sukkel(aar) Tropf m, Trottel m; Stümper m; kränklicher Mensch m; **~en** kränkeln; F wursteln

sul Tropf m

summum ['sɔmɘm] n Inbegriff m, Gipfel m

super(benzine) ['sy'-] Super(benzin) n

superieur [sy'peˑ'riɘ:r] hervorragend, überlegen; *su* Vorgesetzte(r); **~ioriteit** Überlegenheit f

supersonisch [-'soˑniˑs] **~e snelheid** Überschallgeschwindigkeit f

supplement [sɘplɘ'ment] n

Zuschlag m; Nachtrag m

supporter *Sport* Fan m, Anhänger(in f) m

surfplank ['sœ:rf-] Surfbrett n

surveilleren [syˑr͂ɛi'jeˑr-] überwachen, beaufsichtigen; Streife fahren

s. v. p. → alstublieft

symbolisch [sɪm'boˑliˑs] symbolisch; **~fonie** Sinfonie f

sympathie Sympathie f; **~k** [-'tiˑk] sympathisch

symptoom [sɪmp'toˑm] n Symptom n, Anzeichen n

synthetisch [-tiˑs] synthetisch

sys|teem [sɪs'teˑm] n System n; **~teemkaart** Karteikarte f; **~tematisch** [-tiˑs] systematisch

T

't = **het** es; das

taai zäh(e); zähflüssig; langweilig

taaitaai Lebkuchen m

taak Aufgabe f

taal Sprache f; **vreemde ~** Fremdsprache f; **~fout** ['faut] Sprachfehler m; **~gids** Sprachführer m; **~kunde** ['-kɘndɘ] Sprachwissenschaft f, Linguistik f

taart Torte f; Kuchen m; **~punt** ['-pɔnt] Tortenschnitte f

tabak ['-bɑk] Tabak m

tabaks|pijp [-'pɛip] Tabak(s)pfeife f; **~winkel** Ta-

bakladen m

tabel [-'bɛl] Tabelle f, Tafel f

tablet Tablette f; (Schokolanden)Tafel f

tachtig ['-tɘx] achtzig

tact Takt m; **~iek** [-'tiˑk] Taktik f; **~loos** taktlos

tafel Tisch m; Tafel f; **aan ~** bei Tisch; **aan ~ gaan** zu Tisch gehen; **~kleed** n Tischdecke f; **~laken** n Tischtuch n; **~tennis** n Tischtennis n

tafereel [tɑfɘ'reˑl] n Bild n; Szene f

taillemaat ['tɑĩɘ-] Taillenweite f

tak Ast *m*, Zweig *m*

takel|bedrijf [-bədrɛif] *n* Abschleppdienst *m*; **~en** takeln;
~wagen Abschleppwagen *m*

taks Taxe *f*, Steuer *f*

tal [tɑl] *n* (An)Zahl *f*; **~ van**
zahlreiche; **-~: een** [ən]
(tien)~ ungefähr (zehn)

talen|kennis Sprachkenntnisse *f*/*pl*; **~practicum**
[-kɔm] *n* Sprachlabor *n*

talig ['ta:lɔx] sprachlich

talk Talg *m*

talloos zahllos

talmen zaudern, zögern

talrijk ['tɑlrɛik] zahlreich

tam [tɑm] zahm

tamelijk ['ta:mələk] ziemlich,
leidlich

tand Zahn *m*; Zacke *f*; Zinke
f; **~arts** Zahnarzt *m*, -ärztin *f*

tanden|borstel Zahnbürste
f; **~stoker** [-sto:kər] Zahnstocher *m*

tand|pasta Zahnpasta *f*;
~pijn ['-pɛin] Zahnschmerzen *m*/*pl*; **~technicus** [-kəs]
Zahntechniker(in *f*) *m*; **~vulling** ['-fəl-] Plombe *f*

tandwiel *n* Zahnrad *n*

tanen abnehmen

tang Zange *f*

tank [tɛŋk] *n* Tank *m*, Behälter
m; Panzer(wagen) *m*; **~en**
tanken

tante Tante *f*

tap Zapfen *m*

tapijt [-'pɛit] *n* Teppich *m*;
vast ~ Teppichboden *m*

tap|kast Büfett *n*, Theke *f*;

~pen zapfen, abfüllen; reißen; erzählen; **~temelk**
['tɑptə-] Magermilch *f*

tarbot Steinbutt *m*

tarief *n* Tarif *m*, Satz *m*, Gebühr *f*

tartare: **biefstuk** ['-stɛk] *à la*
~ Tatar(beefsteak) *n*

tarten herausfordern; trotzen
(*D*)

tarwe Weizen *m*

tas Tasche *f*; Mappe *f*

tast|baar greifbar, spürbar;
~en (be)tasten, fühlen; tappen

tateren ['ta:tər-] plappern

tatoeage [-tu'ɑ̃a:ʒə] Tätowierung *f*

taxeren [-'kse:r-] taxieren,
(be)werten

taxi Taxi *n*; **~chauffeur** [-ʃoførɪ] Taxifahrer *m*; **~standplaats** Taxistand *m*

te zu; *prp* zu (*D*), in (*D*)

tech|nicus [-kəs] Techniker
m; **~niek** [-'ni:k] Technik *f*;
~nisch ['-ni:s] technisch

teder ['te:dər] zärtlich

teef Hündin *f*

teek Zecke *f*

teelbal Hode(n) *m*

teelt Zucht *f*; Anbau *m*

teen Zehe *f*; Zeh *m*

teer¹ zart; schwächlich, zerbrechlich

teer² Teer *m*

teerling Würfel *m*

tegel ['te:ɣəl] Kachel *f*; Fliese
f

tegelijk(ertijd) [təɣə'lɛik(ərteït)] zugleich, zur gleichen Zeit, gleichzeitig

tegemoet [tǝɣǝˈmuːt] entgegen (D); **~komen** [-koːm-] entgegenkommen (D); **~koming** Beihilfe f; **~zien** entgegensehen (D)

tegen [ˈteːɣǝ(n)] gegen (A), wider (A); zu (D); entgegen (D)

tegen|aanval Gegenangriff m; **~deel** n Gegenteil n; **~gaan** begegnen (D), sich widersetzen (D), steuern (D); **~gesteld** entgegengesetzt, gegensätzlich; **~gewicht** n Gegengewicht n; **~houden** [-hɑu̯ǝ(n)] aufhalten, hemmen; anhalten, stoppen; verhüten; **~kanting** Widerstand m; **~komen** [-koːm-] begegnen (D); **~liggers** pl Gegenverkehr m

tegenover [-ˈoːvǝr] gegenüber (D); **~gesteld** entgegengesetzt

tegen|partij [-teï] Gegenseite f; **~slag** [-slɑx] Missgeschick n; Rückschlag m; **~sparte-len** [-tǝlǝ(n)] sich sträuben; **~spoed** [-spuːt] Widerwärtigkeit f, Unglück n; **~spraak** Widerspruch m; **~spreken** [-spreːk-] widersprechen (D); leugnen; **~sputteren** [-spøtǝrǝ(n)] sich widersetzen, murren; **~staan** zuwider sein (D)

tegenstand Widerstand m; **~er** (**~ster** f) Gegner(in f) m

tegen|stelling Gegensatz m; **~stribbelen** [-bǝlǝ(n)] sich sträuben

tegenstrijdig [-ˈstreïdǝx] widersprüchlich, gegensätzlich; **~heid** Widerspruch m

tegen|vallen enttäuschen; **~valler** Enttäuschung f; Rückschlag m; **~waarde** Gegenwert m; **~werking** Widerstand m; **~werping** Einwand m; **~wicht** → **~gewicht**

tegenwoordig [-ˈvoːrdǝx] gegenwärtig; adv a. heutzutage; **~e tijd** [teït] Gegenwart f; **~heid** Gegenwart f, Anwesenheit f; **met ~ van geest** geistesgegenwärtig

tegenzin Widerwille m; **met ~** widerwillig

te|goed [tǝˈɣuːt] n Guthaben n; **~huis** [-ˈhœys] n Heim n

teil [teïl] Schüssel f; Wanne f

teint [tɛ̃ː] Teint m

teisteren [ˈteïstǝrǝ(n)] heimsuchen

tekeergaan [tǝˈkeːr-] toben, rasen

teken [ˈteːkǝ(n)] n Zeichen n, (Merk)Mal n; Anzeichen n; **~aar** [-aːr] Zeichner(in f) m; **~en** zeichnen; **~film** Zeichenfilm m; **~inkt** Tusche f; **~plank** n Reißbrett n; **~potlood** n Zeichenstift m

tekort [tǝˈkɔrt] n Defizit n, Fehlbetrag m; Mangel m; **~koming** Mangel m, Unzulänglichkeit f tekst Text m; **~verwerking** Textverarbeitung f

teldag ['tɛldɑx] Stichtag m

tele|bankieren ~**banking** n; ~**foneren** [-'ne:r-] telefonieren, anrufen

telefoon Telefon n; ~**automaat** Münzfernsprecher m; ~**boek** [-bu·k] n Telefonbuch n; ~**cel** [-sɛl] Fernsprech-, Telefonzelle f; ~**centrale** [-sen-] Fernsprechamt n; Vermittlung f; **gids** → ~**boek**; ~**nummer** [-nɔmər] n Telefon-, Rufnummer f; ~**tarief** n Fernsprechgebühr f; ~**tje** n Anruf m; ~**toestel** [-tu·stɛl] n Fernsprechapparat m

tele|gram n Telegramm n; ~**lens** Teleobjektiv n; ~**scoop** Teleskop n

teleurstellen [tə'lø:r-] enttäuschen

televisie [-'vi·zi] Fernsehen n; Fernseher m; ~**kijker** [-keikər] Fernsehzuschauer m; ~**scherm** n Bildschirm m; ~**toestel** [-tu·stɛl] n Fernsehapparat m; ~**uitzending** [-œyt-] Fernsehsendung f

telg Spross m, Sprössling m

telkens ['tɛlkə(n)s] jedes Mal; je(weils)

tel|len zählen, rechnen; ~**ler** Zähler m; ~**woord** n Zahlwort n

temeer [tə'-] zumal

temmen zähmen

temper|atuur [-'ty:r] Temperatur f; ~**en** ['-pərə(n)] mäßigen; dämpfen

ten zum, zur; → **te**

tender|s, ~**tie** [-'densi'] Tendenz f; ~**tieus** [-'siø:s] tendenziös

teneinde [tə'nεində] um zu

tenger zart, schmächtig

tenietdoen [tə'ni·du·n] zunichte machen, annullieren, rückgängig machen

tenminste wenigstens; zumindest; immerhin

tennis n Tennis n; ~**racket** [-rεkət] n od f Tennisschläger m; ~**sen** Tennis spielen; ~**ser** (~**ster** f) Tennisspieler(in f) m; ~**veld** n Tennisplatz m

tenslotte schließlich, zum Schluss, zuletzt, abschließend

tent Zelt n; Bude f; ~**enkamp** n Zeltlager n; ~**enverhuur** [-hy:r] Zeltverleih m

tentoon|spreiden auslegen; entfalten, zeigen; ~**stellen** ausstellen

tentoonstelling Ausstellung f, Schau f; **reizende** ~ Wanderausstellung f

tenzij [tɛn'zεi] es sei denn

tepel ['te:pəl] (Brust)Warze f; Zitze f

ter zur, zum

teraardebestelling Beerdigung f

terdege [tɛr'de:ɣə] ordentlich; durchaus

terecht mit Recht; wieder zu; berechtigt; ~**komen** [-ko:m-] landen, (an)kommen; sich finden; **~stellen** hinrichten; **~wijzen** [-ʋeɪ·z-] zurechtweisen

tergen reizen, quälen

terloops [-'lo:ps] beiläufig, nebenbei

term Ausdruck m, Terminus m

termijn [-'mɛɪn] Termin m; Frist f; Rate f; **op korte ~** kurzfristig; **op lange (middellange) ~** langfristig (mittelfristig); **maandelijkse ~betaling** Monatsrate f; Ratenzahlung f

terras n Terrasse f

terrein [-'rɛɪn] n Gelände n, Terrain n; Gebiet n; **~wagen** Geländefahrzeug n

terreur [-'rœːr] Terror m

territori|aal; **~ale wateren** ['ʋaːtərə(n)] n/pl Hoheitsgewässer n/pl

terstond [tɛr'-] sofort, auf der Stelle

terug [təˈrɛx] zurück; wieder; **~bellen** TEL zurückrufen

terugbetal|en zurückzahlen; **~ing** Rückzahlung f

terug|blik Rückblick m; **~brengen** zurück-, wiederbringen; zurückführen; **~deinzen** zurückschrecken; **~dringen** zurückdrängen; **~eisen** zurückfordern; **~gaan** zurückgehen; **~gave** Rück-

gabe f, Rückerstattung f; **~geven** zurück-, wiedergeben; hergeben; **~houdend** [-'hɑudənt] zurückhaltend

terug|kaatsen zurück-, abprallen; reflektieren; **~keer** Rückkehr f; **~komst** [-kɔmst] Rückkehr f; **~krijgen** [-krɛɪˋ-] wieder-, zurückbekommen; **~lopen** zurückgehen; **~reis** Rückfahrt f, -reise f, Heimfahrt f; **~schrikken** zurückschrecken; **~slag** [-slɑx] Rückschlag m; **~sturen** [-styːr-] zurückschicken; -senden; **~tocht** Rückzug m; **~trekken (zich)** (sich) zurückziehen; **~val** Rückfall m; **~vinden** wieder finden; **~vragen** zurückfordern; **~weg** [-ʋex] Rückweg m

terugwerkend; **met ~e kracht** rückwirkend

terugzetten zurück-, nachstellen

terwijl [-'ʋɛɪl] während; indem

terzijde [-'zɛɪdə] abseits; seitwärts; beiseite

testamentair [-'tɛːr] testamentarisch

teug [tøːx] Zug m, Schluck m

teugel Zügel m; **~loos** zügellos

tevens ['teːvə(n)s] gleichzeitig; ebenfalls

te|vergeefs [təˈʋərˈ-] vergebens, umsonst; **~voorschijn** [-sxɛɪn] hervor, zum Vorschein

tevoren [tə'ˈvoːrə(n)] zuvor, vorher; *van* ~ zuvor, vorher; im Voraus; von vornherein

tevreden [tə'ˈvreːdə(n)] zufrieden, befriedigt; ~**stellen** zufrieden stellen

te|weegbrengen [tə'veːɣ-] auslösen, bewirken; ~**werkstelling** Beschäftigung *f*

textiel *m od n* Textilien *pl*

thans [tɑns] jetzt

thee Tee *m*; ~**koekjes** ['kuːkiəs] *n/pl* Teegebäck *n*; ~**kop** Teetasse *f*; ~**lepel** ['leːpəl] Teelöffel *m*; ~**zakje** *n* Teebeutel *m*

theoretisch [-ti·s] theoretisch

thermometer Thermometer *n*

thuis [tœys] zu Hause, (da-)heim; nach Hause; heimisch; ~**haven** Heimathafen *m*; ~**komst** Heimkehr *f*

ticket ['tɪkət] *n* Ticket *n*, Fahr-, Flugkarte *f*

tien zehn; ~**de** zehnte; *su n* Zehntel *n*

tiendelig ['deːləx]: ~ *stelsel* ['stɛlsəl] *n* Dezimalsystem *n*

tiener Teenager *m*

tien|kamp Zehnkampf *m*; ~**tje** *n* zehn Gulden; ~**voudig** ['ˈvaudəx] zehnfach

tieren üppig wachsen; toben

tig [tɪx] *F* viel

tij [tɛi] *n* Tide *f*; *hoog* ~ Flut *f*; *laag* ~ Ebbe *f*

tijd [tɛit] Zeit *f*; Weile *f*; *vrije* ~ Freizeit *f*; *op* ~ rechtzeitig; *over* ~ zu spät, überfällig; *te*

allen ~*e* jederzeit; ~**aanduiding** [-dəyd-] Zeitangabe *f*; ~**elijk** ['ˈdələk] zeitweilig, vorübergehend, befristet; zeitlich

tijdens während (*G*)

tijd|ig ['ˈdəx] rechtzeitig; ~**ing** Nachricht *f*; ~**perk** *n* Zeitalter *n*, Epoche *f*; Zeitraum *m*; ~**rovend** zeitraubend; ~**sbestek** ['ˈbəstɛk] *n* Zeitraum *m*; ~**schrift** *n* Zeitschrift *f*; ~**sein** [-ˈsɛin] *n* Zeitzeichen *n*; ~**stip** *n* Zeitpunkt *m*; ~**vak** *n* Zeitalter *n*; ~**verdrijf** *n* Zeitvertreib *m*; ~**verlies** *n* Zeitverlust *m*; ~**verspilling** Zeitverschwendung *f*

tijger ['tɛiɣər] Tiger *m*

tijm [tɛim] Thymian *m*

tik Klaps *m*; ~**ken** ticken; klopfen; tippen

tillen heben

timmerman Zimmermann *m*

tin *n* Zinn *n*

tint (Farb)Ton *m*; Teint *m*

tintelen funkeln, leuchten; prickeln

tip Tipp *m*, Hinweis *m*; ~**pen** tippen

tiran Tyrann *m*

tissue ['tɪsiuː]: *vochtige* ~ Erfrischungstuch *n*

tjilpen ['ˈtjɪlp-] zwitschern

tjirpen zirpen

tl-buis [-bəys] Leuchtstoffröhre *f*

tobben grübeln, brüten; sich abquälen

toch doch, jedoch, dennoch;

(**maar**) immerhin; **~al** sowieso; **en ~** a. gleichwohl

ocht Fahrt f, Tour f, Zug(luft f) m; **~ met onbekende bestemming** Fahrt ins Blaue; **~en:** het ~ es zieht; **~ig** ['~təx] zugig

oe [tur] zu, geschlossen; ~ **maar!** nur zu!

toe|bedelen ['~bədə:l-] zuteilen; **~behoren** m Zugehörigkeit f; Zubehör n; **~bereiden** zubereiten; **~brengen** zufügen; **~dienen** versetzen, verpassen; verabreichen; **~doen** ['~durn] n Zutun n, Veranlassung f; **~dracht** Sachverhalt m, Her-, Vorgang m; **~eigenen** ['~εɪɣənə(n)] aneignen; **~gaan** zugehen

toegang Zu-, Eintritt m, Einlass m; Zugang m; Zufahrt f; **~skaart(je** n) Eintrittskarte f; **~sprijs** [-'prεɪs] Eintrittsgeld m; **~sweg** [-vεx] Zubringer-, Zufahrtsstraße f

toegankelijk [-'ɣɑŋkələk] zugänglich; → a. **leeftijd**

toe|gedaan zugetan (D); **~geeflijk** [-'ɣe:flək] nachgiebig; nachsichtig

toegeven zugeben, einräumen; nachgeben; **~endheid** [-'ɣe:vənthɛɪt] Nachgiebigkeit f; Nachsicht f; **~ing** ['tu'-] Zugeständnis n, Konzession f

toe|gift Zugabe f; **~happen** zuschnappen; **~hoorder** (**~hoorster** f) Zuhörer(in f) **~juichen** ['~jɔyx-] zuju-

beln (D); **~kennen** zuerkennen, zubilligen; **~kijken** ['-kεɪk-] zuschauen (D)

toekomen ['tu'ko:m-] zukommen (D); zustehen (D); auskommen; **~de:** de tijd [teɪt] GR Futur n

toekomst Zukunft f; **~ig** [-'komstəx] zukünftig

toe|lage Zulage f; Zuschuss m; **~laten** [-'la:t-] zulassen; **~latingsexamen** n Aufnahmeprüfung f; **~leg** ['-lex] Absicht f

toeleggen zulegen, draufzahlen; **zich ~ op** sich widmen (D)

toe|lichten erläutern; **~loop** Zulauf m, Andrang m

toen [turn] adv dann, da; damals; cj als

toe|nadering ['-na:dər-] Annäherung f; **~nemen** zunehmen; **~nmalig** ['-ma:ləx] damalig; **~passen** anwenden

toer Tour f, Fahrt f; **over zijn** [zən] **~en raken** durchdrehen

toereken(ingsvat)baar [tu-re:kən-] zurechnungsfähig

toeren|tal [-tɑl] n Drehzahl f; **~teller** Drehzahlmesser m

toerisme n Tourismus m; **~t(e** f) Tourist(in f) m; **~tenklas(se** f) Touristenklasse f

toeristisch [-'tirs:] **~e brochure** [broʃyːrə] Reiseprospekt m

toernooi [turr'-] n Turnier n

toeroepen zurufen

toertje ['tu:rtiə] *n* Spazierfahrt *f*

toe|schouwer ['tu:sxauər], **(~schouwster** *f*) Zuschauer(in *f*) *m*; **~schrijven** ['-sxrεi\`-] zuschreiben; **~slaan** zuschlagen; **~slag** ['-slɑx] Zuschlag *m*, Aufpreis *m*; **~snauwen** anbrüllen; **~snellen** herbeieilen; **~snoeren** zuschnüren; **~speling** ['-spe:l-] Anspielung *f*; **~spraak** Ansprache *f*

toe|spreken ['-spre:k-] an-, zureden; eine Ansprache halten; **~staan** gewähren; erlauben; **~stand** Zustand *m*, Lage *f*; Befinden *n*; **~stel** ['-stεl] *n* Gerät *n*, Vorrichtung *f*; Flugzeug *n*; **~stemmen** zustimmen (*D*); einwilligen; **~stromen** zuströmen, -fließen; **~sturen** ['-sty:r-] zusenden; **~takelen** ['-ta:kəl-] zurichten; **~tasten** zugreifen

toet [tu:t] Gesicht *n*

toeter Tuthorn *n*; *KFZ* Hupe *f*; **~en** tuten; hupen

toetje ['tu:tiə] *n* Nachtisch *m*

toetreden ['-tre:d-] beitreten (*D*); **~ing** Beitritt *m*

toets Taste *f*, Probe *f*, Test *m*; **~en** prüfen, testen; **~enbord** *n* Tastatur *f*

toeval *n* Zufall *m*; **~lig** ['-Ɵɑlax] zufällig

toe|vertrouwen [-trauə(n)] anvertrauen; **~vloed** Zustrom *m*, Zufluss *m*; **~vlucht**

['-Ɵlɛxt] Zuflucht *f*

toevoeg|en hinzufügen; **~sel** *n* Zusatz *m*, Nachtrag *m*

toe|voer ['tu:Ɵu:r] Zufuhr *f*; **~wijding** ['-vεi\`d-] Hingabe *f*; Zuwendung *f*; **~wijzen** zuteilen, zuweisen; **~wuiven** ['-uəyƟ-] zuwinken (*D*); **~zegging** Zusage *f*

toezicht *n* Aufsicht *f*; **~houden** ['haüə(n)], **~ uitoefenen** ['əytu:fən-] beaufsichtigen

tof [tɔf] F dufte, prima

toilet [tɥɑ'lεt] *n* Toilette *f*; **~papier** *n* Toilettenpapier *n*; **~tas** Kulturbeutel *m*

tokkelen zupfen, spielen

tol [tɔl] **1.** Zoll *m*; **2.** Kreisel *m*

tolk Dolmetscher *m*

tollen kreiseln; wirbeln; torkeln

tolweg ['tɔlvεx] zollpflichtige Straße *f*

tomaat Tomate *f*; **~atensap** *n* Tomatensaft *m*

tomeloos hemmungslos, zügellos

ton Tonne *f*, Fass *n*

toneel *n* Bühne *f*; Theater *n*; Schauplatz *m*; Szene *f*; **~speler** (**~speelster** *f*) Schauspieler(in *f*) *m*; **~stuk** [-stək] *n* Schauspiel *n*, Bühnenstück *n*; **~voorstelling** Theatervorstellung *f*

tonen (vor)zeigen

tong Zunge *f*; **~val** Mundart *f*

tonijn [-'nεin] T(h)unfisch *m*

toog Theke *f*

tooien ['to:ïə(n)] schmücken

toom Zaum *m*, Zügel *m*

toon Ton *m*; **~bank** Ladentisch *m*, Theke *f*; **~beeld** Inbegriff *m*; **~der** ECON Inhaber *m*, Überbringer *m*; **~kamer**, **~zaal** Schauraum *m*

toorn Zorn *m*; **~ig** [-nəx] zornig

toorts Fackel *f*

toost Toast *m*; **~er** Toaster *m*

top Gipfel *m*; Wipfel *m*; Spitze *f*; Scheitel *m*; **~drukte** ['-drɛktə] Hochbetrieb *m*; **~je** *n* Top *n*; **~klas(se)** Spitzenklasse *f*; **~less** oben ohne; **~prestatie** [-ta:(t)si] Spitzenleistung *f*; **~punt** ['-pɛnt] Gipfel *m*; **~seizoen** ['-sɛïzu'n] *n* Hochsaison *f*

tor [tɔr] Käfer *m*

toren ['to:r-] Turm *m*; **~gebouw** [-bαü] *n* Hochhaus *n*

tornen auftrennen; rütteln

torpedojager Zerstörer *m*

torsen schleppen; tragen

tortelduif [-dœyf] Turteltaube *f*

tot [tɔt] zu (*D*); bis; **~ (aan)** bis (zu *D*) (*A*); **~ en met** bis einschließlich; **~ nu toe** [tu'] bisher

totaal total, völlig, gesamt; *su n* Gesamtbetrag *m*; **in ~** insgesamt

total ['to:təl]: **~ loss** Totalschaden *m*

totdat bis

toupet [tu'pe(t)] Toupet *n*

touroperator ['tu:rəpə're:-

tər] Reiseveranstalter *m*

touw [tɐü] *n* Seil *n*, Tau *n*; **op ~ zetten** veranstalten, in Angriff nehmen; **~ladder** Strickleiter *f*; **~(tje)** *n* Bindfaden *m*, Schnur *f*

tovenaar ['to:v̬ə-] Zauberer *m*

tover|achtig zauberhaft; **~en** zaubern

traag träge

traan 1. Träne *f*; **2.** Tran *m*; **~gas** [-ɣɑs] *n* Tränengas *n*

tracé [-'se:] *n* Trasse *f*

trachten versuchen; suchen

tractor ['trɛktɔr, 'traktɔr] Traktor *m*, Trecker *m*

traditie [-'di'(t)si] Tradition *f*; **~tioneel** [-(t)sïo'ne:l] traditionell, herkömmlich

trag|edie ['-ɣ̬e:di] Tragödie *f*; **~isch** ['-ɣ̬i's] tragisch

train|en ['trɛːnə(n)] trainieren; **~ingspak** *n* Trainingsanzug *m*

traject [tra'jɛkt] *n* Strecke *f*, Abschnitt *m*

trakteren ['-tɛːr-] bewirten; spendieren, ausgeben

tralie ['tra:li'] Gitterstab *m*; **~hek** *n*, **~werk** *n* Gitter *n*

tram [trɛm, tram] Straßenbahn *f*; **~halte** Straßenbahnhaltestelle *f*; **~men** mit der Straßenbahn fahren

transfer [-'fœːr] *m od n* Transfer *m*

transitoverkeer *n* Transitverkehr *m*

trans|missie [-'mɪsi'] Getriebe n; **~pireren** ['trɛːrə(n)] schwitzen; **~plantatie** [-'taː(t)siˑ] Transplantation f

transport n Transport m, Beförderung f; **~bedrijf** [-dreif] n Transportunternehmen m; **~eren** [-'teːr-] transportieren, befördern

trant Art f, Stil m

trap 1. Treppe f; **2.** (Fuß-)Tritt m, Stoß m; Stufe f; Grad m; **vrije** ['ʋrɛiə] **~** Sport Freistoß m; **~ladder** Trittleiter f

trappelen trampeln; strampeln

trappen treten

trap|penhuis [-həʏs] n Treppenhaus m; **~per** Pedal n

trapsgewijs ['xəʋɛis] stufenweise

trawant [-'ʋɑnt] Kumpan m

trechter Trichter m

tred [tret] Tritt m, Schritt m; **~e** ['treːdə] Stufe f; **~en** treten

tref|fen treffen; **~punt** ['-pɔnt] n Treff(punkt) m; **~woord** n Stichwort n

trein Zug m; **~conducteur** ['-kɔndœktœˑr] Zugschaffner m; **~kaartje** n Fahrkarte f; **~reis** Bahnfahrt f; **~verbinding** Zugverbindung f

treiteren ['trɛitər-] schikanieren

trek Zug m; Neigung f; Appetit m; **in ~** beliebt

trekken ziehen, reißen; zupfen; wandern; zucken; zücken; beziehen

trek|ker Abzug m; Schlepper m; Wanderer m; **~kracht** Zugkraft f; **~tocht** Wanderung f; **~vogel** Zugvogel m

treur|en ['trøːr-] trauern; **~ig** ['-rəx] traurig; **~spel** [-spel] n Trauerspiel n; **~wilg** Trauerweide f

treuzelen ['trøːzəl-] trödeln

tricot n Trikot n

triest traurig, trist

trillen zittern; schwingen

trimparcours [-kuːr(s)] n Trimm-dich-Pfad m

triomf Triumph m

triplex m od n Sperrholz n

triptiek [-'tik] Triptyk n

troebel ['trubəl] trübe

troef [truf] Trumpf m

troep Trupp m, Truppe f, Schar f, Rudel n

troetelkind n Hätschelkind n

troffel (Maurer)Kelle f

trog [trɔx] Trog m; Mulde f

trom Trommel f

trommel Trommel f; Dose f; **~vlies** n Trommelfell n

trompet [-'pet] Trompete f

tronie Fratze f

troon Thron m

troost Trost m; **~en** trösten; **~prijs** [-'prɛis] Trostpreis m

tros [trɔs] Büschel m; Traube f; Trosse f; MIL Tross m

trots [trɔts] stolz; su Stolz m; **~eren** [-'seːr-] trotzen (D)

trottoir [-'tŭaːr] n Bürgersteig m; **~rand** Bordstein m

trouw [trɑu] treu; su Treue f; **~akte** Heiratsurkunde f

~**dag** ['-dɑx] Hochzeitstag m; ~**eloos** ['troûǝlo:s] treulos; ~**en** heiraten, sich verheiraten

rouwens ['traûǝ(n)s] übrigens

rouw|getuige ['-ɣ̞ǝtœyɣ̞ǝ] Trauzeuge m, -zeugin f; ~**ring** Trau-, Ehering m

ruc [tryk] Trick m

ruck [trœk] Lastwagen m

ruffel ['trœfǝl] Trüffel f

rui [trœy] Pullover m; Trikot m

ruweel [try:'ûe:l] n (Maurer)Kelle f

tsjechisch ['-i:s] tschechisch

ube ['ty:bǝ] Tube f; ~**less** ['tiu:plǝs] schlauchlos

uberculose [ty:berky"-] Tuberkulose f

ucht [tœxt] Disziplin f, Zucht f

uffen ['tœf-] tuckern

uig [tœyx] n Zeug n, Gerät n; Takelage f; Schund m; Gesindel n

uil Strauß m

uimelen ['tœymǝl-] purzeln; stürzen; kippen

uin Garten m; **om de ~ lei-den** hinters Licht führen; ~**bouw** ['-baû] Gartenbau m; ~**broek** ['-bru:k] Latzhose f; ~**der**, ~**ier** [-'ni:r], ~**man** Gärtner m; ~**slang** Gartenschlauch m

uk [tœk] (**op**) erpicht (auf A)

ulband Turban m; Napfkuchen m

ulp [tœl(ǝ)p] Tulpe f

tulpen|bol Tulpenzwiebel f; ~**kwekerij** ['-küe:kǝ'reï] Tulpenzucht f

tumult [ty"mǝlt] n Tumult m

tunnel ['tœnǝl] Tunnel m, Unterführung f

turbine [tœr-] Turbine f

turen ['ty:r-] spähen; starren

turf [tœr(ǝ)f] Torf m

Turk Türke m; ~**ije** [tœr'kɛïǝ] n Türkei f

turkoois n od m Türkis m

Turks türkisch; ~**e** Türkin f

turn|en turnen; ~**er** Turner m; ~**pak** n Turnanzug m; ~**ster** Turnerin f

tussen ['tœsǝ(n)] zwischen (D, A), unter (D, A)

tussenbeide [-'bɛïdǝ] ~ **komen** ['ko:m-] einschreiten

tussen|dek n Zwischendeck n; ~**door** [-'do:r] zwischendurch; ~**handelaar** Zwischenhändler m; ~**landing** Zwischenlandung f; ~**persoon** Vermittler(in f) m; ~**ruimte** [-rœymtǝ] Zwischenraum m; ~**tijd** [-tɛît] Zwischenzeit f; ~**zetsel** [-zɛtsǝl] n Einsatz m

tut [tœt] Schnuller m; Trödler(in f) m

tutoyeren [ty"tûǝ'je:r-] duzen

TV [te"û̯e:] = **televisie**

twaalf zwölf; ~**de** zwölfte

twee zwei; ~**baansweg** [-uex] zweispurige Straße f

tweede zweite; **ten ~** zweitens; ~**handsauto** Gebrauchtwagen m

tweedelig ['-de:ləx] zweitei-
lig

tweederangs ['-raŋs] zweit-
rangig

twee|dracht Zwietracht f; **~en**
→ **met**; **~gevecht** n Zwei-
kampf m; **~jarig** [-rəx] zwei-
jährig; **~klank** Diphthong m;
~ling Zwillinge m/pl; **~per-
soonskamer** [-ka:mər]
Doppel-, Zweibettzimmer n;
~slachtig [-'slaxtəx] zwie-
spältig; **~spraak** Zwiege-
spräch n; **~tal** ['-tɑl] n (etwa)
zwei; Paar n; **~talig** [-'ta:ləx]
zweisprachig; **~voudig** ['-vɑu-
dəx] zweifach; **~zijdig** [-'zɛi-
dəx] zweiseitig

twijfel ['tœifəl] Zweifel m; **in**

~ trekken infrage stellen
~achtig [-təx] fraglich, zwei-
felhaft; **~en** zweifeln

twijg [tœix] Zweig m

twinkelen ['tʊŋkəl-] funkeln, leuchten

twintig ['-təx] zwanzig

twist Zwist m, Zank m, Streit
m; **~appel** Zankapfel m; **~er**
(sich) streiten, sich zanken
~ziek zänkisch, streitsüchtig

tyfus ['tifəs] Typhus m

type ['tipə] n Typ m

typ|en ['tipə(n)] tippen, Ma-
schine schreiben; **~eren**
[-'pe:r-] charakterisieren
~isch ['tipis] typisch, bezeichnend; merkwürdig,
~ist(e f) Schreibkraft f

U

u, U [y˙] Sie; Ihnen; sich

ui [əy] Zwiebel f

uier ['əyiər] Euter n

uil Eule f

uit aus (D); adv aus, vorbei;
hinaus, heraus; **de stad ~** ver-
reist

uit|barsten ausbrechen; **~-
beelden** darstellen; **~be-
steden** [-ste:d-] vergeben; in
Pflege geben; **~betalen** aus-
zahlen; **~blazen** ausblasen;
sich verschnaufen; **~braak**
Ausbruch m

uitbrand|en ausbrennen; **~er**
Rüffel m

uit|breiden ['əydbreid-] aus-

breiten, erweitern, ausdehnen; **~breken** ['-bre:k-] aus-
brechen; **~brengen** heraus-
hinausbringen; Bericht erstatten; **~broeden** ['-brud-]
ausbrüten; **~buiten** ['-bəyt-]
ausbeuten, ausnutzen; **~bun-
dig** [-'bəndəx] überschwänglich; **~dagen** herausfordern
~delen ['-de:l-] aus-, verteilen; **~doen** ['-du˙n] ausmachen, löschen; ausziehen;
~doven erlöschen; löschen;
~draai (Computer)Aus-
druck m; **~drogen** austrock-
nen

uitdrukk|elijk [-'drøkələk]

ausdrücklich; **~en** (zich) ['əydrɛk-] (sich) ausdrücken; **~ing** Ausdruck m
~iteen ['e:n] auseinander; **~lopend** verschieden(artig); **~spatten** (zer)platzen; **~vallen** zerfallen; **~zetten** darlegen, auseinander setzen
~iteinde ['əytɛində] n Ende m
~een [ən] **zalig** ['za:ləx] **~** ein glückliches Jahresende!; **~lijk** [-'tɛindələk] letzt(end)lich
~iten äußern, vorbringen
~iteraard [-'a:rt] naturgemäß **~iter|lijk** ['əytərlək] äußerlich; **~lijke** äußere(s), Aussehen n; **~mate** [-'ma:tə] außerordentlich; **~st** äußerst [-'ma:tə]

it|gaan ausgehen; **~gang** Ausgang m; GR Endung f; **~gave** Ausgabe f; Aufwendung f
~itge|breid ausgedehnt; **~laten** [-la:t-] ausgelassen; **~lezen** erlesen; **~put** ['xəpət] erschöpft; **~slapen** [-spro:k] gerissen; **~sproken** [-spro:k-] ausgesprochen, ausgeprägt; **~strekt** ausgedehnt, weitläufig
~itgev|en ausgeben; Buch herausgeben, verlegen; **~er** Verleger m, Herausgeber m; **~erij** [ə'rɛi] Verlag m
~it|gezonderd ausgenommen; **~glijden** ['xlei(ə)n] ausrutschen; **~gommen** (aus)radieren; **~halen** herausziehen; ausnehmen; an-

stellen, tun; ausholen; KFZ ausscheren
uit|hangbord n Aushängeschild n; **~heems** ausländisch; **~hollen** aushöhlen; **~horen** aushorchen; **~houdingsvermogen** ['əythaud-] n Ausdauer f
uiting Äußerung f
uit|keren auszahlen; **~schütten**; **~kienen** ausklügeln; **~kiezen** aus(er)wählen
uitkijk|en ['kɛik-] ausschauen; Fenster hinausgehen; fig sich umsehen; kijk uit! Vorsicht!; **~toren** [-to:rə(n)] Aussichtsturm m
uitkleden (zich) (sich) ausziehen
uitkomen ['ko:m-] herauskommen; sich treffen, passen; sich erfüllen, stimmen; wirken, sich abheben; doen [duːn] **~** hervorheben
uit|komst Ergebnis n; (Ab-) Hilfe f; **~laat** Auspuff m; **~laten** ['la:t-] aus-, heraus-, hinauslassen; **~lating** Äußerung f; **~leenbibliotheek** Leihbücherei f; **~leggen** herauslegen; fig auslegen, erklären; **~lenen** ausleihen; **~leveren** [-'le:vər-] ausliefern; **~lokken** provozieren, hervorrufen; **~lopen** auslaufen; hinauslaufen, münden; **~loven** aussetzen; **~maken** ausmachen; entscheiden; beschimpfen; **~monden** münden

uit|muntend [-'mɛntənt] aus-
gezeichnet; **~nodigen** ['-no:-
dəɣ-] einladen; auffordern;
~oefenen ['-u'fənə(n)] ausüben, (be)treiben; **~pakken**
auspacken; **~persen** auspres-
sen; **~puilen** ['-pœyl-] hervor-
quellen; **~putting** ['-pœt-]
Erschöpfung f; **~reiken** aus-,
verteilen; **~rekenen** ['-re:-
kən-] ausrechnen; **~rekken**
(**zich**) (sich) dehnen; **~rit** Ausfahrt f; **~roeien** ['-ruʼiə(n)]
ausrotten

uitroep ['œytru·p] Ausruf m;
~teken [-te:kə(n)] n Ausru-
fezeichen n

uit|ruimen ['-rœym-] ausräu-
men; **~rusten** ['-rœst-] (sich)
ausruhen; ausrüsten, ausstatten; **~schakelen** ['-sxa:kəl-]
aus-, abschalten; **~scheiden**
ausscheiden; aufhören; **~-**
schelden aus-, beschimpfen; **~scheuren** ['-sxø:r-]
(her)ausreißen; **~slag**
['-slax] Ausschlag m; Ergebnis n

uitsloven: zich ~ sich abquälen

uitsluit|en ausschließen;
~end ausschließlich; **~ing**
Ausschluss m; Aussperrung f;
~sel n Aufschluss m

uit|smijter ['-smɛit-] Rausch-
meißer m; GASTR stram-
mer Max m; **~spoelen**
['-spul-] ausspülen; **~spraak**
Aussprache f; Ausspruch m;
~spreiden ausbreiten; **~-**

spugen ['-spy·ɣ-] ausspu-
cken; **~staan** ausstehen
uitstal|len ausstellen; zu
Schau stellen; **~raam** ⟨
Schaufenster n
uitstap|je n Ausflug m, Ab
stecher m; **~pen** aussteigen
uitstek n: **bij** [bɛi] ~ ganz be
sonders; schlechthin
uit|steken ['-ste:k-] ausste
chen; Hand ausstrecken
Flagge heraushängen; he
rausragen; **~d** [-'ste:k-] fig
ausgezeichnet, hervorragend
uitstel ['œytstɛl] n Aufschu
m, Frist f; **~ geven** a. stunden
~len auf-, hinausschieben
uit|sterven aussterben; **~**
storting Erguss m; Aus
schüttung f; **~strekker**
(**zich**) (sich) ausstrecken
(sich) ausdehnen; (sich) er
~tocht Ab-, Aus zug m
uittreden ['-tre:d-] austrete
ausscheiden; **~ing** Austritt n
uittrek|ken (her)ausziehen
~sel n Auszug m
uit|vaardigen ['-fa:rdəɣ-] er
lassen; **~vaart** Beerdigung f
uitval Ausfall m; Vorstoß m
~len ausfallen; (**tegen**) an
fahren; **~sweg** [-vɛx] Aus
fallstraße f
uit|varen ausfahren; (**tegen**
anschnauzen; **~vegen** ausfe
gen; löschen
uitver|kocht ausverkauft
vergriffen; **~koop** Ausver
kauf m; **~koren** auserwählt

uit|vinden erfinden; **~vlucht** ['-flɔxt] Ausflucht f, Ausrede f
uitvoer ['œytfuːr] Ausfuhr f, Export m; **~en** ausführen; durchführen; anstellen; tun; **~ig** ['-fɔrəx] ausführlich; **~vergunning** [-ɣən-] Ausfuhrgenehmigung f

uit|wasemen ['-vaːsəm-] ausdünsten; **~wedstrijd** ['-vɛtstrɛit] Auswärtsspiel n; **~weg** ['-vɛx] Ausweg m; **~weiden** weit verbreiten; **~wendig** [-dəx] äußerlich
uitwerk|en ausarbeiten; sich auswirken; **~ing** f (Aus)Wirkung f; Ausarbeitung f
uit|werpselen ['-vɛrpsələ(n)] n/pl Kot m; **~wijken** ['-vɛik-] ausweichen; auswandern; **~wisseling** Austausch m; **~wissen** (aus-, ver)wischen; (aus)löschen
uitzend|bureau [-byroː] n Zeitarbeitsbüro n; **~en** aussenden; Radio senden, übertragen; **~ing** Sendung f; **~kracht** Zeitarbeiter(in f) m; **~werk** n Zeitarbeit f
uitzetten aussetzen; ausschalten; ausweisen, hinauswerfen; sich (aus)dehnen
uitzicht n Aussicht f; **~loos** aussichtslos
uitzien aussehen; sich umse-

hen; **er ~** aussehen
uit|zinnig [-'sɪnəx] wahnsinnig; **~zitten** Strafe verbüßen; **~zoeken** ['-suːk-] aussuchen
uitzonder|en ausnehmen; **~ing** Ausnahme f; **bij** [bɛi] (**wijze van**) **~ing** ausnahmsweise; **~lijk** ['-sɔndərlək] außerordentlich
ultrakort ['əl-]; **~e golf** Ultrakurzwelle f (UKW)
unaniem [yna'-] einstimmig
unie ['yni'] Union f
uniek [y'ni'k] einzigartig
uniform [yni'-] einheitlich; su n od f Uniform f
universi|tair [-'tɛːr] akademisch; **~teit** [-'tɛit] Universität f
uranium [y'ra:ni·(j)əm] Uran n
urenlang ['y:rə(n)-] stundenlang
urgent [ər'ɣɛnt] dringend
urine [y'-] Urin m, Harn m; **~blaas** Harnblase f; **~buis** [-bɔys] Harnröhre f
urineren [-'ne:r-] urinieren
urn [ʊr(ə)n] Urne f
uur [y:r] n Stunde f; Uhr f; **om het half ~** halbstündlich; **~loon** n Stundenlohn m; **~werk** n Uhr f
Uw, uw [y'ū] Ihr; **de (het) ~e** der, die (das) Ihrige

V

vaag vage, verschwommen
vaak oft, häufig
vaal fahl
vaandel *n* Fahne *f*
vaardig ['-dəx] geschickt, gewandt; **~heid** Geschick *n*; Fertigkeit *f*
vaar|geul ['-ɣøːl] Fahrrinne *f*; **~t** Fahrt *f*; Kanal *m*; Geschwindigkeit *f*; Schwung *f*; **~tuig** ['-tœyx] *n* Fahrzeug *n*; Schiff *n*; **wel!** ['-ʋel] lebe wohl!, leben Sie wohl!
vaas Vase *f*
vaat Auf-, Abwasch *m*; **~doek** ['-duːk] Abwaschlappen *m*; **~wasser** (Geschirr-) Spülmaschine *f*; **~werk** *n* Geschirr *n*
vacature [-kaˈtyːrə] offene Stelle *f*
vaccin [v̥akˈseː] *n* Impfstoff *m*
vaccinatie [v̥akˈsiˈnaː(t)siˈ] Impfung *f*; **orale ~** Schluckimpfung *f*; **~bewijs** [-bəʋεis] *n* Impfschein *m*
vaccineren [-ˈneːr-] impfen
vacht Fell *n*
vacuüm ['-kyˈ(ü)əm] *n* Vakuum *n*
vader Vater *m*; **~lands** vaterländisch, heimatlich; **~lijk** [-lək] väterlich
vadsig [ˈv̥atsəx] träge
vak *n* Fach *n*
vakantie [-ˈkansiˈ] Ferien *pl*,

Urlaub *m*; **~flat** [-flεt] Ferienwohnung *f*; **~ganger** Urlauber *m*, Feriengast *m*; **~geld** *n* Urlaubsgeld *n*; **~huis(je)** [-hɔys (-hɔyʃə)] *n* Ferienhaus *n*; **~verblijf** [-blεif] *n* Ferienaufenthalt *m*
vak|beweging Gewerkschaft *f*, **~bond** Gewerkschaft *f*; **~bondslid** *n* Gewerkschaft(ler)(in *f*) *m*; **~kennis** Fachkenntnisse *f/pl*; **~man** Fachmann *m*, **~vereniging** [ˈ-fərεːnəɣ̊-] Gewerkschaft *f*
val 1. Falle *f*; 2. Fall *m*, Sturz *m*; **ten ~ brengen** zu Fall bringen, stürzen; **~helm** Sturzhelm *m*
valk Falke *m*
vallei [-ˈlεi] Tal *n*
vallen fallen, stürzen; hinfallen; **(op)** *fig* entfallen (auf *A*)
vals falsch, unecht; böse; tükisch
valscherm *n* Fallschirm *m*
valuta [-ˈly-] Währung *f*
van von (*D*); **~ ... af, ~af** ab; von ... an
van|avond [-ˈaːv̥ɔnt] heute Abend; **~daag** ['-daːx] heute; **~daan** her; **waar ~daan** woher; **~daar** daher; **~een** [-ˈeːn] voneinander
vang|en fangen, fassen; **~rail** ['-reːil] Leitplanke *f*
vangst Fang *m*, Beute *f*

van|morgen (**~nacht**) heute Morgen (Nacht); **~uit** [-'əyt] von (D) ... aus; **~wege** [-'ȗe:-ɣə] wegen (G); seitens (D)

vanzelf [-'zɛl(ə)f] von selbst, von allein; **~sprekend** [-'spre:kənt] selbstverständlich

varen[1] Farnkraut n

varen[2] fahren, schiffen

varken n Schwein n

varkens|gebraad n Schweinebraten m; **~haasje** [-ha:fə] n Schweinelende f; **~pootje** n Schweinshaxe f; Eisbein n; **~vlees** n Schweinefleisch n

vast fest; ständig; adv sicher, gewiss; vorläufig; inzwischen; **~ en zeker** ['ze:kər] ganz gewiss, bombensicher; **~beraden** entschlossen; **~binden** fest-, anbinden

vasteland [-tə'lɑnt] n Festland n

vasten fasten; **~avond** [-'a:ȗənt] Fastnacht f

vast|gespen anschnallen; **~hechten** (an)heften, befestigen

vastklampen: zich ~ aan sich klammern an (A)

vast|klinken nieten; **~lopen** (sich) festfahren; Verkehr ins Stauen geraten; **~maken** [-'ma:k-] festmachen, befestigen; **~pakken** packen, anfassen; **~staan** feststehen; **~steken** anstecken; **~stellen** festsetzen, bestimmen; feststellen; ermitteln

vat [ȗɑt] **1.** n Fass n, Tonne f, Gefäß n; **2.** Griff m

vatbaar empfänglich

vatten fassen; → a. **kou**

vechten kämpfen; sich raufen; **~ersbaas** Raufbold m; Schläger m; **~partij** [-teɪ] Schlägerei f, Handgemenge n

veder → **veer**

vee n Vieh n; **~arts** Tierarzt m, -ärztin f

veevast wischfest

veel viel; **~al** vielfach; gewöhnlich; **~belovend** viel versprechend; **~eer** vielmehr; **~eisend** [-'ɛɪsənt] anspruchsvoll; **~omvattend** umfassend; **~soortig** [-'so:rtəx] mannigfaltig; **~voud** ['-ȗaut] n Vielfache(s); **~voudig** [-dəx], **~vuldig** [-'ȗɛl-dəx] vielfach, -fältig; **~zeggend** [-'zeɣ-] viel sagend; **~zijdig** [-'zɛɪdəx] vielseitig

veen n Moor n

veer[1] Feder f

veer[2] n Fähre f

veerkrachtig [-'krɑxtəx] elastisch

veerpont Fähre f

veer|tien [vierzehn; **~tig** ['fe:r-təx] vierzig

vee|stapel Viehbestand m; **~teelt** Viehzucht f

vegen fegen, wischen, kehren

veilig ['ȗɛɪləx] sicher

veiligheids|gordel Sicherheitsgurt m; **de ~gordel aandoen** ['-du·n] sich angur-

ten; **~halve** sicherheitshal-
ber; **~helm** Schutzhelm m;
~speld Sicherheitsnadel f

veiling Versteigerung f

veinzen simulieren, sich verstellen

vel n Fell n, Haut f; (Papier-)
Bogen m

veld n Feld n; **~ winnen** Boden gewinnen, überhand
nehmen; **~loop** Geländelauf
m; **~slag** ['-slɑx] Schlacht f;
~tocht Feldzug m

veler|hande, ~lei vieler-,
mancherlei

velg Felge f

vellen fällen; erschlagen

venkel Fenchel m

**vennootschap: besloten ~
(BV)** GmbH f; **naamloze ~**
Aktiengesellschaft f

venster n Fenster n; **~bank**
Fensterbank f, -brett n

vent Kerl m

venter Hausierer m

ventiel n Ventil n

ventila|teur [-'tøːr] → **~tor**;
~tie [-'la:(t)si`] (Be)Lüftung
f; **~tor** Ventilator m

ventileren [-'leːr] ventilie-
ren, (ent)lüften

ver fern, weit; *Verwandter*
weitläufig; → *a.* **verre**

veracht|elijk [-tələk] verächt-
lich; **~en** verachten

verademing [-'aːdəm-] Aufatmen n; Erholung f

veraf [vɛr'ɑf] weit entfernt

ver|afschuwen [-'ɑf-
sxy`ũə(n)] verabscheuen;

~algemenen [-'meːn-] ver-
allgemeinern

verander|en (ver)ändern; ver-,
umwandeln; sich (ver)än-
dern, sich verwandeln; **~ing**
(Ver)Änderung f; Wandel m;
~lijk [-lək] veränderlich

verantwoordelijk [-'üoːrdə-
lək] verantwortlich; **~heid**
Verantwortung f

verantwoording [-'ɑnt-]
Verantwortung f; **ter ~ roepen** ['ruːp-] zur Rechenschaft
ziehen

verbaasd erstaunt; **~ staan**
staunen

verband n MED Verband m,
Binde f; Zusammenhang m;
~materiaal n Verbandzeug n;
~trommel Verbandkasten m

verbazen erstaunen; **zich ~**
staunen; **~d** erstaunlich

verbazing Erstaunen n

verbeeld|en: zich ~en sich
einbilden, sich vorstellen;
~ing Einbildung f; Fantasie f

ver|bergen verbergen; **~be-
ten** [-'beːt-] verbissen; **~be-
teren** [-'beːtər-] verbessern;
sich bessern

verbeur|d|verklaren [-'bøːrt-]
einziehen, konfiszieren; **~en**
einbüßen, verwirken

ver|bieden verbieten, unter-
sagen; **~bijstering** [-'bɛis-
tər-] Bestürzung f

verbind|en verbinden; **zich
~en** sich verpflichten; **~ings-
weg** [-vɛx] Zubringerstraße f

ver|bintenis ['-bintənis] Ver-

binding f; Verbindlichkeit f;
~bitterd verbittert; erbittert;
~bleken verblassen; **~blij-den** ['blɛɪ̯d-] beglücken
verblijf [-'blɛɪ̯f] n Aufenthalt
m; Unterkunft f; **~plaats**
Aufenthaltsort m; **~sbelas-ting** Kurtaxe f; **~svergun-ning** [-ɣən-] Aufenthaltsge-nehmigung f
verblijven [-'blɛɪ̯v-] sich auf-halten; **~blinden** blenden;
fig verblenden; **~bloemen**
['blu:m-] bemänteln; **~bluft**
[-'blœft] verblüfft
verbod [-'bɔt] n Verbot n;
~sbord n Verbotsschild n
verbond n Verband m; Verbot n;
Bündnis n; Bund m; **~bou-wen** ['bɑu̯ə(n)] umbauen;
anbauen; **~bouwereerd**
[-bɑu̯-'] verdutzt; **~bou-wing** Umbau m
verbranden verbrennen
verbrandingsgassen n/pl
Abgase n/pl
ver|breden verbreitern; **~breken** ['bre:k-] (ab)bre-chen; unterbrechen; **~brijze-len** ['brɛɪ̯zəl-] zertrümmern,
zerschmettern; **~brokkelen**
zerbröckeln
verbruik ['brœyk] n Ver-brauch m, Konsum m, Ver-zehr m; **~en** verbrauchen
verbuiging Verbiegung f, GR
Deklination f
verdacht verdächtig; **~ wor-den van** im Verdacht stehen;
~e Beschuldigte(r); Ange-

klagte(r); **~making** Ver-dächtigung f
ver|dagen vertagen; **~dam-pen** verdampfen, verdunsten
verdedig|en [-'de:dəɣ-] ver-teidigen; vertreten; **~er**
(**~ster** f) Verteidiger(in f) m
ver|deeldheid Zwietracht f;
~delen (ver-, auf)teilen; **~delgen** vertilgen
verden|ken verdächtigen;
~ing Verdacht m
verder weiter, ferner; fort;
weiterhin
verderf n Verderben n
verdien|en verdienen; **~ste**
Verdienst m u fig n
verdieping Geschoß f; Eta-ge f, Stock(werk n) m; **met
één ~** einstöckig
ver|doemen ['du:m-] ver-dammen; **~doezelen** ['du:zəl-] vertuschen; **~domd**
[-'dɔmt], **~domme** ['dɔmə]
F verdammt
verdonker|emanen [-dɔŋkərə'-] unterschlagen; **~en**
verdunkeln
verdorie [-'do:ri'] F verflixt
verdoven betäuben; **~d:**; **~d
middel** n Betäubungsmittel
n; Droge f
ver|draagzaam tolerant; ver-träglich; **~draaien** verdrehen
verdrag [-'drɑx] n Vertrag m;
~en [-'dra:ɣ-] vertragen; er-tragen
verdriet n Kummer m; **~ doen**
[du:n] schmerzen; **~ig** [-təx]
traurig

verdrijven [-'drɛɪ̆-] vertreiben

verdringen verdrängen; *elkaar* ~ sich drängen

ver|drinken ertrinken; ertränken; **~drogen** vertrocknen; **~drukking** ['-drǝk-] Bedrückung f; Unterdrückung f; **~dubbelen** ['-dǝbǝl-] verdoppeln; **~duidelijken** ['-dǝydǝlǝk-] verdeutlichen; **~duisteren** verdunkeln; *Geld* veruntreuen; **~dunnen** [-dǝn-] verdünnen, panschen; **~duren** ['-dy:r-] erdulden, leiden

ver|dwalen sich verirren, sich verlaufen; **~dwijnen** ['-dwɛɪ̆n-] verschwinden

vereen|voudigen ['-ʋaudǝɣ̆-] vereinfachen; **~zelvigen** ['-zɛlʋǝ̆-] identifizieren

ver|eerder Verehrer m; **~effenen** ['-ɛfǝn-] be-, ausgleichen

vereis|en [-'ɛɪ̆sǝ(n)] erfordern; **~te** Erfordernis n

veren v/i federn

verenig|en ['-e:nǝɣ̆-] (ver-)einigen; **~ing** Verein m; Vereinigung f; ♫*ing voor Vreemdelingenverkeer* Fremdenverkehrsverein m

ver|eren verehren; **~ergeren** ['-ɛrɣǝr-] (sich) verschlimmern

verf Farbe f; Anstrich m

ver|flauwen nachlassen; abflauen; **~foeien** ['-fu̇i-] verabscheuen; **~fraaien** ver-

schönern; **~frissen** erfrischen; **~frommelen** ['-frɔmǝl-] zerknittern, zerknüllen; **~gaan** vergehen; untergehen; vermodern

vergader|en ['-ɣa:dǝr-] tagen; **~ing** Versammlung f; Tagung f; Sitzung f

ver|gankelijk ['-ɣaŋkǝlǝk] vergänglich; **~garen** sammeln; **~gasten** bewirten; auftischen

ver|geefs vergebens, umsonst; *adj* vergeblich; **~geeld** vergilbt

vergeet|achtig [-tǝx] vergesslich; **~-mij-nietje** [-mǝ-] n Vergissmeinnicht n

vergelijk [-ɣǝ'lɛɪ̆k] n Vergleich m; **~en** vergleichen; **~ing** Vergleich m; Gleichung f

vergemakkelijken [-ɣǝ'makǝlǝk-] erleichtern

vergen fordern, verlangen; zumuten; *veel* ~ strapazieren; *te veel* ~ *van* überfordern

vergenoegen ['-nuʁ̆-]: *zich* ~ sich begnügen

ver|geten ['-ɣe:t-] vergessen; **~geven** verzeihen; vergiften

vergewissen: *zich* ~ sich vergewissern

verge|zellen [-'zɛl-] begleiten; **~zicht** ['-ʋer-] Fernsicht f, Aussicht f

ver|giet n Durchschlag m; **~giffenis** ['-ʁ̆ifǝn-] Verzeihung f

vergif(t) n Gift m; **~tigen**

[-tə‿ɣ̌ə(n)] vergiften

vergiss|en: *zich ~en* sich irren; **~ing** Irrtum *m*, Versehen *n*; *bij* [bɛɪ], *per ~ing* versehentlich, irrtümlich

ver|goeden [-'ɣ̌u·d-] vergüten, entschädigen, ersetzen; erstatten; **~goelijken** [-'ɣ̌u·lək-] beschönigen

ver|grendel|en [-'ɣ̌rɛndəl-] verriegeln; *~ing: centrale ~ing* Zentralverriegelung *f*

vergrijp [-'ɣ̌rɛɪp] *n* Verstoß *m*; *~en*: *zich ~en aan* sich vergehen an (*D*)

ver|grootglas [-xlas] *n* Lupe *f*; **~groten** vergrößern; erweitern; **~guld** [-'ɣ̌ɛlt] vergoldet; **~gunning** Erlaubnis *f*, Genehmigung *f*; Schankkonzession *f*

verhaal *n* Erzählung *f*, Geschichte *f*; Bericht *m*; Ersatzanspruch *m*; *kort ~* Kurzgeschichte *f*

ver|handeling Handel *m*; Abhandlung *f*; **~heffen** erheben; **~helpen** abhelfen (*D*), beheben

verheugen [-hø·ɣ̌-] (er)freuen; *~d* erfreulich

ver|heven erhaben; **~hinderen** (ver)hindern; **~hitten** erhitzen; **~hogen** erhöhen, steigern; **~hongeren** verhungern; **~hoor** *n* Verhör *m*; **~horen** verhören, vernehmen

verhoud|en [-'haud-]: *zich ~en* sich verhalten; **~ing** Verhältnis *n*

verhuiswagen [-'hœys-] Möbelwagen *m*

verhuiz|en umziehen; ausziehen; übersiedeln; **~ing** Umzug *m*; Auszug *m*; Übersiedelung *f*

verhur|en [-'hy·r-] vermieten; verleihen; **~ing** Vermietung *f*; Verleih *m*

ver|huurder Vermieter *m*; **~ijdelen** [-'ɛɪdəl-] vereiteln

vering ['ɣ̌e·r-] Federung *f*

verjaardag [-dax] Geburtstag *m*; Jahrestag *m*

ver|jaring Verjährung *f*; **~jongen** verjüngen

verkeer *n* Verkehr *m*; *rondgaand ~* Kreisverkehr *m*; → *a.* **doorgaand**

verkeerd falsch, verkehrt

verkeers|agent [-aɣ̌ɛnt] Verkehrspolizist *m*; **~bord** *n* Verkehrsschild *n*; **~hinder** Verkehrsbehinderung *f*; **~leider** AER Flugtlotse *m*; **~licht** *n* (Verkehrs)Ampel *f*; **~ongeluk** [-lək] *n*, **~ongeval** *n* Verkehrsunfall *m*; **~opstopping** Verkehrsstockung *f*; **~reglement** [-mɛnt] *n* Straßenverkehrsordnung *f*; **~teken** [-teːkə(n)] *n* Verkehrszeichen *n*

ver|kennen aufklären, erkunden; **~keren** verkehren; sich befinden; **~kiezen** (auser-)wählen; bevorzugen, vorziehen

verkiezing Wahl *f*; **~sstrijd** [-strɛɪt] Wahlkampf *m* ver|klaarbaar erklärlich; ~klappen ausplaudern; ~klaren erklären

ver|kleden: zich ~ sich umziehen; sich verkleiden

ver|kleinen verkleinern; *fig a.* schmälern; ~kleumd [-'kløːmt] erstarrt; ~kleuren sich verfärben

ver|klikk|en denunzieren, F verpfeifen; ~er Denunziant *m*; Kontrollgerät *n*

verkneukelen [-'knøːkəl-], verkneuteren: zich ~ sich ins Fäustchen lachen, schmunzeln

ver|knocht sehr zugetan (*D*), verbunden (*D*); ~knoeien [-'knuʔiə(n)] verpfuschen, verderben; ~kondigen [-'kɔndəʔ-] verkünden

verkoop Verkauf *m*; Vertrieb *m*; ~ster Verkäuferin *f*

ver|kop|en verkaufen; vertreiben; ~er Verkäufer *m*

verkorten (ver)kürzen

verkoud|en [-'kɑuðə(n)] erkältet, verschnupft; ~heid Erkältung *f*, Schnupfen *m*

ver|krachten vergewaltigen; ~kreuk(el)en [-'krøːk(əl)-] zerknittern

ver|krijg|baar [-'krɛiʸ-] erhältlich; ~en bekommen, erlangen; erzielen, erwerben

verkruimelen [-'krɑymələ(n)] zerkrümeln, zerbröckeln

verkwisten vergeuden, verschwenden; ~d verschwenderisch

ver|lagen senken; erniedrigen; ~lammen lähmen

verlang|en verlangen; sich sehnen; *su n* Verlangen *n*; Sehnsucht *f*; ~lijstje [-lɛiʃə] *n* Wunschzettel *m*

verlaten [-'laːt-] verlassen; *adj* verlassen, menschenleer; zich ~ sich verspäten

verleden [-'leːd-] vergangen, vorig; ~ (dinsdag) am letzten (Dienstag); *su n* Vergangenheit *f*

verleggen verlegen, betreten

verleggen verlegen; umleiten

verleid|elijk [-'lɛiðələk] verführerisch; ~en verführen, verleiten

verlenen [-'leːn-] verleihen, gewähren

verlengen verlängern; ~snoer [-snuːr] *n* Verlängerungsschnur *f*

ver|lept [-'lept] welk; ~leren verlernen; ~levendigen [-'leːvəndəʔ-] beleben; ~lichting Beleuchtung *f*; Aufklärung *f*; Erleichterung *f*

verliefd verliebt; ~ worden op sich verlieben in (*A*)

ver|lies *n* Verlust *m*; ~ster Verliererin *f*; ~liezen verlieren; einbüßen; ~liezer Verlierer *m*

verlof [-'lɔf] *n* Erlaubnis *f*; Urlaub *m*; *betaald ~* bezahlter Urlaub

verloofde Verlobte(r); Bräutigam *m*; Braut *f*

ver|loop *n* Verlauf *m*; Verfall

m; **~lopen** verlaufen; abnehmen; verkommen; ablaufen
verlos|kunde [-kəndə] Geburtshilfe *f*; **~sen** erlösen
ver|loten ver-, auslosen; **~loven** (**zich**) sich verloben; **~luchten** [-'lext-] lüften; *Buch* illustrieren; **~maak** *n* Vergnügen *n*; **~maard** berühmt
vermageren abmagern
vermageringskuur [-ky:r] Schlankheitskur *f*
vermak|elijk [-'ma:kələk] amüsant; **~en** (ver)ändern; vermachen; (**zich**) **~en** (sich) amüsieren, sich vergnügen
vermanen ermahnen
vermannen: **zich ~** sich zusammennehmen
vermeend vermeintlich; angeblich
vermeerder|d: ~d met zuzüglich (*G*); **~en** vermehren, steigern
vermelden erwähnen
vermengen (ver)mischen
vermenigvuldig|en [-menəx'fʊldəγ] vervielfältigen; multiplizieren; **~ing: tafel van ~ing** Einmaleins *n*
vermetel [-'me:təl] vermessen, vermessen
vermicelli [-'sɛli] (Faden-)Nudeln *f*/*pl*
vermijden [-'mɛi̯d-] (ver-)meiden
ver|minderen vermindern, verringern, schmälern, kürzen; nachlassen; ermäßigen

abnehmen; **~minken** verstümmeln; **~missen** vermissen
vermits [-'mɪts] weil
vermoed|elijk [-'muˑdələk] vermutlich, voraussichtlich; **~en** vermuten; ahnen; *su n* Vermutung *f*; Ahnung *f*
vermoeid [-'muˑit] müde, ermüdet; **~heid** Müdigkeit *f*, Ermüdung *f*
vermoeien ermüden; **~d** anstrengend; **~is** Strapaze *f*
ver|mogen *n* Vermögen *n*; **~molmd** morsch; **~mommen** (**zich**) (sich) vermummen; (sich) tarnen; **~moorden** ermorden; **~morzelen** [-zələ(n)] zermalmen
vermout ['muˑt] Wermut *m*
ver|murwen [-'mœrʊə(n)] erweichen; zermürben; **~nederen** [-'neˑdər-] erniedrigen, demütigen; **~nemen** erfahren, vernehmen; **~nielen** zerstören, zertrümmern
vernietigen [-'niˑtəγ-] vernichten; aufheben, annullieren
vernieuwen [-'niˑʊə(n)] erneuern; auswechseln; renovieren
vernis [ʋ*ər*'nɪs] *m od n* Firnis *m*
vernuft [-'nəft] *n* Geist *m*, Scharfsinn *m*
veronachtzamen vernachlässigen
veronderstellen voraussetzen, annehmen
veronge|lijken [-lɛik-] zu-

rücksetzen, benachteiligen;
~lukken [-lək-] verunglücken

veront|reinigen [-'rɛɪnəɣ-] verunreinigen, verschmutzen; **~rusten** [-'rœst-] beunruhigen; **~schuldigen** [-'sxɛldəɣ-] (zich) (sich) entschuldigen; **~waardiging** [-'va:rdəɣ-] Entrüstung f, Empörung f

veroordelen verurteilen

veroordeling Verurteilung f; **vroegere** ['ʋru·ɣərə] ~ Vorstrafe f

veroorloven erlauben, gestatten; **zich ~** sich leisten

ver|oorzaken verursachen; hervorrufen, erregen; **~orberen** [-'ɔrbər-] verzehren; **~ordenen** verordnen

veroud|erd [-'aʊdərt] veraltet, überholt; **~en** altern

veroveren erobern

verpakk|en verpacken; **~ing** Verpackung f; Packung f

ver|panden verpfänden; **~pesten** verpesten, verseuchen

verplaatsen ver-, umstellen, versetzen, verlegen; **zich ~** sich (fort)bewegen

ver|planten ver-, umpflanzen; **~pleegster** Krankenschwester f; Pflegerin f; **~plegen** pflegen; **~pletteren** [-'plɛtər-] zerdrücken, zerquetschen

verplicht obligatorisch, Pflicht-; **~en** verpflichten

verpozing Erholung f

verraad n Verrat m

verrad|en verraten; **~erlijk** [-lək] verräterisch; heimtückisch

verrassen überraschen

verre [ˈʋɛrə]: **van** ~ (von) weither; **op** ~ **na niet** bei weitem nicht; → a. **ver**; **~gaand** weitgehend

verreikend [ˈʋɛr-] weit reichend

verrekenen [-ˈreːkən-] (zich) (sich) verrechnen

verre|kijker [-kɛɪkər] Fernglas n; **~weg** [-ʋɛx] bei weitem, weitaus

verrichten verrichten, leisten

verrijken [-ˈrɛɪk-]: **zich ~** sich bereichern

verrijzen sich erheben; auferstehen

verroeren [-ˈruːr-] bewegen; **zich ~** sich rühren

ver|roesten [-ˈruːst-] verrosten; **~rotten** verfaulen

verrukk|elijk [-ˈrøkələk] entzückend; **~en** entzücken, begeistern

vers¹ frisch

vers² [ʋɛrs] n Vers m

ver|schaald [-ˈsxaːlt] schal; **~schaffen** verschaffen; **~schalken** überlisten

verscheiden|(e) [-ˈsxɛɪdən(ə)] mehrere, verschiedene; **~heid** Verschiedenheit f, Vielfalt f

ver|schepen [ʋərˈsxeːp-] verschiffen; **~scherpen** verschärfen; **~scheuren** [-ˈsxøːr-]

zerreißen, zerfleischen

verschijn|en ['vɛrsxēi-] er-scheinen; **~sel** n Erscheinung f, Phänomen n

verschil n Unterschied m, Differenz f; **~len** sich unter-scheiden; **~lend** mehrere, verschiedene; verschieden (-artig)

verschonen Wäsche wech-seln; Bett frisch beziehen; Kind trockenlegen; verscho-nen

verschrikk|elijk [-'sxrɪkələk] schrecklich, fürchterlich; **~en** erschrecken

ver|schroeien [-'sxruˈïə(n)] versengen; **~schrompelen** [-'sxrɔmpəl-] (zusammen-) schrumpfen

verschuilen [-'sxœyl-]: **zich ~** sich verstecken

ver|schuiven verschieben; **~schuldigd** [-'sxœldəxt] schuldig

versie ['vɛrsi] Version f, Fas-sung f

versier|en schmücken, ein-richten; F aufreißen; **~ing** Schmuck m

ver|slaafd süchtig, verfallen; **~slaan** schlagen; berichten über (A)

verslag [-'slɑx] n Bericht m; ~ **uitbrengen** ['əyd-] berich-ten, Bericht erstatten; **~ge-ver** [-xeːˈvər] Berichterstat-ter m

ver|slagenheid Niederge-schlagenheit f; **~slapen** ver-

schlafen; **~slaving** Sucht f; **~slechteren** (sich) ver-schlechtern, verschlimmern; **~slijten** [-'sleͥt-] (sich) ab-nutzen

verslikken: zich ~ sich ver-schlucken

ver|slinden verschlingen; ~ **smaden** verschmähen; ~ **smallen** (**zich**) (sich) veren-gen; **~snapering** ['sna:pər-] Leckerbissen m, Leckerei f

versnelling Beschleunigung f; KFZ Gang m; **~sbak** Ge-triebe n

verspelen [-'spe:l-] verspie-len

versperr|en (ver)sperren; verstellen; **~ing** Sperre f; Verhau m; Schranke f

verspillen verschwenden

versplinteren zersplittern

ver|spreiden (zich) (sich) verbreiten; sich verlaufen

verspreken [-'spre:k-]: **zich ~** sich versprechen

verspringen ['vɛr-] n Weit-sprung m

verstaan verstehen

verstaanbaar verständlich; **zich ~ maken** sich verständi-gen

verstand n Verstand m, Ver-nunft f; **met dien ~e** in dem Sinne; **~elijk** [-dələk] intel-lektuell; rational

verstandhouding [-haud-] Einverständnis n, Verständi-gung f; **in goede** ['ɣuˈïə] **~le-ven** sich vertragen

verstand|ig [-dəx] vernünftig; intelligent, gescheit, klug; einsichtig; **~skies** Weisheitszahn m

verstek [-'stɛk] n: **bij** [bɛɪ] **~ in** Abwesenheit

verstel|d: ~ staan staunen

ver|stellen flicken; **~sterken** (ver)stärken; **~stijven** [-'stɛɪ̯-] erstarren; **~stikken** ersticken; **~stoken** adj entblößt, beraubt; **~stommen** verstummen

verstoppen verstopfen; **(zich)** (sich) verstecken

verstor|en stören; **~ing: ~ing van de openbare orde** (grober) Unfug m

ver|stoten verstoßen; **~stouwen** [-'stɑu̯ə(n)] verstauen; **~strekken** erteilen, verschaffen; **~strekkend** ['vɛr-] weit reichend; **~strengelen** [-'strɛŋələ(n)] verschlingen; **~strijken** [-'strɛɪk-] verstreichen; **~strooid** zerstreut; **~stuiken** [-'stœyk-] (sich) verstauchen; **~stuiver** Zerstäuber m; **~suft** [-'sœft] benommen; verblödet; **~taalster** Übersetzerin f; **~talen** übersetzen; **~taler** Übersetzer m

verte Ferne f

vertedering [-'te:dər-] Rührung f

verteerbaar verdaulich

vertegenwoordig|en [-te:-ɣə(n)'vo:rdəɣ-] vertreten; **~er** (**~ster** f) Vertreter(in f) m

vertellen erzählen; nachsagen; **zich ~** sich verzählen

vertel|ling, **~sel** n Erzählung f

ver|teren verdauen; verzehren; **~tier** n Unterhaltung f; Betrieb m

vertikken F: **'t ~** sich weigern

ver|toeven [-'tu-ʋ-] sich aufhalten; **~tolken** dolmetschen; darstellen, wiedergeben

vertonen zeigen; aufführen; darstellen; **zich ~** sich zeigen, sich blicken lassen

vertragen verlangsamen; verzögern

vertraging Verzögerung f; Verspätung f; **~ ondervinden** sich verzögern

ver|trappelen ['-trɑpəl-] zertrampeln; **~trappen** zertreten

vertrek n Raum m, Zimmer n; Abreise f; Abfahrt f; Abflug m

vertrekken abreisen, abbrechen; ab-, fortfahren; abfliegen; *Hotelgast* ausziehen; verzerren

ver|troebelen ['-tru-bəl-] trüben; **~troetelen** hätscheln

vertrouw|d [-'trɑu̯t] vertraut; **~elijk** [-'trɑu̯ələk] vertraulich; zutraulich; **~en** (ver-)trauen (D); (**op**) sich verlassen (auf A); su n Vertrauen n, Zuversicht f

ver|twijfeld [-'tœɪ̯fəlt] verzweifelt; **~uit** ['ʋɛrɵyt] weitaus; **~vaard** bange, furchtsam; **~vaardigen** [-dəɣə(n)] an-, verfertigen; **~vaarlijk** [-lək] Furcht erregend

verval n Verfall m; Niedergang m; **~datum** [-da:tǝm] Verfallsdatum n; **~len** verfallen; erlöschen; entfallen; vorkommen; **~sen** fälschen; verfälschen; panschen

vervang|en vertreten; ersetzen; auswechseln; **~er** Vertreter m; *Sport* Ersatzmann m

vervel|len langweilen; **~end** langweilig; dumm, ärgerlich; **~ing** Langeweile f; Überdruss m

vervellen sich häuten

verven färben; (an)streichen; → a. *geverfd*

verversen er-, auffrischen; *olie* ['o:li'] n Öl n wechseln

ver|vloeien [-'ɤlu'iǝ(n)] zerfließen; **~vloeken** verfluchen; **~voeging** Konjugation f

vervoer [-'ɤu:r] n Transport m; **~baar** transportfähig; **~en** transportieren, befördern

vervolg n Fortsetzung f, Folge f, *in het* **~** weiterhin, künftig; **~en** verfolgen; fortsetzen

vervolgens darauf, weiter

vervol|ledigen [-'le:dǝɤ̣-] vervollständigen; **~maken** vervollkommnen

ver|vroegd [-'ɤru:xt] vorzeitig; **~vuilen** [-'ɤɤyl-] verschmutzen; **~vullen** [-'ɤɤl-] erfüllen; *Wehrpflicht* ableisten; **~waand** eingebildet, überheblich; **~waarlozen**

vernachlässigen; verwahrlosen

verwacht|en erwarten; zutrauen; **~ing** Erwartung f; *in* (*blijde* ['blɛidǝ]) **~ing** in anderen Umständen

verwant verwandt; **~schap** Verwandtschaft f

verward verwirrt, wirr; zerzaust

verwarmen (er)wärmen; heizen

verwarming: *centrale* **~** Zentralheizung f

verwarmings|kussen [-kǝs-] n Heizkissen m; **~toestel** [-'tu:stel] n Heizgerät n

verwar|ren verwirren; verwechseln; **~ing** a. Durcheinander n

ver|wekken erzeugen; zeugen; erregen; **~welken** (ver)welken; **~welkomen** ['ɤel-ko:m-] begrüßen; **~wennen** verwöhnen; **~wensen** verwünschen

verweren: *zich* **~** sich wehren

verwerken verarbeiten; verwerten

verwerp|elijk [-pǝlǝk] verwerflich; **~en** verwerfen, ablehnen

ver|werven erwerben; **~wezenlijken** [-'ʋe:zǝ(n)lǝk-] verwirklichen; **~wijden** ['-ʋɛid-] ausweiten; **~wijderen** [-'ʋɛidǝr-] entfernen; **~wijfd** weibisch

verwijt n Vorwurf m; **~en** vorwerfen; **~end** vorwurfsvoll

verwijzen (*naar*) ver-, hin-
weisen auf (*A*), sich beziehen
auf (*A*)
ver|wikkelen verwickeln; ~
wisselen auswechseln; ver-
tauschen; verwechseln; ~wit-
tigen [-'ʊɪtəɣ-] benachrichtigen; ~woed [-'ʋuːt] grimmig; leidenschaftlich; ~
woesten verwüsten, demo-
lieren; ~wonden verletzen
verwonder|d erstaunt; ~en:
zich ~ sich wundern
ver|worvenheid Errungen-
schaft f; ~wrongen [ʋər-
'ʋrɔŋə(n)] verzerrt; ~zach-
ten mildern, lindern
verzadigd [-'zaːdəxt] satt; ge-
sättigt
verzak|en entsagen (D); un-
treu werden; ~ken einsinken,
sich senken
verzamel|aar(ster f) Samm-
ler(in f) m; ~en [-'zaːməl-]
(ver)sammeln; ~plaats Sam-
melstelle f
verzegelen versiegeln
verzeild: ~ raken landen,
(irgendwohin) geraten
verzekeren [-'zeːkər-] versi-
chern; zusichern; beteuern;
sichern
verzekering: *sociale* [soː-
'siaːlə] ~ Sozialversicherung
f; *verplichte* ~ Pflichtversi-
cherung f
verzekeringsmaatschap-
pij [-sxapɛi] Versicherungs-
gesellschaft f
verzend|en ver-, abschicken,

versenden; ~ing Versand m
verzet n Widerstand m; ~(je)
n Erholung f
verzetsstrijder [-streɪdər]
Widerstandskämpfer m
verzetten ver-, umsetzen;
zich ~ sich auflehnen, sich widersetzen (D)
verziend ['ʋer-] weitsichtig
ver|zilverd versilbert; ~zin-
ken versinken
verzin|nen erfinden, erden-
ken; ~sel n Erfindung f, Er-
dichtung f
verzoek [-'zuːk] n Bitte f, An-
liegen n, Gesuch n, Antrag m;
~en bitten, ersuchen; in Ver-
suchung führen
verzoenen aus-, versöhnen;
~d versöhnlich
verzolen besohlen
verzorg|d gepflegt; ~en ver-
sorgen; betreuen, pflegen
verzot [-'zɔt] versessen
verzuim [-'zœym] n Versäum-
nis n; ~en versäumen, unter-
lassen
ver|zuipen er-, absaufen; ~
zwakken (ab)schwächen;
schwach werden; ~zwijgen
['-'zʋɛiɣ-] verschweigen; ~
zwikken verrenken
vest n Weste f
vestiaire [ʋɛs'tiɛːrə] Garderobe f
vestibule [-'byˑlə] Eingangs-,
Vorhalle f, Vestibül n
vestig|en ['ʋɛstəɣ-] gründen,
errichten; richten; aufstellen;
zich ~en sich niederlassen,

sich ansiedeln; **~ing** Gründung f; Ansiedlung f, ECON
Niederlassung f

vesting Festung f

vet fett; fettig; *su n* Fett n

veter[-'ʃe:tər] Schnürsenkel m

vet|mesten mästen; **~tig**
['-təx] fettig

veulen ['ʃøːl-] n Fohlen n

vezel ['ʃeːzəl] Faser f

viaduct[-'dɵkt] *n od m* Über-
führung f

vice-['ʃi:sə] *in Zssgn* Vize-

videospelletje [-spelɵtʃə] n
Videospiel n

vier vier; **~de** n Viertel n;
~deurs ['-døːrs] viertürig

vieren feiern, begehen

vierhoek ['-huːk] Viereck n;
~ig [-kəx] viereckig

vierkant quadratisch, viereckig; *su n* Quadrat n; **~e meter** Quadratmeter

viervoudig [-'ʃɑudəx] vier-
fach

vies dreckig, unappetitlich,
unflätig; ekelhaft

viezerik Schmutzfink m

vijand ['ʃeiɑnt] Feind m,
~elijk [ʃei'jɑndələk] feindlich; **~ig** [-'jɑndəx] feindlich,
feindselig; **~schap** Feind-
schaft f

vijf [ʃeif] fünf; **~de** n Fünftel
n; **~tien** fünfzehn; **~tig**
['ʃeiftəx] fünfzig

vijg [ʃeix] Feige f

vijl Feile f; **~en** feilen

vijver Teich m, Weiher m

villen (ab)häuten

vilt n Filz m; **~stift** Filzstift m

vin Flosse f

vind|en finden; **het kunnen
~en met** zurechtkommen mit
(D); **~ingrijk** [-reɪk] erfinde-
risch; **~loon** n Finderlohn m;
~plaats Fundort m; Vorkommen n

vinger Finger m; **door de ~s
zien** nachsehen; **~hoed**
[-huːt] Fingerhut m; **~top**
Fingerspitze f

vink (Buch)Fink m; **blinde ~**
Roulade f

vinnig ['-nəx] heftig

viool [ʃiˈjoːl] Geige f, Violine
f; **~tje** n Veilchen n

virtueel [-tyˈüeːl] virtuell

virus ['ʃiːrəs] n Virus n od m

vis Fisch m; **gebakken ~** Brat-
fisch m; **~akte** Angelschein
m; **~gerecht** n Fischgericht
n; **~haak** Angelhaken m

visie ['ʃiˈziˑ] Sicht f

visite Besuch m; **~kaartje** n
Visitenkarte f

vis|lijn [-leɪn] Angelschnur f;
~markt Fischmarkt m

viss|en fischen; angeln; **~er**
Fischer m; Angler m; **~erij**
[-səˈreɪ] Fischerei f

visstick Fischstäbchen n

visum ['-zem] n Visum n,
Sichtvermerk m

viswinkel Fischgeschäft n

vitamine Vitamin n

vitten mäkeln

vla Krem(pudding m) f

vlaag Schauer m; Bö f; *fig* Anfall m

vlaai Fladen m; Obstkuchen m

Vlaams flämisch; **~e** Flämin f

Vlaanderen n Flandern n

vlag [ˈvlɑx] Fahne f

vlak eben, flach; gerade; nahe, dicht; **~ daarna** (daarvoor) unmittelbar danach (davor, vorher); su n Fläche f, Ebene f; **~bij** [beɪ] ganz nahe, dicht an (D); **~gom** [ˈvlɔm] Radiergummi m

vlakte Ebene f, Fläche f

vlam Flamme f

Vlaming Flame m

vlas n Flachs m

vlecht Zopf m

vlechten flechten

vleermuis [ˈmɔys] Fledermaus f

vlees n Fleisch n; **gesneden ~** Aufschnitt m; **~balletje** n Fleischklößchen n

vleet: **bij ~ de ~** in Hülle und Fülle

vlegel Flegel m

vleien [ˈvlɛɪə(n)] schmeicheln (D); **~d** schmeichelhaft

vlek Fleck m, Mal n; Klecks m; Makel m; **~keloos** [ˈkələːs] makellos; **~kenwater** n Fleckenwasser n

vleugel [ˈvløːɡəl] Flügel m; **~moer** [-muːr] Flügelmutter f

vleugje [ˈvløːxjə] n Hauch m

vlieg Fliege f

vliegdekschip n Flugzeugträger m; **~dienstregeling** Flugplan m

vliegen fliegen; **~ier** [-ˈniːr] Flieger m

vlieger Flieger m; (Papier-)Drachen m; **~traject** n Flugstrecke f; **~tuig** [ˈtœyx] n Flugzeug n; **~veld** n Flugplatz m

vlier Flieder m, Holunder m

vlies n Haut f, Häutchen n

vlijen [ˈvlɛɪə(n)]: **zich ~ tegen** sich anschmiegen an (A)

vlijmscherp [ˈvlɛɪmsxɛrp] haarscharf; fig beißend

vlijt Fleiß m; **~ig** [ˈvlɛɪtəx] fleißig

vlinder Schmetterling m, Falter m; **~dasje** [-daʃə] n Fliege f, Querbinder m

vlo Floh m

vloed [ˈvluːt] Flut f; Strom m; **~golf** Flutwelle f

vloeibaar [ˈvluːiˌbɑːr] flüssig

vloeien fließen, rinnen; **~ing** MED Ausfluss m; **~stof** Flüssigkeit f

vloek Fluch m; **~en** fluchen; **Farben** schreien

vloer [ˈvluːr] Fußboden m; **~bedekking** Bodenbelag m

vlok Flocke f

vlooienmarkt [ˈvloːiə(n)-] Flohmarkt m

vloot Flotte f

vlot flott, keck; zügig; su n Floß m

vlotten flößen; vorankommen; **~er** TECH Schwimmer m

vlucht [ˈvlœxt] Flucht f; Flug m; **hoge ~** Aufschwung m

vluchteling -e f) Flüchtling m

vluchten flüchten, fliehen

vluchtheuvel [ˈhøːvəl] Verkehrsinsel f

vluchtig ['-təx] flüchtig

vlucht|**misdrijf** [-drɛif] n Fahrerflucht f; **~strook** Standspur f

vlug [vlɛx] schnell, rasch; flink; klug

vocaal Vokal m

vocht n Feuchtigkeit f; Flüssigkeit f; **~ig** ['-təx] feucht; **~igheid** Feuchtigkeit f

vod [vɔt] Lumpen m, Lappen m; **~denmarkt** Trödelmarkt m

voed|**en** ['vu·də(n)] (er)nähren; speisen; **~er** ['vu·dər] n Futter n; **~ing** Ernährung f, Verpflegung f, Nahrung f

voedings|**middelen** n/pl Nahrungsmittel n/pl; **~waar·de** Nährwert m

voed|**sel** n Nahrung f, Speise f; **~zaam** nahrhaft

voeg [vu·x] Fuge f

voegen fügen; fig passen; TECH fugen; (**bij** [bɛi]) fügen zu (D); hinzufügen

voel|**baar** fühlbar, spürbar; **~en** fühlen; (ver)spüren, empfinden

voer n [vu·r] → **voeder**; **~en** führen, leiten; füttern; **~ing** Futter n; (Brems)Belag m; **~tuig** ['-tœx] n Fahrzeug n

voet [vu·t] Fuß m; **op staande** **de** ~ fristlos; **te** ~ zu Fuß

voetbal Fußball m; **~len** Fußball spielen; (**bij**) **~ler** Fußballspieler m; **~ploeg** Fußballmannschaft f

voet|**bank** Schemel m; **~gan-** **ger** Fußgänger m; **~gan-** **gerszone** Fußgängerzone f; **~gangster** Gangster m; **~licht** n Rampe(nlicht n) f; **~mat** Abtreter m, Fußmatte f; **~noot** Fußnote f; **~pad** n Fußweg m; Gehsteig m; **~stap** Schritt m; **~stuk** ['-stœk] n Sockel m; **~zoeker** ['-su·kər] Knallfrosch m

vogel Vogel m; **~kooi** [-ko·i] Vogelkäfig m; **~verschrik-** **ker** Vogelscheuche f; **~vlucht** [-vlɛxt] Vogelflug m; Luftlinie f; Vogelschau f

vol voll; prall; **~brengen** vollbringen; **~daan** ['-da·n] zufrieden, befriedigt; Rechnung Betrag erhalten

voldoen [vɔl-] füllen; [-'du·n] befriedigen, genügen (D); sich bewähren; entsprechen (D); **~de** [-'du·ndə] genügend, ausreichend; **~ing** Befriedigung f, Genugtuung f

volgeboekt ausgebucht

volgeling(**e** f) Anhänger(in f) m

volgen folgen (D); verfolgen; nachgehen (D); nachrücken; (**zo**) **als volgt** wie folgt, folgendermaßen; **~d** folgend, nächste

volgens zufolge (G od D), nach (D), gemäß (D), laut (G)

volgorde Reihenfolge f, (Rang)Ordnung f

volharden [-'hɑrd-] durchhalten, ausharren; **~ing** Ausdauer f

volheid Fülle *f*

volhouden ['vɔlhaʊə(n)] durchhalten; beharren

volk *n* Volk *n*

volkomen [-'koːm] vollkommen; gänzlich, restlos, durchaus

volledig [-'leːdəx] vollständig

vol|maakt [-'maːkt] vollkommen; **~macht** Vollmacht *f*; **~mondig** [-dəx] offen(herzig); **~op** reichlich; **~slagen** ['sla:ɣ̞ə(n)] völlig; **~smeren** ['sme:r-] verschmieren; **~staan** ['staːn] genügen; **~strekt** [-'strɛkt] absolut, unbedingt, schlechterdings

voltage ['tɑːʃə] Spannung *f*

vol|tallig ['tɑlex] vollzählig; **~tanken** ['tɛŋk-] voll tanken; **~tooien** ['toːiə(n)] vollenden; **~trekken** [vɔl'-] vollstrecken; **~uit** [-'œyt] in Worten

volume [-'lyːmə] *n* Volumen *n*

vol|waardig [-'vaːrdəx] vollwertig; **~wassen** erwachsen

vondeling ['vɔndəl-] Findling *m*; **te ~ leggen** aussetzen

vondst Fund *m*

vonk Funke(n) *m*; **~en** funken, sprühen

vonnis *n* Urteil *n*, (Urteils-) Spruch *m*; **~sen** verurteilen, richten

voogd Vormund *m*; **~ij** [-'dɛɪ] Vormundschaft *f*

voor[1] *prp* vor (*A, D*); für (*A*); zwecks (*G*); *adv* vorn; *cj* **~(dat)** ehe, bevor; **vóór zijn**

zuvorkommen (*D*)

voor[2] Furche *f*, Rille *f*

voor- *in Zssgn* vorder-

vooraan vorn, voran; **~staand** [-'aːn-] prominent, führend

vooraf [-'ɔf] vorher, im Voraus, zuvor

voorafgaan vorangehen; **(aan)** vorausgehen (*D*); **~d** vorhergehend, vorherig

vooral [-'ɑl] vor allem, besonders, zumal; ja; **~eer** [-'leːr] ehe, bevor

vooralsnog [-'nɔx] fürs erste, einstweilen

voor|arrest ['vɔːr-] *n* Untersuchungshaft *f*; **~as** Vorderachse *f*

vooravond [-'aːvɔnt]: **op de ~** am Vorabend

voorbaat bij [beɪ] **~** im Voraus

voorbarig [-'baːrəx] voreilig, verfrüht

voorbedacht met ~en rade vorsätzlich

voorbeeld *n* Beispiel *n*; Vorbild *n*; Muster *n*, Vorlage *f*; **~ig** [-'beɪldəx] vorbildlich, mustergültig

voorbe|hoedmiddel [-hurt-] *n* Verhütungsmittel *n*; **~houd** [-haut] *n* Vorbehalt *m*; **~reiden** vorbereiten

voorbij [-'beɪ] vorbei, vorüber; *adj* vergangen

voorbijgaan vorbeigehen, passieren; **~d** vorübergehend

voorbij|ganger Passant *m*;

~rijden [-rεiə(n)] vorbeifahren; vorbeireiten

voordat bevor, ehe; bis

voor|deel n Vorteil m, Nutzen m; Vergünstigung f; **~delig** [-'deːləx] vorteilhaft; preiswert; **~deur** ['-døːr] Haustür f

voordoen ['-duːn] vormachen; vormachen; **zich ~** auftreten; sich gebärden

voor|dracht Vortrag m; Vorschlag m; **~dragen** vortragen; vorschlagen; **~echtelijk** ['-εxtələk] vorehelich; **~eerst** [-'eːrst] vorerst

voorgaan vorangehen; vorgehen; **laten ~** den Vortritt lassen

voor|ganger Vorgänger m; **~gerecht** n Vorgericht n, -speise f; **~gevel** ['-ʁeːfəl] Fassade f, Front f; **~gevoel** [-ʁuːl] n Ahnung f; **~goed** [-'ʁuːt] endgültig; auf (od für) immer; **~grond** Vordergrund m; **~heen** [-'heːn] früher, ehemals; **~hoofd** n Stirn f; **~hoofdsholte** Stirnhöhle f

voorin vorn; **~genomen** [-noːmə(n)] voreingenommen, befangen

voor|jaar n Frühling m; **~kant** Vorderseite f

voorkeur ['-køːr] Vorzug m; Vorliebe f; **bij** [bεi] **~** vorzugsweise

voorkomen ['-koːm-] vorkommen; ['-koːm-] zuvorkommen (D), vorbeugen (D), verhüten; su n ['voːr-] Vorkommen n; Äußere(s); **~** [-'koːmənt] zuvorkommend

voor|laatste vorletzte; **~leggen** vorlegen; **~leiden** vorführen; **~letter** Anfangsbuchstabe m (des Vornamens); **~lezen** vorlesen; **~lichten** aufklären; **~liefde** Vorliebe f

voorlop|en ['voːr-] Uhr vorgehen; **~ig** ['-loːpəx] vorläufig, einstweilig; adv einstweilen, zunächst; vorläufig

voor|malig [-'maːləx] ehemalig; **~man** Vordermann m; Vorarbeiter m

voormiddag ['-mɪdax] Vormittag m; **~s** am Vormittag, vormittags

voornaam1 Vor-, Rufname m

voornaam2 [-'naːm] vornehm; wichtig; **~st** hauptsächlich, wichtigst

voor|naamwoord ['voːr-] n Pronomen n; **~namelijk** ['-naːmələk] vornehmlich, namentlich

voornemen: 1. zich ~ sich vornehmen; **2.** su n Vorhaben n

voor|onderstellen voraussetzen; **~oordeel** n Vorurteil n

voorop vorn, voran; **~gaan** voran-, vorausgehen; **~leiding** [-'lεid-] Vorbildung f, Vorkenntnisse fplt; **~rijden** [-rεiə(n)] vorausfahren

voorouders ['-aυdərs] pl Ahnen m/pl, Vorfahren m/pl

voor|over vornüber, kopfüber; **~pret** Vorfreude f; **~proefje** ['pru·fiə] n Kostprobe f

voorraad Vorrat m, Bestand m; **in ~** vorrätig

voor|rang Vorrang m, Vortritt m; Vorfahrt f; **~recht** n Vorrecht n; **~ruit** ['rœyt] Windschutzscheibe f; **~schieten** Geld auslegen, vorstrecken

voor|schip n Vorschiff n; **~schot** n Vorschuss m, Vorauszahlung f; Anzahlung f

voorschrift n Vorschrift f, Verordnung f; **volgens ~** vorschriftsmäßig

voor|schrijven ['-sxrεiˇ-] vorschreiben; verordnen, verschreiben; **~smaakje** n Vorgeschmack m; **~sorteren** [-'te·r-] Verkehr sich einordnen; **~spel** n Vorspiel n; **~spellen** ['-spεl-] prophezeien, voraussagen; **~spoed** ['-spu·t] Glück n; Wohlstand m; **~spraak** Fürsprache f; **~sprong** Vorsprung m; **~staan** ['ˇto·r-] verfechten; sich erinnern; **~stad** Vorort m; **~(stad)station** [-stasiˑon] n Vorortbahnhof m; **~stander** (**~standster** f) Verfechter(in f) m

voorste vordere

voorstel ['-stεl] n Vorschlag m; Antrag m; **~len** vorstellen; vorschlagen; beantragen; darstellen; **~ling** Vorstellung f; THEA Aufführung f

voort fort, vorwärts, weiter; **~aan** [-'ta:n] künftig, weiterhin, nunmehr

voortbestaan fortbestehen

voortbreng|en herstellen, hervorbringen, schaffen; **~sel** n Erzeugnis n

voortdurend [-'dy:rənt] (an)dauernd, fortwährend; adv a. immerfort

voor|teken ['-te·k-] n Vorzeichen n; **~tijdig** [-'tεidəx] vorzeitig

voort|komen ['-ko·m-] hervorgehen; **~maken** sich beeilen

voor|treffelijk ['-'trεfələk] (vor)trefflich, vorzüglich; **~trekken** vorziehen

voorts ferner, weiter

voort|varend [-'fa:rənt] energisch; **~vloeien** [-'flu·iˇə(n)] sich ergeben; **~vluchtig** [-'flœxtəx] flüchtig; **~zetten** fortsetzen

voor|uit ['-rœyt] voraus, vorwärts; im Voraus; **~!** los!; **~betaling** Vorauszahlung f; **~gang** Fortschritt m; **~komen** [-ko·m-] vorwärts kommen, weiterkommen; **~lopen** vorauslaufen; vorwegnehmen; **~schuiven** [-sxœyˇ-] vorschieben, vorrücken; **~steken** [-ste·k-] (her)vorragen; **~strevend** ['stre·vənt] fortschrittlich; **~zetten** vorsetzen; **~zicht** n Aussicht f

vooruitzien vorher-, vor;aussehen; **~d** weitsichtig

voor|val n Vorfall m, Vorgang

m; ~**vechter** (~**vechtster** *f*)
Vorkämpfer(in *f*) *m*; ~**ver-**
koop Vorverkauf *m*; ~**waar-**
de Bedingung *f*; Vorausset-
zung *f*

voorwaardelijk [-'va:rdələk]
bedingt; ~**e veroordeling**
Bewährung *f*

voorwaarts vorwärts

voorwend|en vorgeben; ~**sel**
n Vorwand *m*

voorwerp *n* Gegenstand *m*,
Objekt *n*

voorwiel *n* Vorderrad *n*;
~**aandrijving** [-dreɪ̆v-] Front-
antrieb *m*

voor|woord *n* Vorwort *n*; ~
zeker [-'ze:kər] gewiss, sicherlich; ~**zet** *Sport* Vorlage *f*

voorzichtig [-'zɪxtəx] vor-
sichtig; ~**heid** *f* Vorsicht *f*

voorzien [-'zi·n] voraussehen;
vorsehen, planen; (**van**) versehen, ausstatten, versorgen
(mit *D*); (**in**) decken, abhel-
fen (*D*); **te** ~ vorhersehbar;
~**igheid** [-'zi·nəxɛɪt] Vorse-
hung *f*; ~**ing** [-'zi·n-] Maßnahme *f*; Einrichtung *f*; Versorgung *f*

voor|zijde ['-zɛɪ̆də] → ~**kant**
voorzitter Vorsitzende(r);
~**schap** *n* Vorsitz *m*

voorzorg Vorsorge *f*; ~**s-**
maatregel Vorbeugungs-
maßnahme *f*, Vorkehrung *f*

voorzover [-'v̆ər] soweit

voos morsch; mürbe

vorderen verlangen, fordern;
vorrücken, vonstatten gehen,

vorankommen

voren vorn; **naar** ~ nach vorn;
hervor; → *a.* **tevoren**

vorig ['v̆o:rəx] vorig; ~ **jaar** *n*
Vorjahr *n*

vork Gabel *f*

vorm Form *f*, Gestalt *f*; ~**en**
formen, gestalten; bilden

vorst 1. Fürst *m*; **2.** Frost *m*;
~**endom** *n* Fürstentum *n*; ~**in**
[-'tɪn] Fürstin *f*

vos [v̆ɔs] Fuchs *m*; ~**senbes**
Preiselbeere *f*

vouw [v̆aŭ] Falte *f*; Bügelfalte
f; ~**en** falten; ~**fiets** Klapp-
fahrrad *n*; ~**stoel** ['-stu·l]
Klappsitz *m*, -stuhl *m*

vraag Frage *f*; Bitte *f*; *ECON*
Nachfrage *f*; ~**gesprek**
['-xəsprek] *n* Interview *n*;
~**stuk** ['-stək] *n* Problem *n*,
Frage *f*; ~**teken** ['-te:kə(n)] *n*
Fragezeichen *n*

vraatzuchtig [-'sɔxtəx] gefräßig

vracht Fracht *f*, Ladung *f*,
Last *f*; ~**auto** → **wagen**;
~**schip** *n* Frachtschiff *n*

vrachtvrij ['-frɛɪ̆]; ~**e bagage**
[-'v̆a:ʒə] Freigepäck *n*

vrachtwagen Last(kraft)wa-
gen *m*, Lkw *m*

vragen fragen; bitten; auffordern; ~**lijst** [-lɛɪ̆st] Fragebo-
gen *m*

vrede ['v̆re:də] Frieden *m*

vredesverdrag [-drax] *n*
Friedensvertrag *m*

vredig ['-dəx], **vreedzaam**
friedlich

vreemd fremd; seltsam, merkwürdig; **~e** Fremde *f*; **~eling(e** *f*) Fremde(r)

vrees Furcht *f*; Befürchtung *f*

vrek Geizhals *m*

vreselijk ['ⱱreːsələk] furchtbar, fürchterlich, schrecklich

vreten ['ⱱreːtə] fressen

vreugde ['ⱱrøːɣdə] Freude *f*

vrezen (be)fürchten

vriend Freund *m*; **~elijk** ['dələk] freundlich, liebenswürdig; **~in** ['dɪn] Freundin *f*

vriendschap Freundschaft *f*; **~ sluiten** ['slœʏt-] *a*. sich anfreunden; **~pelijk** ['sxɑpələk] freundschaftlich

vries|punt ['ⱱpɔnt] *n* Gefrierpunkt *m*; **~weer** *n* Frostwetter *n*

vriezen frieren

vrij [ⱱrɛi] frei; *adv* ziemlich; **~af** ['ɑf] frei; **~blijvend** unverbindlich

vrijdag ['dɑx] Freitag *m*; **Goede ~** ['ɣuˑə] ♀ Karfreitag *m*; **~s** freitags

vrije|n ['ⱱrɛiə(n)] knutschen; sich lieben; gehen (mit *D*); **~tijdsbesteding** ['tɛidzbəsteːdɪ] Freizeitgestaltung *f*

vrij|geleide ['ˌɣəlɛidə] *n* freies Geleit *n*; **~gevig** [-'ɣeːⱱəx] freigebig; **~gezel(in** [-'lɪn] *f*) (Jung)geselle *m* (Junggesellin *f*); **~haven** Freihafen *m*

vrijheid ['heɪt] Freiheit *f*

vrijheidsstrijd [-strɛit] Befreiungskampf *m*

vrij|laten ['laːt-] freilassen; **~loop** Frei-, Leerlauf *m*; **~maken** ['maːk-] freimachen; **~moedig** [-'muˑdəx] freimütig, keck; **~postig** [-'pɔstəx] dreist, frech; **~spraak** Freispruch *m*; **~spreken** ['spreːk-] freisprechen; **~waren** [-'ⱱaːr-] sicherstellen, sichern; **~wel** ['ⱱel] nahezu

vrijwillig [ⱱrɛi'ⱱɪləx] freiwillig; **~er** (**~ster** *f*) Freiwillige(r)

vroedvrouw ['ⱱruˑtfrɑu] Hebamme *f*

vroeg [ⱱruˑx] früh, zeitig; **~er** früher, ehemals

vroegst: **op zijn ~** [sən] **~** frühestens

vroeg|te Frühe *f*; **~tijdig** ['tɛidəx] frühzeitig

vrolijk ['ⱱroːlək] fröhlich, lustig, munter, heiter; **~heid** Fröhlichkeit *f*

vroom fromm

vrouw [ⱱrɑu] Frau *f*, *Karte* Dame *f*; **~elijk** ['ⱱrɑuələk] weiblich; **~enarts** Frauenarzt *m*, -ärztin *f*

vrucht [ⱱrəxt] Frucht *f*; **~baar** fruchtbar; **~eloos** ['-təloːs] fruchtlos, vergeblich

vruchten|lijs [-ɛis] *n* Fruchteis *n*; **~pers** Entsafter *m*; **~sap** *n* Fruchtsaft *m*; **~taart** Obstkuchen *m*

V-snaar ['ⱱeː-] Keilriemen *m*

vuig [ⱱəɣx] gemein

vuil schmutzig, dreckig; schlüpfrig; gemein; su

Schmutz *m*, Dreck *m*, Kot *m*;
~afstotend Schmutz abweisend; **~igheid** ['ɣəʏləxɛit]
Schmutz *m*, Dreck *m*; **~ik**
['lɪk] Schmutzfink *m*
vuilnis Müll *m*; **~bak** Mülltonne *f*; **~belt** Müllplatz *m*;
~emmer Mülleimer *m*; **~ko-ker** Müllschlucker *m*; **~zak**
Müllbeutel *m*
vuilop|haaldienst, **~haling**
Müllabfuhr *f*
vuist Faust *f*; **voor de ~** (*weg*)
aus dem Stegreif
vulgair [-'ɣɛːr] vulgär
vulkaan [ˈvøl'-] Vulkan *m*

vul|len füllen; **~ling** MED
Plombe *f*; **~pen** ['-pɛn]
Füll(feder)halter *m*
vuns, **vunzig** ['ʋɛnzəx] muffig; dreckig
vurig ['ʋyːrəx] feurig, hitzig;
sehnsüchtig, inbrünstig
VUT [ʋœt] *Abk* **vervroegde**
[-'ʋruʏdə] **uittreding** Vorruhestand *m*
vuur *n* Feuer *n*; **~ vatten** Feuer fangen, zünden; **~toren**
Leuchtturm *m*; **~vast** feuerfest; **~werk** *n* Feuerwerk *n*
V.V.V. → **Vereniging voor**
Vreemdelingenverkeer

W

waag|halzig [-'halzəx] waghalsig; **~stuk** [-'stɛk] *n* Wagnis *n*, Unterfangen *n*
waaien wehen
waak|vlam Sparflamme *f*;
~zaam wachsam
waan Wahn *m*; **~zin** Wahn-,
Irrsinn *m*; **~zinnig** ['-zɪnəx]
irre, wahnsinnig
waar¹ wo; **~ ... heen** wohin
waar² wahr
waar³ Ware *f*
waarachtig [-təx] wahr(haftig)
waarbij [-'bɛɪ] wobei
waarborg Garantie *f*, Gewähr *f*; Kaution *f*; **~en** gewährleisten, sicherstellen,
verbürgen, garantieren
waard¹ wert

waard² (Gast)Wirt *m*
waarde Wert *m*; **aangegeven ~** Wertangabe *f*; **~loos**
wertlos; **~papieren** *n*/*pl*
Wertpapiere *n*/*pl*
waarderen [-'deːr-] (be)werten; schätzen, würdigen
waardevast wertbeständig
waardig ['-dəx] würdig; **~
achten** würdigen; **~heid**
Würde *f*
waardin [-'dɪn] Wirtin *f*
waar|door wodurch; wovon;
~heen wohin
waarheid Wahrheit *f*
waar|in worin; **~mee** womit
waarmerken beglaubigen
waar|na, **~naar** wonach
waarnem|en wahrnehmen,
beobachten; versehen, erfül-

len; **~er** Beobachter *m*; Stellvertreter *m*

waarom warum, weshalb, wozu; worum

waarschijnlijk [-'sxɛɪnlək] wahrscheinlich

waarschuw|en ['sxɣ'ũə(n)] warnen; verständigen, benachrichtigen; **~ing** Warnung *f*; Verwarnung *f*; Mahnung *f*; Benachrichtigung *f*

waarschuwings|bord *n* Warnschild *n*; **~knipperlichtinstallatie** [-la:(t)si·] Warnblinker *m*; **~schot** *n* Warnschuss *m*; **~teken** *n* Warnzeichen *n*

waar|toe [-'tu·] wozu; **~voor** wofür; wovor; wozu

waarzegster Wahrsagerin *f*

waas *n* Hauch *m*, Duft *m*

wablief? F (wie) bitte?

wacht Wache *f*

wachten warten; *zich* **~** sich hüten

wacht|er Wächter *m*; **~kamer** ['ka:mər] Wartezimmer *n*, -saal *m*; **~lijst** ['-lɛɪst] Warteliste *f*; **~woord** ['-ʋo:rt] Losung *f*

wad *n* Watt *n*; **~en** waten

wafel ['va:fəl] Waffel *f*

wagen¹ wagen

wagen² Wagen *m*; **~wijd** [-'ʋɛɪt] sperrangelweit

waggelen ['ʋaɣəl-] wackeln, schwanken, torkeln

wagon [ʋa·'ɣɔn] Wag(g)on *m*

waken ['ʋa:k-] wachen

wakker wach; **~ maken** wecken; **~ worden** auf-,

erwachen

wal Wall *m*; Ufer *n*; *van* **~ steken** ['ste:k-] *fig* loslegen

walg Ekel *m*; **~elijk** [-'ɣələk] ekelhaft; **~en** (an)ekeln; (*van*) sich ekeln (vor *D*); **~ing** Ekel *m*

walm Qualm *m*

walnoot Walnuss *f*

wals Walzer *m*; Walze *f*

walvis ['val-] Wal(fisch) *m*

wanbeheer ['van-] *n* Misswirtschaft *f*

wand Wand *f*

wandaad Frevel-, Untat *f*

wandel|aar(ster) *f*) Spaziergänger(*in f*) *m*; **~en** ['-dələ(n)] spazieren; **~gang** *pl* Wandelhalle *f*; **~ing** Spaziergang *m*, Bummel *m*; **~kaart** Wanderkarte *f*; **~stok** Spazierstock *m*; **~wagen** (Kinder)Sportwagen *m*; **~weg** [-vɛx] Wanderweg *m*

wand|luis ['-lœys] Wanze *f*; **~tapijt** [-pɛɪt] *n* Wandteppich *m*

wanen (*zich*) (sich) wähnen

wang Wange *f*, Backe *f*

wan|gedrag ['ʋanɣədrɑx] *n* schlechtes Benehmen *n*; **~hoop** Verzweiflung *f*

wanhop|en verzweifeln; **~ig** ['-ho:pəx] verzweifelt

wankel wack(e)lig; **~en** wanken, schwanken, taumeln

wanklank Missklang *m*

wanneer wann; wenn

wanorde Unordnung *f*; **~lijk** ['-ɔrdələk] unordentlich

watertanden

wanstaltig [-'stɑltəx] monströs

want denn

wantoestand ['vɑntu-] Missstand m

wantrouw|en ['-trɑüə(n)] misstrauen (D); *su n* Misstrauen n; **~ig** [-'trɑüəx] misstrauisch, stutzig

wanverhouding Missverhältnis n

wapen ['va:pə(n)] n Waffe f; Wappen n; **~stilstand** Waffenstillstand m; **~vergunning** [-ɣən-] Waffenschein m

wapperen flattern

war [vɑr]: **in de ~** verwirrt; in Unordnung; **in de ~ brengen** verwirren

warboel ['-bu·l] Wirrwarr m

ware: **als het ~** gleichsam

warempel ['-rempəl] tatsächlich, wahrhaftig

waren|huis [-həvs] n Waren-, Kaufhaus n; **~keuring** [-køːr-] Warentest m

warhoofd n Wirrkopf m

warm werm; **~en** (er)wärmen

warmpjes werm; **er ~ bijzitten** vermögend sein

warm|te Wärme f; **~waterkruik** [-'va:tərkrøyk] Wärmflasche f

warr|elen wirbeln; **~ig** ['vɑrəx] verworren

wars [vɑrs] **(van)** abgeneigt (D), abhold (D)

was¹ Wachs n; **in de ~ zetten** wachsen

was² Wäsche f; **bonte ~** Bunt-

wäsche f; **~baar** waschbar

wasem ['va:səm] Dunst m, Schwaden m

was|goed ['-xut] Wäsche f; **~handje** Waschlappen m; **~knijper** ['-knɛipər] Wascheklammer f; **~machine** [-'ʃi·nə] Waschmaschine f; **~mand** Wäschekorb m; **~poeder** ['-pu·ïər] n *od m* Waschpulver n

wassen¹ *adj* aus Wachs

wassen² wachsen

was|sen³ waschen; **~serette** Waschsalon m; **~serij** [-sə'rɛi] Wäscherei f; **~tafel**: **(vaste) ~tafel** Waschbecken n; **~verzachter** Weichspüler m

wat was; etwas, ein wenig

water ['va:tər] n Wasser n; **zout** [zɑut] **~** Salzwasser n

water|bak Wasserbehälter m; **~en** urinieren; *su n/pl* Gewässer n/pl; **~fiets** Tretboot m; **~golf** Wasserwelle f; **~ig** ['-tərəx] wässrig; **~koeling** [-ku·l-] Wasserkühlung f; **~kraan** Wasserhahn m; **~krachtcentrale** [-sɛn-] Wasserkraftwerk n; **~leiding** Wasserleitung f; **~meter** [-me:tər] Wasserzähler m; **~pas** waagerecht; *su n* Wasserwaage f; **~polo** Wasserball m; **~reservoir** [-ˈvûar] n Wassertank m; **~schuw** [-sxyˈü] wasserscheu; **~ski's** *pl* Wasserski m/pl; **~tanden** lechzen, lüstern sein nach

(D); **~tank** [-tɛŋk] Wassertank m; **~verf** Wasserfarbe f; **~verontreiniging** Wasserverschmutzung f; **~vliegtuig** [-tɔɤx] n Wasserflugzeug n; **~voorziening** Wasserversorgung f

watje n Wattebausch m

watt Watt n

watten pl Watte f

wauwelen [vaʊəl-]-F faseln

W.A.-verzekering [ve:'a:-] Haftpflichtversicherung f

wazig ['va:zəx] dunstig; fig verschwommen

wc [ve:'se:] Toilette f

we [və] wir

web n Netz n

wedden wetten; **~schap** Wette f

weder(-) → a. weer(-)

weder|kerig [-'ke:rəx] gegenseitig; **~opbouw** [-baʊ] Wiederaufbau m; **~rechtelijk** [-tələk] widerrechtlich; **~vraag** Gegen-, Rückfrage f; **~zijds** [-'zɛits] gegenseitig

wedijver ['ɛiˀvər] Wettstreit m; **~en** wetteifern

wed|loop Wettlauf m, Rennen n; **~ren** (Wett)Rennen n; **~strijd** ['-strɛit] (Wett)Kampf m, Wettbewerb m

weduwe ['ve:dyˀʊə] Witwe f; **~naar** Witwer m

weeën ['ve:ìə(n)] n/pl Wehen n/pl

weef|sel n Gewebe f; **~stoel** ['-stuˀl] Webstuhl m

weegs → eind

weegschaal Waage f

week[1] weich

week[2] Woche f; **goede ~** ['ɣuˀìə] ~ Karwoche f; **door de ~** werktags; **~blad** n Wochenzeitung f; **~dag** ['-dɑx] Wochentag m; **~einde** ['-ɛində] n Wochenende n

weekend ['vi:kɛnt] n Wochenende n; **~huisje** [-həʏʃə] n Wochenendhaus n; **~uitstapje** n Wochenendausflug m

weekkaart Wochenkarte f

weeklagen wehklagen

weekmarkt Wochenmarkt m

weelde Luxus m, Aufwand m; **~rig** ['-dərəx] üppig, luxuriös

weemoedig [-'muˀdəx] wehmütig

weer[1] wieder, von neuem

weer[2] n Wetter n

weer[3] Wehr f; **druk** [drɛk] **in de ~ zijn** [zɛin] sehr beschäftigt sein

weerbarstig [-'barstəx] widerspenstig, trotzig

weer|bericht n Wetterbericht m; **~bestendig** [-dəx] wetterfest; **~dienst** Wetterdienst m

weerga: zonder ~, **~loos** beispiellos, sondergleichen

weer|galm Widerhall m; **~gave** Wiedergabe f; **~haak** Widerhaken m; **~houden** [-'haʊdə(n)] zurückhalten; **~kaatsen** ['-ka:ts-] reflektieren; **~klank** fig Anklang m; **~klinken** [veːr'-] (wider-) hallen; **~leggen** widerlegen; **~lichten** wetterleuchten

weerloos wehr-, schutzlos

weersgesteldheid Wetterlage f

weerskanten: van (aan) ~ beidseitig

weerspannig [-'spɑnəx] widerspenstig; aufsässig; **~staan** widerstehen (*D*)

weerstand Widerstand m

weerstandsvermogen n Widerstandsfähigkeit f

weer(s)voorspelling Wettervorhersage f

weerwit in ~ van trotz (*G*)

weerzien wieder sehen; **tot ~s** auf Wiedersehen

weerzinwekkend [-'ʋɛkənt] widerlich

wees Waise f

weg¹ [ʋɛx] Straße f; Weg m; **grote ~** Fern(verkehrs)straße f

weg² weg, fort, hin; **~blijven** ['blɛiʋ-] weg-, fern-, ausbleiben; **~brengen** wegbringen; abführen

wegdek n Straßendecke f

wegen wiegen; *fig* wägen

wegen|belasting Kraftfahrzeugsteuer f; **~bouw** [-baːu̯] Straßenbau m; **~informatie** [-maː(t)siⁱ] Straßenzustandsbericht m; **~kaart** Straßenkarte f

wegens wegen (*G*)

wegen|tol Straßen-, Autobahngebühr f; **~wacht** Stra-

ßenwacht f, Pannenhilfe f

weggaan weggehen

weggebruiker ['-xəbrœykər] Verkehrsteilnehmer m

weg|geven weg-, vergeben, verschenken; **~kruipen** ['krœyp-] sich verkriechen; **~kwijnen** ['-kʋɛi̯n-] verkümmern; **~laten** ['-laːt-] weg-, auslassen; **~lopen** weg-, davonlaufen; **~moffelen** ['-mɔfələ(n)] verschwinden lassen; **~nemen** wegnehmen; **dat neemt niet weg dat** das ändert nichts daran, dass

weg|omlegging Umleitung f; **~restaurant** [-toʀãː] n (Autobahn)Raststätte f

weg|rijden ['-rɛi̯ə(n)] weg-, fortfahren; wegreiten; **~slepen** wegschleppen; *KFZ* abschleppen; **~sterven** wegverhallen; **~trekken** weg-, fortziehen; **~varen** wegfahren

weg|verkeer n Straßenverkehr m; **~wedstrijd** [-strɛit] Straßenrennen n

wegwerken v/t wegschaffen

weg|werkzaamheden pl Straßenarbeiten f/pl; **~wijs** ['-ʋɛis] im Bilde; **~wijzer** ['-ʋɛizər] Wegweiser m

weg|zakken versinken; **~zetten** weg-, abstellen

wei(de) Wiese f, Weide f

weids stattlich; weit

weifelen ['ʋɛifələ(n)] schwanken; zaudern

weiger|achtig [-təx] ableh-

nend; **~en** verweigern, ablehnen; versagen; sich weigern
weiland n Weide(land n) f
weinig ['ʋɛinəx] wenig
wekelijks ['ʋe:kələks] wöchentlich
weken (auf)weichen
wekenlang wochenlang
wekk|en wecken; erregen; **~er** Wecker m
wel wohl, gut; zwar, allerdings; **dat ~!** das schon!; **~ eens** [ə(n)s] (schon) mal; **~behagen** n Wohlbehagen n; **~bespraakt** beredt; **~bewust** [-vəst] ʹwissentlich; **~daad** Wohltat f
weldoen|d [-dʊnt] wohltuend; **~er** Wohltäter m; **~ster** Wohltäterin f
weldra bald
weledel **~e heer** in Brief Herr(n); Sehr geehrter Herr
weleer [-ʹeːr] ehemals
welgesteld wohlhabend
welgevallen: zich laten ~ sich gefallen lassen; su n (Wohl)Gefallen n
welhaast alsbald; fast
welig ['ʋe:ləx] üppig
weliswaar zwar, freilich
welk welche(r, -s)
welkom ['ʋɛl-] willkommen
welletjes ['ʋɛlətʃəs] genug
wel|levend [-ʹleːʋənt] höflich; **~licht** vielleicht; **~lust** ['-ləst] Wollust f; **~riekend** [-ʹriːk-] wohlriechend; **~slagen** ['ʋɛl-] n Gelingen n; **~sprekend** [-ʹspreːk-] be-

redt; **~stand** Wohlstand m;
~terusten! [-ʹrəstə(n)] gute Nacht!
wel|vaart Wohlstand m; **~varend** [-ʹʋaːrənt] gesund, wohlauf; blühend; wohlhabend
welving Wölbung f
welvoeglijkheid [-ʹʋuːxləkhɛit] Anstand m
welwillend [-ʹʋɪlənt] wohlwollend; gütig; **~heid** Wohlwollen n
welzijn ['-zɛin] n Wohl n
wemelen ['ʋeːmə-] wimmeln
wend|baar KFZ wendig; **~en** (zich) (sich) wenden; **~ing** Wendung f, Wende f
wenen (van) weinen (vor D)
Wenen ['ʋeːnə(n)] n Wien n
wenk Wink m
wenkbrauw Augenbraue f
wenken winken
wennen (sich) gewöhnen
wens Wunsch m; **naar ~** a. wunschgemäß; **~droom** Wunschtraum m; **~elijk** ['-sələk] wünschenswert; **~en** wünschen
wentel|en ['ʋɛntələ(n)] wälzen; **~ing** Umwälzung f, Umdrehung f; **~trap** Wendeltreppe f
wereld ['ʋeːrəlt] Welt f; **~beroemd** [-ʹruːmt] weltberühmt; **~bol** Weltkugel f, Globus m; **~deel** n Erdteil m; **~kampioen(e** f) [-pi'(j)uːn(ə)] Weltmeister(in f) m; **~oorlog** [-lɔx] Weltkrieg m

werelds weltlich

weren abwehren; ausschließen; **zich ~** sich wehren; sich anstrengen

werf Werft f

werk n Arbeit f; Beschäftigung f, Tätigkeit f; Werk n; **zwart ~** Schwarzarbeit f; **~ geven** beschäftigen; **te ~ gaan** verfahren, vorgehen; **~dag** [-dux] Werktag m

werkelijk ['ʼkələk] wirklich; **~heid** Wirklichkeit f

werkeloos → werkloos

werken arbeiten; wirken; **~d** berufstätig

werk|gelegenheid Arbeitsmöglichkeit(en pl) f; Beschäftigung f; **~gever** Arbeitgeber m

werking: buiten ['bœyt-] außer Betrieb; außer Kraft

werk|loos arbeitslos; untätig, tatenlos; **~loozensteun** [-støːn] Arbeitslosenunterstützung f; **~lunch** ['-lønʃ] Arbeitsessen n; **~man** Arbeiter m; **~nemer** (**~neemster** f) Arbeitnehmer(in f) m; **~plaats** Arbeitsstätte f; Arbeitsplatz m; Werkstatt f; **~ster** Arbeiterin f; Putzfrau f; **~tijd** ['-tɛyt] Arbeitszeit f; **~tuig** ['-tœyx] n Werkzeug n; **~tuigkundige** [-kønduɣə] Mechaniker m; **~woord** n Verb n; **~zaam** arbeitsam; tätig; wirksam

werpen werfen

wervel Wirbel m; **~en** wir-

beln; ~kolom Wirbelsäule f; **~storm** Wirbelsturm m; **~wind** Wirbelwind m

werven (an)werben

wesp Wespe f

westelijk ['-tələk] westlich

westen n Westen m; **ten ~ (van)** westlich (G, von D)

westers westlich, abendländisch, West-

wet Gesetz n; **in strijd** [strɛit] **met de ~** gesetzwidrig

weten ['veːtə(n)] wissen; **te ~ komen** ['koːm-] herauskommen, erfahren

wetenschap Wissenschaft f; **~pelijk** [-'sxapələk] wissenschaftlich; **~sman** Wissenschaftler m

wetenswaardig [-'vaːrdəx] wissenswert

wet|geving Gesetzgebung f; **~telijk** ['-tələk] gesetzlich

wetten wetzen, schärfen

wettig ['-tax] legal, gesetzlich; **~en** legitimieren; rechtfertigen; berechtigen

weven weben

wezel Wiesel n

wezen sein; su n Wesen, n; **~lijk** [-lək] wirklich; wesentlich

wezenloos besinnungslos; entgeistert; **~ staren** glotzen

wicht n Wicht m; Ding n, Mädchen n

wie wer; wem; wen; **van ~** wessen; dessen

wiebelen ['-bələ(n)] wackeln; schaukeln

wieden

wieden jäten

wieg|elen (sich) wiegen, schaukelen; **~en** wiegen

wiek Flügel *m*

wiel *n* Rad *n*; **~dop** Radkappe *f*

wieler|sport Radsport *m*; **~wedstrijd** [-strɛit] Radrennen *n*

wielrenn|en *n* Radrennen *n*; **~er** Rennfahrer *m*

wielrijd|er ['-rɛidər] (**~ster** *f*) Radfahrer(in *f*)

wiens wessen; dessen

wier *n* Tang *m*

wierook Weihrauch *m*

wig Keil *m*

wij [υɛi, υə] wir

wijd [υɛit] weit, geräumig; **~ en zijd** weit und breit

wijden weihen; widmen

wijf *n* Weib *n*; **~je** *n* Weibchen *n*

wijk (Stadt)Viertel *n*; (Polizei)Revier *n*

wijken weichen

wijl weil, da

wijlen verstorben

wijn [υɛin] Wein *m*; **witte ~** Weißwein *m*; **mousserende** [mu'sɛːrəndə] **~** Schaumwein *m*

wijnbouw ['-bau] Weinbau *m*; **~er** Winzer *m*

wijn|druiven ['-drœyvə] *pl* Weintrauben *flpl*; **~glas** ['-ɣlɑs] *n* Weinglas *n*; **~handel** Weinhandel *m*; Weinhandlung *f*; **~huis** ['-hœys] *n* Weinlokal *n*; **~kelder** Wein-

keller *m*; **~oogst** Weinlese *f*; **~pers** Kelter *f*; **~stok** (Wein)Rebe *f*

wijs [υɛis] weise, klug; *su* Weise *f*; *zich niet van de ~ laten brengen* sich nicht beirren lassen; *niet goed* [xuːt] **~** F nicht ganz bei Trost

wijs|begeerte Philosophie *f*; **~gerig** [-'xeːrəx] philosophisch; **~heid** Weisheit *f*; **~maken** ['-maːk] vormachen; **~neus** ['-nøːs] Naseweis *m*; **~vinger** Zeigefinger *m*

wijten zuschreiben

wijwater *n* Weihwasser *n*

wijze Weise *f*; Weise(r)

wijzen weisen, zeigen

wijzer (Uhr)Zeiger *m*; **~plaat** Zifferblatt *n*

wijzigen ['υɛizəɣ̊] (ab)ändern

wikkelen (ein)wickeln

wil Wille *m*; *tegen ~ en dank* wider Willen

wild wild; *su* Wild *n*; **~ernis** Wildnis *f*; **~e|dier** *n* Wildetier *n*; **~reservaat** *n* Wildschutzgebiet *n*

wilg Weide *f*

wille: *ter ~ van* um ... (*G*) willen, (*D*) zuliebe; *ter ~ van jou* a. deinetwege

willekeur [-køːr] Willkür *f*; **~ig** [-'køːrəx] willkürlich; (x-)beliebig

willen wollen; *graag ~* mögen

wimper Wimper *f*

wind Wind *m*; Blähungen *flpl*;

~ **in de rug** [rɵx] Rücken-
wind m; ~ **tegen** Gegenwind
m

wind|as Winde f; ~**en** winden
wind|erig ['-dərɵx] windig;
~**kracht** Windstärke f; ~**molen** Windmühle f

windsel n Wickel(binde f) m
wind|stilte Windstille f, Flau-
te f; ~**vlaag** Windstoß m, Bö f

winkel Geschäft n, Laden m;
~**centrum** [-sentrəm] n Ein-
kaufszentrum n; ~**diefstal**
Ladendiebstahl m; ~**en** einkaufen; ~**ier(ster** f) [-'liːr-]
Ladenbesitzer(in f) m; ~**juffrouw** [-jefrɵü] Verkäuferin
f; ~**sluiting** [-slɵyt-] Ge-
schäfts-, Ladenschluss m;
~**wagen** Einkaufswagen m

winn|aar Gewinner m; Sieger
m; ~**ares** [-'res] Gewinnerin
f; Siegerin f

winnen gewinnen; GEOL. fördern; (**voor zich) trachten
te** ~ werben um (A)

winst Gewinn m; ~**gevend**
einträglich; ~**marge** ['-mar-
ʒə] Gewinnspanne f

winter Winter m; ~**dienst**
Winterfahrplan m; ~**jas** Win-
termantel m; ~**opruiming**
[-rɵym-] Winterschlussver-
kauf m; ~**s** winterlich; **'s** ~**s**
im Winter; ~**tuin** [-tɵyn]
Wintergarten m

wip Wippe f; **in een** [ən] ~ **in
Nu**; ~**neus** ['-nøːs] Stupsnase
f

wippen wippen; aufspringen;

stürzen, ausschalten
wirwar Wirrwarr m

wis gewiss; ~**kunde** ['-kəndə]
Mathematik f

wispelturig ['-tyˌtrɵx] launenhaft, unbeständig

wissel Bahn Weiche f; ECON.
Wechsel m; ~**en** wechseln;
~**geld** n Wechselgeld n; ~**ing**
Wechsel m; Austausch m;
~**kantoor** n Wechselstube f;
~**koers** [-kuːrs] Wechselkurs
m; ~**vallig** [-'ʋaləx] wechsel-
haft

wissen wischen; löschen
wit weiß; **schim** n Weizenbier
n; ~**lof** ['-lɔf] n Chicorée f
wittebrood n Weißbrot n
wittebroodsweken [-ʋeː-
kə(n)] pl Flitterwochen f/pl
woede ['ʋuˌdə] Wut f; **in** ~
onsteken [-'steːk-] wütend
werden, sich empören; ~**n**
wüten; grassieren

woekeren wuchern
woel|en wühlen; ~**ig** ['ʋuˌləx]
turbulent; unruhig

woensdag ['-dɑx] Mittwoch
m

woest wüst, öde; wild; ~**enij**
[ʋuˈstəˌneĳ] Einöde f; ~**ijn**
[-'tɛĳn] Wüste f

wol Wolle f
wolf Wolf m

wolk Wolke f; ~**breuk**
['-brøˌk] Wolkenbruch m

wolkenkrabber Wolken-
kratzer m

wond(e) Wunde f
wonder n Wunder n; ~

baar(lijk) wunderbar; erstaunlich; **~lijk** [-lək] wunderlich; **~olie** [-o:li·] Rizinusöl n
wonen wohnen
woning Wohnung f
woon|achtig [-'axtəx] wohnhaft; **~boot** Hausboot n
~complex n Wohnanlage f;
~erf n Wohnstraße f; **~omgeving** Wohnlage f, **~plaats**
Wohnort m; **~ruimte**
['-rœymtə] Wohnraum m
woord n Wort n; Vokabel f;
vreemd ~ Fremdwort n
woordelijk ['-dələk] wörtlich;
~e inhoud ['-haut] Wortlaut
m
woorden|boek [-bu·k] n
Wörterbuch n; **~schat** Wortschatz m; **~wisseling** Wortwechsel m
woord|speling ['-spe:l]
Wortspiel n; **~voerder**
['-fu:rdər] Wortführer m;
Sprecher m
word|en werden; **~ing** Werden n, Entstehen n
worgen würgen
worm Wurm m
worp Wurf m
worst Wurst f
worstel|aar Ringer m; **~en**
['-tələ(n)] ringen; **~ing,**
~wedstrijd [-streit] Ringen

n, Ringkampf m
worstje ['vɔrʃə] n Würstchen
n
wortel Wurzel f; Karotte f,
Möhre f
woud n Forst m, Wald m
wraak [vra:k] Rache f
wrak n Wrack n
wraken JUR ablehnen
wrang herb
wrat Warze f
wreed grausam
wreedheid Grausamkeit f
wreef Spann m
wreken (zich) (sich) rächen
wrevel ['vreːvəl] Unmut m
wrijven ['vreiv-] reiben; polieren
wrikken rütteln
wringen ringen; wringen
wroeging ['vruʁ-] Gewissensbisse m/pl
wroeten wühlen
wrok [vrɔk] Groll m; **~ koesteren** ['kuːstər-] **(tegen)**
grollen (D)
wuft [vœft] leichtsinnig, frivol
wuiven ['vœyv-] winken;
schwenken
wulps [vœl(ə)ps] sinnlich, wollüstig
wurgen (er)würgen
wurmpje ['vœrmpiə] n Würmchen n

X, Y

x-benen n/pl X-Beine n/pl
xylofoon [ksi·-] Xylophon n

Yoga m od n yoga
yoghurt ['jɔxərt] Joghurt m

Z

aad n Samen m; Saat f

aag Säge f

aagsel n Sägemehl n

aaien säen

aak Sache f; Angelegenheit f; Geschäft n; **~gelastigde** ['-xələstəydə] Geschäftsträger(in) f m; **~register** n Sachregister n

aal Saal m; Zuschauerraum m

acht sanft, weich; mild; leise; **~aardig** ['-a:rdəx] sanft; **~jes** leise; langsam; **~zinnig** ['-sınəx] sanft

adel ['za:dəl] n Sattel m; **~en** satteln

agen sägen

ak Sack m; Tasche f; Tüte f; Beutel m; **op ~ steken** einstecken; **~doek** ['-du·k] Taschentuch n

ake: **ter ~** zur Sache; **~lijk** [-lək] sachlich; geschäftlich

aken|man Geschäftsmann m; **~partner(in** f) Geschäftspartner(in f) m; **~reis** Geschäftsreise f; **~relaties** [-la:(t)si·s] pl Geschäftsbeziehungen fpl; **~vrouw** [-ʋrɑu] Geschäftsfrau f

akgeld n Taschengeld n

akken sinken, sich senken, fallen; Prüfung durchfallen

akkenroller Taschendieb m

zak|lantaarn Taschenlampe f

f; **~mes** n Taschenmesser n; **~rekenmachine** ['-re:kən-] Taschenrechner m; **~telefoon** Handy n

zalf Salbe f

zalig ['za:ləx] selig; herrlich, himmlisch

zalm Lachs m

zand n Sand m; **~erig** ['-dərəx] sandig; **~grond** Sandboden m

zang Gesang m

zanger(es [-'res] f) Sänger(in f) m

zang|vereniging ['-ʋəre:-nəɣ-] Gesangverein m; **~vogel** Singvogel m

zaniken ['za:nək-] F quengeln, meckern

zappen ['zap-] zappen

zat satt; F betrunken; **het ~ zijn** [sɛin] es satt haben

zaterdag [-dɑx] Samstag m, Sonnabend m

ze sie; ihr; ihnen

zebra Zebra n; **~pad** [-pɑt] n Fußgängerübergang m, Zebrastreifen m

zede Sitte f; **~lijk** ['-dələk] sittlich; **~nmisdrijf** ['-dreif] n Sittlichkeitsverbrechen n

zedig ['ze:dəx] sittsam

zee Meer n, See f; **~engte** Meerenge f

zeef Sieb n

zee|hond Seehund m, Robbe

f; **~macht** Marine f; **~man** Seemann m

zeemlap Fensterleder n

zeep Seife f; **groene** (ˈɣru·nə) **~** Schmierseife f

zeer adv sehr, überaus; adj schmerzhaft; su n Schmerz m; **ten|~ste** zutiefst

zee|reis ['ze·rɛïs] Seereise f; **~ster** Seestern m; **~tong** Seezunge f; **~wier** n Algen f/pl; **~ziek** seekrank

zege Sieg m

zegel 1. n Marke f; **2.** n Siegel n; Stempel m

zegen Segen m; **~en** segnen

zege|pralen triumphieren; **~vieren** ['ze·ɣa·] siegen; **~vierend** siegreich

zeggen sagen, sprechen; **dat wil ~** das heißt

zegs|man Gewährsmann m; **~wijze** ['·veïza] Redensart f

zeil [zɛïl] n Segel n; Decke f; Plane f; **~boot** Segelboot n; **~en** segeln; **~er** Segler m; **~schip** n Segelschiff n

zeis Sense f

zeker ['ze·kər] gewiss, sicher, bestimmt; **wel ~, maar ~** freilich; **op ~ dag** [dax] eines Tages; **~heid** Gewissheit f, Sicherheit f; **~ing** Sicherung f

zelden selten

zeldzaam selten, rar; **~heid** Seltenheit f

zelf selbst, selber; von sich aus; → a. **vanzelf**

zelf|bediening Selbstbedienung f; **~bestuur** [·sty·r] n

Selbstverwaltung f; **~moo...**
Selbstmord m; **~ontspa...**
ner Selbstauslöser m

zelfs selbst, sogar

zelf|standig ['·standəx] selbs...
ständig; **~strijkend** ['·stre...
kant] bügelfrei; **~vertro...**
wen [·traūə(n)] n Selbstve...
trauen n; **~verzekerd** ['·ze...
kart] selbstsicher; **~voldaa...**
selbstgefällig; **~zucht...**
['·sextəx] selbstsüchtig

zelve = **zelf**

zend|en senden; **~er** Sende...
m; **~ing** Sendung f; Mission...

zengen zengen

zenuw ['ze·nyü] Nerv m; **o...**
van de ~en fertig mit de...
Nerven

zenuwachtig [·təx] nervö...
~heid Nervosität f

zenuw|inzinking Nervenzu...
sammenbruch m; **~scho...**
[·sxɔk] (Nerven)Schock m...
~slopend nervenaufre...
bend; **~ziek** nervenkrank

zerk Grabstein m

zes sechs; **~daagse** ['·da:xsa...
Sechstagerennen n; **~d...**
sechste; su n Sechstel n; **~tie...**
sechzehn; **~tig** ['sestəx] sech...
zig

zet Satz m; Spiel Zug m; Ein...
fall m; Kniff m; **~je** n...
Schubs m

zetel ['ze·təl] Sessel m; fig Sit...
m; **~en** seinen Sitz haben; re...
sidieren

zet|meel n Stärke f; **~p...**
Zäpfchen n

zetten setzen, stellen; *koffie ~* Kaffee kochen; *in elkaar ~* zusammensetzen, -bauen

zeug [zøːx] Sau *f*

zeuren F quengeln, meckern; quasseln

zeven 1. (durch)sieben; **2.** *Zahl* sieben; **~daags** siebentägig; *te* sieb(en)te; **~tien** siebzehn; **~tig** ['seːʋə(n)təx] siebzig

zich sich

zicht *n* Sicht *f*; *op ~* zur Ansicht; **~baar** sichtbar

zichzelf sich selbst; *op ~ (beschouwd* [-'sxaʊt]) an (und für) sich

ziedaar siehe (da)

zieden sieden

ziek krank; **~ worden** a. erkranken; **~ verklaren** krankschreiben

zieke Kranke(r); **~lijk** [-lək] kränklich; *fig* krankhaft

zieken|auto Krankenwagen *m*; **~fonds** [-fɔnts] *n* Krankenkasse *f*; **~fondsbriefje** *n* Krankenschein *m*; **~huis** [-hœys] *n* Krankenhaus *n*; **~verpleegster** Krankenschwester *f*; **~wagen** Kranken-, Notarztwagen *m*

ziekte Krankheit *f*; **~verzekering** [-zeːkər-] Krankenversicherung *f*

ziel Seele *f*; **~ig** ['-ləx] kläglich, traurig; **~sblij** ['-bleɪ] heilfroh; **~zorg** Seelsorge *f*

zien sehen, schauen; *tot ~s!* auf Wiedersehen!; *laten ~*

zeigen; vorzeigen

zienderogen zusehends

zienswijze ['-ʋɛizə] Ansicht *f*

ziezo so

ziften sieben

zigzag ['zɪxsɑx] Zickzack *m*

zij [zɛi, zə] sie

zij(de) [¹'zɛi-] Seide *f*

zij(de) ²Seite *f*

zijdelings ['-dəlɪŋs] seitlich; indirekt

zijgen sinken

zijkant Seite *f*

zijn 1. [zɛin] sein; → *a.* **er**; **2.** [zɛin, zən] sein(e)

zij|rivier Nebenfluss *m*; **~span** *m od n* Beiwagen(maschine *f*) *m*; **~spoor** *n* Nebengleis *n*; Abstellgleis *n*; **~straat** Neben-, Seitenstraße *f*; **~waarts** seitwärts; **~wind** Seitenwind *m*

zilt salzig

zilver *n* Silber *n*; **~en** silbern; **~uitje** [-əʏtɪə] *n* Perlzwiebel *f*

zin Sinn *f*; Lust *f*, Neigung *f*; *GR* Satz *m*; **~ hebben in** Lust haben *zu* (*D*); *in zekere ~* gewissermaße

zindelijk ['-dələk] reinlich, sauber

zingen singen

zink *n* Zink *n*

zinken sinken; *doen* [duˑn] *~, laten ~* sinken lassen; versenken

zinloos sinn-, zwecklos

zinne|beeld *n* Sinnbild *n*; **~lijk** ['-nələk] sinnlich

zin|nig ['-nəx] vernünftig;

~spelen anspielen, andeuten; **~tuig** ['tœʏx] *n* Sinn(esorgan *n*) *m*; **~vol** sinnvoll

zit|bad ['bat] *n* Sitzbad *n*; **~plaats** Sitz(platz) *m*

zitten sitzen; sich befinden, stecken; **gaan** ~ sich (hin-) setzen

zit|ting Sitz *m*; Sitzung *f*; **~vlak** *n* Gesäß *n*

zo so; also; wie; gleich, sofort; soeben; **~als** (so)wie

zodanig ['da:nəx] solch, derart(ig); **als** ~ an sich

zodat sodass

zode (Gras)Scholle *f*

zo|doende ['-du:ndə] auf diese Weise; folglich; **~dra** ['dra:] sobald

zoek [zu:k] weg, verloren; **op** ~ auf der (od die) Suche; **~raken** verloren gehen, abhanden kommen; **~en** suchen; *su n* Suche *f*; **~er** Sucher *m*; **~licht** *n* Scheinwerfer *m*

zoemen ['zu:m-] summen

zoen Kuss *m*; **~en** küssen

zoet süß; brav, artig; **~ighe-den** ['-təxe:də(n)] *pl* Süßigkeiten *fpl*; **~middel** *n* Süßstoff *m*; **~sappig** ['-sɑpəx] süßlich; **~zuur** süßsauer

zoeven schwirren, rauschen

zo-even ['zo:'e:və(n)] soeben, vorhin

zogen säugen

zo|genaamd so genannt; angeblich; **~juist** ['-jœʏst] soeben; **~lang** solange

zolder Dachboden *m*; **~ing**

['-dərɪŋ] Decke *f*

zomaar nur so

zomen säumen

zomer ['zo:mər] Sommer *m*; **~dienst** Sommerfahrplan *m*; **~opruiming** ['-rœʏ-] Sommerschlussverkauf *m*; **~s** sommerlich; im Sommer; **~sproeten** ['-spru:tə(n)] *pl* Sommersprossen *fpl*; **~va-kantie** ['-ʋakɑnsi'] Sommerferien *pl*; **~verblijf** [-blɛif] *n* Sommeraufenthalt *m*; Sommerwohnung *f*

zomin [zo:'-] ebenso wenig

zo'n [zo:n] = **zo een** [zo: ən] so ein

zon Sonne *f*

zondag ['-dɔx] Sonntag *m*; **~s** am Sonntag, sonntags; sonntäglich

zonde Sünde *f*, Laster *n*; **~van** schade um (*A*)

zonder ohne (*A*); ~ **meer** ohne weiteres

zonderling sonderbar; *su* Sonderling *m*

zondigen ['-dəɣə(n)] sündigen; **(tegen)** *a.* verstoßen (gegen *A*)

zone ['zo:nə, 'zo:-] Zone *f*; **blauwe** ~ Kurzparkzone *f*

zonne|bloem [-blu:m] Sonnenblume *f*; **~brandolie** Sonnenöl *n*; **~bril** Sonnenbrille *f*; **~n** sich sonnen; **~schijn** [-sxɛin] Sonnenschein *m*; **~steek** Sonnenstich *m*

zonnig ['-nəx] sonnig

zonsverduistering [-dəʏs-

tər-] Sonnenfinsternis f
zoogdier n Säugetier n
zool Sohle f
zoom Saum m, Rand m
zoon Sohn m
zootje n F Krempel m; Chaos n
zopas [-'pas] soeben
zorg Sorge f, Besorgnis f,
  Sorgfalt f; Fürsorge f
zorge|lijk ['-ɣələk] Besorgnis
  erregend; sorgenvoll; **~loos**
  sorglos
zorgen sorgen
zorg|vuldig [-'fʊldəx] sorg-
  fältig; **~wekkend** ['-vɛkənt]
  Besorgnis erregend
zot [zɔt] närrisch
zou [zʌu]; **(ik)** ~ (ich) würde;
  → **zullen**
zout salzig; su n Salz n; **~arm**
  salzarm; **~en** salzen; **~vaatje**
  n Salzstreuer m
zoveel so viel
zover [-'vɛr] soweit; **tot** ~ bis
  dahin; **in** ~**(re)** (in)sofern
zo|waar [-'vaːr] tatsächlich;
  ~wat [-'vɑt] etwa; **~wel**
  ['-vɛl] sowohl
zucht [zɛxt] **1.** Sucht f, Hang
  m; **2.** Seufzer m; **diepe** ~
  Stoßseufzer m; **~en** seufzen;
  ~je n Hauch m, Lüftchen n
zuidelijk ['zœydələk] südlich
zuiden n Süden m; **ten** ~ **van**
  südlich von (D); **~wind** Süd-
  wind m
zuid|oosten n Südosten m;
  ~pool Südpol m; **~vruchten**
  ['-frʏxt-] pl Südfrüchte fpl
zuig|eling ['zɔyɣəl-] Säugling

m; **~en** saugen; lutschen; **~er**
  TECH Kolben m
zuil Säule f
zuinig ['zœynəx] sparsam;
  wirtschaftlich
zuip|en saufen; **~lap** Säufer
  m; **~schuit** m od f Säufer(in
  f) m
zuivel|fabriek Molkerei f;
  ~handel Milchgeschäft n
zuiver ['zœyvər] rein; **~en** reinigen; klären; **~ingsinstal-**
  latie [-la:(t)si] Kläranlage f
zulk [zɛl(ə)k] solch
zullen werden; mit Nachdruck
  sollen
zus(ter) Schwester f
zuur [zy:r] sauer, herb; su n
  Säure f; Sodbrennen n; Sau-
  re(s); **in het** ~ in Essig;
  ~deeg ['-de:x] n, **~desem**
  ['-de:səm] Sauerteig m;
  ~heid Säure f; **~kool** Sauer-
  kraut n; **~stof** Sauerstoff m;
  ~tjes n/pl Drops m/pl
zwaai Schwung m; Schwen-
  kung f; **~en** schwingen;
  schwenken; torkeln; **~licht** n
  Blaulicht n
zwaan Schwan m
zwaar schwer; wuchtig
zwaard n Schwert n
zwaar|gewonde Schwerver-
  letzte(r); **~lijvig** [-'lɛɪ̯vəx] beleibt, korpulent
zwaarte Schwere f, **~kracht**
  Schwerkraft f; **~punt** [-pɔnt]
  n Schwerpunkt m
zwaarwegend schwerwie-
  gend

zwachtel Wickel *m*; Mullbinde *f*

zwager Schwager *m*

zwak schwach; flau; *su n* Schwäche *f*; **heid**, **te** Schwäche *f*; **zinnig** ['-sɪnəx] schwachsinnig

zwaluw ['zⁿa:lʏ:ᵘ] Schwalbe *f*

zwam Schwamm *m*

zwammen F faseln

zwanger schwanger; **schap** Schwangerschaft *f*

zwart schwarz; **rijden** ['-rɛïən] schwarzfahren

zwavel Schwefel *m*; **zuur** [-zy:r] *n* Schwefelsäure *f*

Zweeds schwedisch

zweefvliegtuig [-tøyx] *n* Segelflugzeug *n*

zweem Anflug *m*, Schimmer *m*

zweep Peitsche *f*

zweer Geschwür *n*

zweet *n* Schweiß *m*; **lucht** ['-lɔxt] Schweißgeruch *m*

zwelgen schwelgen

zwellen schwellen; quellen

zwembad *n* Schwimmbad *n*; **overdekt** ~ Hallenbad *n*

zwem|broek ['-bru:k] Badehose *f*; **men** schwimmen; **mer** Schwimmer *m*; **ster** ['-stər] Schwimmerin *f*; **vest** *n* Schwimmweste *f*

zwendel Schwindel *m*, Schiebung *f*; **aar** Schwindler *m*,

Schieber *m*

zwengel Kurbel *f*

zwenken schwenken, drehen; ~ **naar** *a.* abdrehen nach (*D*)

zweren schwören; schwären

zwerftocht Streifzug *m*

zwerm Schwarm *m*; **en** schwärmen

zwerv|en umherstreifen; wandern; **end** wandernd; heimatlos; **er** Wanderer *m*; Landstreicher *m*

zweten schwitzen

zweven schweben

zwezerik ['zⁿe:zə-] Kalbsmilch *f*

zwichten nachgeben (*D*), unterliegen (*D*)

zwiepen schwingen; federn

zwier Schwung *m*; Grazie *f*; **en** schwingen, schleudern; **ig** ['-rəx] schwungvoll

zwijg|en ['zⁿɛïɣ̯-] schweigen; **zaam** schweigsam, verschwiegen

zwijm Ohnmacht *f*; **elen** ['-mələ(n)] schwindlig werden

zwijn [zⁿɛïn] *n* Sau *f*

zwikken (sich) verstauchen

Zwitser Schweizer *m*; **land** *n* die Schweiz *f*; **s** schweizerisch; **se** Schweizerin *f*

zwoegen ['zⁿu:ɣ̯-] schuften, sich plagen

zwoel schwül; sinnlich, wollüstig; **heid** Schwüle *f*

A

Aachen *n* Aken *n*

Aal *m* paling

Aas *n* (het) aas, (het) kreng

ab af; **~ heute** vanaf heden; **~ Berlin** van Berlijn af; **Berlin ~ 9.30** vertrek; **~ acht Uhr** na acht uur; **~ und zu** af en toe

ab|ändern veranderen, wijzigen

Abbau *m* vermindering; *BGB* ontginning; **2en** verminderen; *BGB* ontginnen; *BIOL u Zelt* afbreken

ab|bekommen krijgen; **lösen** loskrijgen; **bestellen** afbestellen; **bezahlen** afbetalen; **biegen** afslaan; afbuigen

Abbildung *f* afbeelding

abblättern afbladderen

abblenden dimmen; *FOT* diafragmeren; **2licht** (*het*) dimlicht

ab|brechen afbreken; **~ bremsen** afremmen; **~ brennen** *v/t* afsteken; *v/i* afbranden; **bringen** (*j-n von D*) afbrengen (van); **bröckeln** afbrokkelen

Abbruch *m* afbraak; *Schaden* afbreuk; *Beendigung* (het) afbreken

ab|buchen afboeken; **bürs-**ten afborstelen

Abc *n* (het) abc (*a. fig*)

abdecken afdeken

abdrehen *abschalten* afsluiten; **~ nach** (*D*) zwenken naar

Ab|druck *m* afdruk; **2drücken** *schießen* (af)vuren

Abend *m* avond; **am ~** 's avonds; **heute ~** vanavond; **guten ~!** goedenavond!

Abend|brot *n*, **~essen** *n* (het) avondeten; **~dämmerung** *f* avondschemering; **~kleid** *n* avondjapon; **~kurs** *m* avondcursus; **2s** 's avonds

Abenteuer *n* (het) avontuur; **2lich** avontuurlijk

aber maar

Aber|glaube *m* (het) bijgeloof; **2gläubisch** bijgelovig

aberkennen ontzeggen

abermals nogmaals

ab|fahren vertrekken; **2t** *f* (het) vertrek

Abfahrts|lauf *m Ski* afdalingswedstrijd; **~zeit** *f* vertrektijd

Abfälle *m/pl* afval

Abfall|eimer *m* afvalemmer; **2en** afvallen; *Gelände* hellen

ab|fällig afkeurend; **fangen** onderscheppen; **fassen** *Werk* opstellen; **feilen** afvijlen

abfertig|en *Kunden* helpen; **⚲ung** *f* (het) afhandelen

abfeuern afvuren

abfind|en: sich ~en mit (*D*) zich neerleggen bij; **⚲ung** *f* schadeloosstelling

ab|flauen verflauwen, afnemen; **~fliegen** vertrekken; **~fließen** afvloeien

Abflug *m* (het) vertrek; **~zeit** *f* vertrektijd

Abfluss *m* afvoer; **~rohr** *n* afvoerpijp

abführ|en *j-n* wegbrengen; *ableiten* lozen; *MED* purgeren; **⚲mittel** *n* (het) laxeermiddel

ab|füllen tappen; *in Flaschen* bottelen; **⚲gabe** *f* afgifte; *Steuer* heffing; **⚲gase** *n/pl* verbrandingsgassen *n/pl*

abgeben avgeven; **sich ~ mit** (*D*) zich bemoeien met

abge|droschen afgezaagd; **~legen** afgelegen; **~macht!** afgesproken!; **~neigt** (*D*) afkerig (van); **~nutzt** versleten

Abgeordnete(r) afgevaardigde

abge|sehen (von *D*) afgezien (van); **~spannt** uitgeput; **~standen** bedorven; **~tragen** versleten; **~wöhnen** *j-m A* afleren; **~zählt** gepast

abgrenzen afgrenzen

Abgrund *m* afgrond

ab|hacken afhakken, afkappen; **~haken** *auf Liste* afvinken; **~halten** afhouden; *Sitzung* houden

abhanden: ~ kommen zoek raken

Ab|handlung *f* verhandeling; **~hang** *m* helling

abhängen (von *D*) afhangen (van)

abhängig afhankelijk; **⚲keit** *f* afhankelijkheid

ab|härten (*sich*) (zich) harden; **~hauen** *fifig* g F ophoepelen; **~heben** *Geld* opnemen; *Karte* afnemen

Abhilfe *f*: **~ schaffen** verhelpen, uitkomst brengen

ab|holen afhalen; **~holzen** ontbossen; *roden* rooien; **~hören** afluisteren

Abitur *n* (het) eindexamen

ab|klingen wegsterven, afnemen; **~kochen** *Wasser* koken; *MED* uitkoken

Abkommen *n* overeenkomst, (het) akkoord

abkratzen afkrabben

abkühl|en (*sich*) afkoelen; **⚲ung** *f* afkoeling

abkürz|en afkorten; **⚲ung** *f* afkorting

ab|laden afladen; **⚲lage** *f* *Akten*⚲ (het) archief; *Bord* plank; **~lassen** aflaten; **⚲lauf** *m* afloop; **~laufen** aflopen; *Pass* verlopen; **~legen** afleggen; *Mantel* uitdoen; *nicht mehr tragen* afdanken; *vli Schiff* vertrekken

ablehnen verwerpen, weigeren; **⚲ung** *f* verwerping, weigering

ab|leisten vervullen; **~leiten**

afleiden; **~lenken** afleiden;
~lesen aflezen
ab|liefer|en afleveren; **~lösen
(sich)** (elkaar) aflossen
abmach|en *vereinbaren* af-
spreken; *entfernen* afhalen;
2ung f afspraak, overeenkomst
abmager|n vermageren;
2ungskur f vermageringskuur
abmeld|en **(sich)** (zich) af-
melden; **2ung** f afmelding;
bei Umzug melding van vertrek
ab|messen opmeten; **~mon-
tieren** demonteren
abmühen: **sich ~** zich aftobben
Abnahme f vermindering;
ECON afname
abnehm|en afnemen; *v/i a.*
verminderen; *Mensch* afval-
len; **2er** m afnemer
Abneigung f afkeer, hekel
abnutz|en **(sich)** verslijten;
2ung f slijtage
Abonn|ement n (het) abon-
nement; **~ent** m abonnee;
2ieren zich abonneren (op)
Abordnung f afvaardiging
abprallen terugkaatsen
abracker|n: **sich ~** zich afbeu-
len
abraten af-, ontraden **(j-m
von et.** iem. iets)
abräumen afruimen
abrechn|en afrekenen; **2ung**
f afrekening
abreiben afwrijven

Abreise f (het) vertrek
abreisen vertrekken
abreiß|en afscheuren, afruk-
ken; *Haus* afbreken, slopen;
2kalender m scheurkalen-
der
Abriss m *Skizze* schets; *Abbruch* afbraak, sloop
ab|runden afronden; **2rüs-
tung** f ontwapening; **~rut-
schen** weg-, afglijden; **2sa-
ge** f afzegging; **~sagen** af-
zeggen; **~sägen** afzagen
Absatz m *Schuh* hak; *DRUCK*
alinea; *ECON* afzet, aftrek
absaufen F verzuipen
abschaff|en afschaffen;
2ung f afschaffing
abschalten uitschakelen
abschätzen schatten, ramen
Abscheu m afschuw, (het) af-
grijzen; **2lich** afschuwelijk
abschicken af-, verzenden
abschieben *ausweisen* uitzetten
Abschied m (het) afscheid; **~
nehmen** afscheid nemen
abschießen afschieten; *Wild,
Flugzeug* neerschieten
Abschlag m *Sport* eerste slag;
2en afslaan; **~(s)zahlung** f
termijnbetaling
Abschlepp|dienst m (het)
takelbedrijf; **2en** wegslepen;
~seil n sleepkabel; **~wagen**
m takelwagen
abschließ|en afsluiten; *been-
den* beëindigen; *Vertrag* sluiten; **~end** adv tenslotte
Abschluss m (het) einde;

~prüfung f(het) eindexamen

ab|schmieren *Auto* doorsmeren; ~schneiden afsnijden; *mit Schere* afknippen

Abschnitt m (het) gedeelte; *Strecke* (het) traject; *Formular*2 strook

ab|schrauben afschroeven; ~schrecken afschrikken; ~schreiben overschrijven

Abschrift f(het) afschrift

ab|schüssig hellend; ~schütteln afschudden (a. *fig*); ~schweifen afdwalen

abseh|bar afzienbaar; ~en (*von D*) afzien (van); *... ist nicht abzusehen* ... is niet te overzien

abseits terzijde; 2 *n Sport* (het) buitenspel

absend|en af-, verzenden; 2er(in *f*) m afzender (a. *f*)

absetzen neerzetten; *Ware, Fahrgast* afzetten

absichern beveiligen

Absicht f bedoeling; *ohne ~* zonder opzet; *mit ~*, 2lich opzettelijk

absitzen *Strafe* uitzitten

absolut absoluut, volstrekt

ab|solvieren *Studium* afmaken; ~sondern afzonderen

abspenstig: ~ *machen* afhandig maken, aftroggelen

absperr|en afsluiten; 2ung f afsluiting

abspielen *Platte* draaien; *sich ~* zich afspelen

Ab|sprache f afspraak; 2-springen omlaagspringen;

~sprung m sprong; 2spülen afspoelen; 2stammen (*von D*) afstammen (van)

Abstand m afstand; *in Abständen* nu en dan

ab|statten *Besuch* afleggen; ~stauben afstoffen

Abstecher m (het) uitstapje, (het) bezoek

ab|steigen afstappen; *Hotel* aankomen; ~stellen *ausschalten* afzetten; *wegstellen* wegzetten; *Auto* stallen; 2stellraum m bergruimte

ab|stempeln afstempelen (a. *fig*); ~sterben afsterven

Abstieg m afdaling; *Sport* degradatie

abstimmen stemmen; *aufeinander ~* met elkaar in overeenstemming brengen

Abstinenzler m geheelonthouder

abstoßen afstoten; ~d afstotelijk

abstrakt abstract

abstreiten loochenen

Ab|strich m *MED* (het) afstrijkje; ~stufung f gradatie; ~sturz m val; *AER* crash; 2stürzen neerstorten; *EDV* vastlopen

absurd absurd

Abszess m (het) abces

ab|tasten aftasten; ~tauen ontdooien

Abtei f abdij

Abteil n *Bahn* coupé; ~ung f afdeling

ab|tippen overtikken, aftikken; **~tragen** *Kleid* opdragen; *Schuld* aflossen, aanzuiveren

abtreib|en afdrijven; *MED* aborteren; **Ωung** *f MED* abortus

abtrennen (af)scheiden; *Genähtes* afknippen

abtret|en *j-m A* afstaan; **Ωer** *m* voetmat; **Ωung** *f* afstand, overdracht

ab|trocknen (*sich*) (zich) afdrogen; **~trünnig** afvallig; **~wägen** afwegen; **~wälzen** afwentelen; **~warten** afwachten; **~wärts** naar beneden, omlaag

abwasch|bar afwasbaar; **~en** afwassen

Abwässer *n/pl* (het) afvalwater

abwechseln afwisselen; *sich ~* elkaar aflossen

Abwechslung *f* afwisseling; **Ωreich** vol afwisseling

Abwehr *f* verdediging; **Ωen** afslaan; **~spieler** *m* verdediger

abweich|en *v/t* afweken; *v/i* afwijken; **Ωung** *f* afwijking

ab|weisen afwijzen; *Angriff* afslaan; **~wenden** afwenden; **~werfen** afwerpen; *Gewinn* opleveren; **Ωwertung** *f* devaluatie

abwesen|d afwezig; **Ωheit** *f* afwezigheid

ab|wiegen (af)wegen; **~wimmeln** afschepen; **~wischen** afwegen; **Ωwurf** *m* (het) af-

werpen; **~würgen** smoren; **~zahlen** afbetalen; **~zählen** *Geld* afpassen; **Ωzahlung** *f* afbetaling

Abzeich|en *n* (het) onderscheidingsteken, (het) insigne; **Ωnen** aftekenen; *unterschreiben* ondertekenen

ab|ziehen aftrekken; **Ωzug** *m* *Waffe* trekker; *FOT* afdruk; *DRUCK* stencil; **Ωzüge** *pl v. Lohn* (loon)inhoudingen *pl*; **Ωzweigung** *f* aftakking

ach! och!, ach!

Achse *f* as

Achsel *f* oksel; *Schulter* schouder; *unter der ~* onder de oksels; **~zucken** *n* (het) schouderophalen

acht acht

Acht *f:* **~geben** opletten; (*auf A*) letten (op); *außer ~ lassen* buiten beschouwing laten; *sich in ~ nehmen* zich in acht nemen

acht|e achtste; **Ωel** *n* (het) achtste (deel)

achten achten, eerbiedigen; (*auf A*) letten (op), acht slaan (op)

Achter|bahn *f* achtbaan; **~deck** *n* (het) achterdek

achtlos achteloos

acht|mal achtmaal; **Ωstundentag** *m* achturendag

Achtung *f* achting; **~!** opgepast!, opgelet!

acht|zehn achttien; **~zig** tachtig

ächzen kreunen

Acker *m* akker
Adapter *m* adapter
addieren optellen
Adel *m* adel
Ader *f* ader; **~lass** *m* aderlating
Adler *m* arend
adlig adellijk
adop|tieren adopteren; **Qtiveltern** *pl* adoptiefouders *pl*; **Qtivkind** *n* (het) aangenomen kind
Adress|at(in *f*) *m* geadresseerde (*a. f*); **~buch** *n* (het) adresboek; **~e** *f* (het) adres; **Qieren** adresseren
Advent *m* advent
Affäre *f* affaire
Affe *m* aap
Afrika *n* Afrika *n*; **~ner(in *f*)** *m* Afrikaan(se *f*); **Qnisch** Afrikaans
After *m* billen *pl*, anus
AG → **Aktiengesellschaft**
Agent *m* agent; **~ur** *f* (het) agentschap
Aggress|ion *f* agressie; **Qiv** agressief
Agrar- *in Zssgn mst* landbouw-
ägyptisch Egyptisch
ähneln (*D*) lijken (op)
ahnen vermoeden
Ahnen *m/pl* voorouders *pl*
ähnlich gelijksoortig; **~ sehen**, **~ sein** (*D*) lijken (op); **Qkeit** *f* gelijkenis
Ahnung *f* (het) voorgevoel; **er hat keine ~ davon** hij heeft er geen benul van

ahnungslos argeloos
Ahorn *m* esdoorn
Ähre *f* aar
Aids *n* aids
Air|bag *m* airbag; **~bus** *m* airbus
Akadem|ie *f* academie; **~iker(in *f*)** *m* academicus (*a. f*); **Qisch** universitair, academisch
Akazie *f* acacia
akklimatisieren: **sich ~** acclimatiseren
Akkordarbeit *f* (het) stukwerk
Akkordeon *n* (het) accordeon
Akku(mulator) *m* accu
Akne *f* acne
Akrobat(in *f*) *m* acrobaat *m* (acrobate *f*)
Akt *m THEA* (het) bedrijf; *Kunst* (het) naakt
Akte *f* akte
Akten|tasche *f* aktetas; **~zeichen** *n* (het) dossiernummer
Aktie *f* (het) aandeel; **~ngesellschaft** *f* naamloze vennootschap (N.V.)
Aktion *f* actie; **~är(in *f*)** *m* aandeelhouder *m* (aandeelhoudster *f*)
aktiv actief; **Qität** *f* activiteit
aktuell actueel
Akustik *f* akoestiek
akut acuut (*a. MED*)
Akzent *m* (het) accent
akzeptieren accepteren
Alarm *m* alarm; **~anlage** *f* alarminstallatie; **Qieren** alarmeren

albern dwaas, gek, onnozel
Albtraum *m* nachtmerrie
Album *n* (het) album
Algebra *f* algebra
Algen *f/pl* algen *pl*, (het) zeewier
algerisch Algerijns
Alibi (het) alibi
Alkohol *m* alcohol; **2frei:**
2freies Getränk frisdrank;
~iker(in *f)* *m* alcoholist(e *f)*;
2isch alcoholisch; **~test** *m*
alcoholtest
All *n* (het) heelal
all al; **~es Gute!** het beste!;
vor ~em vooral; **~abendlich**
elke avond
alle: **~ ist ~** ... is op; **~ (zusammen)** allemaal (samen)
Allee *f* laan
allein alleen; **von ~** vanzelf; **~ stehend** alleenstaand
allenfalls hoogstens
allerdings wel(iswaar)
allergisch allergisch
aller|hand allerlei; **2heiligen**
n Allerheiligen; **~lei** allerlei;
~letzte allerlaatste; **2seelen**
n Allerzielen
alles alles, het allemaal
allgemein algemeen; **im 2en**
in het algemeen; **2bildung** *f*
algemene ontwikkeling
all|jährlich jaarlijks; **~mächtig** almachtig, oppermachtig;
~mählich geleidelijk; *adv a*
stilaan; **2radantrieb** *m* aandrijving op alle wielen; **2tag**
m (het) dagelijks leven;
~täglich alledaags

allzu al te
Alm *f* bergweide
Almosen *n* aalmoes
Alpen *pl* Alpen *pl*
Alphabet *n* (het) alfabet;
2isch alfabetisch
Alpinismus *m* (het) alpinisme
Alptraum → **Albtraum**
als *wie* als; *comp* dan, als; *cj*
toen; **~ ob** alsof
also dus
alt oud; **ich bin ... Jahre ~** ik
ben ... jaar (oud); **wie ~?** hoe
oud?
Altar *m* (het) altaar
Altbau *m* (het) oud huis
Alter *n* leeftijd; *das Altsein*
ouderdom
älter ouder
altern verouderen
alternativ alternatief
Alters|grenze *f* leeftijdsgrens; **~heim** *n* (het) bejaardentehuis
Alter|tum *n* oudheid; **2tümlich** ouderwets
alt|modisch ouderwets; **2papier** *n* (het) oud papier;
2stadt *f* (oude) binnenstad
Alu(minium)folie *f* aluminiumfolie
am ~ *p. em*; **~ Sonntag** zondags
Amateur(in *f)* *m* amateur (*a. f*)
ambulant *MED* ambulant; **2z**
f eerstehulpdienst
Ameise *f* mier
Amerika *n* Amerika *n*;
~ner(in *f)* *m* Amerikaan(se
f); **2nisch** Amerikaans

Amnestie f amnestie

Ampel f (het) verkeerslicht

Ampulle f ampul

amputieren amputeren

Amsel f merel

Amt n (het) ambt; *Dienststelle* dienst; **꜀lich** ambtelijk, officieel

amüs|ant amusant; **꜀ieren (sich)** (zich) amuseren

an (*A, D*) aan; *zeitl* op; *Licht ꜀!* licht aan!

Analyse f analyse

Ananas f ananas

Anarchie f anarchie

anatomisch anatomisch

Anbau m teelt; *ARCH* (het) bijgebouw; **꜀en** verbouwen; *ARCH* bijbouwen

an|behalten *Kleid* aanhouden; **꜀bei** hierbij, ingesloten, bijgaand; **꜀beten** aanbidden

Anbetracht: *in ꜀* (*G*) met het oog op

an|bieten aanbieden; **꜀binden** vastbinden; **꜀blick** m aanblik; **꜀brechen** aanbreken; **꜀brennen** aanbranden; **꜀bringen** aanbrengen; **꜀bruch** m (het) aanbreken; **꜀brüllen** toesnauwen

Anchovis f ansjovis

an|dächtig devoot; → *ehrfürchtig*; **꜀dauernd** voortdurend

Andenken n (het) aandenken; (het) souvenir; *zum ꜀ an* (*A*) ter herinnering aan

andere andere; *alles ꜀ als* allesbehalve; *unter ꜀m* onder

andere

ander(er)seits aan de andere kant, anderzijds

ändern (sich) veranderen, (zich) wijzigen

andernfalls anders

anders anders; **꜀wo** elders, ergens anders

anderthalb anderhalf

Änderung f verandering

andeut|en zinspelen op; **꜀ung** f toespeling

Andrang m toeloop

aneignen: *sich ꜀* zich toe-eigenen

aneinander aan elkaar, aaneen; *꜀ geraten* slaags raken; *꜀ reihen* aaneenrijgen

anekeln: *... ekelt mich an* ik walg van

anerkenn|en erkennen; *schätzen* appreciëren, waarderen; **꜀ung** f erkenning; *Lob* waardering

an|fachen aanwakkeren; **꜀fahren** v/t aanrijden; *schimpfen* uitvallen tegen; v/i optrekken

Anfall m *MED* aanval; **꜀en** v/t aanvallen; v/i optreden, voorkomen

anfällig (*gegen A*) gevoelig (voor)

Anfang m (het) begin, aanvang; *am ꜀, zu ꜀* in het begin; **꜀en** beginnen

Anfänger|(in f) m beginneling(e f); **꜀kurs** m cursus voor beginners

anfänglich aanvankelijk

an|fassen (vast)pakken; **~fertigen** vervaardigen; **~feuchten** natmaken; **~feuern** aanvuren

Anflug m nadering; fig Hauch (het) vleugje

anforder|n aanvragen; **♀ung** f aanvraag; Forderung eis

Anfrage f (aan)vraag

anfreunden: sich ~ vriendschap sluiten

anführ|en leiten leiden; zitieren aanhalen; **♀er(in** f) m leider m (leidster f), aanvoerder m (aanvoerster f); **♀ungszeichen** n/pl aanhalingstekens n/pl

Angabe f opgave

angeb|en v/t opgeven; v/i opscheppen; **♀er(in** f) m opschepper m (opschepster f); **~lich** zogenaamd

ange|boren aangeboren; **♀bot** n (het) aanbod; **~bracht** passend; **~heitert** aangeschoten

angehen betreffen u Licht aangaan

ange|hören (D) behoren tot; **♀hörige(n)** pl verwanten pl; leden n/pl; **~klagte(r)** verdachte, beklaagde

Angel f hengel; Tür♀ (het) scharnier

Angelegenheit f aangelegenheid

Angel|haken m vishaak; **♀n** hengelen, vissen; **~schein** m visakte; **~schnur** f vislijn; **~sport** m hengelsport

ange|messen passend; **~nehm** aangenaam, prettig; **~sehen** gezien; **~sichts** (G) met het oog op; **~spannt** gespannen

Angestellte(r) employé, bediende; **kaufmännische(r)** ~ kantoorbediende

ange|strengt ingespannen; **~trunken** aangeschoten; **~wiesen (auf** A) aangewezen (op)

angewöhnen j-m A aanleren; sich ~ zich aanwennen

Angina f angina

angleichen gelijk maken

Angler m hengelaar, visser

angreif|en aanvallen; **♀er(in** f) m aanvaller m (aanvalster f)

angrenzen aangrenzen

Angriff m aanval

angriffs|lustig agressief; **♀spieler** m aanvaller

Angst f angst, schrik; vor ~ van schrik (od angst); ~ haben (vor D) bang zijn (voor)

ängstlich bang, angstig

angurten: sich ~ de (veiligheids)gordel aandoen

anhaben aanhebben

anhalt|en v/t aanhouden, tegenhouden; v/i stoppen, stilhouden; dauern aanhouden; **♀er** m: per ♀ reisen liften; **♀spunkt** m (het) aanknopingspunt

anhand (G) aan de hand van

Anhang m (het) aanhangsel; Gefolgschaft aanhang

anhäng|en v/t ophangen; **♀er**

m Person aanhanger; *Wagen* aanhangwagen; *Schmuck* hanger; **~lich** aanhankelijk; **~sel** *n* (het) aanhangsel

an|häufen ophopen; **~heben** *v/t* optillen; *Lohn, Preis* verhogen; optrekken

Anhieb: *auf ~* van het begin af (aan)

anhören (*sich*) luisteren naar

Anis *m* anijs

Ankauf *m* aankoop

Anker *m* (het) anker

ankern f aankeren

Anklage f aanklacht; *unter ~ stehen* beschuldigd worden

anklagen aanklagen

Anklang *m* weerklank

an|kleben aanplakken; **~kleiden** (aan)kleden; **~klicken** *EDV* aanklikken; **~klopfen** aankloppen; **~knipsen** *Licht* aandoen; **~knüpfen** aanknopen; **~kommen** aankomen; **~kreuzen** aankruisen

ankündig|en aankondigen; **~ung** f aankondiging

Ankunft f (aan)komst; **~zeit** f aankomsttijd

ankurbeln aanzwengelen (*a. fig*)

Anlage f *das Anlegen* aanleg; *TECH* installatie; *Geld~* belegging; *Beilage* bijlage; *natürliche ~* aanleg

Anlass *m* aanleiding

anlass|en *Motor* starten; *Kleidung* aanlaten; **~er** *m* starter

anlässlich (*G*) naar aanleiding van

Anlauf *m* aanloop; *~en Hafen* aandoen; *Gesicht* aanlopen

anlegen *Geld* beleggen; **~stelle** f aanlegplaats

anlehnen aanleunen; *Tür* op een kier laten staan; *sich ~ an* (*A*) (aan)leunen tegen

An|leihe f lening; **~leitung** f leiding; handleiding

Anlieg|en *n* (het) verzoek; **~er(in)** *m* aanwonende (*a. f*)

anmachen aanmaken; *Licht a.* aandoen; *befestigen* vastmaken

anmaß|en: *sich et. ~en* zich iets aanmatigen; **~ung** f aanmatiging

Anmelde|formular *n* (het) aanmeldingsformulier; **~frist** f aanmeldingstermijn; **~en** *TEL* aanvragen; (*sich*) (zich) aanmelden; **~epflicht** f aanmeldingsplicht; **~ung** f aanmelding; *TEL* aanvraag

anmerk|en: *sich nichts ~en lassen* niets laten merken; **~ung** f opmerking

anmutig bekoorlijk, lieftallig

annähen aannaaien

annähernd bij benadering; **~ung** f (toe)nadering

Annahme f aanvaarding; *Vermutung* veronderstelling; **~stelle** f *(ontvang)kantoor*

annehm|bar aannemelijk; **~en** aannemen, aanvaarden; **~lichkeit** f (het) gemak annektieren annexeren

Annonce *f* advertentie

annullieren annuleren

anonym anoniem

Anorak *m* anorak

anordn|en bepalen; 2ung *f* bepaling

anpacken aanpakken

anpas|sen aanpassen; 2ung *f* aanpassing; **~ungsfähig** in staat zich aan te passen

An|prall *m* botsing; 2**pran-gern** aan de kaak stellen

Anprob|e *f* (het) passen; **~e-raum** *m* paskamer; 2**ieren** passen

an|rechnen aanrekenen (*a. fig*); 2**recht** *n* (het) recht; 2**rede** *f* aanspreking; **~re-den** aanspreken

anreg|en opwekken, stimuleren; **~end** animerend; 2ung *f* suggestie, aansporing

Anreise *f* aankomst; **~tag** *m* dag van aankomst

Anreiz *m* prikkel

anrichten aanrichten; *Speisen* bereiden

Anruf *m* (het) telefoontje; **~beantworter** *m* (het) antwoordapparaat; 2**en** opbellen

anrühren aanraken

ans = *an das*

Ansage *f* aankondiging; 2**n** aankondigen; **~r(in** *f*) *m* omroeper *m* (omroepster *f*)

anschaffen aanschaffen; 2ung *f* aanschaffing

anschau|en aankijken; **~lich** aanschouwelijk; 2ung *f* opvatting

Anschein *m*; *allem* **~** *nach* naar alle schijn; 2**end** blijkbaar

Anschlag *m Plakat* affiche; *Attentat* aanslag; 2**en** *v/t* aanslaan; aanplakken

anschließen aansluiten; *sich* **~** (*D*) zich aansluiten (bij); **~d** direct daarna

Anschluss *m* aansluiting; *fig* **~** *finden* (*suchen*) contact krijgen (zoeken)

anschmiegen: *sich* **~** (*an A*) zich vlijen (tegen)

anschnall|en (*sich*) (zich) vastgespen; 2**gurt** *m* veiligheidsgordel

an|schnauzen uitvaren tegen; **~schneiden** aansnijden (*a. fig*)

Anschovis *f* ansjovis

an|schrauben aanschroeven; **~schreien** schreeuwen tegen; 2**schrift** *f* (het) adres; **~schwemmen** aanspoelen

anseh|en bekijken, aanzien; 2**en** *n* (het) aanzien

ansehnlich aanzienlijk

ansetzen *v/t* aanzetten

Ansicht *f* (het) gezicht; *Meinung* mening; *zur* **~** op zicht

Ansichts|karte *f* ansichtkaart; 2**sache** *f*: *das ist* **~sa-che** daarover kan men van mening verschillen

an|sonsten anders; **~span-nen** inspannen

anspiel|en (*auf A*) zinspelen

(op); **Qung** *f* toespeling

An|sporn *m* aansporing; **~sprache** *f* toespraak; **Qsprechen** aanspreken; *gefallen* bevallen; **Qspringen** *Motor* aanslaan

Anspruch *m* aanspraak; *in* **~** *nehmen* in beslag nemen

anspruchs|los bescheiden; **~voll** veeleisend

An|stalt *f* (het) instituut, inrichting; **~stand** *m* (het) fatsoen; **Qständig** fatsoenlijk, behoorlijk; **Qstandslos** zonder bezwaar; **Qstarren** aanstaren

anstatt *(G)* in plaats van

ansteck|en aan-, opsteken; vaststeken; *MED* besmetten; *sich* **~en** zich besmetten; **~end** besmettelijk; **Qung** *f* besmetting

anstehen *(nach D)* in de rij staan (voor)

ansteigen stijgen

anstell|en → *einstellen, einschalten, anrichten; sich* **~en nach** *(D)* in de rij gaan staan voor; **Qung** *f* aanstelling, benoeming

Anstieg *m* stijging

anstiften aanstichten; *(zu D)* aanzetten (tot)

Anstoß *m Sport* aftrap; **~nehmen an** *(D)* zich ergeren aan; **Qen auf** *(A)* klinken op

an|stößig aanstotelijk; **~streben** streven naar

anstreich|en schilderen, verven; *mit Strichen* aanstrepen;

Qer *m* schilder

anstreng|en (sich) (zich) inspannen; **~end** vermoeiend; **Qung** *f* inspanning

Ansturm *m* stormloop

Anteil *m* (het) aandeel; **~nehmen an** *(D)* deelnemen in; **~nahme** *f* deelneming

Antenne *f* antenne

Anti|babypille *f* antibabypil; **~biotikum** *n* (het) antibioticum

antik antiek; **Qe** *f* oudheid

Anti|körper *m* (het) antilichaam(pje); **~quariat** *n* (het) antiquariaat; **~quitäten|laden** *m* antiquair; **~semitismus** *m* (het) antisemitisme

Antrag *m* (het) verzoek, aanvraag; *Vorschlag* (het) voorstel; *POL* motie; **~steller(in** *f*) *m* aanvrager *m* (aanvraagster *f*)

an|treffen aantreffen; **~treiben** aandrijven; **~treten** *v/i* aantreden; *v/t* beginnen

Antrieb *m TECH* aandrijving

antun aandoen

Antwort *f* (het) antwoord; **Qen** antwoorden

anvertrauen toevertrouwen

An|walt *m* advocaat; **~wältin** *f* advocate; **~wärter(in** *f*) *m* aspirant(e *f*)

anweis|en *j-n belehren* instrueren; *anordnen* bevelen; **Qung** *f ECON* postwissel, cheque

anwend|en gebruiken, toepassen; **₂ung** f (het) gebruik, toepassing

anwerben in dienst nemen

anwesen|d aanwezig; **₂heit** f aanwezigheid

anwidern → *anekeln*

Anzahl f (het) aantal; **₂en** aanbetalen; **₂ung** f aanbetaling, (het) voorschot

Anzeichen n (het) teken

Anzeige f kennisgeving; *Zeitung* advertentie; *Polizei* bekeuring, (het) proces-verbaal; **~ erstatten** aangifte doen; **₂n** kennis geven van; *j-n* aangeven

anzieh|en aantrekken; *Schraube* aandraaien; **sich ~en** zich aankleden; **~end** aantrekkelijk; **₂ungskraft** f aantrekkingskracht

Anzug m (het) kostuum, (het) pak

an|züglich hatelijk; *schlüpfrig* schunnig; **~zünden** aansteken

Apartment n (het) appartement, flat

apathisch apathisch

Aperitif m aperitief (a. het)

Apfel m appel; **~kuchen** m appeltaart; **~mus** n appelmoes; **~saft** m (het) appelsap; **~sine** f sinaasappel; **~tasche** f appelflap

Apotheke f apotheek; **~r(in** f) m apotheker (a. f)

Apparat m (het) apparaat

Appartement → *Apartment*

appellieren (an A) een be-

roep doen (op)

Appetit m eetlust, trek; *guten* **~!** smakelijk (eten)!; **₂anregend** de eetlust opwekkend; **₂lich** lekker, smakelijk; **~losigkeit** f (het) gebrek aan eetlust

applau|dieren (D) applaudisseren (voor); **₂s** m (het) applaus

Aprikose f abrikoos

April m april; **~scherz** m aprilgrap

Aqua|planing n aquaplaning; **~rell** n aquarel; **~rium** n (het) aquarium

Äquator m evenaar

Arab|er(in f) m Arabier m (Arabische f); **₂isch** Arabisch

Arbeit f (het) werk, arbeid; **₂en** werken; **~er(in** f) m arbeider m (arbeidster f); **~geber** m werkgever; **~nehmer** m werknemer

Arbeits|amt n (het) arbeidsbureau; **₂fähig** in staat tot werken; **₂los** werkloos; **~losenunterstützung** f werkloosenuitk.; **~platz** m (het) werkplaats; *Beschäftigung* arbeidsplaats; **~tag** m werkdag; **₂unfähig** arbeidsongeschikt; **~zeit** f werktijd

Archäologie f archeologie

Architekt(in f) m architect(e f); **~ur** f architectuur, bouwkunst

Archiv n (het) archief

argentinisch Argentijns

Ärger *m* ergernis; *Unannehmlichkeit* narigheid, last; **2lich** *verärgert* boos; *unangenehm* onaangenaam, vervelend; **2n (sich)** (zich) ergeren

arglos argeloos

Argument *n* (het) argument

Arg|wohn *m* argwaan, achterdocht; **2wöhnisch** achterdochtig

Arie *f* aria

aristokratisch aristokratisch

arm arm

Arm *m* arm

Armaturenbrett *n* (het) dashboard

Armband *n* armband; **~uhr** *f* (het) polshorloge

Armbinde *f* band (om de arm)

Armee *f* (het) leger

Ärmel *m* mouw; **~kanal** *m* (het) Kanaal; **2los** zonder mouwen

Armenviertel *n* achterbuurt

ärmlich schamel

armselig armzalig

Armut *f* armoede

Arnheim *n* Arnhem *o*

Aroma *n* (het) aroma

arrogant arrogant

Arsch *m* V gat, kont

Art *f* manier; *Wesen* aard; *Gattung* soort; **~ und Weise** manier

Arterie *f* slagader

artig lief, aardig

Artikel *m* (het) artikel; *GR* (het) lidwoord

Artillerie *f* artillerie

Artischocke *f* artisjok

Artist(in *f*) *m* artiest(e *f*)

Arznei(mittel *n*) *f* (het) geneesmiddel, (het) medicament

Arzt *m* arts, dokter, geneesheer; **~helferin** *f* praktijkassistente *f*

Ärzt|in *f* vrouwelijke arts; **2lich** geneeskundig

As → **Ass**

Asbest *m* (het) asbest

Asch|e *f* as; **~enbahn** *f* sintelbaan; **~enbecher** *m* asbak; **~ermittwoch** *m* aswoensdag

Asi|at(in *f*) *m* Aziaat *m* (Aziatische *f*); **2atisch** Aziatisch; **~en** *n* Azië *o*

asozial asociaal

Asphalt *m* (het) asfalt

Ass *n* *Karte* aas

Assistent(in *f*) *m* assistent(e *f*)

Ast *m* tak; **~er** *f* aster

Asthma *n* (het) astma

Astro|logie *f* astrologie; **~naut** *m* astronaut; **~nomie** *f* astronomie

Asyl *n* (het) asiel; **~antenheim** *n* (het) asielzoekerscentrum; **~bewerber** *m* asielzoeker

Atelier *n* (het) atelier

Atem *m* adem; **außer ~** buiten adem; **~beschwerden** *f/pl* ademhalingsmoeilijkheden *pl*; **2los** ademloos

Äther *m* ether

Athlet *m* atleet; **~ik** *f* atletiek; **~in** *f* atlete

Atlas *m* atlas

atmen ademen

Atmosphär|e f (atmo)sfeer; *Luft* atmosfeer; &isch atmosferisch

Atmung f ademhaling

Atom n (het) atoom; ~energie f atoomenergie; ~kraftwerk n atoomcentrale

Atten|tat n aanslag; ~täter m aanslagpleger, dader

Attest n (het) attest

attraktiv attractief

ätzen bijten

Aubergine f aubergine

auch ook

auf (A, D) op; ~ Deutsch in het Duits; ~ einmal opeens; in einem Mal ineens, in één keer

auf|arbeiten bewerken; ~atmen herademen

Aufbau m opbouw; &en opbouwen

aufbehalten Brille, Hut ophouden

aufbewahr|en bewaren; &ung f Bahn (het) bagagedepot; &ungsort m bewaarplaats

auf|blasen opblazen; ~bleiben wachen openblijven; offen bleiben openblijven; ~blenden weer vol licht laten schijnen; ~blicken opkijken; ~blühen ontluiken; fig opbloeien; ~brechen öffnen openbreken; weggehen opbreken, opstappen, vertrekken; ~bringen opbrengen; ~drängen (sich) (D) (zich) opdringen (aan); ~drehen opendraaien; ~dringlich opdringerig; &druck m opdruk;

~einander op elkaar

Aufenthalt m (het) verblijf; Bahn (het) oponthoud; ~serlaubnis f verblijfsvergunning; ~sort m verblijfplaats

auf|erlegen opleggen; ~essen opeten

auffahr|en (auf A) inrijden (op); &t f oprit; &unfall m (ketting)botsing

auf|fallen opvallen; ~fällig opvallend

auffass|en opvatten; &ung f opvatting

auffinden vinden

aufforder|n aanmanen; höflich uitnodigen; &ung f aanmaning; uitnodiging

auffrischen opfrissen

aufführ|en THEA opvoeren; → aufzählen; &ung f opvoering, voorstelling

Auf|gabe f opgave (a. MATH), taak; ~gang m opgang

aufgeben opgeven

aufgedunsen opgezwollen

aufgehen Gestirn opgaan; Tür opengaan; Naht losgaan; Rechnung kloppen

aufge|regt opgewonden; ~schlossen fig open

auf|gießen opgieten; ~grund (G) op grond van; ~haben Hut ophebben; geöffnet sein open hebben

aufhalten anhalten ophouden; offen halten openhouden; sich ~ verblijven

aufhäng|en ophangen; &er m (ophang)lus

aufheben *vom Boden* oprapen; *aufbewahren* bewaren; *Gesetz, Sitzung* opheffen; 2s: **viel 2s machen von** (D) veel ophef maken van

Auf|heiterung *f* METEO opklaring; 2lauf *m* Menge oplopen; 2hetzen ophitsen; 2holen inhalen; 2hören ophouden; 2kaufen opkopen; 2klappen openslaan

aufklär|en (*j-n über A*) voorinlichten (over); *Mord* ophelderen; MIL verkennen; 2ung *f* voorlichting

auf|kleben opplakken; 2kleber *m* (het) etiket; 2knöpfen losknopen; ~kommen opkomen; ~laden opladen (*a. EL*)

Auflage *f Buch* oplage, druk; verplichting

auf|lassen *offen lassen* openlaten; 2lauf *m* Menge oploop; GASTR soufflé; ~leben opleven; ~legen *Buch* uitgeven; TEL ophangen; (*auf A*) (neer)leggen (op)

auflehnen: *sich* ~ zich verzetten, in opstand komen

auf|leuchten oplichten; ~lösen oplossen; *Versammlung* ontbinden

aufmach|en openmaken; *Rechnung* opmaken; **sich ~en** zich opmaken; 2ung *f* opmaak

aufmerksam aandachtig; galant; ~ **machen auf** (*A*) de aandacht vestigen op; 2keit *f* aandacht; *Geschenk* attentie,

aardigheid

aufmuntern opmonteren

Aufnahme *f* opname; ~gebühr *f* (het) inschrijfgeld; ~prüfung *f* (het) toelatingsexamen

auf|nehmen opnemen; ~passen (*auf A*) letten (op)

Auf|prall *m* botsing; ~preis *m* toeslag; 2pumpen oppompen; 2ragen oprijzen; 2räumen opruimen

aufrecht rechtop, overeind; ~erhalten handhaven

aufreg|en (*sich*) (zich) opwinden; 2ung *f* opwinding

auf|reibend afmattend; ~reißen *Fenster* openrukken; *Straße* opbreken

aufricht|en (*sich*) (zich) oprichten; ~ig oprecht; 2igkeit *f* oprechtheid

Auf|ruf *m* oproep; 2rufen oproepen; ~ruhr *m* (het) oproer; 2runden naar boven afronden; ~rüsten bewapenen; ~sässig weerspannig, opstandig

Aufsatz *m* (het) opstel, artikel

auf|saugen opzuigen; ~scheuchen opjagen; ~schieben uitstellen

Aufschlag *m Aufprall* smak; *Tennis* service; *Ärmel2* omslag; *Preis2* opslag; 2en *v/t Buch* openslaan; *Zelt* opslaan; *v/i* (neer)plofen

auf|schließen openen; ~schlussreich interessant,

leerzaam; **~schneiden** opensnijden; *fig* opscheppen, bluffen; **⦵schnitt** *m* GASTR (het) gesneden vlees; **~schreiben** opschrikken; **⦵schrei** *m* kreet, gil; **~schreiben** opschrijven; **⦵schrift** *f* (het) opschrift; **⦵schub** *m* (het) uitstel; **~schütten** ophogen; **~schwung** *m* hoge vlucht, bloei

Aufsehen *n*: **~ erregen** opzien baren; **~ erregend** opzienbarend

Aufseher *m* opzichter

aufsetzen *v/t* opzetten; *Text* opstellen; *v/i* AER landen

Aufsicht *f* (het) toezicht

Aufsichts|beamte(r) inspecteur *m*, inspectrice *f*; → *a.* **Aufseher; ~personal** *n* (het) bewakingspersoneel; **~rat** *m* raad van toezicht; ECON raad van commissarissen

auf|spannen (op)spannen; **~springen** opspringen; *sich* **~öffnen** openspringen; **~spüren** opsporen; **⦵stand** *m* opstand; **~ständische(r)** (*f*) opstandeling(e) *m*; **~stecken** opsteken; **~stehen** opstaan; *Tür* openstaan; **~steigen** (op)stijgen

aufstell|en opstellen; *Rekord* vestigen; **⦵ung** *f* opstelling

Auf|stieg *m* stijging; **~strich** *m* *Brot* (het) broodbelegsel; **⦵suchen** opzoeken; **~takt** *m* opmaat (*a. fig*)

auf|tanken bijtanken; **~tau-**

chen opduiken; **~tauen** ontdooien; **~teilen** verdelen

Auftrag *m* opdracht; ECON order; *im ~* (*G*) op last van; **⦵en** *Farbe, Schminke* aanbrengen; *Speisen* opdienen; **~geber(in** *f*) *m* opdrachtgever *m* (opdrachtgeefster *f*)

auf|treiben F *beschaffen* opsnorren; **~trennen** losmaken; **~treten** optreden; **⦵tritt** *m* (het) optreden; **~wachen** wakker worden, ontwaken; **~wachsen** opgroeien

Aufwand *m* *Einsatz* moeite, inzet; *Luxus* weelde, luxe

auf|wändig kostbaar, duur; *hochwertig* hoogwaardig; **~wärmen** opwarmen; **~wärts** omhoog, opwaarts; **~weichen** weken; **~wenden** *Zeit, Geld* besteden; **⦵wendungen** *f/pl* uitgaven *pl*; **~werten** opwaarderen; **⦵wertung** *f* revaluatie, herwaardering; **~wiegeln** opruien; **~wirbeln** opjagen; **~wischen** opvegen; **~zählen** opsommen

aufzeichn|en optekenen, aantekenen; **⦵ung** *f* aantekening

auf|ziehen optrekken; *öffnen* opentrekken; *Uhr* opwinden; *Kind* grootbrengen; **⦵zug** *m* stoet, optocht; *Fahrstuhl* lift; THEA bedrijf; **~zwingen** *j-m A* opdringen

Auge *n* (het) oog; *im ~ behalten* in het oog houden

Augen|arzt m oogarts; **~blick**
m (het) ogenblik; **⚌blicklich**
gegenwärtig op dit ogenblik;
sofort onmiddellijk, ogen-
blikkelijk; **~braue** f wenkbrauw; **~leiden** n oogziekte;
~lid n (het) ooglid; **~tropfen**
m/pl oogdruppels pl; **~zeuge**
m oogtuige

August m augustus

Auktion f veiling

aus (D) uit; **~ Gold** van goud;
... ist ~ is uit, is afgelopen

aus|arbeiten uitwerken; **~ar-
ten** ontaarden; **~atmen** uit-
ademen; **~bauen** *vergrößern*
uitbreiden, ontwikkelen; **~
bessern** herstellen

Ausbeut|e f opbrengst; **⚌en**
uitbuiten; **⚌ung** f uitbuiting;
BGB exploitatie

aus|bilden opleiden; **⚌er** m
opleider, instructeur; **⚌ung** f
opleiding

aus|bleiben uit-, wegblijven;
⚌blick m (het) uitzicht;
~brechen uitbreken; **~brei-
ten** uitspreiden; *fig* uitbreiden; **~brennen** uitbranden;
~bruch m (het) uitbreken;
~brüten uitbroeden (*a. fig*)

Ausdauer f volharding, (het)
uithoudingsvermogen; **⚌nd**
volhardend

aus|dehnen (*sich*) (zich) uit-
strekken; *PHYS* uitzetten; *fig
sich mehren* (zich) uitbreiden; **⚌ung** f uitgestrektheid;
uitzetting; uitbreiding

ausdenken: *sich et. ~* iets

bedenken

Ausdruck m uitdrukking,
term; *Computer⚌* uitdraai

ausdrück|en (*sich*) (zich)
uitdrukken; **~lich** uitdrukke-
lijk

aus|druckslos uitdrukkings-
loos; **⚌dünstung** f uitwase-
ming

auseinander uit elkaar, uit-
een; **~ nehmen** demonteren;
~ setzen uiteenzetten; *sich ~
setzen mit* j-m discussiëren
met; **⚌setzung** f bespreking,
discussie

auser|sehen, ~wählen ver-,
uitkiezen

ausfahr|en v/t gaan rijden
met; v/i naar buiten rijden;
Schiff uitvaren; **⚌t** f uitrit

Ausfall m uitval; **⚌en** uitval-
len; **~straße** f uitvalsweg

ausfindig: **~ machen** opspo-
ren

Aus|flucht f uitvlucht; **~flug**
m (het) uitstapje, excursie;
~flügler m dagjesmens, deel-
nemer aan een excursie;
~fuhr f uitvoer; **⚌führen** uitvoeren; **~fuhrgenehmi-
gung** f uitvoervergunning;
⚌führlich uitvoerig; **~füh-
rung** f uitvoering; **⚌füllen**
(op)vullen; *Formular* invul-
len; **~gabe** f uitgave

Ausgang m uitgang; *Ende* af-
loop; *Ergebnis* (het) resultaat; **~spunkt** m (het) uit-
gangspunt

aus|geben uitgeven; **~ge-**

bucht voll volgeboekt; **~gefallen** ongewoon; **~geglichen** evenwichtig; **~gehen** uitgaan; *enden* aflopen; *alle werden* opraken
ausge|lassen uitgelaten; **~nommen** uitgezonderd, behalve; **~prägt** uitgesproken; **~schlossen** uitgesloten; **~schnitten** *Kleid* gedecolleteerd; **~wogen** uitstekend, puik
ausgiebig uitvoerig; *Mahlzeit* uitgebreid
Ausgleich *m* (het) evenwicht; compensatie; **2en** gelijk maken; compenseren
Aus|grabungen *f/pl* opgravingen *pl*; **~guss** *m* gootsteen; *Abfluss* afvoerpijp; **2halten** uithouden; **~händigen** overhandigen; **~hang** *m* affiche; **~hängeschild** *n* (het) uithangbord; **2heilen** genezen; **2helfen** (*j-m mit* D) helpen (met)
Aushilf|e *f* hulp; **~skraft** *f* hulpkracht; **2sweise** als tijdelijke hulp
aus|höhlen uithollen; **~horchen** uithoren
auskennen: *sich ~ in* (D) op de hoogte zijn van
aus|klopfen uitkloppen; **~kochen** uitkoken; **~kommen** *Geld* rondkomen; *sich vertragen* opschieten
Auskunft *f* inlichtingen *pl*, informatie; **~sbüro** *n*, **~sstelle** *f* (het) informatiebureau

aus|lachen uitlachen; **~laden** uitladen; *Gäste* afzeggen; **2lage** *f Schaufenster* etalage; **2land** *n* (het) buitenland
Ausländer *m* buitenlander; **2feindlich** vijandig tegenover buitenlanders; **~in** *f* buitenlandse
ausländisch buitenlands
Auslands|aufenthalt *m* (het) verblijf in het buitenland; **~gespräch** *n TEL* (het) buitenlands telefoongesprek; **~reise** *f* buitenlandse reis
aus|lassen weglaten; *Butter* smelten; *Kleid* uitlaten; **2lauf en** uitlopen; *Schiff* uitvaren; **2legen** *Waren* tentoonspreiden; *Geld* voorschieten; *deuten* uitleggen; **~leihen** uitlenen; **2lese** *f* keuze, selectie; **~liefern** uitleveren; **~löschen** doven; *wegwissen* uitwissen; **~losen** verloten; **~lösen** ontketenen; **2löser** *m FOT* ontspanner
aus|machen uitmaken; *verabreden* afspreken; **2maß** *n* omvang; **~messen** opmeten
Ausnahm|e *f* uitzondering; **~ezustand** *m* staat van beleg; **2slos** zonder uitzondering; **2sweise** bij wijze van uitzondering
aus|nehmen uitzonderen; F → **schröpfen**; **2nüchterung** *f* ontnuchtering; **~nutzen** profiteren van; **~packen** uitpakken; **~plaudern**

verklappen; **~pressen** uitpersen (a. fig); **~probieren** uitproberen, beproeven

Auspuff m uitlaat; **~topf** m knalpot

aus|radieren uitgommen; **~rauben** j-n beroven; **~räumen** Bedenken uit de weg ruimen; **~rechnen** uitrekenen; 2**rede** f uitvlucht

ausreichen voldoende zijn; **~d** voldoende, genoeg

Ausreise f uitreis

aus|reißen v/t uitscheuren; v/i op de loop gaan; **~richten** uitrichten; Grüße enz. overbrengen; **~rotten** uitroeien

Ausruf m uitroep; 2**en** uitroepen; **~ezeichen** n (het) uitroepteken

aus|ruhen (sich) uitrusten; **~rüsten** uitrusten; **~rutschen** uitglijden

Aussage f JUR getuigenis; 2**n** JUR getuigen

aus|schalten uitschakelen, uitzetten; 2**schank** m Kneipe kroeg, (het) café; **~schauen (nach** D) uitkijken (naar

ausscheiden v/t afscheiden; v/i aus e-m Amt aftreden; 2**ungsspiel** n afvalwedstrijd

aus|scheren v/i aus e-r Kolonne de rij verlaten, uithalen; **~schimpfen** uitschelden; **~schlafen** uitslapen

Ausschlag m MED uitslag; fig doorslag; 2**en** uitslaan; Bitte afslaan; 2**gebend** doorslaggevend

ausschließ|en uitsluiten; **~lich** uitsluitend; prp (G) zonder, behalve

Ausschluss m uitsluiting; **unter ~ der Öffentlichkeit** met gesloten deuren

Aus|schnitt m Kleid (het) decolleté; 2Zeitungs (het) knipsel; 2**schreiben** (uit)schrijven; **~schuss** m Komitee commissie; 2**schütten** uitgieten; ECON **Dividende** 2**schütten** dividend uitkeren

aussehen (gut) ~ er (goed) uitzien; 2 n (het) uiterlijk

außen buiten; 2**bordmotor** m buitenboordmotor; 2**handel** m buitenlandse handel; 2**ministerium** n (het) ministerie van buitenlandse zaken; 2**politik** f buitenlandse politiek

Außenseite f buitenkant; **~r** m outsider, buitenstaander

Außenspiegel m buitenspiegel

außer (D) behalve; **~ Dienst** buiten dienst; **~dem** bovendien, daarenboven

äußere uiterlijke; **2(s)** (het) uiterlijk

außer|ehelich onwettig, buitenechtelijk; **~gewöhnlich** buitengewoon; **~halb** (G) buiten; **~irdisch** buitenaards

äußer|lich uiterlijk; uitwendig; **~n** uiten

außer|ordentlich buitengewoon, uitzonderlijk; **~planmäßig** Zug extra

äußerst uiterst

außerstande: ~ *sein* (*zu*) niet in staat zijn (te)

Äußerung f uiting; *Meinungs*2 uitlating

aussetzen *Belohnung* uitloven; *Kind* te vondeling leggen; *der Sonne, Gefahr usw.* blootstellen aan; *Strafe, Kampf* opschorten; *v/i Motor* haperen, afslaan; **et. auszusetzen haben an** (*D*) iets aan te merken hebben op

Aussicht f (het) uitzicht; f (het) vooruitzicht

aussichts|los uitzichtloos; **~reich** veelbelovend; **~turm** m uitkijktoren

aus|söhnen (*sich*) (zich) verzoenen; **~spannen** *v/i sich erholen* zich ontspannen; **~sperren** buitensluiten; **~spielen** uitspelen; **2sprache** f uitspraak; *fig* gedachtewisseling, discussie; **2spruch** m uitspraak; **~spucken** uitspugen; **~spülen** uitspoelen

ausstatt|en (*mit D*) voorzien (van); **2ung** f uitrusting

aus|stehen *erleiden* uitstaan; *fehlen, a. ECON* ontbreken; **~steigen** uitstappen

ausstell|en tentoonstellen; *schriftlich* schrijven; **2er** m tentoonsteller, exposant; **2ung** f tentoonstelling

aus|sterben uitsterven; **~stopfen** opvullen; **~stoßen** uitstoten; **~strahlen** uitstra-

len; *Radio* uitzenden; **~strecken** (*sich*) (zich) uitstrekken; **~strömen** *v/i* uitstromen; *v/t* verspreiden; **~suchen** uitzoeken

Austausch m ruil, uitwisseling; **2en** uitwisselen

austeilen uitdelen

Auster f oester

austragen *Post* rondbrengen, bestellen; *Spiel, Kampf* houden, doorvoeren

australisch Australisch

aus|treten *aus e-r Partei usw.* uittreden; **~trinken** uitdrinken; **2tritt** m uittreding; **~trocknen** uitdrogen; **~üben** uitoefenen

Ausverkauf m uitverkoop; **2t** uitverkocht

Aus|wahl f keuze; **2wählen** uitkiezen

Auswander|er m emigrant; **~in** f emigrante; **2n** emigreren; **~ung** f emigratie

auswärt|ig buitenlands; **~s** *wohin?* naar buiten; *wo?* buiten; **2sspiel** n uitwedstrijd

auswechseln vernieuwen, vervangen

Ausweg m uitweg; **2los** uitzichtloos

ausweich|en (*D*) uitwijken (voor); *fig* ontwijken; **~end** ontwijkend

Ausweis m legitimatie, pas, identiteitskaart; **2en** *j-n* het land uitzetten, uitwijzen; *sich* **2en** zich legitimeren; **~papiere** *n/pl* legitimatiepapieren *n/pl*

aus|weiten verwijden; *fig* uitbreiden; **~wendig** van buiten; **~werten** benutten; evalueren; **~wirken: sich ~wirken** zich doen gevoelen; **~zahlen** uitbetalen; **~zeichnen (sich)** (zich) onderscheiden

auszieh|bar uittrekbaar; **~en** *v/t* uittrekken; *v/i aus ~e-m Haus* verhuizen; *sich ~en* zich uitkleden

Auszug *m* uittocht; *Teil* (het) uittreksel

authentisch authentiek

Auto *n* auto

Auto- *in Zssgn mst* auto-

Autobahn *f* autosnelweg; **~auffahrt** *f* oprit (van een autosnelweg); **~ausfahrt** *f* afslag (van een autosnelweg); **~gebühr** *f* wegentol; **~kreuz** *n* (het) knooppunt; **~raststätte** *f* wegrestaurant; **~zubringer** *m* (toevoer)weg naar de autosnelweg

Autobus *m* autobus; **~halte-**

stelle *f* bushalte

Auto|fähre *f* autoveerboot; **~fahrer(in** *f*) *m* automobilist(*e f*), chauffeur (*a. f*)

Automat *m* automaat; **~ik** *f KFZ* automaat; **2isch** automatisch

Auto|mechaniker *m* automonteur; **~mobilklub** *m* automobilistenclub

Autor *m* auteur

Auto|reifen *m* autoband; **~reisezug** *m* autoslaaptrein; **~rennen** *n* autorace

Autorin *f* schrijfster

autorit|är autoritair; **2ät** *f* (het) gezag

Auto|straße *f* autoweg; **~vermietung** *f* autoverhuur; **~waschanlage** *f* autowasinstallatie; **~werkstatt** *f* garage; **~zubehör** *n* autoaccessoires *pl*

Avocado *f* avocado

Axt *f* bijl

Azalee *f* azalea

Azubi *m od f* leerjongen *m*, (het) leermeisje

B

Baby *n* baby; **~nahrung** *f* babyvoeding; **~sitter** *m* babysit

Bach *m* beek

Backbord *n* (het) bakboord

Backe *f* wang

backen bakken

Backenzahn *m* kies

Bäcker *m* bakker

Bäckerei *f* bakkerij

Back|form *f* bakvorm; **~hähnchen** *n* braadkip; **~ofen** *m* bakoven; **~pflaume** *f* gedroogde pruim; **~pulver** *n* (het) bakpoeder

Bad *n* (het) bad

Bade|anstalt *f* badinrichting;

~anzug m (het) badpak; ~hose f zwembroek; ~kappe f badmuts; ~mantel m badjas; ~meister m badmeester; 2n baden; ~ort m badplaats; ~strand m (het) badstrand; ~tuch n (het) (hand)doek; ~wanne f badkuip; ~zimmer n badkamer

Bagger m baggermachine

baggern baggeren

Bahn f baan; Bahn spoorweg; 2en banen; ~fahrt f treinreis; ~hof m (het) station

Bahnhofs|halle f stationshal; ~restaurant n stationsrestauratie

Bahn|linie f spoorlijn; ~polizei f spoorwegpolitie

Bahnsteig m (het) perron; ~karte f perronkaartje

Bahnüber|führung f spoorwegviaduct; ~gang m spoorwegovergang, overweg

Bahre f (draag)baar

Bakterien f/pl bacteriën pl

bald gauw, weldra; so ~ wie möglich zo gauw mogelijk; ~ig spoedig

Baldrian m valeriaan

Balken m balk

Balkon m (het) balkon

Ball m bal; Tanz (het) bal

ballen ballen

Ballen m Waren2 baal; Fuß2 bal

Ballett n (het) ballet

Ballon m ballon

banal banaal

Banane f banaan

Band 1. m (het) (boek)deel; 2. n Kleidung (het) lint, band

Bande f bende

Bandit m bandiet

Bandscheibe f tussenwervelschijf

Bank f bank; ~angestellte(r) bankemployé; ~anweisung f bankassignatie; ~ier m bankier; ~konto n bankrekening; ~note f (het) bankbiljet

bankrott bankroet, failliet

bar: (in od gegen) ~ contant; ~er Unsinn m klinkklare onzin

Bar f bar

Bär m beer

Baracke f barak

barbarisch barbaars

Bardame f (het) barmeisje

barfuß bloots-, barrevoets

Bargeld n (het) contant geld; 2los: 2loser Zahlungsverkehr m giroverkeer

Barhocker m barkruk

barmherzig barmhartig

barock barok

Barometer n barometer

Barren m Gold2 baar, staaf; Sport brug

barsch bars; 2 m baars

Bar|schaft f contanten pl; ~scheck m betaalcheque

Bart m baard, snor

Barzahlung f contante betaling

Basar m bazaar

bas|ieren baseren; 2is f basis

Bass m bas

Bast m bast, schors

bast|eln knutselen; **≙ler** *m* knutselaar

Batterie *f* batterij; *KFZ* accu

Bau *m* bouw; *Gebäude* (het) gebouw; *im ~* in aanbouw; **~arbeiter** *m* bouwvakarbeider, bouwvakker

Bauch *m* buik; **~fellentzündung** *f* buikvliesontsteking; **~schmerzen** *m/pl* buikpijn

bauen bouwen

Bauer *m* boer; *Schach* pion

Bäuer|in *f* boerin; **≙lich** landelijk

Bauernhof *m* boerderij

bau|fällig bouwvallig; **≙gerüst** *n* steiger; **≙ingenieur** *m* bouwkundig ingenieur

Baum *m* boom

baumeln slingeren

bäumen *sich* ~ steigeren

Baum|stamm *m* boomstam; **~wolle** *f* (het) katoen

Bau|platz *m* (het) bouwterrein; **~sparkasse** *f* bouwspaarkas; **~stelle** *f* (het) bouwterrein; *Straße* **≙** werken *n/pl*; **~unternehmer** *m* aannemer

Bayer *m* Beier; **≙isch** Beiers

Bazillus *m* bacil

beabsichtigen van plan zijn, beogen; bedoelen

beacht|en *wahrnehmen* letten op; *befolgen* nakomen; **~lich** opmerkelijk

Beamt|e(r) *m* ambtenaar; **~in** *f* vrouwelijke beambte, ambtenares

beängstigend angstaanjagend

be|anspruchen *fordern* aanspraak maken op; *Platz, Zeit* in beslag nemen; **~anstanden** kritiseren; **~antragen** aanvragen; *vorschlagen* voorstellen; **~antworten** beantwoorden; **~arbeiten** bewerken

Beatmung *f*: *künstliche ~* kunstmatige ademhaling

beauf|sichtigen toezicht uitoefenen op; surveilleren; **~tragen** belasten

bebauen bebouwen

beben beven

Becher *m* beker

Becken *n* (het) bekken

bedächtig bedachtzaam

bedanken *sich* ~ danken

Bedarf *m* behoefte

bedauer|lich betreurenswaardig; **~erweise** helaas

bedauern betreuren; *ich bedauere* het spijt mij; *zu meinem* **≙** tot mijn spijt; **~swert** betreurenswaardig

bedeck|en bedekken; **~t** *Himmel* betrokken

bedenk|en bedenken; **≙en** *n* bedenking, (het) bezwaar; **~lich** bedenkelijk

bedeut|en betekenen; **~end** belangrijk; **≙ung** *f* betekenis; **~ungslos** onbetekenend

bedien|en bedienen; **≙ung** *f* bediening; **≙ung (nicht) inbegriffen** met (zonder) bediening; **≙ungsanleitung** *f* gebruiksaanwijzing

Bedingung *f* voorwaarde;

&slos onvoorwaardelijk

be|drängen in 't nauw brengen; **~drohen** bedreigen; **~drohlich** dreigend; **~drücken** bedrukken

Bedürf|nis n behoefte; **&tig** behoeftig

Beefsteak n biefstuk

beeilen: **sich ~** zich haasten

beeindruck|en indruk maken op; **~t sein** onder de indruk zijn

beein|flussen beïnvloeden; **~trächtigen** afbreuk doen aan

beenden beëindigen

beerdig|en begraven; **&ung** f begrafenis

Beere f bes; **Wein&** druif

Beet n (het) (bloem)bed

Befähigung f geschiktheid

befahr|bar berijdbaar; **~en** berijden; **MAR** bevaren; **stark ~en** adj druk

Befangenheit f verlegenheid; vooringenomenheid

befassen: **sich ~ mit** (D) zich bezighouden met

Befehl m (het) bevel; **&en** bevelen

be|festigen bevestigen, vastmaken; **~feuchten** natmaken

befind|en (**sich**) (zich) bevinden; **&en** n toestand

befolgen opvolgen

beförder|n vervoeren; **im Rang** bevorderen; **&ung** f (het) vervoer, (het) transport; bevordering

befragen konsultieren raadplegen

befrei|en bevrijden; **&ung** f bevrijding; **&ungskampf** m vrijheidsstrijd

befreund|en: **sich ~en mit** (D) vriendschap sluiten met; **~et** bevriend

befriedig|en bevredigen; **~t** tevreden; **&ung** f bevrediging; **Zufriedenheit** voldoening

befristet tijdelijk

Befruchtung f bevruchting

Befugnis f bevoegdheid

Befund m bevinding; **MED** diagnose

befürcht|en vrezen, duchten; **&ung** f vrees

befürworten pleiten voor

Begabung f begaafdheid

begegn|en (D) ontmoeten, tegenkomen; **&ung** f ontmoeting

begehen Fest vieren; Verbrechen, Fehler begaan

begehrenswert begerenswaardig

begeister|n verrukken; **sich ~n für** (A) geestdriftig worden voor; **&ung** f geestdrift

begierig begerig

begießen begieten

Beginn m (het) begin; **zu ~** (G) in het begin (van); **&en** beginnen

beglaubig|en amtlich legaliseren; **~t** gelegaliseerd

begleichen Rechnung vereffenen

begleit|en begeleiden; **&er(in** f) m begeleider m (begeleidster f) be|glück|wünschen (*zu D*) gelukwensen (met); ~**gnadigen** gratie verlenen aan

begnügen: *sich ~ mit* (*D*) zich vergenoegen met

Begonie *f* begonia

be|graben begraven; 2**gräbnis** *n* begrafenis

begreif|en begrijpen; ~**lich** begrijpelijk

begrenzen begrenzen

Begriff *m* (het) begrip; *im ~ sein zu* op het punt staan te

begründ|en oprichten; motiveren; 2**ung** *f* oprichting; motivering

begrüß|en begroeten, verwelkomen; 2**ung** *f* begroeting

be|günstigen bevoordelen; ~**haart** behaard; ~**haglich** behaaglijk, knus; ~**halten** (be)houden; *fig* onthouden; 2**hälter** *m* (het) reservoir, bak, kan; ~**hände** behendig

behand|eln behandelen; 2**lung** *f* behandeling

beharr|en (*auf D*) blijven (bij); ~**lich** standvastig

behaupt|en beweren; *sich* ~**en** zich handhaven; 2**ung** *f* bewering

beheben Schaden verhelpen

beheizt verwarmd

behelfen: *sich ~ mit* (*D*) zich behelpen met

be|hende → **behände**; ~**herbergen** herbergen

beherrsch|en (*sich*) (zich) beheersen; 2**ung** *f* beheersing

behilflich behulpzaam

behinder|n hinderen; 2**te(r)** gehandicapte

Be|hörde *f* overheid, (het) bestuur; 2**hüten** (*vor D*) behoeden (voor); 2**hutsam** behoedzaam

bei (*D*) bij; ~**behalten** behouden; ~**bringen** bijbrengen

Beichte *f* biecht

beide beide(n), allebei

bei|einander bij elkaar, bijeen; 2**fall** *m* bijval, (het) applaus; ~**fügen** bijvoegen

beige beige

Bei|geschmack *m* bijsmaak; ~**hilfe** *f* JUR medeplichtigheid; Geld tegemoetkoming

Beil *n* bijl

Bei|lage *f* bijlage; GASTR garnering; 2**läufig** terloops; 2**legen** bijleggen; beifügen bijvoegen; 2**leid** *n* deelneming; 2**liegend** bijgaand

beim → **bei**

Bein *n* (het) been; Tisch2 poot

beinah(e) bijna, haast

Beinbruch *m* beenbreuk

beipflichten (*D*) instemmen (met)

beirren: *sich nicht ~ lassen* zich niet van de wijs laten brengen

beisammen bijeen, bij elkaar; 2**sein** *n* (het) samenzijn

beiseite opzij

Beispiel *n* (het) voorbeeld; *zum ~* (*z.B.*) bijvoorbeeld (b.v.); 2**haft** voorbeeldig; 2**los** weergaloos, ongeëvenaard; **⟨sweise** bijvoorbeeld

⟨eißen bijten

⟨ei|stand *m* bijstand, hulp; **⟨stehen** (*D*) bijstaan; **⟨trag** *m* bijdrage; **⟨tragen** (*zu D*) bijdragen (tot); **⟨treten** (*D*) toetreden (tot); **⟨tritt** *m* toetreding; **⟨wagen** *m* zijspan (*a.* het); **⟨wohnen** (*D*) bijwonen; **⟨zeiten** bijtijds

⟨ejahen bevestigen; **⟨jahrt** bejaard

⟨ekämpf|en bestrijden; **⟨ung** *f* bestrijding

⟨ekannt bekend; **⟨ geben** bekendmaken; **⟨ machen** (*mit j-m*) voorstellen (aan); **⟨e(r)** *f* kennis; **⟨gabe** *f* bekendmaking; **⟨lich** zoals bekend; **⟨machung** *f* bekendmaking, kennisgeving; **⟨schaft** *f Bekannte* kennissen *pl*

⟨ekehren bekeren

⟨ekenn|en bekennen; **⟨tnis** *n* bekentenis

⟨eklagen beklagen

⟨ekleidung *f* kleding

⟨eklemmend beklemmend

⟨ekommen krijgen; *j-m gut (schlecht)* ⟨ iem. goed (slecht) bekomen

⟨e|kömmlich goed bekomend, gezond; **⟨kräftigen** bekrachtigen; **⟨kunden** laten blijken; **⟨laden** beladen

⟨elag *m* bedekking; *MED* aanslag; *Brems⟨* voering; *Brot⟨* (het) beleg(sel)

⟨elagern belegeren

belanglos onbelangrijk

belasten belasten

belästig|en lastigvallen; **⟨ung** *f* (het) lastigvallen

Belastung *f* belasting

belaufen: sich ⟨ auf (*A*) bedragen, belopen

be|lauschen afluisteren; **⟨leben** verlevendigen; **⟨lebend** opwekkend; **⟨lebt** druk

Beleg *m* (het) bewijs; **⟨en** beleggen; *beweisen* bewijzen; *reservieren* bespreken; *besetzen* bezetten; **⟨schaft** *f* (het) personeel; **⟨t Brötchen** belegd; *Hotel* bezet

be|lehren onderrichten; **⟨leibt** (zwaar)lijvig; **⟨leidigen** beledigen; **⟨leuchtung** *f* verlichting; *fig* belichting

Belgi|en *n* België *n*; **⟨ier(in** *f*) *m* Belg *m* (Belgische *f*); **⟨isch** Belgisch

belicht|en *FOT* belichten; **⟨ung** *f* belichting

Belieb|en *n: nach ⟨en* naar believen; **⟨ig** willekeurig; **beliebt** geliefd, in trek; **⟨heit** *f* populariteit

beliefern (*mit D*) voorzien (van)

bellen blaffen

belohn|en belonen; **⟨ung** *f* beloning

Belüftung *f* ventilatie

be|lügen beliegen; **⟨malen** beschilderen; **⟨mängeln** kritiseren; **⟨mannt** bemand

bemerk|bar merkbaar; *sich ⟨bar machen* zich vertonen;

~en bemerken; *sagen* opmerken; **~enswert** opmerkelijk; **♀ung** *f* opmerking

bemitleiden medelijden hebben met

bemüh|en lastigvallen; *sich* **~en** (*um A*) moeite doen (voor); **♀ung** (*pl*) *f* moeite

benachbart naburig

benach|richtigen op de hoogte brengen, inlichten, waarschuwen; **~teiligen** benadelen

benebelt beneveld

benehm|en: *sich* **~en** zich gedragen; **♀en** *n* (het) gedrag

beneiden (*j-n um A*) benijden (om); **~swert** benijdenswaardig

Bengel *m* bengel

be|nommen versuft; **~nötigen** nodig hebben

benutz|en gebruiken; **♀er(in** *f*) *m* gebruiker *m* (gebruikster *f*); **♀ung** *f* (het) gebruik

Benzin *n* benzine; **~kanister** *m* (het) benzineblik, benzinebus; **~uhr** *f* benzinemeter

beobacht|en gadeslaan, waarnemen; **♀er** *m* waarnemer; **♀ung** *f* waarneming

bepflanzen beplanten

bequem (ge)makkelijk; **♀-lichkeit** *f* (het) gemak; *Faulheit* gemakzucht

berat|en *j-n* adviseren, bespreken; **♀er** *m* raadgever, adviseur; **♀erin** *f* raadgeefster, adviseuse; **♀ung** *f* be-

raadslaging; *Rat* (het) advies; *Arzt* consultatie, (het) consult; **♀ungsstelle** *f* (het) consultatiebureau

berauben beroven

berauschen (*sich*) (zich) bedwelmen

berechn|en berekenen (*c fig*); **♀ung** *f* berekening

berechtig|en (*zu D*) he recht geven (tot); **~t** gerechtigd; *begründet* gerechtvaan digd; **♀ung** *f* (het) recht

beredt welsprekend

Bereich *m* (het) bereik; *Ge biet*, *a. fig* (het) gebied

bereichern: *sich* **~** (*an D* zich verrijken (aan)

Bereifung *f* banden *pl*

bereit *gewillt* bereid; *fertig ge reed*, klaar; **~en** bereiden

bereits al, reeds

Bereitschaft *f* gereedheid **~sdienst** *m* dienst

bereit|stellen klaarzetten Geld beschikbaar stellen **~willig** bereidwillig

bereuen berouwen

Berg *m* berg

Berg- *in Zssgn mst* berg-

berg|ab bergaf; **~an**, **~au** bergop; **♀bau** *m* mijnbouw

bergen bergen

Berg|führer *m* berggids **~hütte** *f* berghut; **♀ig** berg achtig; **~mann** *m* mijnwer ker; **~steigen** *n* (het) berg beklimmen; **~werk** *n* mijn

Bericht *m* (het) verslag; **~** (*über A*) verslag uitbrenge

(over); **~erstatter** m verslag-
gever

be|richtigen verbeteren; **~**
rieseln besproeien

Berlin n Berlijn n; **~er** m Ber-
lijner; *Krapfen* Berlijnse bol

bersten barsten

berüchtigt berucht

berücksichtigen rekening
houden met

Beruf m (het) beroep; **♀en** benoemen; *sich* **♀en** *auf* (A)
zich beroepen op; **♀lich** van
het beroep, beroeps-

Berufs|schule f vak-, streek-
school; **♀tätig** werkend;
~verkehr m (het) spitsuur

Berufung f roeping; benoe-
ming; **~ einlegen** JUR in (hoger) beroep gaan

beruhen (*auf* D) berusten (op)

beruhigen geruststellen;
(*sich*) **~en** bedaren, kalme-
ren; **♀ungsmittel** n (het) kal-
meringsmiddel

berühmt beroemd

berühr|en aanraken; **♀ung** f
aanraking

Besatzung f bezetting; *Crew*
bemanning

besaufen F: *sich* **~** zich be-
zatten

beschädig|en beschadigen;
♀ung f beschadiging

beschaffen v/t bezorgen;
♀heit f gesteldheid, aard

beschäftig|en werk geven;
sich **~en mit** (D) zich bezighouden met; **~t** bezig; **♀ung** f
bezigheid, (het) werk; *von*

Personal tewerkstelling

beschämen beschamen

Bescheid m *Antwort* (het)
antwoord, beslissing; *Auskunft* inlichting; **~ wissen**
(*sagen*) *über* (A) op de
hoogte zijn (brengen) van

bescheiden *adj* bescheiden

bescheinig|en attesteren,
schriftelijk verklaren; **♀ung** f
(het) attest, verklaring, (het)
bewijs

beschießen beschieten

beschimpfen uitschelden

beschlag|en beslaan; **♀nah-
me** f inbeslagneming; **~nah-
men** in beslag nemen

beschleunig|en versnellen;
♀ung f KFZ (het) optrekken,
acceleratie

be|schließen besluiten; **♀-
schluss** m (het) besluit;
~schmutzen bevuilen; **~-
schneiden** besnijden; *fig* be-
snoeien; **~schönigen** ver-
goelijken

beschränk|en beperken;
sich **~en auf** (A) zich beperken tot; **♀ung** f beperking

beschreib|en beschrijven;
♀ung f beschrijving

beschuldig|en beschuldigen;
♀ung f beschuldiging

be|schummeln F bedonde-
ren; **♀schuss** m beschieting;
~schützen (*vor* D) beschermen (tegen)

Beschwer|de f klacht (*a.*
MED), (het) bezwaar; **~de-
buch** n (het) klachtenboek;

2en: *sich 2en* (*über A*) zich beklagen (over); **2lich** bezwaarlijk, lastig

be|schwichtigen kalmeren; **~schwipst** F aangeschoten; **~schwören** bezweren; **~sehen** bezien; **~seitigen** uit de weg ruimen

Besen *m* bezem

besessen bezeten

besetz|en bezetten; *Haus kraken;* **~t** bezet; **2tzeichen** *n TEL* bezettoon; **2ung** *f* bezetting

besichtig|en bezichtigen; **2ung** *f* bezichtiging

besiegen overwinnen

Besinn|ung *f* bezinning; **2ungslos** bewusteloos; *von Sinnen* onbeheerst

Besitz *m* (het) bezit; **2en** bezitten; **~er(in** *f*) *m* bezitter *m* (eigenares *f*); **~tum** *n* (het) bezit

be|soffen F dronken, bezopen; **~sohlen** verzolen; **2soldung** *f* bezoldiging

besonder bijzonder; **2heit** *f* bijzonderheid; **~s** (in 't) bijzonder, vooral

besonnen *adj* bezonnen

besorg|en bezorgen, zorgen voor; **2nis** *f* bezorgdheid, zorg; **2nis erregend** zorgwekkend; **~t** bezorgd, ongerust; **2ung** *f*: **2ungen** *pl machen* boodschappen *pl* doen

bespitzeln bespioneren

besprech|en bespreken; **2ung** *f* bespreking

besser beter; *umso* (*od desto*) *~* des te beter; **~n** verbeteren; *sich ~n* beter worden; **2ung** *f*: *gute 2ung!* veel beterschap!

beste beter; *am ~n* 't best; *der erste 2* de eerste de beste; *zum 2n halten* de draak steken met

Be|stand *m Waren* voorraad; **2ständig** bestendig; **~standteil** *m* (het) bestanddeel

bestätig|en bevestigen; **2ung** *f* bevestiging

bestatt|en begraven; **2ungsinstitut** *n* begrafenisonderneming

bestech|en omkopen; **~lich** omkoopbaar; **2ung** *f* omkoperij, omkoping

Besteck *n* (het) bestek

bestehen *existieren* bestaan; *v/t Prüfung* slagen voor; *~ auf* (*D*) staan op

be|stehlen bestelen; **~steigen** bestijgen, beklimmen

bestell|en bestellen; *Feld bewerken; Grüße* overbrengen; **2schein** *m* bestelbon; **2ung** *f* bestelling

besten|falls in het gunstigste geval; **~s** heel goed, opperbest

besteuern belasten

best|ialisch beestachtig; **2ie** *f* (het) beest

bestimm|en bepalen; *sicher* zeker, bepaald; *sicher* beslist; **2ung** *f* bepaling; **2ungsort** *m* plaats van bestemming be|**strafen** bestraffen; **~strahlen** bestralen

Bestreben n (het) streven

bestreiten bestrijden

bestürzt ontsteld, ontdaan; 2**ung** f ontsteltenis

Bestzeit f recordtijd

Besuch m (het) bezoek; **zu ~** op bezoek; 2**en** bezoeken; **~er(in** f) m bezoeker m (bezoekster f)

Besuchszeit f bezoektijd

be**tätigen** hanteren; **Maschine** bedienen; **sich ~** werkzaam zijn

be**täub**|**en** verdoven; 2**ungs-mittel** n (het) verdovings-middel

Bete f: **Rote ~** rode biet

be**teilig**|**en**: **sich ~en (an** D) deelnemen (aan); **~t (an** D) betrokken (bij); 2**ung** f deelneming

beten bidden

be**teuern** betuigen, verzekeren

Beton m (het) beton

be**ton**|**en** benadrukken, de nadruk leggen op; 2**ung** f (het) accent, klemtoon; beklemtoning

Be**tracht** m: **in ~ ziehen (kommen)** in aanmerking nemen (komen); 2**en (als)** beschouwen (als)

be**trächtlich** aanmerkelijk, aanzienlijk

Betrachtung f beschouwing

Betrag m (het) bedrag; 2**en bedragen**; **sich** 2**en** zich gedragen

be**treffen** betreffen; **was ... betrifft** wat ... betreft

be|**treiben** ausüben uitoefenen; **~treten** v/t betreden; adj verlegen

be**treu**|**en** verzorgen; 2**ung** f verzorging

Betrieb m **Werk** ~ bedrijf; **(starker)** ~ drukte; **in (au-ßer)** ~ **sein** in (buiten) werking zijn

Betriebs|**ferien** pl bedrijfsvakantie; **~rat** m ondernemingsraad; **~unfall** m (het) bedrijfsongeval; **~wirt-schaft** f bedrijfseconomie

be**troffen (von** D) getroffen (door)

be**trübt** bedroefd

Betrug m (het) bedrog

be**trüg**|**en** bedriegen; 2**er(in** f) m bedrieger m (bedriegster f); **~erisch** bedrieglijk

be**trunken** dronken, beschonken

Bett n (het) bed; **ins, zu ~ ge-hen** naar bed gaan; **~decke** f deken; bedsprei

betteln bedelen

Bettlaken n (het) (bedden)laken

Bettler(in f) m bedelaar m (bedelares f)

Bettruhe f bedrust; **~wä-sche** f (het) beddenlinnen

beugen (sich) (zich) buigen

Beule f **Haut** buil; **Material** deuk

be**unruhigen** verontrusten; **sich ~** zich ongerust maken

beurteil|en beoordelen;
2ung *f* beoordeling
Beute *f* buit; *Opfer* prooi
Beutel *m* zak, buidel; *Geld2*
beurs
Bevölkerung *f* bevolking
Bevollmächtigte(r) gevolmachtigde
bevor voor(dat), eer, alvo-
rens; **~munden** bevoogden
bevorstehen voor de deur
staan; **~d** aanstaand
bevorzugen verkiezen, prefereren
bewach|en bewaken; **2er(in**
f) *m* bewaker *m* (bewaakster
f)
bewachsen *adj* begroeid
Bewachung *f* bewaking
bewaffn|et gewapend; **2ung**
f bewapening
bewahren bewaren; (**vor** *D)*
behoeden (voor)
bewähr|en *sich* (*gut*) *~en*
voldoen, aan de verwachtin-
gen beantwoorden; **~t** be-
proefd; *pers* kundig; **2ung** *f*
JUR voorwaardelijke veroordeling; **auf** (**ohne**) **2ung**
(on)voorwaardelijk
bewältigen aankunnen
bewandert ervaren, door-
kneed
Bewässerung *f* irrigatie
beweg|en (*sich*) (zich) bewe-
gen; **~lich** beweeglijk; **~t** bewogen; **2ung** *f* beweging;
~ungslos roerloos
Beweis *m* (het) bewijs; **2en**
bewijzen

bewerb|en: *sich ~en um* (*A)*
kandideren voor, solliciteren
naar; **2er** *m* sollicitant, kandidaat; **2erin** *f* sollicitante, kandidate; **2ung** *f* sollicitatie,
kandidatuur
be|werten beoordelen; *wür-
digen* waarderen; **~willigen**
toestaan; **~wirken** veroorzaken, bewerken; **~wirten** ont-
halen, trakteren
bewohn|en bewonen; **2er(in**
f) m bewoner *m* (bewoonster
f)
bewölk|en: *sich ~en* betrek-
ken; **~t** bewolkt; **2ung** *f* be-
wolking
bewunder|n bewonderen;
~nswert bewonderenswaar-
dig; **2ung** *f* bewondering
bewusst bewust; *sich ~ sein*
(*G)* zich bewust zijn (van);
~los bewusteloos; **2losig-
keit** *f* bewusteloosheid; **2-
sein** *n* (het) bewustzijn
bezahl|en betalen; **2ung** *f* be-
taling
bezaubernd betoverend
bezeichn|en aanduiden;
kennzeichnen kenmerken;
~end kenmerkend, typisch;
2ung *f* aanduiding; bena-
ming
bezeugen ge-, betuigen
bezieh|en betrekken; *Rente,
Gehalt* ontvangen; *sich ~ auf*
(*A)* slaan op; verwijzen naar
Beziehung *f* betrekking; *in
dieser* (*jeder*) *~* in dit (elk)
opzicht; **~en** *pl* relaties pl;

~sweise (*bzw.*) respectievelijk (resp.)

Bezirk *m* (het) district

Bezug *m* Betz overtrek; *Kissen2* sloop; **in ~ auf** (A) met betrekking tot; **Bezüge** *pl* (het) salaris

~ezüglich (*G*) met betrekking tot

~e|zwecken beogen; **~zweifeln** betwijfelen

BH *m* beha

Bibel *f* bijbel

Biber *m* bever

Bibliothek *f* bibliotheek

bieder braaf

bieg|en *v/i* buigen; *v/i* **um die Ecke ~en** de hoek omslaan; **~sam** buigzaam

Biene *f* bij; **~nstock** *m* bijenkorf

Bier *n* (het) bier; *Glas* (het) pilsje; **~deckel** *m* (het) bierviltje

Biest *n* F (het) beest, (het) kreng

bieten bieden

Bikini *m* bikini

Bilanz *f* balans

Bild *n* (het) beeld; *Gemälde* schilderij; *Foto* foto; **2en** vormen; **sich 2en** zich ontwikkelen; **~hauer** *m* beeldhouwer; **2lich** figuratief; *fig* figuurlijk; **~schirm** *m* (het) beeldscherm; **2schön** beeldig; **2ung** *f* vorming, ontwikkeling

Billardstock *m* biljartkeu

billig goedkoop; **~en** goedkeuren

Binde *f* band; *MED* (het) verband; **~gewebe** *n* (het) bindweefsel; **~glied** *n* schakel; **~mittel** *n* (het) bindmiddel

bind|en binden; **2faden** *m* (het) touwtje; **2ung** *f* binding (*a. Ski2*); band

binnen (*D od G*) binnen; **2land** *n* (het) binnenland

Bio|grafie, ~graphie *f* biografie; **~laden** *m* natuurvoedingswinkel; **~logie** *f* biologie; **~tonne** *f* biobak

Birke *f* berk

Birne *f* peer; *EL* lamp

bis tot; **~ dahin** tot zover; **~ einschließlich** tot en met; **~ auf** (*einen*) op (een) na

Bischof *m* bisschop

bisher tot nu toe; **~ig** tot nu toe geldend

Biskuit *n od m* (het) biscuit

Biss *m* beet

bisschen: ein ~ een beetje, wat

Bissen *m* beet, hap

bissig bijtachtig; *fig* bits

Bistum *n* (het) bisdom

bisweilen soms

bitte (*sehr!*) *beim Siezen* alstublieft; *beim Duzen* asjeblief(t); (*wie*) **~?** pardon?, wat zegt u?; *beim Duzen* wat zeg je?

Bitte *f* vraag, (het) verzoek; **2n** (*um A*) vragen (om), verzoeken (om)

bitter bitter

Blähungen *f/pl* wind

blamieren (*sich*) (zich) blameren

blank blank, blinkend; F platzak

Blankoscheck *m* blanco cheque

Blase *f* blaas; *am Fuß* blaar; *Luft* bel

blasen blazen

blass bleek; *fig* flauw

Blässe *f* bleekheid

Blatt *n* (het) blad

blätter|n (*in D*) bladeren (in); **teig** *m* (het) bladerdeeg

blau blauw; *fig* F dronken; **äugig** blauwogig; *fig* naïef; **beere** *f* blauwe bosbes

bläulich blauwachtig

Blaulicht *n* (het) zwaailicht

Blech *n* (het) blik; **dose** *f* (het) blik; **en** F (*für A*) dokken (voor); **schaden** *m* blikschade

Blei *n* (het) lood

bleiben blijven

bleich bleek

blei|frei loodvrij; **stift** *m* (het) potlood

Blende *f* FOT (het) diafragma; **en** verblinden; **nd** *fig* schitterend

Blick *m* blik; *auf den ersten* ~ op het eerste gezicht; *en: sich en lassen* zich vertonen

blind blind; **darmentzündung** *f* blindedarmontsteking; **enschrift** *f*(het) brailleschrift; **e(r)** blinde; **lings** blindelings

blink|en blinken; *KFZ* knipperen; **er** *m*, **licht** *n* (het) knipperlicht

blinzeln knipogen

Blitz *m* bliksem; **en** bliksemen; *FOT* flitsen; **lampe** *f* flitslamp; **licht** *n* (het) flitslicht; **schnell** bliksemsnel; **würfel** *m* FOT (het) flitsblokje

Block *m* (het) blok; **ade** *f* blokkade; **flöte** *f* blokfluit; **ieren** blokkeren

blöd|(e) dom, idioot; **sinn** *m* onzin; **sinnig** idioot

blöken *Kalb* loeien; *Schaf* blaten

blond blond

bloß bloot; *nur* alleen, maar, enkel; **stellen** compromitteren

bluffen bluffen; *j-n* overbluffen

blühen bloeien

Blume *f* bloem

Blumen|beet *n* (het) bloembed; **geschäft** *n* bloemenwinkel, bloemist(erij); **kohl** *m* bloemkool; **strauß** *m* bos bloemen, ruiker, (het) boeket; **topf** *m* bloempot; **zwiebel** *f* bloembol

Bluse *f* blouse

Blut *n* (het) bloed; **armut** *f* bloedarmoede; **druck** *m* bloeddruk

Blüte *f* bloesem; *das Blüte* bloei; **zeit** *f* bloeitijd (a. *fig*)

blut|en bloeden; **erguss** *m* bloeduitstorting; **gefäß** *n* (het) bloedvat; **₂gruppe** f bloedgroep; **₂ig** bloedig; **₂probe** f bloedproef; **₂-spender** m bloeddonor; **₂-stillend** bloedstelpend; **₂-transfusion** f bloedtransfusie; **₂ung** f bloeding; **₂wurst** f bloedworst

Bö f (wind)vlaag

Bobbahn f bob(slee)baan

Bock m bok; **Gestell** schraag

Boden m Grund grond; Erde a. bodem; Fuß₂ vloer; **₂be-lag** m vloerbedekking; **₂los** bodemloos; **₂schätze** m/pl bodemschatten pl

Bogen m boog; MUS strijk-stok; Papier₂ (het) vel; **₂-schütze** m boogschutter

Bohle f plank

Bohne f boon

bohnern boenen; **₂wachs** m boenwas

bohr|en boren; **₂er** m boor; **₂insel** f (het) booreiland; **₂maschine** f boormachine

Boiler m boiler

Boje f boei

Bolzen m bout

bombardieren bombarderen

Bombe f bom

bomb|ensicher fig vast en zeker; **₂er** m bommenwerper

Bon m bon

Bonbon n (het) snoepje; bonbon

Boot n boot; **₂sfahrt** f boottocht; **₂sverleih** m bootver-huring

Bord 1. m boord; an (von) ~

gehen aan (van) boord gaan; **2.** n plank

Bordell n (het) bordeel

Bord|karte f AER instapkaart; **₂stein** m trottoirrand

borgen (sich) lenen

Borke f schors

borniert bekrompen (van geest)

Börse f beurs (a. ECON); **₂nkurs** m beurskoers

Borwasser n (het) boorwater

bösartig boos-, kwaadaardig

Böschung f glooiing, berm

böse kwaad, boos; schlimm slecht; j-m ~ sein kwaad zijn op iem.

boshaft boos-, kwaadaardig

Boss m baas

böswillig kwaadwillig

Botanik f botanie, plantkun-de

Bote m bode

Botschaft f boodschap; Amt ambassade; **₂er(in** f) m ambassadeur (ambassadrice f)

Bouillon f bouillon

Boutique f boetiek

Box f box

box|en boksen; **₂er** m bokser; **₂kampf** m bokswedstrijd

boykottieren boycotten

Brachland n (het) braaklig-gend land

Branche f branche

Brand m brand; **₂stifter** m brandstichter; **₂ung** f bran-ding

Branntwein m brandewijn

brat|en braden, bakken; **₂en**

m (het) gebraad; 2fisch *m*
gebakken vis; 2hähnchen *n*
braadkip; 2hering *m* panharing; 2kartoffeln *f/pl* gebakken aardappelen *pl*; 2wurst
f braadworst

Brauch *m* (het) gebruik; 2bar
bruikbaar; 2en nodig heb-
ben; *nicht* 2en niet hoeven,
niet nodig hebben
brauen brouwen
Brauerei *f* brouwerij
braun bruin; 2kohle *f* bruin-
kool
Brause *f* sproeier; *Bad* douche;
Limonade (prik)limonade
brausen bruisen
Braut *f* bruid; verloofde
Bräutigam *m* bruidegom;
verloofde
Brautkleid *n* bruidsjapon
brav braaf; *Kind a.* zoet
Brech|bohnen *f/pl* sperzie-
bonen *pl*; ~eisen *n* koevoet
brech|en breken; *MED* bra-
ken; 2reiz *m* braakneiging
Brei *m* pap, brij
breit breed; 2e *f* breedte; ~
schultrig breedgeschouderd
Brems|belag *m* remvoering;
~e *f* rem; 2en remmen;
~flüssigkeit *f* remvloeistof;
~licht *n* (het) remlicht;
~spur *f* (het) remspoor
brenn|bar brandbaar; ~en
branden; 2er *m* brander
Brenn|holz *n* (het) brand-
hout; ~nessel *f* brandnetel;
~spiritus *m* brandspiritus;
~stoff *m* brandstof

brenzlig *fig* hachelijk
Bresche *f* bres
Brett *n* plank; *Spiel*2 (het)
bord
Brezel *f* krakeling
Brief *m* brief; ~kasten *m* brie-
venbus; 2lich per brief;
~marke *f* postzegel; ~papier
n (het) postpapier; ~tasche
n portefeuille; ~träger *m* post-
bode; ~umschlag *m* enve-
lop(pe); ~wechsel *m* brief-
wisseling
Brikett *n* briket
Brillant *m* briljant
Brille *f* bril; ~nfassung *f*
(bril)montuur; ~netui *n* bril-
lendoos
bringen brengen
Brise *f* bries
britisch Brits
bröckeln (af)brokkelen
Brocken *m* brok, (het) stuk
brodeln pruttelen
Brokkoli *m* broccoli
Brombeere *f* braambes
Bronchitis *f* bronchitis
Bronze *f* (het) brons
Brosche *f* broche
Broschüre *f* brochure
Brot *n* (het) brood; *e-e*
Scheibe ~ een boterham
Brötchen *n* (het) broodje
Brotkorb *m* (het) brood-
mandje
Bruch *m* breuk; ~stück *n*
(het) fragment; ~teil *m* frac-
tie, (het) klein gedeelte
Brücke *f* brug
Bruder *m* broer

brüderlich broederlijk

Brügge n Brugge n

Brüh|e f bouillon; Soße jus; **~würfel** m (het) bouillon-blokje

brüllen brullen

brummen brommen

Brunnen m bron, put; Spring2 fontein

brüsk bruusk

Brüssel n Brussel n

Brust f borst; **~korb** m borst-kas

Brüstung f leuning

brutal ruw, bruut

brüten broeden; fig (über A) tobben (over)

Bruttoeinkommen n (het) bruto-inkomen

Bube m jongen; Karte boer

Buch n (het) boek

Buche f beuk

buchen boeken

Bücherschrank m boeken-kast

Buch|fink m vink; **~halter** m boekhouder; **~haltung** f boekhouding; **~handlung** f boekhandel

Büchse f (het) blik, bus; Flinte buks; **~nöffner** m blikope-ner

Buch|stabe m letter; 2sta-bieren spellen; 2stäblich letterlijk

Bucht f inham, baai

Buchung f boeking

Buchweizen m boekweit

Buckel m bochel, bult

bücken: sich **~** (zich) bukken

Bückling m GASTR bokking

buddeln F graven, woelen

Bude f keet; kermistent; Ver-kaufs2 kraam

Büfett n (het) buffet; **kaltes ~** (het) koud buffet

Büffel m buffel

Bug m boeg

Bügel m beugel; **~brett** n strijkplank; **~eisen** n (het) strijkijzer; 2frei zelfstrijkend; 2n strijken

Bühne f (het) toneel; **~nbild** n (het) (toneel)decor; **~n-stück** n (het) toneelstuk

Bulette f gehaktbal, bal ge-hakt

Bull|auge n patrijspoort; **~dogge** f buldog; **~e** m stier

Bummel m wandeling; **~ei** f (het) gelanterfant; 2n schlen-dern (rond)slenteren; trödeln lanterfanten; **~streik** m lang-zaam-aan-actie

Bund 1. n bundel, bos; 2. m (het) verbond, bond; Klei-dung band

Bündel n bundel, (het) pakje

Bundes|genosse m bondge-noot; **~kanzler** m bondskan-selier; **~land** n deelstaat; **~republik** f Bondsrepubliek; **~tag** m Bondsdag

bündig bondig, beknopt

Bündnis n (het) bondgenoot-schap

Bungalow m bungalow

bunt bont; 2stift m (het) kleurpotlood; 2wäsche f bonte was

Burg f burcht, (het) slot
bürgen (*für A*) borg staan (voor)
Bürger(in f) m burger(es f); **~krieg** m burgeroorlog; **2lich** burgerlijk; **~meister**(in f) m burgemeester (a. f); **~steig** m stoep; **~tum** n burgerij
Bürgschaft f borg(som)
Büro n (het) bureau; **~klammer** f paperclip
Bursche m knaap, jongeman
Bürste f borstel; **2n** borstelen
Bus m bus; **~bahnhof** m (het) busstation

Büschel n (het) bosje
Busen m boezem
Bus|fahrer m buschauffeur; **~haltestelle** f bushalte; **~rundfahrt** f rondrit met de bus
Bussard m buizerd
Buße f boete
büßen boeten (voor); *fig* moeten bekopen
Bußgeld n boete
Büste f buste; **~nhalter** m bustehouder, beha
Butter f boter; **~brot** n boterham; **~dose** f (het) botervlootje; **~milch** f karnemelk

C

Café n lunchroom
Camper m kampeerder
Camping n camping; **~bus** m camper; **~liege** f stretcher; **~platz** m (het) kampeerterrein, camping; **~wagen** m caravan
CD-Spieler m cd-speler
Champagner m champagne
Champignons m/pl champignons pl
Chance f kans
Chaos n chaos
Charakter m (het) karakter; **2istisch** karakteristiek
Charter|flug m chartervlucht; **~maschine** f (het) chartervliegtuig
Chef m chef, baas; **~arzt** m ge-

neesheer-directeur; **~in** f (vrouwelijke) chef
Chemie f scheikunde; **~faser** f kunstvezel
Chemiker(in f) m scheikundige (a. f)
Chicorée f (het) witlof, Brussels lof
Chinarestaurant n (het) Chinees restaurant
Chinese m Chinees; **~in** f Chinese; **2isch** Chinees
Chinin n kinine
Chip m chip
Chips pl chips pl
Chirurg m chirurg
Chlor n chloor
Club m club
Cholera f cholera
Chor m (het) koor

Christ m christen; **~entum** n (het) christendom; **~in** f christin; **2lich** christelijk
Chrom n (het) chroom
Chronik f kroniek
chronisch chronisch
Chrysantheme f chrysant

circa circa
Clique f kliek
Computer m computer
Cord m (het) ribfluweel
Couch f bank, divan
Cousin m neef; **~e** f nicht
Creme f crème

D

da dort daar, er; dann dan, toen; als toen; weil daar, omdat; ~ sein vorhanden sein = zijn, aanwezig zijn
dabei daarbij, erbij; ~ sein anwesend erbij zijn; im Begriff sein bezig zijn
dableiben blijven
Dach n (het) dak; **~boden** m zolder; **~gepäckträger** m KFZ imperiaal (a. het); **~rinne** f dakgoot
Dachs m das
Dachziegel m dakpan
Dackel m dashond
da|durch daardoor; **~durch dass** doordat; **~für** daar-, ervoor; ich kann nichts ~für ik kan er niets aan doen; **~gegen** daar-, ertegen; daarentegen; **~heim** thuis; **~her** dort vandaar; deshalb daarom, dus; **~hin** daar-, erheen; vergangen voorbij
dahinter erachter; ~ kommen erachter komen; ~ stecken erachter zitten
Dahlie f dahlia

dalassen achterlaten
damalig toenmalig; **~s** toen, destijds
Dame f dame; Karte vrouw; Schach koningin; ~ spielen dammen
Damen|binde f (het) maandverband; **~friseur(in** f) m dameskapper m (dameskapster f); **~wäsche** f (het) damesondergoed, lingerie
Damespiel n (het) dammen
damit daar-, ermee; auf dass opdat
Damm m dam, dijk
Dämmerung f schemering
Dampf m stoom; Dunst damp; **2en** stomen; dampen
dämpfen dempen; GASTR stoven
Dampf|er m stoomboot; **~maschine** f stoommachine
danach nach et daar-, ernaar; hierauf daar-, erna
Däne m Deen
daneben daar-, ernaast
dank (D) dankzij
Dank m dank; **2bar** dankbaar; **~barkeit** f dankbaarheid;

2en (*D*) (be)danken; **2e schön** (*od* **vielmals**)! *beim Siezen* dank u wel!; *beim Duzen* dank je wel!

dann dan, toen; **~ und wann** af en toe, nu en dan

dar|an daar-, eraan; **nahe ~an** op het punt; **~auf** daar-, erop; **~aufhin** daarop; **~aus** daar-, eruit; **~in** daar-, erin

darleg|en uiteenzetten, betogen; **2ung** *f* uiteenzetting, (het) betoog

Darlehen *n* lening

Darm *m* darm

darstell|en voorstellen; *zeigen* vertonen; *schildern* schetsen; *THEA* uitbeelden; *bedeuten* vormen; **2er(in** *f*) *m* acteur *m* (actrice *f*)

darüber daar-, erover; daar-, erboven; **~hinaus** bovendien

darum daar-, erom

darunter daar-, eronder

das dat, het; het; **~ heißt** (*Abk* **d. h.**) dat is, dat wil zeggen (*Abk* d. w. z.)

Dasein *n* (het) bestaan

dass dat; → **sodass**

dasselbe hetzelfde

Datei *f EDV* (het) bestand

Daten *n/pl* gegevens *n/pl*; **~bank** *f* databank; **~schutz** *m* bescherming van de privacy; **~verarbeitung** *f* informatieverwerking

datieren dateren

Dattel *f* dadel

Datum *n* datum

Dauer *f* duur; **~geschwin-**

digkeit *f* kruissnelheid;
2haft duurzaam; **2n** duren;
2nd voortdurend; **~welle** *f* permanent

Daumen *m* duim

Daunendecke *f*(het) donzen dekbed

davon daar-, ervan; **darüber** daar-, erover; **~kommen** er afkomen; **~laufen** weglopen

davonmachen: sich ~ aan de haal gaan

davor daar-, ervoor

dazu überdies daar-, erbij; *zu diesem Zweck* daar-, ertoe; **~gehören** erbij horen

dazwischen daar-, ertussen; **~kommen** ertussen komen; *sich einmischen* tussenbeide komen

Debatte *f* (het) debat

Deck *n* (het) dek

Decke *f ARCH* zoldering, (het) plafond; → *a.* **Bettdecke**

Deck|el *m* (het) deksel; **2en** dekken; **~ung** *f* dekking

defekt defect, onklaar; **2** *m* (het) defect

defini|eren definiëren; **2tion** *f* definitie

Defizit *n* (het) deficit

Degen *m* degen

dehn|bar rekbaar; **~en** rekken; *sich ~en* uitzetten; *pers* zich uitrekken

Deich *m* dijk

dein jouw, je; **~erseits** van jouw kant; **~etwegen** ter wille van jou

Deklination *f* verbuiging

Dekolleté n (het) decolleté

Dekorateur m decorateur

Dekoration f decoratie

dekorieren decoreren

Delegation f delegatie

Delfin m dolfijn

delikat delicaat; **Qessenge-schäft** f delicatessenzaak

Delikt n (het) delict

Delphin m dolfijn

dementieren ontkennen

dem|entsprechend dien-overeenkomstig; **~gegen-über** daartegenover; **~nach** dus, derhalve; **~nächst** binnenkort

demokratisch democratisch

demolieren verwoesten

demon|strieren demonstreren; *POL a.* betogen; **Qstra-tion** f demonstratie

demontieren demonteren

demütigen vernederen

demzufolge dientengevolge

denk|bar denkbaar; **~en** denken; **Qmal** n (het) monument; **Qmalschutz** m monumentenzorg; **~würdig** heuglijk

denn *begründend* want; *als* dan, als; *also* dan, toch; *es sei* ~ tenzij

dennoch toch

denunzieren verklikken

Deo(dorant) n deodorant

Deponie f stortplaats

Depression f depressie

deprimiert gedeprimeerd

der *Art* de; *pl u sg f G* van de, der; *pron* die

derart zodanig; **~ig** dergelijk, zulk

derb grof

der|gleichen dergelijk; **~je-nige** diegene; **~maßen** dermate; **~selbe** dezelfde; **~zeit** *jetzt* nu; *früher* destijds

des|gleichen evenzo; **~halb** daarom

Design n (het) design

Desin|fektionsmittel n (het) ontsmettingsmiddel; **Qfizie-ren** desinfecteren

dessen *Relativpronomen* wiens, van wie; *Demonstra-tivpronomen* diens; **~ unge-achtet** desondanks

Dessert n (het) dessert

destilliert gedistilleerd

desto des te; **~ mehr (bes-ser)** des te meer (beter)

deswegen daarom

Detail n (het) detail

Detektiv m detective

deut|en uitleggen; **(auf** A**)** aanwijzen; **~lich** duidelijk

deutsch Duits; **auf** Q in het Duits; **sprechen Sie** Q**?** spreekt u Duits? **Qe(r)** Duitser m, Duitse f; **Qland** n Duitsland n

Devisen pl deviezen pl

Dezember m december

Dezimalsystem n (het) tien-delig stelsel

Dia n dia; **~betiker(in** f**)** m diabeticus m (diabetica f); **~gnose** f diagnose; **~lekt** m (het) dialect; **~log** m dialoog; **~mant** m diamant; **~rähm-**

chen *n* (het) diaraampje
Diät *f* (het) dieet
dich jou, je
dicht dicht; **~ an** (*D*) dicht-, vlakbij
dicht|en dichten; **♀er(in** *f*) *m* Poesie dichter *m* (dichteres *f*); *Prosa* schrijver *m* (schrijfster *f*), auteur (*a.*); **~erisch** dichterlijk; **♀ung** *f* dichtkunst; *TECH* dichting
dick dik; **♀darm** *m* dikke darm; **♀e** *f* dikte; **♀kopf** *m* stijfkop; **~köpfig** stijfhoofdig, koppig
die *Art* de; *pron* die
Dieb *m* dief; **~in** *f* dievegge; **~stahl** *m* diefstal
Diele *f* hal; *Brett* plank
dien|en (*D*) dienen; **♀er(in** *f*) *m* bediende
Dienst *m* dienst; **im ~ sein** in dienst zijn
Dienstag *m* dinsdag
dienst|bereit dienstwillig; **♀leistung** *f* dienst; **♀stelle** *f* (het) bureau
dieselbe(n) dezelfde
Dieselöl *n* dieselolie
dies|er, ~e deze; **~(es)** dit; **~mal** ditmaal, deze keer; **~seits** (*G*) aan deze kant van
Dietrich *m* loper, valse sleutel
Differenz *f* (het) verschil; **~ialgetriebe** *n* (het) differentieel
digital digitaal; **♀uhr** *f* (het) digitaal horloge
Dikt|atur *f* dictatuur; **♀ieren** dicteren

Dill *m* dille
Ding *n* (het) ding; **vor allen ~en** voor alles, vooral
Diphtherie *f* difterie
Diplom *n* (het) diploma; **~arbeit** *f* doctoraalscriptie; **♀atisch** diplomatiek
dir jou, je
direkt direct, rechtstreeks; **♀flug** *m* non-stopvlucht; **♀ion** *f* directie; **♀or(in** *f*) *m* directeur *m* (directrice *f*); **♀übertragung** *f* rechtstreekse uitzending
Dirigent *m* dirigent
Dis|kette *f* diskette; **~kontsatz** *m* discontovoet; **~kothek** *f* discotheek
diskret discreet
diskriminieren discrimineren
Dis|kussion *f* discussie; **♀kutieren** discussiëren; **♀qualifizieren** diskwalificeren; **~sertation** *f* dissertatie, (het) proefschrift
Distanz *f* afstand; **♀ieren: sich ♀ieren** zich distantiëren
Distel *f* distel
Disziplin *f* discipline; **♀iert** gedisciplineerd
Divid|ende *f* (het) dividend; **♀ieren** delen
Division *f* divisie; *MATH* deling
Diwan *m* divan
doch toch, nochtans; **~!** toch (wel)!
Dock *n* (het) dok
Dogge *f* dog

Doktor *m* doctor; *Arzt* dokter

Dokument *n* (het) document; **~arfilm** *m* documentaire

Dolch *m* dolk

Dolmetscher(in *f*) *m* tolk (*a. f*)

Dom *m* dom(kerk)

Donner *m* donder; **2n** donderen; **~stag** *m* donderdag

doof F dom, stom

Dopingkontrolle *f* dopingcontrole

Doppel *n* (het) dubbel (*a. Sport*); **~bett** *n* (het) lits-jumeaux; **~gänger** *m* dubbelganger; **~punkt** *m* dubbelepunt; **~stecker** *m* dubbele stekker; **2t** dubbel; *das* **~te** het dubbele; **~zimmer** *n* tweepersoonskamer

Dorf *n* (het) dorp

Dorn *m* doorn; **2ig** doornig

Dorsch *m* dors, jonge kabeljauw

dort daar, ginds, ginder; **~hin** daarheen

Dose *f* doos; *Konserven2* (het) blik; *Zucker2* pot

dösen dommelen, soezen

Dosen|bier *n* (het) bier in blik; **~öffner** *m* blikopener

Dosis *f* dosis

Dotter *m od n* dooier

Dozent(in *f*) *m* docent(e *f*)

Drachen *m* draak; *Papier2* vlieger

Dragee *n* MED pastille

Draht *m* draad, (het) snoer; **2los** draadloos; **~zaun** *m* afrastering

Drama *n* (het) drama; **2tisch** dramatisch

dran → *daran; jetzt bin ich* **~** nu ben ik aan de beurt

Drang *m* drang

drängen dringen; *sich* **~** elkaar verdringen

drankommen F aan de beurt komen

drauf → *darauf;* **2gänger** *m* (het) haantje-de-voorste; **~zahlen** erop toeleggen

draußen buiten

Dreck *m* (het) vuil, drek; **2ig** vuil, vies

dreh|bar draaibaar; **2buch** *n* (het) draaiboek; **~en** (*sich*) draaien; **2ung** *f* draai(ing), omwenteling; **2zahl** *f* toerental; **2zahlmesser** *m* toerenteller

drei drie; **~ viertel** driekwart; **2eck** *n* driehoek; **~eckig** driehoekig; **~fach** drievoudig; **~hundert** driehonderd; **~mal** driemaal, drie keer; **2rad** *n* driewieler; **2Big** dertig; **~Bigste** dertigste

dreist driest, vrijpostig

Drei|sternehotel *n* (het) driesterrenhotel; **2stöckig** met drie verdiepingen; **2tägig** driedaags; **2zehn** dertien; **2zehnte** dertiende

dreschen dorsen

drin → *darin*

dringen dringen; **~** (*auf A*) aandringen (op); **~d** dringend

drinnen binnen

dritt|e derde; **2el** n (het) derde (deel); **~ens** ten derde

Droge f (het) verdovend middel, drug

drogen|abhängig drugsverslaafd; **2händler** m (drug-)dealer; **2sucht** f drugverslaving

Drogerie f drogisterij

drohen (D) dreigen

dröhnen dreunen, daveren

Drohung f bedreiging, (het) dreigement

drollig koddig, grappig

Drops m/pl zuurtjes n/pl

Drossel f lijster; **2n** verminderen; Motor gas minderen

drüben aan de overkant

Druck m druk; **~buchstabe** m drukletter; **2en** drukken

drücken drukken; **sich ~** (vor D) trachten te ontsnappen (aan)

Druck|er m drukker; EDV printer; **~erei** f drukkerij; **~sache** f (het) drukwerk

Druckschrift f: **in ~** in drukletters

Drüse f klier

Dschungel m jungle

du jij, je

Dübel m plug

Duft m geur; **2e** F tof, mieters; **2en** (nach D) geuren (naar); **2end, 2ig** geurig

dulden dulden

dumm dom; unangenehm vervelend; **2heit** f domheid; Fehler stommiteit, flater, blunder; **2kopf** m domoor

dumpf dof; Luft muf

Düne f duin

düng|en (be)mesten; **2er** m mest

dunkel donker; **2heit** f duisternis; **2kammer** f donkere kamer

dünn dun

Dunst m damp, wasem; Qualm nevel

dünsten stoven

dunstig wazig, dampig; METEO mistig

Duplikat n (het) duplicaat

durch (A) door; **~ die Post** per post; **~arbeiten** doorwerken; **~aus** geheel, volkomen; unter allen Umständen beslist; **~aus nicht** helemaal niet; **~blättern** doorbladeren; **~brechen** doorbreken; **~brennen** doorbranden; fig ervandoor gaan; **2bruch** m doorbraak; **~dacht** doordacht; **~drehen** pers over zijn toeren raken; **~dringen** doordringen

durcheinander door elkaar, overhoop; **~ sein** helemaal overstuur zijn; **2** n verwarring, chaos

durchfahr|en doorrijden; **2t** f doortocht; Durchgang doorrit, doorgang

Durch|fall m MED diarree; **2fallen** fig mislukken; Prüfung zakken; **2führen** doorvoeren; ausführen uitvoeren

Durchgang m doorgang; **~sverkehr** m (het) doorgaand verkeer

durchgehend *Zug* doorgaand; **~ geöffnet** de hele dag geopend

durch|halten volhouden; **~kommen** *fig* het halen; **~kreuzen** doorkruisen; **~lässig** doorlatend; **~laufen** doorlopen; stuklopen; **2lauferhitzer** *m* geiser; **2lesen** doorlezen

Durchleuchtung *f MED u fig* doorlichting

durch|löchern doorboren; **~lüften** luchten; **~machen** *erleben* door-, meemaken; **2messer** *m* middellijn, diameter; **~nässt** doornat; **~queren** (dwars) doortrekken

Durchreise *f: auf der* **~** op doorreis

Durch|sage *f* mededeling; **2schauen** *fig* doorzien; **2scheinend** doorschijnend

Durch|schlag *m Kopie* doorslag; *Sieb* (het) vergiet; **2schneiden** doorsnijden; *mit Schere* doorknippen; **~schnitt** *m* doorsnede; *Mittelwert* (het) gemiddelde; **2schnittlich** gemiddeld; **2sehen** doorkijken

durchsetzen: *sich* **~** zijn wil

doordrijven

durch|sichtig doorzichtig; **~sprechen** doorspreken; **~streichen** doorstrepen, doorstrepen; **~suchen** doorzoeken; *j-n* fouilleren; **~trieben** *adj* doorregen; **2wahl** *f TEL* (het) doorkiesnummer; **~wählen** *TEL* doorkiezen; **~weg** doorgaans; **2zählen** natellen; **2zug** *m* doortocht

dürfen mogen; *darf ich ...?* mag ik ...?

dürftig schraal, armzalig

dürr *trocken* dor; *mager* schraal; **2e** *f* droogte; schraalheid

Durst *m* dorst; **2ig** dorstig; **2ig sein** dorst hebben

Dusche *f* douche, (het) stortbad; **2en** douchen; **~nische** *f* douchecel

Düse *f* sproeier; **~nflugzeug** *n* (het) straalvliegtuig; **~njäger** *m* straaljager; **~ntriebwerk** *n* straalmotor

dus(e)lig suf

düster duister; *fig mst* somber

Dutzend *n* (het) dozijn

duzen *j-n* tutoyeren

Dynamit *n* (het) dynamiet

D-Zug *m* D-trein, sneltrein

E

Ebbe *f* eb(be)

eben *flach* vlak, effen; *genau das* juist, precies; **~ (erst)** net,

juist; **~ soviel** evenveel; **~ sowenig** even weinig, evenmin; **~bürtig** gelijkwaardig

Ebene f vlakte; *MATH u fig* (het) vlak

eben|**falls** eveneens; **~so:** **~so** (*alt*) **wie** even (oud) als

Eber m (het) everzwijn

ebnen effenen

Echo n echo

echt echt

Eck|**ball** m hoekschop; **~e** f hoek; **♀ig** hoekig; **~zahn** m hoektand

edel edel; **♀metall** n (het) edel metaal; **♀stahl** m (het) roestvrij staal; **♀stein** m edelsteen

Efeu m klimop

effektvoll vol effect

egal: *... ist mir ~ ...* kan mij niets schelen

egoistisch egoïstisch

ehe voor(dat), vooraleer

Ehe f (het) huwelijk; **~bruch** m (het) overspel; **~frau** f echtgenote, vrouw; **~leute** pl echtelieden pl; **♀lich** echtelijk

ehemal|**ig** voormalig; **~s** vroeger

Ehe|**mann** m echtgenoot, man; **~paar** n (het) echtpaar

eher eerder

Ehering m trouwring

Ehre f eer; **♀n** eren

ehren|**haft** eervol; **♀wort** n (het) erewoord

Ehr|**furcht** f eerbied; **♀fürchtig** eerbiedig; **~gefühl** n (het) eergevoel; **~geiz** m eerzucht, ambitie; **♀geizig** eerzuchtig, ambitieus

ehrlich eerlijk; **♀keit** f eerlijkheid

ehrwürdig eer(bied)waardig

Ei n (het) ei; **~weiches ~** (het) zacht(gekookt) eitje

Eich|**e** f eik; **~el** f eikel (a. *ANAT*); **~hörnchen** n (het) eekhoorntje

Eid m eed; *an ~es Statt* plechtig

Eidechse f hagedis

eidesstattlich plechtig

Eidotter n eierdooier

Eier|**becher** m (het) eierdopje; **~kuchen** m pannenkoek; omelet; **~likör** m advocaat; **~speise** f (het) eiergerecht; **~stock** m *ANAT* eierstok

Eifer m ijver; **~sucht** f jaloezie; **♀süchtig** jaloers

eifrig ijverig

Eigelb n (het) eigeel

eigen eigen; **♀art** f eigen aard; **~artig** eigenaardig; **♀heim** n (het) eigen huis; **~mächtig** eigenmachtig; **~nützig** baatzuchtig; **~s** speciaal; **♀schaft** f eigenschap; **♀sinn** m eigenzinnigheid; **~tlich** eigenlijk; **♀tum** n (het) eigendom; **♀tü mer(in** f) m eigenaar m (eigenares f); **~tümlich** eigenaardig; (*D*) eigen; **♀tumswohnung** f eigen woning

eign|**en**: *sich ~ (zu D, für A)* geschikt zijn (voor); **♀ung** f geschiktheid

Eilbote m: *durch ~n* per expresse

Eilbrief m expresbrief

Eile f haast; *in ~ sein* haast hebben

eil|en zich haasten; *es eilt* er is haast bij; ~gut *n* (het) expresgoed; ~ig haastig; *es ~ig haben* haast hebben; Qzug *m* sneltrein

Eimer *m* emmer

ein, ~e, ~er, ~es Art een; Zahl één; eentje; ~ander elkaar

ein|äschern cremeren; ~atmen inademen

Ein|bahnstraße f straat met eenrichtingverkeer; ~bauküche f ingebouwde keuken; ~bauschrank *m* ingebouwde kast; Qberufen bijeenroepen; MIL oproepen; Qbehalten Betrag inhouden; Qbeziehen (*in A*) betrekken (in)

einbiegen: *in e-e Straße ~* een straat inslaan

einbild|en: *sich ~en* zich verbeelden; ~ung f in-, verbeelding

einbrech|en inbreken; Qer *m* inbreker

einbringen Gewinn opleveren, opbrengen

Einbruch *m* inbraak; Beginn (het) aanbreken; Q(s)sicher inbraakvrij

Ein|buße f (het) verlies; Qbüßen verliezen; Qdeutig ondubbelzinnig, overduidelijk

eindring|en (*in A*) binnendringen; ~lich nadrukkelijk; Qling *m* indringer

Eindruck *m* indruk; ~svoll in-

drukwekkend

ein|drücken indrukken; ~einhalb anderhalf

ein|er|lei om het even; ~seits enerzijds

einfach eenvoudig, gewoon; *nicht doppelt, a. Reise* enkel; Qheit f eenvoud

einfahr|en v/t KFZ inrijden; v/i binnenrijden; Qt f (het) binnenrijden; Qng inrit

Einfall *m* inval; Qen (*in A*) binnenvallen; fig j-m A te binnen schieten; *einstürzen* invallen

einfältig onnozel

Einfamilienhaus *n* eengezinswoning; Qfarbig effen; Qfetten invetten; Qflößen fig inboezemen

Einfluss *m* invloed; Qreich invloedrijk

ein|förmig eenvormig; ~frieren Lebensmittel invriezen; ~fügen invoegen, inlassen; Qfuhr f invoer; ~führen invoeren; inleiden

Einfuhrgenehmigung f invoervergunning; ~führungspreis *m* introductieprijs; ~fuhrzoll *m* invoerrechten *n/pl*; ~gang *m* ingang; *e-r Sendung* aankomst

einge|bildet verwaand; *Phantasie* denkbeeldig; Qborene(r) inboorling(e f)

Eingebung f ingeving

eingehen binnengaan; *Vertrag, Ehe* sluiten; *Risiko* aangaan; *Sendung* binnenkomen; *Pflanze* afsterven; *Stoff* krimpen; **~auf** (A) ingaan op; **~d** grondig

einge|schrieben *Brief* aangetekend; **£ständnis** *n* bekentenis; **~stehen** bekennen; **£weide** *n/pl* ingewanden *pl*; **~wöhnen: sich ~wöhnen** acclimatiseren

ein|gleisig met enkel spoor; **~gliedern** opnemen (in 't verband); **~greifen** ingrijpen; **£griff** *m* ingreep; **~halten** *v/t Versprechen usw* zich houden aan; **~heimisch** inheems

Einheit *f* eenheid; **£lich** uniform

ein|holen inhalen; *Rat, Auskunft* inwinnen; → *a.* **einkaufen;** **~hüllen** inwikkelen

einig eensgezind; *sich ~ werden* (*sein*) het eens worden (zijn); **~e** *pl* einige *pl*, enkele *pl*

einigen verenigen; *sich ~ über* (*od auf*) (A) het eens worden (over)

einig|ermaßen enigszins; **~es** een en ander, iets; **£keit** *f* eensgezindheid; **£ung** *f* vereniging; *Übereinstimmung* overeenstemming, (het) akkoord

einjährig eenjarig

einkalkulieren meerekenen

Ein|kauf *m* inkoop; **~käufe** *pl* **machen,** **£kaufen** boodschappen *pl* doen

Einkaufs|bummel *m* wandeling langs de winkels; **~tasche** *f* boodschappentas; **~wagen** *m* winkelwagen; **~zentrum** *n* (het) winkelcentrum

Einklang *m* overeenstemming

Einkommen *n* (het) inkomen; **~steuer** *f* inkomstenbelasting

ein|kreisen omsingelen; **£künfte** *f/pl* inkomsten *pl*

einladen inladen; *Gäste* uitnodigen; **£ung** *f* uitnodiging

Ein|lage *f Schuh£* steunzool; *Spar£* inleg; **£lass** *m* toegang; **£lassen** binnenlaten

Einlauf *m MED* (het) lavement; **£en** *Schiff* binnenlopen; *Stoff* krimpen

einleiten inleiden; **£ung** *f* inleiding

einleuchten duidelijk zijn

einliefern: in ein Krankenhaus ~ naar een ziekenhuis brengen

ein|lösen inlossen; *Scheck* verzilveren; **~machen** *Früchte* inmaken

einmal eens; → **auf; nicht ~** niet eens; **£eins** *n* tafel van vermenigvuldiging; **~ig** uniek

einmischen: sich ~ (in A) zich mengen (in), zich bemoeien (met)

Ein|mischung *f* inmenging; **~mündung** *f Straßen£* uitmonding; **£mütig** eensgezind

Ein|nahme *f* inneming; *ECON* ontvangst; **£nehmen** innemen; *Geld* ontvangen; *Mahlzeit* gebruiken

ein|ordnen: *sich ~ KFZ* voorsorteren

ein|packen inpakken; **~planen** inplannen; **~prägen** (*sich*) (zich) inprenten; **~rahmen** inlijsten; **~räumen** *Sachen* inruimen; *Recht, Vorrang* geven; *zugeben* toegeven; **~reden** *j-m* aanpraten; **~reiben** (*sich*) (zich) inwrijven; **~reichen** indienen

Einreise *f* (het) binnenreizen; **~visum** *n* (het) visum

einrichten inrichten; **Qung** *f* inrichting; voorziening

Eins *f* één

einsam eenzaam; **Qkeit** *f* eenzaamheid

Einsatz *m* inzet; *eingesetztes Stück* tussenzetsel

ein|schalten inschakelen; *Gerät, Motor mst* aanzetten; **~schätzen** inschatten; **~schenken** inschenken; **~schiffen** (*sich*) (zich) inschepen; **~schlafen** inslapen; **~schlagen** inslaan

ein|schließen insluiten; **~lich** (*G*) met inbegrip van, inclusief

ein|schneidend diepgaand; **Qschnitt** *m* insnijding; *fig* cesuur

ein|schränk|en beperken; **Qung** *f* beperking

Einschreibe|brief *m* aangetekende brief; **~gebühr** *f* in-

schrijfkosten *pl*; *Post* (het) aantekenrecht; **Qn** (*sich*) (zich) inschrijven; *per ~n!* aangetekend

ein|schreiten tussenbeide komen; **~schüchtern** intimideren; **~sehen** inzien; **~seitig** eenzijdig; **~senden** inzenden; **~setzen** (*sich*) (zich) inzetten

Einsicht *f* (het) inzicht; **Qig** verstandig

Ein|sparung *f* besparing, bezuiniging; **Qsperren** opsluiten; **Qspringen** inspringen

ein|spritz|en inspuiten; **Qpumpe** *f* injectiepomp

Einspruch *m* (het) protest; *~ erheben* protesteren

einspurig *Straße* met één rijbaan

einst eens

ein|stecken mitnehmen op zak steken; *hinnehmen* slikken; **~steigen** instappen

einstell|en *aufhören* staken; *Personal* aanstellen, aannemen; *regulieren* af-, instellen; *sich ~en auf* (*A*) zich instellen op; **Qung** *f Haltung* houding, instelling

einstig vroeger

einstimmig eenparig

ein|stöckig met één verdieping; **~stufen** classificeren; **Qsturz** *m* instorting; **~stürzen** instorten, invallen; **Qsturzgefahr** *f* (het) instortingsgevaar

einstweil|en *adv* voorlopig,

ondertussen, vooralsnog; **~ig** voorlopig

ein|tauchen v/t indopen; **~teilen** indelen; **~tönig** eentonig; **Stopf(gericht** n) m stamppot, eenpansmaaltijd; **Stracht** f eendracht

ein|tragen inschrijven; **~träglich** winstgevend; **Stragung** f Notiz aantekening, notitie

ein|treffen aankomen; sich erfüllen uitkomen; **~treten** binnenkomen; (für A) opkomen (voor)

Eintritt m intrede; Zugang toegang, entree; **~sgeld** n toegangsprijs; **~skarte** f (het) entree-, toegangskaartje

einüben inoefenen

einver|standen akkoord; **Sständnis** n verstandhouding; (het) akkoord

Ein|wand m tegenwerping; **~wanderer** m immigrant; **~wanderin** f immigrante; **Swandfrei** onberispelijk

Einweg- in Zssgn wegwerpein|weihen inwijden; **~wenden** opwerpen, inbrengen; **~werfen** Brief posten; Münze ingooien; **Swickelpapier** n (het) inpakpapier; **~willigen** toestemmen

Einwohner(in f) m inwoner m (inwoonster f); **~meldeamt** n (het) bevolkingsbureau

Einwurf m Schlitz gleuf; Sport ingooi

Ein|zahl f (het) enkelvoud; **Szahlen** betalen, storten; **~zäunung** f omheining

Einzel n Sport (het) enkel(spel); **~gänger** m eenling, individualist; **~handel** m kleinhandel, detailhandel; **~händler** m detaillist; **~heit** f (het) detail; **~kind** n (het) enig kind

einzeln afzonderlijk, apart; **im Sen** (meer) in het bijzonder; **Se(r)** (het) individu, enkeling

Einzelzimmer n eenpersoonskamer

einziehen intrekken; Erkundigungen inwinnen; konfiszieren verbeurdverklaren; kassieren innen

einzig enig; **~artig** uniek

Einzug m intocht

Eis n (het) ijs; **~bär** m ijsbeer; **~becher** m ijsbeker; **~bein** n (het) varkenspootje; **~decke** f ijskorst; **~diele** f ijssalon

Eisen n (het) ijzer

Eisenbahn f spoorweg; **~er** m spoorwegman; **~linie** f spoorlijn

eisen|haltig ijzerhoudend; **Senwarengeschäft** n ijzerhandel; een ijzerwinkel

eis|gekühlt met ijs gekoeld; **~glätte** f ijzel; **Shockey** n (het) ijshockey; **~ig** ijzig; **~kalt** ijskoud; **Skunstlauf** m (het) kunstrijden op de schaats; **Släufer(in** f) m schaatser m (schaatsster f)

Würfel *m* (het) ijsblokje
eitel ijdel; **Qkeit** *f* ijdelheid
Eiter *m* etter; **Qn** etteren
Eiweiß *n* (het) eiwit
Ekel *m* walg(ing), afkeer;
Qhaft walgelijk, vies; **Qn:**
sich **Qn vor** (*D*) walgen van
Ekzem *n* (het) eczeem
elastisch elastisch
Elefant *m* olifant
elegant elegant
Eleganz *f* elegantie
Elektri‖ker *m* elektricien;
Qsch elektrisch; **~zität** *f*
elektriciteit
Elektro‖gerät *n* (het) elektrisch apparaat; **~geschäft** *n*
elektriciteitswinkel; **~nen-
blitzgerät** *n* elektronenflitser; **~nik** *f* elektronica; **Q-
nisch** elektronisch; **~tech-
nik** *f* elektrotechniek
Element *n* (het) element; **Qar**
elementair
elend ellendig; **Q** *n* ellende;
Qsviertel *n* krottenwijk
elf elf; **Q** *f Sport* (het) elftal
Elfenbein *n* (het) ivoor
Elf‖meter *m* strafschop; **Qte**
elfde
Ell(en)bogen *m* elleboog
Elster *f* ekster
Eltern *pl* ouders *pl*
E-Mail *f EDV* e-mail
emailliert geëmailleerd
Emission(en *pl*) *f* uitstoot
Empfang *m* ontvangst; *Rezeption* receptie; **Qen** ontvangen
Empfänger *m* ontvanger;

Radio (het) ontvangtoestel;
Qlich ontvankelijk, vatbaar;
~nisverhütung *f* geboortebeperking
Empfangs‖dame *f* receptioniste; **~halle** *f* ontvangsthal
empfehl‖en aanbevelen; *sich*
~en afscheid nemen; **~ens-
wert** aanbevelenswaardig;
Qung *f* aanbeveling
empfind‖en voelen; **~lich** gevoelig; **hoch ~lich** zeer gevoelig; **Qung** *f* gewaarwording
empor omhoog, naar boven
empören: sich ~ in woede
ontsteken; in opstand komen;
~d stuitend
Empörung *f* verontwaardiging
emsig ijverig
Ende *n* (het) einde; *am ~* tenslotte; *zu ~ sein*, **Qn** eindigen
endgültig definitief
Endivie *f* andijvie
end‖lich eindelijk; **~los** eindeloos; **Qspiel** *n Sport* finale;
Qstation *f* (het) eindstation;
Qung *f* uitgang
Energie *f* energie; **~versor-
gung** *f* energievoorziening
energisch krachtig, energiek,
vinnig, kordaat
eng eng, nauw; **Qe** *f* engte
Engel *m* engel
Eng‖länder(in *f*) *m* Engelsman *m* (Engelse *f*); **Qlisch**
Engels
Engpass *m fig* (het) knelpunt
Enkel(in *f*) *m* kleinzoon *m*
(kleindochter *f*)

enorm enorm

entbehr|en *f* missen, ontberen; **~lich** ontbeerlijk

Entbindung *f MED* bevalling; **~sstation** *f* kraamafdeling

entdeck|en ontdekken; 2ung *f* ontdekking

Ente *f* eend

ent|eignen onteigenen; **~erben** onterven; **~fallen** ontvallen; (*auf A*) vallen (op); *ausfallen* vervallen; **~falten** (*sich*) (zich) ontplooien

entfern|en (*sich*) (zich) verwijderen; 2ung *f* afstand

ent|fesseln ontketenen; **~fliehen** ontvluchten; **~führen** ontvoeren, schaken; 2führer(in *f*) *m* ontvoerder *m* (ontvoerster *f*)

entgegen (*D*) tegemoet; tegen; **~gesetzt** tegen(over)gesteld; **~kommen** (*D*) tegemoetkomen (aan); **~sehen** (*D*) tegemoetzien

ent|gehen (*D*) ontgaan; **~gleisen** ontsporen; **~grätet** zonder graat; 2haarungsmittel *n* (het) ontharingsmiddel

enthalt|en bevatten; *sich* **~en** (*G*) zich onthouden (van); **~sam** matig; 2ung *f* onthouding

ent|hüllen onthullen; **~kommen** (*D*) ontkomen (aan); **~korken** ontkurken; **~laden** ontladen; *Wagen* lossen; **~lang** (*A, D*) langs; **~larven** ontmaskeren

entlass|en ontslaan; 2ung *f* (het) ontslag

entlasten ontlasten

entledigen: *sich* **~** (*G*) zich ontdoen (van)

ent|legen afgelegen; **~lüften** ventileren; **~mutigen** ontmoedigen; **~nehmen** ontnemen; *fig* concluderen; **~rätseln** ontraadselen; **~reißen** ontrukken; **~rüstet** verontwaardigd; 2safter *m* vruchtenpers; **~schädigen** schadeloosstellen

entscheid|en (*sich*) beslissen; **~end** beslissend; 2ung *f* beslissing

entschieden beslist

entschließen: *sich* **~** besluiten

ent|schlossen vastberaden; 2schluss *m* (het) besluit

entschuldig|en (*sich*) (zich) verontschuldigen; 2ung *f* verontschuldiging; 2ung! pardon!

Entsetz|en *n* ontzetting; 2lich ontzettend, vreselijk

Entsorgung *f* opslag van afval(stoffen)

entspann|en (*sich*) (zich) ontspannen; 2ung *f* ontspanning

entsprech|en (*D*) beantwoorden aan; **~end** overeenkomstig

entsteh|en ontstaan; 2ung *f* (het) ontstaan

entstellen misvormen

enttäusch|en teleurstellen;

tegenvallen; **2ung** *f* teleurstelling

entwaffnen ontwapenen

entweder: ~ ... oder of(wel) ... of

ent|wenden ontvreemden, ontfutselen; **~werfen** ontwerpen; **~werten** *Marke* afstempelen; *Fahrkarte* knippen

entwick|eln (sich) (zich) ontwikkelen; **2lung** *f* ontwikkeling; **2lungsland** *n* (het) ontwikkelingsland

ent|wirren ontwarren; **~wischen** ontsnappen, ontglippen; **2wurf** *m* (het) ontwerp

entzieh|en (sich) (zich) onttrekken; **2ungskur** *f* ontwenningskuur

entziffern ontcijferen

entzück|end verrukkelijk, prachtig; **~t** opgetogen, verrukt

entzünd|en: sich ~en MED ontsteken; **2ung** *f* MED ontsteking

entzwei stuk, kapot

Epidemie *f* epidemie

Epoche *f* (het) tijdperk

er hij; **~ selbst** hijzelf

Erachten *n*: *meines* **~s** mijns inziens

er|bärmlich erbarmelijk, beroerd; **~barmungslos** meedogenloos

Erbe 1. *n* erfenis; **2.** *m* erfgenaam; *Fahrkarte* erven

erbeuten buitmaken

Erbin *f* erfgename

erbittert verbitterd

erblich erfelijk

erblinden blind worden

erbrechen: sich ~ braken

Erbschaft *f* erfenis

Erbse *f* erwt; *junge ~* doperwt

Erd|beben *n* aardbeving; **~beere** *f* aardbei; *~e* *f* aarde; *Fußboden* grond; **2en** EL aarden; **~gas** *n* (het) aardgas; **~geschoss** *n* benedenverdieping; **~kunde** *f* aardrijkskunde; **~nüsse** *f*pl aardnoten *pl*, apenootjes *n*/pl; **~öl** *n* aardolie, petroleum; **~rutsch** *m* aardverschuiving; **~stoß** *m* aardschok; **~teil** *m* (het) werelddeel

erdulden verduren

Erdung *f* EL aarding

ereign|en: sich ~en gebeuren; **2is** *n* gebeurtenis

erfahr|en *v*/*t* ondervinden; *Nachrichten* vernemen; *adj* ervaren; **2ung** *f* ervaring

erfassen (aan)grijpen; *begreifen* begrijpen

erfind|en uitvinden; *lügen* verzinnen; **~erisch** vindingrijk; **2ung** *f* uitvinding; *Lüge* (het) verzinsel

Erfolg *m* (het) succes; (het) resultaat; **2en** gebeuren, plaatshebben; **2los** zonder resultaat; **2reich** succesvol

erforder|lich noodzakelijk; **~n** vereisen; **2nis** *n* vereiste

erfreu|en (sich) (zich) verheugen; *sehr ~t!* aangenaam!; **~lich** verheugend

erfrieren bevriezen

erfrisch|en (*sich*) (zich) verfrissen; **Qungstuch** *n* vochtige tissue

erfüllen vervullen; *sich ~* uitkomen

ergänz|en aanvullen; **Qung** *f* aanvulling

ergeb|en leiden tot; *sich ~en folgen aus* blijken, voortvloeien; *MIL* zich overgeven; **Qnis** *n* (het) resultaat, uitslag; **~nislos** zonder resultaat

ergiebig rijk, overvloedig

er|greifen pakken, grijpen; *fig Gelegenheit* aangrijpen; *Wort* nemen; **~griffen** ontroerd

Erguss *m* uitstorting

erhaben *fig* verheven

erhalten krijgen; *bewahren* bewaren; *gut ~ adj* in goede staat

er|hältlich verkrijgbaar; **Q-haltung** *f* (het) behoud; **~hängen** (*sich*) (zich) ophangen

erheb|en *Zoll, Gebühr* heffen; *Klage* indienen; *sich ~en revoltieren* opstaan; **~lich** aanzienlijk

er|heitern opvrolijken; **~hitzen** verhitten; **~höhen** (*um A*) verhogen (met)

erhol|en *sich ~en* bijkomen, opknappen; *entspannen* zich ontspannen; **Qung** *f* (het) herstel; *Entspannung* ontspanning, (het) verzet(je)

Erholungs|reise *f* plezierreis; **~zentrum** *n* (het) recreatiecentrum

erinner|n (*sich*) (*an A*) (zich) herinneren (aan); **Qung** *f* herinnering

erkält|en: *sich ~en* kou vatten; **~et** verkouden; **Qung** *f* verkoudheid

erkenn|en herkennen; *einsehen* beseffen, erkennen; *zu ~en geben* te kennen geven; **Qtnis** *f* (het) inzicht

erklär|en verklaren, *erläutern a.* uitleggen; **~lich** verklaarbaar; **Qung** *f* verklaring

er|kranken ziek worden; **~kunden** verkennen

erkundig|en: *sich ~en* (*nach D*) informeren (naar); **Qung** *f* inlichting

erlangen verkrijgen

Erlass *m* kwijtschelding; *Beschluss* (het) besluit; *Gen* kwijtschelden; *anordnen* uitvaardigen

erlaub|en veroorloven; **Qnis** *f* toelating, (het) verlof

erläutern verklaren, toelichten

erleb|en beleven; **Qnis** *n* belevenis

erledig|en afdoen, afmaken; **~t** afgedaan; *erschöpft* doodop

erleichter|n verlichten, vergemakkelijken; **~t** *fig* opgelucht; **Qung** *f* vergemakkelijking; *fig* opluchting

er|leiden lijden, ondergaan; **~lesen** uitgelezen, select; **~liegen** (*D*) bezwijken (voor; *Krankheit* aan); **Qlös**

m opbrengst; **~löschen** uitgaan; *ungültig werden* vervallen; **~lösen (von** *D*) verlossen; **~(van) ~mächtigen** machtigen; **~mahnen** vermanen

ermäßig|en verminderen; **~ung** *f* vermindering, reductie

ermitteln vaststellen, achterhalen; *JUR* een onderzoek instellen

er|möglichen mogelijk maken; **~morden** vermoorden

ermüd|en *v/t* vermoeien; *v/i* moe worden; **~ung** *f* vermoeidheid

er|muntern, **~mutigen** aanmoedigen

ernähr|en voeden; onderhouden; *sich* **~en** zich voeden; **~ung** *f* voeding

er|nennen benoemen; **~neuern** vernieuwen; **~neut** opnieuw; **~niedrigen** vernederen; *Preis* verlagen

ernst ernstig; **2** *m* ernst; **2fall** *m* (het) geval van ernst; **~haft**, **~lich** ernstig, serieus

Ernte *f* oogst; **2n** oogsten

Ernüchterung *f* ontnuchtering

erober|n veroveren; **2ung** *f* verovering

eröffn|en openen; **2ung** *f* opening

erörtern bespreken; *erläutern* toelichten

erotisch erotisch

erpicht: **~** *auf* (*A*) belust op, tuk op

erpress|en afpersen; **2ung** *f* afpersing

er|proben op de proef stellen, beproeven; **~raten** raden

erreg|en opwinden; *verursachen* veroorzaken; **2ung** *f* opwinding

erreich|bar bereikbaar; **~en** bereiken; *Zug* halen

er|richten oprichten; **~ringen** behalen; **~röten** blozen; **2rungenschaft** *f* verworvenheid

Ersatz *m Vergütung* vergoeding; *Austausch* vervanging; **~mann** *m* vervanger, invaller (*a. Sport*); **~rad** *n* (het) reservewiel; **~teil** *n* (het) (reserve)onderdeel

erschein|en verschijnen; **2ung** *f* verschijning; *Phänomen* (het) verschijnsel

er|schießen doodschieten; **~schließen** *Gegend* ontsluiten

erschöpf|en uitputten; **~** uitgeput; **2ung** *f* uitputting

erschrecken *v/t* doen schrikken; *v/i* schrikken; **~d** schrikbarend

erschütter|n schokken; **2ung** *f* schok

er|schweren bemoeilijken; **~setzen** *vergüten* vergoeden; *austauschen* vervangen

erspar|en (be)sparen; **2nisse** *f/pl* (het) spaargeld

erst eerst; *soeben* pas, eerst

er|starren verstijven; **~statten** *Auslagen* vergoeden; *Be-*

richt uitbrengen; → *a.* **Anzeige**

Erstaufführung *f* première

Erstaun|en *n* verbazing; **~lich** verbazend; **2t** verbaasd, verwonderd

erst|beste eerste de beste; **~e** eerste; **~ens** ten eerste

ersticken *v/t* smoren; *v/i* stikken

erst|klassig eersteklas; **~malig**, **~mals** voor de eerste keer

erstrecken: sich ~ zich uitstrekken

er|suchen (*um A*) verzoeken (om); **~tappen** betrappen; **~teilen** geven, verstrekken

Ertrag *m* opbrengst; **2en** verdragen

er|träglich draaglijk; **~tränken** verdrinken

ertrinken verdrinken; **2de(r)**, **Ertrunkene(r)** drenkeling(e *f*)

er|wachen ontwaken; **~wachsen** *adj* volwassen; **~wägen** overwegen; **~wähnen** vermelden; **~wärmen** verwarmen

erwart|en verwachten; **2ung** *f* verwachting

erweisen bewijzen; *sich ~ als* blijken

erweitern uitbreiden, vergroten

Erwerb *m* verdienste; *Kauf* aankoop; **2en** verkrijgen; *kaufen* aankopen; **2sfähig** in staat tot werken; **2slos** werk-

loos; **2sunfähig** arbeidsongeschikt; **~ung** *f Erworbenes* aanwinst

er|widern antwoorden; **~wischen** betrappen; *Bus, Zug* halen; **~wünscht** gewenst; **~würgen** wurgen

Erz *n* (het) erts

Erz- *bei Personen in Zssgn* aarts-

er|zählen vertellen; **2ung** *f* (het) verhaal

erzeug|en verwekken; *produzieren* produceren; **2nis** *n* (het) product, (het) voortbrengsel

erzieh|en opvoeden; **2er(in** *f) m* opvoeder *m* (opvoedster *f*); **2ung** *f* opvoeding

er|zielen verkrijgen, behalen; **~zwingen** afdwingen

es het; → *a.* **geben**

Esche *f* es

Esel *m* ezel

eßbar eetbaar

essen eten; **2** *n* (het) eten; **2szeiten** *f/pl* etenstijden *pl*

Eßgeschirr *n* (het) eetservies

Essig *m* azijn; **~ und Öl-ständer** *m* (het) olie-en-azijnstelletje

Eß|tisch *m* eettafel; **~waren** *f/pl* eetwaren *pl*; **~zimmer** *n* eetkamer

Etage *f* etage; **~nbett** *n* (het) stapelbed; **~nwohnung** *f* flat, (het) appartement

Etappe *f* etappe; *Sport mst* rit

Etat *m* begroting

Etikett *n* (het) etiket
etliche ettelijke
Etui *n* (het) etui
etwa *vielleicht* misschien; *ungefähr* zowat, ongeveer; ~ (**zwei Tage**) een (dag) of (twee); **~ig** eventueel
etwas iets; *ein wenig* een beetje, iets, wat
EU (**Europäische Union**) EU (Europese Unie)
euch jullie; *einander* elkaar
euer jullie
Eule *f* uil
eure jullie
Euro *m* euro
Euro|pa *n* Europa *n*; **~pä-er(in)** *f/m* Europeaan *m* (Europese *f*); **2päisch** Europees
Euter *n* uier

evangeli|sch protestants; **2um** *n* (het) evangelie
eventuell eventueel
ewig eeuwig
exakt exact
Exemplar *n* (het) exemplaar
Exil *n* ballingschap
Exist|enz *f* (het) bestaan; **~enzminimum** *n* (het) bestaansminimum; **2ieren** bestaan
Ex|pedition *f* expeditie; **~periment** *n* (het) experiment
explo|dieren ontploffen; **2-sion** *f* ontploffing; **~siv** explosief
Export *m* export, uitvoer; **2ie-ren** uitvoeren, exporteren
extra, **Extra-** extra, extra-
extrem extreem

F

Fabel *f* fabel; **2haft** fantastisch, fabelachtig, F reuze
Fabrik *f* fabriek; **~arbeiter** *m* fabrieksarbeider; **~at** *n* (het) fabrikaat
Fach *n* (het) vak; **~arbeiter** *m* geschoold arbeider; **~arzt** (**~ärztin** *f*) *m* specialist(e *f*); **~frau** *f* vakvrouw; **~ge-schäft** *n* speciaalzaak; **~kenntnisse** *f/pl* vakkennis; **~mann** *m* deskundige, vakman
Fackel *f* fakkel
fad(e) flauw
Faden *m* draad; **~nudeln** *f/pl*

vermicelli
fähig bekwaam, in staat; **2keit** *f* bekwaamheid
fahl vaal, grauw
fahnd|en (**nach** *D*) opsporen; **2ung** *f* opsporing
Fahne *f* vlag
Fahrbahn *f* rijweg
Fähre *f* (veer)pont, veerboot
fahren rijden; *Schiff* varen
Fahr|er *m* bestuurder, *Auto a.* chauffeur; **~erflucht** *f* (het) vluchtmisdrijf; **~erin** *f* bestuurster; **~gast** *m* passagier; **~geld** *n* (het) reisgeld; **~ge-stell** *n* (het) chassis

Fahrkarte f (het) kaartje, (het) plaatsbewijs; ~**nautomat** m kaartjesautomaat; ~**nschalter** m (het) kaartjesloket

fahrlässig onachtzaam

Fahr|lehrer m rij-instructeur; ~**plan** m dienstregeling; (het) spoorboekje; ⌐**planmäßig** volgens de dienstregeling; ~**preis** m (het) tarief; ~**rad** n fiets; ~**radverleih** m fietsenverhuur; ~**rinne** f vaargeul; ~**schein** m (het) kaartje; ~**schule** f rijschool; ~**spur** f rijstrook; ~**stuhl** m lift; ~**stunde** f rijles

Fahrt f reis, rit, vaart, tocht; ~ **ins Blaue** tocht met onbekende bestemming; ~**richtung** f rijrichting

Fahr|wasser n (het) vaarwater; ~**werk** n AER (het) landingsgestel; ~**zeug** zu (het) voertuig; Wasser⌐ (het) vaartuig

fair fair

fakt|isch feitelijk, in feite; ⌐or m factor

Fakultät f faculteit

Falke m valk

Fall m val; Angelegenheit (het) geval; **auf jeden (keinen)** ~ in ieder (geen) geval

Falle f val

fallen vallen; abnehmen a. dalen

fällen vellen

fällig betaalbaar

falls ingeval, als, indien

Fallschirm m (het) val-scherm, parachute

falsch unrichtig verkeerd, fout; unecht vals

fälschen vervalsen

Falsch|geld n (het) vals geld; ~**parken** n (het) foutparkeren

Fälschung f vervalsing

Falt|boot n opvouwbare boot; ~**e** f vouw, plooi; Runzel rimpel; ⌐en vouwen, plooien; ~**enrock** m plooirok; ~**er** m vlinder; ⌐ig geplooid; gerimpeld; ~**prospekt** m folder

famili|är familiair; ⌐ie f familie; Eltern u Kinder mst (het) gezin

Familien|angehörige(r) (het) familielid; (het) gezinslid; ~**name** m familienaam; ~**pension** f (het) familiepension; ~**stand** m burgerlijke staat

Fan m fan; Sport supporter

fanatisch fanatiek

Fang m vangst; ⌐en vangen; ~**frage** f strikvraag

Fantasie f fantasie; ⌐tisch fantastisch

Farbe f kleur; Lack verf; ⌐echt kleurecht

färben kleuren, verven

farb|enblind kleurenblind; ⌐fernsehen n, ⌐fernseher m kleurentelevisie; ~**ig** kleurig; ⌐ige(r) kleurling(e f); ~**los** kleurloos; ⌐stift m kleurstift; ⌐stoff m kleurstof

Färbung f tint

Farn(kraut n) m varen

Fasan m fazant

ˇasching m (het) carnaval

ˇaseln F zwammen, bazelen

ˇaser f vezel, draad

ˇass n (het) vat; ton

ˇassade f (voor)gevel, façade

ˇassbier n (het) bier van het vat

ˇassen v/t vatten, vangen; *Raum bieten* (kunnen) bevatten; *verstehen* begrijpen

ˇasson f snit, coupe

ˇassung f kalmte; EL fitting; *Text* redactie, versie

ˇassungslos sprakeloos

ˇast bijna, haast

ˇasten vasten

ˇaul *träge* lui; *verdorben* rot; **~en** rotten

ˇaulenz|en luieren, luilakken; **2er** m luiaard

ˇaulheit f luiheid

ˇäulnis f verrotting

ˇaust f vuist

ˇavorit(in f) m favoriet(e f)

ˇax n fax; **2en** faxen

ˇazit f slotsom

ˇebruar m februari

ˇechten schermen

ˇeder f veer (*a. Spiral2*), pluim; *Schreib2* pen; **~ball** m (het) badminton; **~bett** n (het) veren dekbed; **2n** v/i veren; **~ung** f vering

ˇee f fee

ˇegen vegen

ˇehl|betrag m (het) tekort; **2en** ontbreken; **was 2t Ihnen?** wat scheelt er u?

ˇehler m fout; **2frei** foutloos; **2haft** verkeerd, fout

Fehl|geburt f miskraam; **~schlag** m mislukking; **~tritt** m misstap

Feier f (het) feest; plechtigheid; **~abend** m rust (na het werk); **2lich** plechtig, feestelijk; **2n** vieren; **~tag** m feestdag

Feige f vijg

feig|e laf; **2heit** f lafheid; **2ling** m lafaard

Feile f vijl; **2n** vijlen

feilschen (*um A*) marchanderen (om), afpingelen (op)

fein fijn

Feind m vijand; **2lich** vijandig; MIL vijandelijk; **~schaft** f vijandschap; **2selig** vijandig

fein|fühlig fijngevoelig, kies; **2kostgeschäft** n delicatessenzaak; **2schmecker** m fijnproever; **2schnitt** m shag

Feld n (het) veld; **~weg** m veldweg; **~zug** m veldtocht

Felge f velg

Fell n (het) vel, huid

Fels|en m rots; **2ig** rotsachtig

Feministin f feministe

Fenchel m venkel

Fenster n (het) venster, (het) raam; **~bank** f, **~brett** n vensterbank; **~leder** n zeemlap; **~scheibe** f ruit

Ferien pl vakantie

Ferkel n big

fern ver; 2**bedienung** f afstandsbediening; **~bleiben** (D) wegblijven (van); 2**e** f verte; **~er** verder, voorts

Fern|fahrer m chauffeur voor lange afstanden; **~gespräch** n (het) interlokaal telefoongesprek; **~glas** n verrekijker; **~licht** n KFZ (het) groot licht; **~schnellzug** m exprestrein

fernseh|en televisie kijken; 2**en** n televisie (Abk tv); 2**er** m televisie; **~sendung** f televisie-uitzending; 2**zuschauer** m televisiekijker

Fernsprech- → **Telefon-**

Fernstraße f grote (verkeers)weg, rijksweg

Ferse f hiel, hak

fertig klaar, gereed; **~ machen (sich)** (zich) klaarmaken; 2**gericht** n (het) kanten-klaar-menu; 2**haus** n (het) geprefabriceerd huis; 2**keit** f vaardigheid

Fessel f boei

fesseln boeien (a. fig)

fest vast, stevig

Fest n (het) feest

fest|binden vastbinden; 2**essen** n (het) feestmaal; 2**land** n (het) vasteland; **~lich** feestelijk; **~machen** vastmaken; **Schiff** (af)meren; 2**nahme** f arrestatie; **~nehmen** arresteren; 2**platte** f EDV harde schijf; **~setzen** vaststellen, bepalen; 2**spiele** n/pl (het) festival; **~stehen** vaststaan;

~stellen vaststellen, constateren

Festung f vesting

Fete f F fuif

fett vet; 2 n (het) vet; **~arm** vetarm; **~ig** vettig

Fetzen m/pl flarden pl

feucht vochtig; 2**igkeit** f vochtigheid

Feuer n (het) vuur; **Brand** brand; **~alarm** m (het) brandalarm; 2**bestattung** f crematie; 2**fest** vuurvast 2**gefährlich** licht ontvlambaar; **~löscher** m brandblusser; **~melder** m brandmelder

feuern F fig ontslaan

Feuer|wehr f brandweer **~wehrmann** m brandweerman; **~werk** n (het) vuurwerk; **~zeug** n aansteker

feurig vurig

Fichte f spar

ficken V neuken

Fieb|er n koorts; 2**erhaft** koortsachtig; 2**ersenkend** koortswerend; 2**rig** koortsig

fies F vies

Figur f figuur (a. het)

Filet n filet; **~(beef)steak** n biefstuk van de haas

Filiale f (het) filiaal

Film m film; 2**en** filmen; **~festspiele** n/pl (het) filmfestival; **~schauspieler(in** f) m filmacteur (filmactrice f); **~star** m filmster; **~vorführung** f filmvoorstelling

Filter m filter; 2**n** filteren; **~tüte** f (het) filterzakje; **~ziga-**

rette f filtersigaret

Filz m (het) vilt; **~schreiber** m, **~stift** m viltstift

Finale n finale

Finanz|amt n (het) belastingkantoor; **~en** pl financiën n; **2iell** financieel; **2ieren** financieren

find|en vinden; **wieder ~** terugvinden; **2er** m vinder; **2erlohn** m (het) vindloon

Finger m vinger; **kleiner ~** pink; **~hut** m vingerhoed; **~nagel** m vingernagel; **~spitze** f vingertop

Fink m vink

finnisch Fins

finster duister, donker; **2nis** f duisternis

Firma f firma

Firnis m vernis (a. het)

Fisch m vis; **2en** vissen; **~er** m visser; **~erei** f visserij; **~gericht** n (het) visgerecht; **~geschäft** n viswinkel; **~stäbchen** n visstick

fit fit

Fixer m (drug)spuiter

fix und fertig kant en klaar; F erschöpft doodop, kapot

FKK-Strand m (het) naaktstrand

flach vlak, plat

Fläche f (het) vlak; vlakte

Flachland n (het) vlak land, vlakte

Flachs m (het) vlas

flackern flakkeren, flikkeren

flambiert geflambeerd

Flame m Vlaming

Flämlin f Vlaamse; **2isch** Vlaams

Flamme f vlam

Flandern n Vlaanderen n

Flanell m (het) flanel

Flanke f flank

Fläschchen n (het) flesje

Flasche f fles; **~nöffner** m flesopener; **~npfand** n (het) statiegeld; **~nzug** m katrol

flattern fladderen; bewegt werden mst wapperen

flau flauw, fig a. zwak, mat

Flaum m (het) dons

Flaute f windstilte; ECON slapte

flechten vlechten

Fleck m vlek; Stelle plek; **2ig** gevlekt; schmutzig morsig

Fledermaus f vleermuis

Flegel m vlegel

flehen smeken

Fleisch n (het) vlees; **~brühe** f bouillon; **~er** m slager; **~erei** f slagerij; **~klößchen** n (het) vleesballetje

Fleiß m (het) vlijt; **2ig** vlijtig, ijverig

flicken verstellen, lappen; Reifen plakken

Flieder m vlier, sering

Fliege f vlieg; Querbinder (het) vlinderdasje

fliegen vliegen; **2er** m vlieger, vliegenier

fliehen vluchten

Fliese f tegel

Fließ|band n lopende band; **2en** vloeien, stromen; **2end** stromend; fig vloeiend

flimmern flikkeren, glinsteren

flink vlug, behendig

Flinte f (het) geweer

Flirt m flirt; **2en** flirten

Flitterwochen fl pl wittebroodsweken pl

flitzen flitsen

Flocke f vlok

Floh m vlo; **~markt** m vlooienmarkt

florieren bloeien

Floß n (het) vlot

Flosse f vin

Flöte f fluit

flott vlot

Flotte f vloot

Fluch m vloek; **2en** vloeken

Flucht f vlucht

flücht|en vluchten; **~ig** vluchtig; entflohen voortvluchtig; **2ling** m vluchteling(e f)

Flug m vlucht; **~blatt** n (het) pamflet

Flügel m vleugel (a. MUS); **~mutter** f vleugelmoer

Flug|gast m passagier; **~gesellschaft** f luchtvaartmaatschappij; **~hafen** m luchthaven; **~linie** f lucht(vaart)lijn; **~lotse** m verkeersleider; **~plan** m vliegdienstregeling; **~platz** m vliegveld; **~reise** f vliegreis; **~schein** m (het) vliegticket; **~verkehr** m (het) luchtverkeer

Flugzeug n (het) vliegtuig, (het) toestel; **~träger** m (het) vliegdekschip

Flunder f bot

Fluor n (het) fluor

Flur m gang, hal

Fluss m rivier, stroom; **2ab-wärts** stroomafwaarts; **2-aufwärts** stroomopwaarts

flüssig vloeibaar; fig vloeiend; **2keit** f vloeistof, (het) vocht

flüstern fluisteren

Flut f vloed, (het) hoog tij; **~welle** f vloedgolf (a. fig)

Fohlen n (het) veulen

föhnen föhnen

Folge f (het) gevolg; Fortsetzung (het) vervolg; **2n** (D) volgen; **2ndermaßen** als volgt, aldus; **2richtig** logisch, consequent; **2rn** (aus D) afleiden (uit); **~rung** f gevolgtrekking, conclusie

folglich zodoende, bijgevolg

Folie f folie

Folklore f folklore

Folter f foltering; **2n** folteren

fönen → **föhnen**

Fontäne f fontein

foppen foppen

fordern eisen

fördern bevorderen; BGB winnen, delven

Forderung f eis

Forelle f forel

Form f vorm; **2al** formeel; **~alität** f formaliteit; **~at** n (het) formaat; **~el** f formule; **2ell** formeel; **2en** vormen; **~ular** n (het) formulier; **2ulieren** formuleren

forsch|en onderzoeken; **2er (-in** f) m onderzoeker m (onderzoekster f); **Ωung** f (het) onderzoek, research, navorsing

Forst m (het) woud, (het) bos

Förster m boswachter

fort weiter voort, verder, door; weg weg; **~bestehen** voortbestaan

fortbewegen: sich ~ zich voortbewegen

fort fahren wegrijden, vertrekken; fig doorgaan; **~geschritten** gevorderd; **~laufend** doorlopend

Fortschritt m vooruitgang; **Ωlich** vooruitstrevend

fortsetz en vervolgen, voortzetten; **Ωung** f (het) vervolg

fort während voortdurend; **~ziehen** (heren)rok

Foto n foto, F (het) kiekje; **~apparat** m (het) fototoestel; **~geschäft** n fotozaak

Fotograf (in f) m fotograaf m (fotografe f); **Ωieren** fotograferen

fotokopieren fotokopiëren

Fracht f vracht; **~er** m, **~schiff** n (het) vrachtschip

Frack m (heren)rok

Frage f vraag; Problem kwestie; **~bogen** m vragenlijst; **Ωn** (nach D) vragen (naar); sich **Ωn** zich afvragen; **~zeichen** n (het) vraagteken

fraglich twijfelachtig; erwähnt bedoeld, in kwestie

Fraktion f fractie

Franc m, **Franken** m frank

frankieren frankeren

Frankreich n Frankrijk n

Fransen f/pl franjes pl

Fran zose m Fransman; **~zösin** f Française; **Ωzösisch** Frans

Fratze f tronie; grimas; Posse frats

Frau f vrouw; ~ **X.** Mevrouw X. (Mevr. X.); **~enarzt** m vrouwenarts

Fräulein n juffrouw; in Brief Mejuffrouw (Mej.)

frech brutaal; **Ωheit** f brutaliteit, onbeschaamdheid

frei vrij; ins **Ωe** naar buiten; im **Ωen** in de open lucht; **Ωbad** n (het) openluchtzwembad; **~gebig** vrijgevig, gul, goedgeefs; **Ωgepäck** n vrachtvrije bagage; **Ωhafen** m vrijhaven

Freiheit f vrijheid; **~skampf** m vrijheidsstrijd

Frei karte f vrijkaart, (het) vrijbiljet; **Ωlassen** vrijlaten; **Ωlassung** f vrijlating

Frei lauf m vrijloop; **Ωlich** einräumend weliswaar, echter; bejahend wel zeker; **~lichtbühne** f (het) openluchttheater

freimachen Brief frankeren; sich ~ ausziehen zich uitkleden

frei mütig vrijmoedig; **~sprechen** vrijspreken; **Ωspruch** m vrijspraak; **Ωstoß** m Sport vrije trap

Freitag m vrijdag; am ~ vrijdags

freiwillig vrijwillig; **Ωe(r)** vrijwilliger *m* (vrijwilligster *f*)

Freizeit *f* vrije tijd; **~gestaltung** *f* vrijetijdsbesteding

fremd vreemd; **2e** *f* vreemde; **2e(r)** vreemdeling(e *f*)

Fremden|führer *m* (reis-)gids; **~verkehr** *m* (het) toerisme; **~verkehrsamt** *n* Vereniging voor Vreemdelingenverkeer (V.V.V.); *in Belgien a.* Dienst voor Toerisme; **~zimmer** *n* logeerkamer

Fremd|sprache *f* vreemde taal; **~wort** *n* (het) vreemd woord

Frequenz *f* frequentie

fressen vreten; *Tier* eten

Freud|e *f* (het) plezier, vreugde; **2ig** blij

freuen: *sich ~ (über/auf A)* zich verheugen (over/op)

Freund|(in *f*) *m* vriend(in *f*); **2lich** vriendelijk

Freundschaft *f* vriendschap; **2lich** vriendschappelijk

Fried|en *m* vrede; **~ensvertrag** *m* (het) vredesverdrag; **~hof** *m* (het) kerkhof; **2lich** vreedzaam

frier|en het koud hebben; *es ~t* het vriest

Frikadelle *f → Bulette*

Frikassee *n* fricassee

frisch *neu* vers; *kühl* fris

Fris|eur *m* kapper; **~eurin** *f* kapster; **~eursalon** *m* kapperszaak; **2ieren** kappen

Frist *f* termijn; *Aufschub* (het) uitstel; **2los: 2los kündigen** op staande voet ontslaan

Frisur *f* (het) kapsel

frittieren frituren

froh blij

fröhlich vrolijk

fromm vroom

Fronleichnam *m* Sacramentsdag

Front *f* (het) front; *ARCH* voorgevel; **2al** frontaal; **~antrieb** *m* voorwielaandrijving

Frosch *m* kikker, kikvors

Frost *m* vorst

frösteln rillen

Frost|schutzmittel *n* (het) antivriesmiddel; **~wetter** *n* (het) vriesweer

Frottee *n* badstof; **~tuch** *n*, **Frottiertuch** *n* badhanddoek

Frucht *f* vrucht; **2bar** vruchtbaar; **~eis** *n* (het) vruchtenijs; **2los** vruchteloos; **~saft** *m* (het) vruchtensap

früh vroeg; **~er** vroeger; **~estens** op zijn vroegst; **2jahr** *n* (het) voorjaar; **2ling** *m* lente, (het) voorjaar; **2lingsrolle** *f* loempia; **~morgens** vroeg in de morgen

Frühstück *n* (het) ontbijt; **2en** ontbijten

frühzeitig vroegtijdig

Frust *m* F frustratie(s *pl*)

Fuchs *m* vos (*a. Pferd*)

Fuge *f* *MUS* fuga; *TECH, ARCH* voeg, sponning

fügen voegen; *sich ~ (D)* zich schikken (naar)

fühl|bar voelbaar; **~en (sich)** (zich) voelen

führ|en voeren, leiden; **2er** *m*

leider; *Fremden*2 gids; 2er**schein** *m* (het) rijbewijs

Führung *f Leitung* leiding; *Rundgang* rondleiding; *Benehmen* (het) gedrag; **~szeugnis** *n* (het) bewijs van goed gedrag

Füll|e *f* volheid; 2en vullen; **~er** *m*, **~(feder)halter** *m* vulpen; **~ung** *f* vulling

fummeln F friemelen, frunniken

Fund *m* vondst

Fundament *n* (het) fundament

Fundbüro *n* (het) bureau voor gevonden voorwerpen

fünf vijf; **~hundert** vijfhonderd; **~te** vijfde; 2tel *n* (het) vijfde (deel); **~zehn** vijftien; **~zig** vijftig

Funk *m* (draadloze) omroep, radio; **~e(n)** *m* vonk; 2eln fonkelen, tintelen, blinken; 2elnagelneu (spik)splinternieuw; 2en seinen; **~taxi** *n* taxi met mobilofoon

Funktion *f* functie; **~är(in** *f*) *m* functionaris (*a. f*); 2ieren functioneren

für (*A*) voor; **~ und ~ sich** op zichzelf (beschouwd)

Furche *f* voor, groef

Furcht *f* vrees; 2**bar** ontzettend, vreselijk

fürchten vrezen; *sich ~ (vor D)* bang zijn (voor)

fürchterlich verschrikkelijk, vreselijk

furcht|los onbevreesd; **~sam** bang(elijk)

Fürsorge *f*: **soziale ~** sociale zorg; **~rin** *f* maatschappelijk werkster

Fürsprache *f* voorspraak

Fürst *m* vorst; **~entum** *n* (het) vorstendom; **~in** *f* vorstin

Furunkel *m* steenpuist

Fusion *f* fusie

Fuß *m* voet; **zu ~ te** voet

Fußball *m* voetbal; **~ spielen** voetballen; **~mannschaft** *f* voetbalploeg; **~platz** *m* (het) voetbalveld; **~spieler** *m* voetballer

Fußboden *m* vloer

Fußgänger|(in *f*) *m* voetganger *m* (voetgangster *f*); **~übergang** *m* (het) zebrapad; **~zone** *f* voetgangerszone

Fuß|note *f* voetnoot; **~tritt** *m* Stoß schop, trap; **~weg** *m* (het) voetpad

Futter *n* (het) voe(de)r; *Kleidung* voering

füttern voeren

Futur *n* toekomende tijd

G

Gabe *f* gift; *Begabung* gave

Gabel *f* vork

gackern kakelen (*a. fig*)

gaffen gapen

gähnen geeuwen, gapen

Galerie *f* galerij

Galgen m galg

Galle f gal; **~nblase** f galblaas; **~nsteine** m/pl galstenen pl

Galopp m galop; **2ieren** galopperen

Gammler m nozem, nietsnut

Gämse f gems

Gang m gang; KFZ versnelling; **in ~ bringen** (**kommen**) op gang brengen (komen); **2bar, gängig** gangbaar

Gangster m gangster

Ganove m boef, schurk

Gans f gans

Gänse|blümchen n (het) madeliefje; **~füßchen** n (het) aanhalingsteken; **~haut** f (het) kippenvel

ganz (ge)heel; adv helemaal; unbeschädigt heel; **~ nahe** vlak bij; **im 2en** over 't geheel; **~ und gar** geheel en al

gänzlich volkomen, totaal

gar Speise gaar; adv helemaal

Garage f garage

Garantie f garantie; **2ren** garanderen; **~schein** m (het) garantiebewijs

Garderobe f garderobe, vestiaire

Gardine f gordijn (a. het)

gären gisten

Garn n (het) garen

Garnele f garnaal

garnieren garneren

Garnitur f (het) garnituur

Garten m tuin

Garten- in Zssgn mst tuin-

Garten|bau m tuinbouw;

~schlauch m tuinslang

Gärtner m tuinman, tuinier; **~ei** f bloemisterij, kwekerij

Gas n (het) gas; **~feuerzeug** n gaasansteker; **~flasche** f gasfles; **~heizung** f gasverwarming; **~herd** m (het) gasfornuis; **~pedal** n (het) gaspedaal

Gasse f steeg, (het) straatje

Gast m gast; zum Übernachten logé; **zahlender** betalend gast; **zu ~ sein** (**bei** D) te gast zijn (bij); **~arbeiter** m gastarbeider

Gäste|buch n (het) gastenboek; **~zimmer** n logeerkamer

gast|frei, ~freundlich gastvrij, gul; **2freundschaft** f gastvrijheid; **2geber(in** f) m gastheer m (gastvrouw f); **2hof** m (het) logement; **2stätte** f (het) restaurant, (het) eethuis; **2wirt(in** f) m waard(in f), kastelein; **2wirtschaft** f café; (het) restaurant

Gas|werk n (het) gasbedrijf; **~zähler** m gasmeter

Gatt|e m echtgenoot; **~in** f echtgenote; **~ung** f soort, (het) genre

Gaul m (het) paard, knol

Gaumen m (het) gehemelte

Gauner m schurk; **~sprache** f boeventaal

Gaze f gaas

Gebäck n (het) gebak; Plätzchen koekjes n/pl

Gebärde f (het) gebaar; **2n: sich 2n** zich voordoen

gebär|en bevallen (van), baren; **2mutter** f baarmoeder

Gebäude n (het) gebouw

Gebell n (het) geblaf

geben geven; **es gibt** sg er is; pl er zijn

Gebet n (het) gebed

Gebiet n (het) gebied; **2en** gebieden

gebildet ontwikkeld, beschaafd

Gebirge n (het) gebergte

Gebiss n (het) gebit

Gebläse n (het) blaastoestel, blazer

geblümt gebloemd

geboren geboren; **~e ...** met meisjesnaam

Gebot n (het) gebod

Gebrauch m (het) gebruik; **2en** gebruiken

gebräuchlich gebruikelijk

Gebrauchs|anweisung f gebruiksaanwijzing; **2fertig** gebruiksklaar

Gebrauchtwagen m tweedehandsauto

gebräunt gebruind

Gebrech|en n (het) gebrek; **2lich** gebrekkig

Gebrüder pl gebroeders pl

Gebrüll n (het) gebrul

Gebühr f (het) tarief, kosten pl; **2enfrei** gratis, kosteloos; **2enpflichtig** tegen betaling

Geburt f geboorte; **~enkontrolle** f geboorteregeling

gebürtig: ~ aus (D) geboortig uit, afkomstig uit

Geburts|datum n geboortedatum; **~hilfe** f verloskunde; **~name** m meisjesnaam; **~ort** m geboorteplaats; **~tag** m verjaardag; **~tag haben** jarig zijn; **~urkunde** f (het) geboortebewijs

Gebüsch n (het) struikgewas

Gedächtnis n (het) geheugen

Gedanke m gedachte; **2nlos** gedachteloos; **~nstrich** m gedachtestreep

Gedeck n (het) couvert

gedeihen gedijen

gedenk|en (G) herdenken; *vorhaben* denken, van plan zijn; **2tafel** f gedenkplaat; **2tag** m herdenkingsdag

Gedicht n (het) gedicht

gediegen degelijk

Gedränge n (het) gedrang

Geduld f (het) geduld; **2en: sich 2en** geduld hebben; **2ig** geduldig

geehrt in *Brief* **(sehr) ~er Herr** (zeer) geachte Heer

geeignet geschikt

Gefahr f (het) gevaar; **auf eigene ~** op eigen risico

gefähr|den in gevaar brengen; **~lich** gevaarlijk

gefahrlos zonder gevaar, ongevaarlijk

Gefährt|e m makker, metgezel; **~in** f metgezellin

Gefälle n *Straße* helling

gefallen (D) bevallen; **sich ~ lassen** zich laten welgevallen

Gefallen 1. *m* (het) genoegen, (het) plezier; **2.** *n:* ~ **finden an** (*D*) plezier hebben in
gefällig gedienstig; *ansprechend* bevallig; 2**keit** *f* Dienst dienst, (het) plezier
gefangen: ~ *nehmen* gevangennemen; 2**e(r)** gevangene; 2**schaft** *f* gevangenschap
Gefängnis *n* gevangenis; ~**strafe** *f* gevangenisstraf
Gefäß *n* (het) vat (*a.* ANAT), bak; schaal
gefasst *ruhig* kalm, bedaard; ~ *sein auf* (*A*) voorbereid zijn op
Gefecht *n* (het) gevecht
Geflügel *n* (het) gevogelte, (het) pluimvee; ~**händler** *m* poelier
Geflüster *n* (het) gefluister
gefragt gewild, in trek
gefräßig gulzig, vraatzuchtig
gefrier|en bevriezen; 2**fach** *n* (het) diepvrieskastje; ~**getrocknet** gevriesdroogd; 2**punkt** *m* (het) vriespunt; 2**truhe** *f* diepvrieskist
gefügig gedwee, meegaand
Gefühl *n* (het) gevoel; 2**los** gevoelloos; 2**voll** gevoelig
gegebenenfalls eventueel
gegen (*A*) tegen; 2**angriff** *m* tegenaanval
Gegend *f* streek; omgeving
gegen|einander tegen elkaar, tegen mekaar; 2**fahrbahn** *f* andere weghelft; 2**gewicht** *n* (het) tegen(ge)wicht; 2**mittel** *n* (het)

tegenmiddel; 2**satz** *m* tegenstelling; 2**sätzlich** tegengesteld; 2**seite** *f* tegenpartij; keerzijde; ~**seitig** wederzijds, wederkerig; 2**stand** *m* (het) voorwerp
Gegen|teil *n* (het) tegendeel; *im* ~**teil** integendeel; 2**über** (*D*) tegenover; ~**verkehr** *m* tegenliggers *pl*; ~**wart** *f* tegenwoordige tijd; *Anwesenheit* tegenwoordigheid; 2**wärtig** tegenwoordig; ~**wehr** *f* verdediging; ~**wert** *m* tegenwaarde; ~**wind** *m* wind tegen
Gegner(in) *f) m* tegenstander *m* (tegenstandster *f*)
Gehacke(s) (het) gehakt
Gehalt 1. *m* (het) gehalte; **2.** *n* (het) salaris
gehässig hatelijk
Gehäuse *n* (het) omhulsel; *TECH mst* kast
geheim geheim; 2**dienst** *m* geheime dienst; 2**nis** *n* (het) geheim; ~**nisvoll** geheimzinnig; 2**tipp** *m* geheime tip; 2**zahl** *f Bank*2 pincode
gehen gaan, lopen; *wie geht es Ihnen?* how are you?
geheuer: *nicht* (*ganz*) ~ niet (helemaal) in de haak
Geheul *n* (het) gehuil
Gehilfe *m, ~in f* hulp
Gehirn *n* hersenen *pl; Verstand a.* (het) brein; ~**erschütterung** *f* hersenschudding; ~**schlag** *m* (hersen)beroerte
Gehör *n* (het) gehoor

gehorchen (D) gehoorzamen, luisteren (naar)

gehör|en (D, **zu** D) behoren (tot); ... **~t mir** ... is van mij; **sich ~en** (be)horen; **~ig** gründlich flink, behoorlijk; **~los** gehoorloos

gehorsam gehoorzaam; 2 m gehoorzaamheid

Geh|steig m, **~weg** m (het) voetpad, stoep

Geier m gier

Geige f viool

geil geil; fig F gaaf, tof

Geisel f gijzelaar(ster f) m; **~nahme** f gijzeling

Geiß f geit

Geist m geest; 2**esabwesend** afwezig; 2**esgegenwärtig** met tegenwoordigheid van geest; 2**eskrank** geestesziek; 2**ig** geestelijk; *Getränk* geestrijk; **~liche(r)** geestelijke; 2**reich** geestig

Geiz m gierigheid; **~hals** m gierigaard, vrek; 2**ig** gierig

ge|kachelt betegeld; **~kocht** gekookt; **~künstelt** gekunsteld, gemaakt; 2**lächter** n (het) gelach; **~lähmt** verlamd

Gelände n (het) terrein; **~fahrzeug** n terreinwagen; **~lauf** m veldloop

Geländer n leuning

gelangen komen, geraken

gelassen beheerst, kalm

Gelatine f gelatine

geläufig vertrouwd; gebruikelijk

gelaunt geluimd, gezind; *gut* (*schlecht*) ~ goedgehumeurd (slechtgehumeurd)

Geläut n (het) gelui

gelb geel; 2**sucht** f geelzucht

Geld n (het) geld; **~automat** m geldautomaat; **~beutel** m portemonnee; **~buße** f geldboete; **~schein** m (het) bankbiljet; **~strafe** f geldboete; **~wechsel** m (het) wisselen van geld; *Büro* (het) wisselkantoor

Gelee n od m gelei

gelegen gelegen; 2**heit** f gelegenheid; **~tlich** bij gelegenheid, soms

gelehrig goedleers, leerzaam; 2**te(r)** geleerde

Gelenk n (het) gewricht; 2**ig** lenig, soepel

gelernt *ausgebildet* geschoold

Geliebte f geliefde; minnares; **~(r)** minnaar

gelingen (D) lukken, slagen

geloben plechtig beloven

Gelöbnis n gelofte

gelten gelden; *das gilt nicht* dat telt niet; **~d machen** doen gelden

Geltung f waarde; geldigheid

gemächlich op zijn gemak, gezapig

Gemälde n schilderij; **~galerie** f (kunst)galerie

gemäß (D) volgens, overeenkomstig

gemäßigt gematigd

gemein gemeen

Gemeinde f gemeente; REL

parochie; **∼amt** n (het) gemeentehuis; **∼rat** m gemeenteraad; *pers* (het) gemeenteraadslid

Gemein|heit f gemeenheid; **Onützig** van algemeen nut; **Osam** gemeenschappelijk; **∼schaft** f gemeenschap

Gemisch n (het) mengsel

Gemse → **Gämse**

Gemüse n groente; **∼garten** m moestuin; **∼händler** m groenteboer; **∼suppe** f groentesoep

Gemüt n (het) gemoed; **gemütlich** gezellig; **Okeit** f gezelligheid

Gen n (het) gen

genau precies, nauwkeurig; **Oigkeit** f nauwkeurigheid; precise; **∼so** net zo, even; **∼so gut** evengoed

Gendarmerie f marechaussee; *in Belgien* rijkswacht

genehmig|en goedkeuren; toestaan; **Oung** f goedkeuring; vergunning

geneigt hellend; *fig* genegen; geneigd

General m generaal; **∼konsulat** n (het) consulaat-generaal; **∼staatsanwalt** m procureur-generaal; **∼streik** m algemene staking

Generation f generatie

Generator m generator

generell algemeen

genesen genezen

genetisch genetisch

Genever m jenever

genial geniaal

Genick n nek

Genie n (het) genie

genieren: *sich* ∼ zich generen

genieß|bar genietbaar; **∼en** genieten (van)

Genosse m makker; **∼enschaft** f coöperatie

genug genoeg

genüg|en (D) voldoen (aan); voldoende zijn, volstaan; **∼end** voldoende; **∼sam** sober

Genugtuung f voldoening, genoegdoening

Genuss m (het) genot

geöffnet geopend, open

Geo|grafie, **∼graphie** f aardrijkskunde; **∼logie** f geologie; **∼metrie** f meetkunde

Gepäck n bagage; **∼annahme** f (het) bagagebureau; **∼aufbewahrung** f (het) bagagedepot; **∼roller** m (het) bagagewagentje; **∼schein** m (het) bagagereçu; **∼schließfach** n bagagekluis; **∼träger** m kruier; *Fahrrad*O bagagedrager

gepfeffert gepeperd (*a. fig*)

gepflegt verzorgd; *Lokal* keurig

gerade recht; *Zahl* paar, even; *adv* net, juist

Gerade f rechte lijn; **Oaus** rechtuit, rechtdoor; **Oheraus** ronduit; **Owegs** rechtstreeks; **Ozu** ronduit

Geranie f geranium

Gerät n (het) apparaat, (het)

toestel; **Werkzeug** (het) gereedschap

geraten (ge)raken; **außer sich ~** (vor D) buiten zichzelf raken (van)

Geratewohl n: **aufs ~** op goed geluk

geräuchert gerookt; **~räumig** ruim

Geräusch n (het) geruis, (het) geluid; **2los** geruisloos

gerecht billijk, rechtvaardig; **~fertigt** gerechtvaardigd; **2igkeit** f rechtvaardigheid

Gerede n (het) gepraat

gereizt geprikkeld

Gericht n (het) gerecht (a. Speise); **2lich** gerechtelijk

Gerichts|hof m (het) gerechtshof; **~verhandlung** f (het) proces; **~vollzieher** m deurwaarder

gerieben geslepen, gewiekst

gering gering; **nicht im 2sten** helemaal niet; **~fügig** onbeduidend; **2schätzung** f geringschatting

gerinnen stollen

Gerippe n (het) geraamte

gerissen F doortrapt, uitgeslapen, gehaaid

gern gaarne, graag; **~ geschehen!** graag gedaan!

geröstet geroosterd; **Kaffee** gebrand

Gerste f gerst; **~nkorn** n MED (het) strontje

Geruch m reuk, geur; **2los** reukloos

Gerücht n (het) gerucht

gerührt ontroerd

Gerüst n stelling, steiger

gesalzen gezouten; **Preis** gepeperd

gesamt geheel, totaal; **2betrag** m (het) totaal (bedrag); **2eindruck** m globale indruk; **2heit** f (het) geheel, (het) totaal; **2schule** f scholengemeenschap

Gesang m (het) gezang, zang; **~verein** m zangvereniging

Gesäß n (het) zitvlak, (het) achterste

Geschäft n zaak; **Laden** a. winkel; **2ig** druk, bedrijvig; **2lich** zaken-, zakelijk

Geschäfts|beziehungen f/pl zakenrelaties pl; **~brief** m zakenbrief; **~frau** f zakenvrouw; **~führer** m bedrijfsleider, gerant; secretaris; **~mann** m zakenman; **~ordnung** f (het) reglement; **~partner(in** f) m zakenpartner (a. f); **~reise** f zakenreis; **~schluss** m winkelsluiting

geschehen gebeuren

gescheit verstandig, snugger

Geschenk n (het) geschenk, (het) cadeau; **~papier** n (het) cadeaupapier

Geschichte f geschiedenis; **2lich** geschiedkundig, historisch

Geschick|lichkeit f handigheid, vaardigheid; **2t** handig, vaardig

geschieden gescheiden

Geschirr n (het) vaatwerk;

~spüler m vaatwasser; **~tuch** n afdroogdoek

Geschlecht n (het) geslacht; **Ɋlich** geslachtelijk

Geschlechts|akt m geslachtsdaad; **~krankheit** f geslachtsziekte; **~teil** n (het) geslachtsdeel; **~verkehr** m geslachtsgemeenschap

geschlossen gesloten

Geschmack m smaak; **Ɋlos** smakeloos; **Ɋvoll** smaakvol

geschmeidig soepel, lenig

geschmort gesmoord

Geschöpf n (het) schepsel

Geschoss n (het) projectiel; ARCH verdieping, etage

Ge|schrei n (het) geschreeuw; **~schütz** n (het) geschut; **~schwader** n (het) eskader

Geschwätz n (het) geklets; **Ɋig** praatziek

geschweige: ~ **denn** laat staan

Geschwindigkeit f snelheid; **~sbegrenzung** f snelheidsbeperking; **~süberschreitung** f snelheidsovertreding

Geschwister pl broer(s) en zus(sen)

Geschwulst f (het) gezwel

Geschwür n zweer

Gesell|e m knecht, gezel; **Ɋig** gezellig

Gesellschaft f maatschappij; (het) gezelschap; ~ **leisten** (D) gezelschap houden; **Ɋlich** maatschappelijk; **~spiel** n (het) gezelschapsspel

Gesetz n wet; **~gebung** f wetgeving; **Ɋlich** wettelijk; **Ɋwidrig** in strijd met de wet

Gesicht n (het) gezicht, (het) gelaat; **~spunkt** m (het) gezichtspunt; **~szüge** m/pl gelaatstrekken pl

Gesindel n (het) gespuis

Ge|sinnung f gezindheid, overtuiging; **Ɋsondert** afzonderlijk; **~spann** n (het) span; **Ɋspannt** gespannen; neugierig nieuwsgierig

Gespenst n (het) spook; **Ɋisch** spookachtig

gespickt gelardeerd (a. fig)

Gespräch n (het) gesprek; **Ɋig** spraakzaam

Gestalt f gestalte, gedaante; Form vorm; **Ɋen** vormen

Geständnis n bekentenis

Gestank m stank

gestatten toestaan, veroorloven; ~ **Sie?** pardon!

Geste f geste

gestehen bekennen

Gestein n (het) gesteente

Gestell n (het) onderstel; Rahmen (het) frame; Regal (het) rek

gestern gisteren; ~ **Abend** gister(en)avond

gestreift gestreept

gestrig van gisteren

Gestrüpp n (het) kreupelhout

Gesuch n (het) verzoek

gesund gezond; **Ɋheit** f gezondheid; **Ɋheitsschädlich** schadelijk voor de gezondheid; **2heitswesen** n (het) gezondheidswezen; **2heitszustand** m gezondheidstoestand

Getöse n (het) geraas

Getränk n drank; **~eautomat** m drankenautomaat

Getreide n (het) graan, (het) koren

Getriebe n TECH transmissie; KFZ versnellingsbak; **~öl** n cardanolie

Getue n (het) gedoe

Getümmel n (het) gewoel

Gewächs n (het) gewas

gewachsen: ~ sein (D) aankunnen, opgewassen zijn tegen

Gewächshaus n serre

gewagt gewaagd, gedurfd

Gewähr f waarborg, garantie; **ohne ~** onder voorbehoud; **2en** toestaan, verlenen; **2en lassen** laten begaan; **2leisten** waarborgen

Gewalt f (het) geweld; Macht macht; **höhere ~** overmacht; **2ig** geweldig; **2sam** met geweld, gewelddadig; **2tätig** gewelddadig, baldadig

gewandt handig

Gewässer n/pl wateren n/pl

Gewebe n (het) weefsel

Gewehr n (het) geweer

Geweih n (het) gewei

Gewerbe n nijverheid; Beruf (het) ambacht; **~steuer** f bedrijfsbelasting

Gewerkschaft f vakvereniging, vakbond; **~(l)er(in** f) m

(het) vakbondslid; **2lich** vakbonds-

Gewicht n (het) gewicht; fig (het) belang; **~heben** n (het) gewichtheffen; **~sabnahme** f gewichtsvermindering; **~szunahme** f gewichtstoename

Gewimmel n (het) gekrioel

Gewinde n (schroef)draad

Gewinn m winst; Lotterie prijs; **2en** winnen; **~er(in** f) m winnaar m (winnares f); **~spanne** f winstmarge

Gewirr n wirwar; Stimmen2 f geroezemoes

gewiss zeker; adv (voor)zeker, stellig, vast

Gewissen n (het) geweten; **2haft** gewetensvol, nauwgezet; **2los** gewetenloos; **~sbisse** m/pl gewetenswroeging

gewiss|**ermaßen** in zekere zin; **2heit** f zekerheid

Gewitt|**er** n (het) onweer; **2rig** onweerachtig

ge|**wohnen** (**sich**) (**an** A) wennen (aan); **2wohnheit** f gewoonte; **~wöhnlich** gewoon; adv gewoonlijk; **~wohnt** gewoon, gewend

Gewölbe n (het) gewelf

Gewühl n (het) gewoel

Gewürz n specerij; **~gurke** f augurk; **~nelke** f kruidnagel

Gezänk n (het) gekibbel

Gezeiten f/pl getijden n/pl

geziert aanstellerig

Gezwitscher n (het) getjilp

Gicht *f* jicht

Giebel *m* puntgevel

gierig begerig, gretig

gieß|en gieten; **⊇kanne** *f* gieter

Gift *n* (het) gif(t), (het) vergif(t); **⊇ig** *m* (ver)giftig; **~müll** *m* giftige afvalstoffen *pl*

gigantisch gigantisch

Gin *m* gin

Ginster *m* brem

Gipfel *m* top; *Höhepunkt* (het) toppunt

Gips *m* (het) gips; **~verband** *m* (het) gipsverband

Giraffe *f* giraf

Girlande *f* guirlande

Girokonto *n* girorekening

Gischt *m* (het) schuim

Gitarre *f* gitaar

Gitter *n* (het) traliewerk, (het) hek

Gladiole *f* gladiool

Glanz *m* glans

glänzen glanzen, schitteren; **~d** schitterend

Glas *n* (het) glas; *Behälter a.* pot; **~er** *m* glazenmaker

gläsern glazen

glas|ieren glaceren; **⊇schei-be** *f* ruit; **⊇tür** *f* glazen deur; **⊇ur** *f* (het) glazuur

glatt glad; effen

Glätte *f* gladheid

Glatteis *n* ijzel

glätten gladmaken

Glatze *f* (het) kaal hoofd

Glaub|e *m* (het) geloof; **⊇en (an** *A)* geloven (in); **~haft** geloofwaardig

gläubig gelovig; **⊇er** *m* schuldeiser

glaubwürdig geloofwaardig

gleich gelijk (aan); *adv sogleich* zo, meteen, dadelijk; **~ lautend** gelijk-, eensluidend; *bis* **~!** tot zo!; *zur* **~en** *Zeit* tegelijk(ertijd); **~altrig** even oud; **~artig** gelijksoortig; **~berechtigt** gelijkgerechtigd; **~en (***D)* lijken (op); **~falls** eveneens, insgelijks; **⊇gewicht** *n* (het) evenwicht; **~gültig** onverschillig; **⊇heit** *f* gelijkheid; **~mäßig** gelijkmatig; **⊇mut** *m* bedaardheid; **~sam** als het ware (a.h.w.); **⊇strom** *m* gelijkstroom; **⊇ung** *f* vergelijking; **~wertig** gelijkwaardig; **~wohl** en toch, nochtans; **~zeitig** gelijktijdig; *adv* tegelijk(ertijd)

Gleis *n* (het) spoor

gleit|en glijden; **⊇flug** *m* glijvlucht

Gletscher *m* gletsjer

Glied *n* (het) lid; *Ketten⊇* schakel; **⊇ern** indelen; **~maßen** *pl* ledematen *n/pl*

glimmen glimmen, smeulen

glimpflich *adv* schappelijk

glitschig glibberig

glitzern glinsteren

global wereldomvattend; *fig* globaal

Globus *m* wereldbol

Glocke *f* klok; *Klingel* bel; **~nspiel** *n* (het) carillon

glotzen wezenloos staren

Glück *n* (het) geluk; *zum* **~,**

2lich, 2licherweise gelukkig; ~sfall m buitenkans;
~sspiel n (het) kansspel
Glückwunsch m gelukwens;
herzlichen ~! van harte gefeliciteerd!
Glüh|birne f lamp; 2en
gloeien; ~wein m warme wijn
Glut f gloed
GmbH → Haftung
Gnade f genade; ~nstoß m
genadeslag
Gold n (het) goud; 2en gou-
den; ~fisch m goudvis;
~schmied m goudsmid
Golf n (het) golf(spel); ~platz
m (het) golfterrein; ~schlä-
ger m golfstick; ~spieler(in
f) m golfer (a. f)
gönnen gunnen
Gosse f goot
gotisch gotisch
Gott m God; um ~es willen!
in godsnaam!; ~esdienst m
kerkdienst
Gött|in f godin; 2lich godde-
lijk
gottlos goddeloos
Grab n (het) graf; 2en graven;
~en m sloot, gracht, greppel;
~mal n (het) grafmonument;
~stein m grafsteen, zerk
Gracht f gracht; ~enrundfahrt f rondvaart door de
grachten
Grad m graad; minus zehn ~
min(us) tien graden pl
Graf m graaf
Grafik f grafiek
Gräfin f gravin

Gramm n (het) gram; hun-
dert ~ honderd gram, (het)
ons
Grammat|ik f grammatica,
spraakkunst; 2isch grammaticaal
Granate f granaat
Granit m (het) graniet
Grapefruit f grapefruit
Gras n (het) gras; 2en grazen;
~halm m (het) grassprietje
grassieren woeden, heersen
grässlich afgrijselijk
Gräte f graat
gratiniert gegratineerd
gratis gratis
gratulieren (j-m zu D) feliciteren (met), gelukwensen
(met)
grau grijs, grauw; 2brot n
(het) Duits brood
Gräuel m gruwel
grau|en: mir ~t vor (D) ik
huiver voor; 2en n (het) af-
grijzen; ~enhaft afgrijselijk
Graupelschauer m stofha-
gelbui
grausam wreed; 2keit f
wreedheid
graziös gracieus, bevallig
greif|bar tastbaar; ~en grij-
pen, pakken
Greis m grijsaard; ~in f be-
jaarde (vrouw)
grell schril, schel
Grenz|e f grens; 2en grenzen;
2enlos grenzeloos; ~über-
gang(sstelle f) m grenspost
Greuel → Gräuel
griechisch Grieks

Griesgram m kniesoor

Grießbrei m griesmeelpap

Griff m greep; Koffer2 (het) handvat; Tür2 kruk

Grill m: vom ~ van de grill

Grille f ZO krekel; fig gril

grillen grillen, barbecuen

Grimasse f grimas

grimmig grimmig, nijdig

grinsen grijnzen, grinniken

Grippe f griep

grob grof; 2heit f grofheid; fig a. onbeschoftheid

Grog m grog

grölen brullen

Groll m wrok; 2en (D) wrok koesteren (tegen)

Groschen (m) tienpfennigstuk; in ndl Währung (het) dubbeltje

groß groot; ~artig fantastisch, groots; 2buchstabe m hoofdletter

Größe f grootte; Kleidung, Schuhe maat; fig grootheid

Groß|eltern pl grootouders pl; ~handel m groothandel; ~macht f grote mogendheid; ~mutter f grootmoeder; ~reinemachen n grote schoonmaak; ~stadt f grote stad

größte grootste; ~nteils grotendeels

Groß|vater m grootvader; 2zügig royaal

Grotte f grot

Grube f kuil; BGB mijn

grübeln tobben, piekeren

Gruft f groeve, (het) graf

grün groen; 2anlage f (het) plantsoen

Grund m grond; Ursache reden; aus diesem ~ om die reden

gründ|en stichten, oprichten; 2er(in f) m stichter m (stichtster f)

Grund|fläche f (het) grondvlak; ~gebühr f (het) vast recht; ~gesetz n grondwet; ~lage f grondslag; 2legend fundamenteel

gründlich grondig

grundlos fig ongegrond

Gründonnerstag m Witte Donderdag

Grund|riss m plattegrond; fig schets; ~satz m (het) (grond)beginsel, (het) principe; 2sätzlich principieel; ~schule f basisschool; ~stück n (het) perceel

Gründung f stichting

Grundwasser n (het) grondwater

Grün|e(s): im ~en buiten; ~fläche f (het) plantsoen; ~kohl m boerenkool

grunzen knorren

Gruppe f groep

Gruppen|führer m groepsleider; ~reise f groepsreis

gruppieren (sich) (zich) groeperen

gruselig griezelig

Gruß m groet

grüßen groeten

Grützbrei m gortenpap

gucken kijken

Gulasch *m* goulash

Gulden *m* gulden (*Abk* fl.)

gültig geldig; **⌂keit** *f* geldigheid

Gummi *n od m* rubber, gummi; **⌂band** *n* (het) elastiek(je); **⌂bärchen** *n* (het) gombeertje; **⌂knüppel** *m* gummiknuppel; **⌂stiefel** *m/pl* rubberlaarzen *pl*

Gunst *f* gunst

günstig gunstig

Gurgel *f* keel, strot; **⌂n** gorgelen

Gurke *f* komkommer; *klein* augurk; **⌂nsalat** *m* komkommersla

Gurt *m* gordel

Gürtel *m* gordel, riem, ceintuur; **⌂reifen** *m* radiaalband

Guss *m Regen* stortbui; **⌂eisen** *n* (het) gietijzer

gut goed; *alles* **⌂e!** het beste!; **⌂** *n* (het) goed, (het) bezit; **⌂achten** *n* (het) rapport; **⌂artig** goedaardig; **⌂bürgerlich** *Küche* Duits

Güte *f* goedheid; *Qualität* deugdelijkheid

Güter *n/pl* goederen *n/pl*; **⌂bahnhof** *m* (het) goederenstation; **⌂wagen** *m* goederenwagon; **⌂zug** *m* goederentrein

gut|gläubig goedgelovig; **⌂haben** *n* (het) tegoed; **⌂heißen** goedkeuren, goedvinden

gütig welwillend, goedig; **⌂lich** minnelijk

gutmütig goedmoedig

Gut|schein *m* bon; **⌂schreiben** crediteren

Gymnas|ium *n* (het) gymnasium; **⌂tik** *f* gymnastiek

Gynäkologie *f* gynaecologie

H

Haag *n*: **Den ⌂** 's-Gravenhage *n*, Den Haag *n*

Haar *n* (het) haar; **⌂bürste** *f* haarborstel; **⌂festiger** *m* haarversteviger; **⌂nadel** *f* haarspeld; **⌂scharf** vlijmscherp; *fig* rakelings; **⌂schnitt** *m* haarsnit, coupe; **⌂spray** *m* haarspray; **⌂sträubend** schrikbarend; **⌂wäsche** *f* haarwassing; **⌂wasser** *n* haarlotion

Hab|e *f* (het) bezit; **⌂en** hebben; **⌂en** *n ECON* (het) credit; **⌂gier** *f* hebzucht

Habicht *m* havik

Hack|e *f* (het) houweel; hiel, hak; **⌂en** hakken; **⌂er** *m EDV* hacker; **⌂fleisch** *n* (het) gehakt

Hafen *m* haven; **⌂gebühr** *f* havenrechten *n/pl*; **⌂rundfahrt** *f* havenrondvaart; **⌂stadt** *f* havenstad; **⌂viertel** *n* (het) havenkwartier

Hafer

Hafer m haver; **~flocken** f/pl havermout

Haft f hechtenis; **~bar** (für A) aansprakelijk (voor); **~befehl** m (het) arrestatiebevel; **2en** (an D) kleven (aan); (für A) instaan (voor)

Häftling m gedetineerde (a. f)

Haft|**pflichtversicherung** f W.A.-verzekering; **~schalen** f/pl contactlenzen pl; **~ung** f aansprakelijkheid; **Gesellschaft mit beschränkter ~ung (GmbH)** besloten vennootschap (BV)

Hagel m hagel; **2n** hagelen

Hagebuttentee m rozenbottelthee

hager mager

Hahn m haan; TECH kraan

Hähnchen n kip

Hai(**fisch**) m haai

häkeln haken

Haken m haak

halb half; **2finale** n halve finale; **~ieren** halveren; **2insel** f (het) schiereiland; **2jahr** n (het) halfjaar; **2kreis** m halve cirkel; **2kugel** f GEO (het) halfrond; **~mast** halfstok; **2messer** m straal; **2mond** m halvemaan; **2pension** f (het) half pension; **2schuh** m lage schoen; **~stündlich** om het half uur; **2tagsarbeit** f (het) werk voor halve dagen; **~trocken** Getränk demi-sec; **~wegs** ungefähr min of meer; **2zeit** f speelhelft; rust, halftime

Hälfte f helft; **zur ~** voor de helft

Hall|**e** f hal; **~enbad** n (het) overdekt zwembad

Halm m halm; Trink2 (het) rietje

Halogenscheinwerfer m halogeenlamp

Hals m hals, keel; **~band** n (het) collier; Hunde2 halsband; **~entzündung** f keelontsteking; **~kragen** m boord; **~schmerzen** m/pl keelpijn; **~tuch** n halsdoek

Halt m (het) houvast; 2! halt!, stop!; **~machen** halt houden, stoppen; **2bar** houdbaar; **~barkeitsdatum** n houdbaarheidsdatum; **2en** v/t houden; v/i stoppen

Halte|**stelle** f halte; **~verbot** n (het) stopverbod

Haltung f houding

Halunke m schurk

Hamburger m GASTR hamburger

hämisch vals

Hammelfleisch n (het) schapenvlees

Hammer m hamer

hämmern hameren

Hämorr|**hoiden**, **~iden** f/pl aambeien pl

Hamster m hamster; **2n** F fig hamsteren

Hand f hand; **unter der ~** onderhands; **~ball** m (het) handbal; **~bremse** f handrem; **~buch** n (het) handboek

Händedruck *m* handdruk

Handel *m* handel; **2n** handelen; (*mit D*) handeldrijven (in); (*von D*) gaan (over); *es* **2t sich um** (*A*) het betreft

Handels|beziehungen *f|pl* handelsbetrekkingen *pl*; **~kammer** *f* kamer van koophandel; **~marine** *f* koopvaardijvloot; **~schule** *f* handelsschool; **~vertreter(in** *f*) *m* handelsvertegenwoordiger (handelsvertegenwoordigster *f*); **~vertretung** *f* handelsvertegenwoordiging; **~ware** *f* koopwaar

Hand|feger *m* handveger; **~fläche** *f* handpalm; **~gelenk** *n* pols; **2gemacht** handgemaakt; **~gemengen** *n* vechtpartij; **2gepäck** *n* handbagage; **~granate** *f* handgranaat; **~griff** *m* (het) handvat; handgreep; **2haben** hanteren; **~koffer** *m* (het) handkoffer

Händler(in *f*) *m* handelaar(ster *f*)

hand|lich handig, praktisch; **2lung** *f* handeling; *Laden* handel; **2schellen** *f|pl* handboeien *pl*; **2schrift** *f* (het) handschrift; **2schuh** *m* handschoen; **2schuhfach** *n* (het) handschoenenkastje; **2tasche** *f* handtas; **2tuch** *n* handdoek

Handy *n* zaktelefoon

Handwerk *n* (het) ambacht, (het) vak; **~er** *m* ambachtsman

Hanf *m* hennep

Hang *m* helling; *fig* neiging

Hänge|lampe *f* hanglamp; **~matte** *f* hangmat

hängen hangen; *~en bleiben* blijven hangen; **2er** *m* *Kleid* overgooier

Hantel *f* halter

Happen *m* hap, beet

Hardware *f* hardware

Harfe *f* harp

Harke *f* hark

harmlos onschuldig

harmonisch harmonisch

Harn *m* urine; **~blase** *f* urineblaas; **~röhre** *f* urinebuis

Harpune *f* harpoen

hart hard; *streng* hardvochtig

Härte *f* hardheid

hartnäckig hardnekkig

Harz *n* hars (*a.* het)

Haschee *n* hachee (*a.* het). (het) stoofvlees

Haschisch *n* hasjiesj

Hase *m* haas; *falscher ~* (het) gebraden gehakt

Haselnuss *f* hazelnoot

Hass *m* haat; **2en** haten

hässlich lelijk

hastig haastig

hätscheln vertroetelen, knuffelen

Haube *f* kap (*a. TECH*); muts

Hauch *m* (het) zuchtje; *Dunst* (het) waas; **2dünn** ragfijn

hauen slaan, houwen

Haufen *m* hoop, stapel; *über den ~* omver, ondersteboven, overhoop

häufen (*sich*) (zich) opstapelen, (zich) ophopen

haufenweise bij hopen; *in Mengen* massaal

häufig dikwijls, vaak; **2keit** *f* frequentie

Haupt *n* (het) hoofd

Haupt- *in Zssgn mst* hoofd-

Haupt|bahnhof *m* (het) centraal station (*Abk* C.S.); **~gericht** *n* (het) hoofdgerecht; **~gewinn** *m* (het) hoofdprijs

Häuptling *m* (het) opperhoofd

Haupt|mann *m* kapitein; **~rolle** *f* hoofdrol; **~sache** *f* hoofdzaak; **2sächlich** voornaamst; *adv* hoofdzakelijk; **~saison** *f* (het) hoogseizoen; **~schule** *f* mavo(-school); **~stadt** *f* hoofdstad; **~straße** *f* hoofdstraat; hoofdweg; **~verkehrszeit** *f* (het) spitsuur; **~verwaltung** *f* hoofddirectie; centrale administratie

Haus *n* (het) huis; *nach ~e* naar huis; *nach ~e kommen* thuiskomen; *zu ~e* thuis; **~arbeit** *f* (het) huiswerk; **~arzt** *m* huisarts; **~aufgabe(n** *pl*) *f* (het) huiswerk; **~besitzer** *m* huiseigenaar; **~boot** *n* woonboot; **2en** huizen; *verwüsten* huishouden; **~frau** *f* huisvrouw; **2gemacht** zelf bereid; **~halt** *m* (het) huishouden; *Etat* begroting; **~hälterin** *f* huishoudster; **~herr(in** *f*) *m* heer *m* (vrouw *f*) des huizes; **~ierer** *m* venter

häuslich huiselijk

Haus|mannskost *f* dagelijkse pot; **~meister(in** *f*) *m* conciërge (*a. f*); **~ordnung** *f* (het) (huis)reglement; **~schlüssel** *m* huissleutel; **~schuhe** *m/pl* pantoffels *pl*; **~tier** *n* (het) huisdier; **~tür** *f* huis-, voordeur; **~wirt(in** *f*) *m* huisbaas *m* huisbazin *f*)

Haut *f* huid, (het) vel; (het) vlies; **~abschürfung** *f* schaafwond; **~ausschlag** *m* huiduitslag

häuten: sich ~ vervellen

haut|eng nauwsluitend; **2farbe** *f* huidskleur

Havarie *f* averij

Hebamme *f* vroedvrouw

Hebel *m* hefboom

heben heffen, (op)tillen

Hecht *m* snoek

Heck *n* achterkant; *MAR* achtersteven

Hecke *f* haag, heg

Heck|klappe *f Auto* 2 achterklep; **~motor** *m* motor vanachter; **~scheibe** *f* achterruit

Heer *n* (het) leger

Hefe *f* gist

Heft *n* (het) schrift; *Griff* steel; **2en** *befestigen* vasthechten; *nähen* rijgen; **~er** *m* nietmachine

heftig heftig, hevig, vinnig, fel

Heft|klammer *f* paperclip; (het) nietje; **~pflaster** *n* hechtpleister; **~zwecke** *f* punaise

hegen koesteren

Hehler *m* heler

Heide 1. *m* heiden; 2. *f* heide
Heidelbeere *f* blauwe bosbes
heikel netelig, hachelijk
heil heel, gaaf
Heil *n* (het) heil; **~anstalt** *f* (het) herstellingsoord, (het) sanatorium; **Qbar** geneeslijk; **Qen** genezen
heilig heilig; **Qabend** *m* kerstavond; **Qe(r)** heilige; **Qtum** *n* (het) heiligdom
Heil|mittel *n* (het) geneesmiddel; **~pflanze** *f* geneeskrachtige plant; **~praktiker(in** *f*) *m* geneeskundige; **Qsam** heilzaam
Heilsarmee *f* (het) Leger des Heils
Heilung *f* genezing
heim naar huis; thuis
Heim *n* (het) tehuis
Heimat *f* geboortestreek, geboortegrond; **~hafen** *m* thuishaven; **Qlich** van de geboortegrond; vaderlands; **Qlos** zwervend; ontheemd; **~ort** *m* woonplaats
Heim|fahrt *f* terugreis; **Qisch** inheems; *sich Qisch fühlen* zich thuis voelen; **~kehr** *f* terugkomst; *Ankunft* thuiskomst; **Qlich** heimelijk, F stiekem; **~reise** *f* thuisreis; **Qsuchen** teisteren; **Qtückisch** geniepig; **~weg** *m* weg naar huis; **~weh** *n* (het) heimwee
Heirat *f* (het) huwelijk; **Qen** trouwen, huwen
Heirats|antrag *m* (het) huwelijksaanzoek; **~anzeige** *f*

Annonce huwelijksadvertentie; **~urkunde** *f* trouwakte
heiser hees, schor
heiß heet
heiß|en *v/i* heten; *wie **~t** das auf ...?* hoe zeg je dat in ...?; *was soll das **~en?*** wat moet dat betekenen?
heiter helder; *fig* vrolijk; **Qkeit** *f* vrolijkheid
heiz|bar te verwarmen; **~en** *Ofen* stoken; *Zimmer* verwarmen; **Qgerät** *n* (het) verwarmingstoestel; **Qkissen** *n* (het) verwarmingskussen; **Qkörper** *m* radiator; **Qöl** *n* stookolie; **Qung** *f* verwarming
Hektar *n od m* hectare
hektisch jachtig
Held *m* held; **Qenhaft** heldhaftig; **~entat** *f* heldendaad; **~in** *f* heldin
helf|en (*D*) helpen; **Qer(in** *f*) *m* helper *m* (helpster *f*); **Qershelfer** *m* handlanger
hell helder, licht; **~blau** lichtblauw; **Qigkeit** *f* helderheid, (het) licht; **Qseher(in** *f*) *m* helderziende
Helm *m* helm
Hemd *n* (het) hemd; **~bluse** *f* hemdblouse; **~särmel** *m* hemdsmouw
hemm|en tegenhouden, stuiten; **Qung** *f* *fig* remming; **~ungslos** ongeremd
Hengst *m* hengst
Henkel *m* (het) hengsel, (het) oor

Henker m beul

Henne f kip, hen

her hier(heen); vandaan; *es ist lange* ~ het is lang geleden

herab omlaag, naar beneden

herablassen naar beneden laten; **~d** neerbuigend

herab|sehen (*auf* A) neerzien (op); **~setzen** *mindern* verlagen

heran aan, nader(bij); **~näher ~** dichterbij; **~gehen an** (A) aanpakken; **~kommen** naderen; *an die Reihe kommen* aan de beurt komen; **~wachsen** opgroeien; **~ziehen** erbij halen

herauf naar boven, omhoog; **~beschwören** bezweren, oproepen; **~kommen** naar boven komen; **~setzen** verhogen

heraus eruit, naar buiten; *von innen* ~ van binnen uit; **~bekommen** *erfahren* te weten komen; **~bringen** buitenbrengen; *Erzeugnis* op de markt brengen; **~fordern** uitdagen; **~geben** uitgeven; **~kommen** naar buiten komen; *Buch, Ereignis* uitkomen; **~nehmen** eruit nemen; **~ragen** uitsteken; **~reißen** uitscheuren, uittrekken

herausstellen: *sich* ~ blijken

herausstrecken uitsteken

herb wrang, zuur

herbei hier(heen), erbij; **~holen** erbij halen; **~schaffen** bezorgen

Herberge f herberg

herbringen (naar hier) brengen

Herbst m herfst

Herd m haard; *Koch~* (het) fornuis

Herde f kudde

herein (naar) binnen, erin; **~!** binnen!; **~dringen** binnendringen; **~fallen** *fig* (*auf* A) erin lopen; **~kommen** binnenkomen; **~lassen** binnenlaten; **~legen** erin leggen; *fig* erin laten lopen, beetnemen, bedotten

Her|fahrt f heenreis; **~gang** m *fig* toedracht; **2geben** (terug)geven

Hering m haring

her|kommen (hier) komen; *wo kommen Sie* ~? waar kommt u vandaan?; **~kömmlich** traditioneel; **2kunft** f af-, herkomst

Heroin n heroïne; **2süchtig** aan heroïne verslaafd

Herr m heer; *Anrede* mijnheer, meneer; *Chef* meester, baas

Herren|anzug m (het) herenpak; **2los** onbeheerd; **~toilette** f (het) herentoilet

herrichten klaarmaken; *ordnen* in orde brengen

Herr|in f meesteres; **2isch** heerszuchtig; **2lich** heerlijk, zalig

Herrschaft f meesterschappij; **~en** *pl* dames en heren *pl*

herrsch|en heersen; **~süch-**

tig heerszuchtig
her|rühren (von D) afkomstig zijn (van); **~sagen** opzeggen
herstell|en maken, produceren, voortbrengen; **2er** m producent, maker; **2ung** f (het) maken, productie
herüber erover; *hierher*
hier(heen); **~kommen** overkomen
herum rond(om); **um** ... (A) rond(om); **~drehen** omdraaien; **~fahren** rondrijden; **~führen** *Besucher* rondleiden; **~irren** ronddwalen; **~laufen** rondlopen; **~lungern** rondhangen, lanterfanten; **~reichen** rondgeven, ronddienen; **~schnüffeln** rondneuzen; **~stehen** eromheen staan; rondhangen; **~treiben:** *sich* **~treiben** *pej* rondhangen
herunter naar beneden, omlaag, neer; → *herab*; **~fallen** (naar beneden) vallen; **~klappen** neerklappen; **~kommen** naar beneden komen
hervor naar voren, tevoorschijn; **~bringen** voortbrengen; **~gehen** voortkomen; *sich herausstellen* blijken; **~heben** doen uitkomen de nadruk leggen op; **~ragend** (voor)uitstekend; *fig* uitstekend, prima; **~rufen** *fig* veroorzaken, uitlokken
Herz n (het) hart; *Karte* har-

ten; *sich zu* **~en nehmen** zich aantrekken; **~anfall** m hartaanval; **~fehler** m hartafwijking; **2haft** hartig; **~klopfen** n hartkloppingen *pl*; **2krank** hartkwaal; **~leiden** n hartkwaal; **2lich** hartelijk; **2los** harteloos
Herzogenbusch n 's-Hertogenbosch n, Den Bosch n
Herzogtum n (het) hertogdom
Herz|schlag m hartslag; *MED* hartverlamming; **~schrittmacher** m pacemaker; **~transplantation** f harttransplantatie; **~versagen** n hartinsufficiëntie
Hetze f jacht; *fig* ophitsing; *Eile* F drukte; **2n** v/t jagen; v/i *sich beeilen* zich afjakkeren; *fig* ophitsen
Heu n (het) hooi
Heuchel|ei f huichelarij; **2eln** huichelen; **~ler(in** f) m huichelaar m (huichelaarster f)
heulen huilen
Heu|schnupfen m hooikoorts; **~schrecke** f sprinkhaan
heut|e vandaag, heden; **~e Morgen (Nacht)** vanmorgen (vannacht); **~ig** huidig, hedendaags, van vandaag; **~zutage** tegenwoordig, heden ten dage
Hexe f heks; **~nschuss** m (het) spit (in de rug)
Hieb m slag; *fig* steek (onder water)

hier

314

hier hier; **~auf** hierop; **~aus**
hieruit; **~bei** hierbij; **~durch**
hierdoor; **~für** hiervoor;
~her hierheen; *bis* **~her** tot
hier(toe); **~hin** hierheen;
~mit hierme(d)e; **~über**
hierover; **~zulande** hier te
lande

hiesig van hier, van deze
plaats

Hilfe *f* hulp; **(zu)** *~* help!; **erste** *~* eerste hulp bij ongeval-
len *(Abk* EHBO); **~leistung**
f hulp; (het) hulpbetoon; **~ruf**
m hulpkreet

hilflos hulpeloos

Hilfs|arbeiter *m* ongeschoold
arbeider; **2bedürftig** hulp-
behoevend; **2bereit** hulp-
vaardig; **~mittel** *n* (het) hulp-
middel

Himbeere *f* framboos

Himmel *m* hemel; **~fahrt** *f*
Hemelvaart; **~skörper** *m*
(het) hemellichaam; **~srich-
tung** *f* hemelstreek

himmlisch hemels, zalig

hin henen, weg; **~ und her** heen
en weer; **~ und wieder** af en
toe; **~ und zurück** heen en
weer; *Bahn* retour

hinab naar beneden, omlaag

hinauf naar boven, omhoog;
~gehen oplopen

hinaus (naar) buiten, eruit;
~gehen naar buiten gaan;
Fenster uitkijken; **~laufen**
naar buiten lopen; **(auf** *A)*
neerkomen op; **~schieben**
fig uitstellen; **~werfen** bui-

tengooien; **~zögern** uitstellen

Hinblick *m: im ~ auf (A)* met
het oog op

hinbringen erheen brengen

hinder|lich hinderlijk, lastig;
~n *(j-n an D)* beletten (iem.
iets); **2nis** *n* hindernis

hindurch doorheen, erdoor

hinein (naar) binnen, erin;
~fallen erin vallen; **~gehen**
binnengaan, (er)ingaan; **~
gehören** (er) horen

hinfahr|en erheen rijden; **2t** *f*
heenreis

hin|fallen (neer)vallen; **~fäl-
lig** zwak, broos; *nichtig* vervallen; **~führen** erheen leiden; **2gabe** *f* overgave, toe-
wijding; **~geben** *(sich)* (zich)
geven; **~halten** *jemanden* verträsten
aan 't lijntje houden

hinken hinken

hinkriegen F klaarspelen

hinlegen neerleggen; *sich ~*
gaan liggen

hin|nehmen dulden zich laten
welgevallen; **~reißen** meeslepen; **~richten** terechtstel-
len

hinsetzen: *sich ~* gaan zitten

Hinsicht *f* (het) opzicht; **2lich**
(G) met betrekking tot

Hin|spiel *n Sport* uitwedstrijd;
2stellen neerzetten

hinten achter(aan); **~herum**
achterom

hinter *(A, D)* achter; **2blie-
bene(n)** *pl* nabestaanden *pl*;
~e achterste; **~einander**

achter elkaar; **₂gedanke** *m*
bijgedachte; **₂grund** *m* ach-
tergrond; **₂halt** *m* hinder-
laag; **~hältig** achterbaks;
~her achterna, erachter; *später* achteraf; **~lassen** na-
laten; **~laten**
achterlaten; **~legen** depone-
ren; **~listig** achterbaks, arg-
listig; **₂n** *m* F (het) achterste;
₂radantrieb *m* achterwiel-
aandrijving; **~reifen** *m* ach-
terband; **~treiben** dwarsbomen; **~ziehen** *Steuern* ont-
duiken

hintun wegdoen
hinüber erover(heen); erheen; **~fahren** erheen rijden;
~reichen aanreiken, aangeven

Hin- und Rückfahrt *f* heen-
en terugreis
hinunter naar beneden, omlaag; **~schlucken** doorslik-
ken
Hinweg *m* heenweg
Hinweis *m* verwijzing; *Rat-
schlag* tip; **₂en (auf A)** wijzen
(op)
hinzu erbij, ertoe; **~fügen**
toevoegen; **~kommen** erbij
komen; **~ziehen** erbij halen
Hirn *n* hersenen *pl*; **~gespinst**
n hersenspinsel; **~hautent-
zündung** *f* hersenvliesont-
steking
Hirsch *m* (het) hert
Hirse *f* gierst
Hirt(e) *m* herder
hissen hijsen
historisch historisch

Hit *m* hit
Hitze *f* hitte; **₂beständig**
hittebestendig; **~ewelle** *f* hit-
tegolf; **₂ig** vurig; *aufbrausend*
driftig; **~kopf** *m* heethoofd
HIV-positiv HIV-positief
Hobby *n* hobby
Hobel *m* schaaf; **₂n** schaven
hoch hoog; *nach oben* omhoog; **₂n** (het) hogedrukge-
bied
Hochachtung *f* hoogachting;
₂svoll hoogachtend
Hoch|betrieb *m* grote druk-
te, topdrukte; **~deutsch** *n*
(het) Hoogduits, (het) Duits
Hochdruck *m* hoge druk;
~gebiet *n* → **Hoch**
Hoch|ebene *f* hoogvlakte;
~gebirge *n* (het) hooggeber-
bergte; **₂geschlossen** *Kleid*
hooggesloten; **~geschwin-
digkeitszug** *m* hogesnel-
heidstrein; **~haus** *n* (hoge)
flat, (het) torengebouw;
₂klappen opklappen; **₂mü-
tig** hoogmoedig; **~ofen** *m*
hoogoven; **₂prozentig** sterk
Hoch|saison *f* (het) hoog sei-
zoen; **~schule** *f* hogeschool;
~seefischerei *f* visserij op
de open zee; **~spannung** *f*
hoogspanning; **~sprache** *f*
(het) algemeen beschaafd;
~sprung *m* (het) hoogsprin-
gen
höchst hoogst; **₂-** *in Zssgn*
maximum-, top-
Hochstapler *m* oplichter
höchst|ens ten hoogste,

hoogstens; **2geschwindig-
keit** f maximumsnelheid;
~wahrscheinlich hoogst-
waarschijnlijk
Hoch|verrat m (het) hoog-
verraad; **~wasser** n (het)
hoogwater; **2wertig** hoog-
waardig
Hochzeit f bruiloft; **~skleid** n
bruidsjurk; **~sreise** f huwe-
lijksreis; **~stag** m trouwdag
hochziehen optrekken
hock|en hurken; fig hokken;
2er m kruk
Hockey n (het) hockey
Hoden m teelbal
Hof m (het) hof; binnenplaats,
(het) erf; **Bauern2** boerderij
hoffen (**auf** A) hopen (op);
~tlich hopelijk
Hoffnung f hoop; **2slos** ho-
peloos; **2svoll** hoopvol
höflich beleefd; **2keit** f be-
leefdheid
Höhe f hoogte
Hoheitsgewässer n/pl terri-
toriale wateren n/pl
Höhen|sonne f hoogtezon;
~unterschied m (het) hoog-
teverschil; **2verstellbar** in
de hoogte verstelbaar
Höhepunkt m (het) hoogte-
punt
höher hoger
hohl hol
Höhle f (het) hol; MED holte
Hohn m spot, hoon
höhnisch honend, schamper
holen halen
Holländ|er(in f) m Hollander

m (Hollandse f); **2isch** Hollands, Nederlands
Höll|e f hel; **2isch** hels
holp(e)rig hobbelig; Sprache
hakkelend
Holunder m vlier
Holz n (het) hout
hölzern houten
Holz|fäller m houthakker; **~
kohle** f houtskool; **~schnitt**
m houtsnede; **~schuh** m
klomp
Homöopath m homeopaat
homosexuell homoseksueel
Honig m honing; **~kuchen** m
ontbijtkoek; **~wabe** f ho-
ni(n)graat
Honorar n (het) honorarium
Hopfen m hop
hörbar hoorbaar
horchen luisteren
hör|en horen; **~ auf** (A) luis-
teren naar; **2er** m toehoor-
der, Radio mst luisteraar; TEL
hoorn; **2funk** m radio; **2ge-
rät** n (het) hoorapparaat
Horizont m horizon; **2al** horizontaal
Hormon n (het) hormoon
Horn n hoorn; **~haut** f (het)
hoornvlies; Schwiele m
eelt
Hornisse f horzel
Horoskop n horoscoop
Hör|saal m collegezaal;
~spiel n (het) hoorspel
Hose f broek, pantalon
Hosen|anzug m (het) broek-
pak; **~bein** n broekspijp;
~schlitz m gulp; **~tasche** f

hysterisch

broekzak; **~träger** m/pl bretels pl

Hostie f hostie

Hotel n (het) hotel; **~besitzer** m hotelier; **Qeigen** van het hotel; **~zimmer** n hotelkamer

Hubraum m cilinderinhoud

hübsch mooi, leuk, knap

Hubschrauber m helikopter

huckepack op de rug

Huf m hoef; **~eisen** n (het) hoefijzer

Hüft|e f heup; **~gelenk** n (het) heupgewricht; **~halter** m step-in

Hügel m heuvel; **Qig** heuvelachtig

Huhn n kip, (het) hoen

Hühner|auge n (het) eksteroog; **~brühe** f kippenbouillon; **~stall** m (het) kippenhok

Huldigung f huldiging, hulde

Hülle f (het) omhulsel; **in ~ und Fülle** in overvloed

Hülse f dop, peul; TECH huls; **~nfrüchte** f/pl peulvruchten pl

human humaan; **~itär** humanitair

Hummel f hommel

Hummer m kreeft

Humor m humor; **Qistisch, Qvoll** humoristisch

humpeln hompelen, hinken

Hund m hond; **~efutter** n

(het) hondenvoer; **~ehütte** f (het) hondenhok

hundert honderd; **Qstel** n (het) honderdste (deel)

Hündin f teef

Hunger m honger; **Qn** honger lijden; **~snot** f hongersnood; **~streik** m hongerstaking

hungrig hongerig; **~ sein** honger hebben

Hupe f toeter, claxon; **Qn** toeteren, claxonneren

hüpfen huppelen

Hürde f horde; **~nlauf** m hordeloop

Hure f hoer

hüsteln kuchen

husten hoesten; **Q** m hoest; **Qsaft** m (het) hoestdrankje

Hut m hoed; **~ablage** f hoedenplank

hüten hoeden; **sich ~ vor** (D) oppassen voor, zich wachten voor

Hütte f hut; **~nwerk** n (het) hoogovenbedrijf

Hyazinthe f hyacint

Hydrant m brandkraan

hydraulisch hydraulisch

hygienisch hygiënisch

Hymne f hymne

Hypnose f hypnose

Hypothek f hypotheek

Hypothese f hypothese

hysterisch hysterisch

I

ich ik

ideal ideaal; 2 *n* (het) ideaal

Idee *f* (het) idee, (het) denkbeeld

identi|fizieren identificeren; **~isch** identiek; **2ität** *f* identiteit

ideologisch ideologisch

Idiot *m* idioot; **2isch** idioot

idyllisch idyllisch

Igel *m* egel

ignorieren negeren

ihm hem, aan hem

ihn hem

ihnen ze; *pers a.* hun, aan hen; 2 (aan) u

ihr *sg ze; pers a.* (aan) haar; *pl* jullie; *Possessivpronomen sg* haar, *pl* hun; 2 uw

ihretwegen om haar; **ihnen** *zuliebe* om hun

ihrige: *der, die* **~** *sg* de hare, *pl* de hunne; *das* **~** *sg* het hare, *pl* het hunne; *der, die* 2 de uwe; *das* 2 het uwe

illegal illegaal

Illusion *f* illusie

Illustr|ation *f* illustratie; **~ierte** *f* (het) geïllustreerd tijdschrift

Image *n* (het) image

Imbiss *m* lichte maaltijd, (het) hapje; **~stube** *f* snackbar

Imitation *f* imitatie, nabootsing

Imker *m* imker

immer altijd, steeds; **~fort** altijd, voortdurend, almaar door; **~hin** tenminste; toch (maar); **~zu** → **immerfort**

Immobilien *pl* (het) onroerend goed; **~makler** *m* makelaar in onroerend goed

immun immuun

impf|en (*gegen A*) inenten (tegen); **2schein** *m* (het) inentingsbewijs; **2stoff** *m* (het) vaccin; **2ung** *f* inenting

imponieren (*D*) imponeren

importieren importeren

impotent impotent

improvisieren improviseren

impulsiv impulsief

imstande: **~** *sein* (*zu*) in staat zijn (te)

in (*D*) in; *binnen* binnen; (*A*) in; naar

Inbegriff *m* (het) summum, (het) toonbeeld; **2en** inbegrepen

inbrünstig vurig

indem *dadurch, dass* doordat; *während* terwijl

Inder *m* Indiër; **~in** *f* Indische

Indianer (in *f*) *m* Indiaan(se *f*)

indi|rekt indirect; **~skret** indiscreet; **~viduell** individueel

Indiz *n* aanwijzing

Industrialisierung *f* industrialisering

Industrie *f* industrie, nijverheid; **~gebiet** *n* (het) industriegebied; **2ll** industrieel

interessieren

ineinander in elkaar, ineen
Infarkt *m* (het) infarct
Infektion *f* infectie; **~skrankheit** *f* besmettelijke ziekte
infizieren infecteren
Inflation *f* inflatie
infolge (*G*) ten gevolge van; **~dessen** dientengevolge, bijgevolg
Informatik *f* informatica; **~iker(in** *f*) *m* informaticus *m* (informatica *f*); **~ion** *f* informatie
informieren informeren; **sich ~ (über** *A*) zich op de hoogte stellen (van)
infrage: **~ stellen** in twijfel trekken
Infrastruktur *f* infrastructuur
Ingenieur *m* ingenieur
Ingwer *m* gember
Inhaber (in *f*) *m* eigenaar *m* (eigenares *f*)
inhaftieren in hechtenis nemen
inhalieren inhaleren
Inhalt *m* inhoud; **~sverzeichnis** *n* inhoudsopgave
Initiative *f* (het) initiatief
Injektion *f* injectie
inklusive (*G*) inclusief
In|land *n* (het) binnenland; **2ländisch** binnenlands
inmitten (*G*) te midden van
innen binnen; **2architekt** *m* binnenhuisarchitect; **2politik** *f* binnenlandse politiek; **2seite** *f* binnenkant; **2stadt** *f* binnenstad
inner|e binnenste, inwendige; *fig* innerlijke; **2e(s)** (het)

binnenste, (het) inwendige; *fig* (het) innerlijk; **~halb** (*G*) binnen; **~lich** innerlijk; inwendig
innig innig
inoffiziell inofficieel
Insasse *m* inzittende
insbesondere in 't bijzonder
Inschrift *f* (het) opschrift
Insekt *n* (het) insect
Insel *f* (het) eiland
Inser|at *n* advertentie; **2ieren** adverteren
insgesamt in totaal
insofern *adv* in zoverre; *cj* voorzover
Inspektion *f* inspectie; *KFZ* (controle)beurt
installieren installeren
instand: **~ halten** in orde houden; **~ setzen** in staat stellen; *reparieren* herstellen, opknappen
In|stanz *f* instantie; **~stinkt** *m* (het) instinct; **~stitut** *n* (het) instituut; **~stitution** *f* instelling; **~strument** *n* (het) instrument; **~sulin** *n* insuline; **~szenierung** *f* enscenering
intelligent intelligent, verstandig; **2z** *f* intelligentie
intensiv intens(ief); **2station** *f* intensive care
interaktiv interactief
interess|ant interessant; **2e** *n* interesse, belangstelling; belang; **2ent(in** *f*) *m* belangstellende; **~ieren: sich ~ieren für** (*A*) zich interesseren voor

inter|national internationaal;
2net n (het) internet; **2view**
n (het) interview, (het) vraag-
gesprek

intim intiem

Intoleranz f intolerantie

Intrige f intrige

In|valide m od f invalide; **~va-
sion** f invasie; **~ventur** f in-
ventarisatie; **~vestition** f in-
vestering

in|wiefern, **~wieweit** in hoe-
ver(re); **~zwischen** intussen, ondertussen

irdisch aards

Ire m Ier

irgend|ein een of ander(e);
~etwas iets; **~jemand** de
een of ander(e); **~wann**
ooit; **~wie** op de een of
andere manier, enigszins; **~-
wo** ergens; **~wohin** ergens

heen

Ir|in f Ierse; **2isch** Iers

ironisch ironisch

irre gek, waanzinnig; **~führen**
misleiden

irren dwalen; **sich ~** zich ver-
gissen; **2anstalt** f (het)
krankzinnigengesticht; **2-
haus** n (het) gekkenhuis

irreparabel onherstelbaar

Irrgarten m doolhof

irritieren irriteren

Irr|sinn m waanzin; **~tum** m
vergissing; **2tümlich** bij vergissing

islamisch islamitisch

Isolier|band n (het) isolatie-
band; **2en** isoleren; **~kanne** f
isoleerkan

israelisch Israëlisch

Italien|er(in f) m Italiaan(se
f); **2isch** Italiaans

J

ja ja; *erklärend* (**du kennst
ihn**) ~ (je kent hem) immers,
toch

Jacht f (het) jacht

Jack|e (het) colbert(jasje)
(het) jack; **~enkleid** n (het)
mantelpakje; **~ett** n (het) col-
bert(jasje)

Jagd f jacht; **~hund** m (het) jacht-
hond; **~revier** n (het) jacht-
terrein; **~schein** m jachtakte

jagen jagen

Jäger m jager

jäh plots(eling)

Jahr n (het) jaar; **2elang** jarenlang

Jahres|anfang m (het) begin
van het jaar; **~ausgleich** m
belastingaangifte; **~bericht** m
(het) jaarverslag; **~tag** m verjaardag; **~urlaub** m jaarlijkse
vakantie; **~zahl** f (het) jaar-
tal; **~zeit** f (het) jaargetijde

Jahr|gang m jaargang; **~hun-
dert** n eeuw

jährlich jaarlijks

Jahrzehnt n (het) decennium

jähzornig opvliegend, driftig

alousie f jaloezie
ämmerlich jammerlijk
ammern jammeren
anuar m januari
apanisch Japans
äten wieden
auche f vloeibare mest
auchzen juichen
aulen janken
awohl jawel
e ooit; *vor Zahlen* per; **~ ...**
desto hoe ... hoe; **~ nach-**
dem naargelang
eans pl of f jeans
ede elk(e), ieder(e)
edenfalls in ieder geval
eder |mann iedereen; **~zeit**
altijd
edesmal → **Mal**
edoch echter, toch
eher, *von (od seit)* **~** van
oudsher
emals ooit
emand iemand
ene, **~r** die; **~s** dat
enseits (G, *von* D) aan de
andere kant (van)
etzig tegenwoordig
etzt nu, nou, thans
eweils telkens
Jodtinktur f jodiumtinctuur
Joga n yoga
joggen joggen

Joghurt m yoghurt
Johannisbeere f aalbes
Jolle f jol
Journalist |(in f) m journa-
list(e f)
Jubel m (het) gejuich, (het)
gejubel; **2n** juichen, jubelen
Jubiläum n (het) jubileum
juck |en jeuken; **2reiz** m jeuk
Jude m jood
Jüd |in f joodse; **2isch** joods
Jugend f jeugd; **2frei** (toegankelijk) voor alle leeftij-
den; **~herberge** f jeugdher-
berg; **2lich** jeugdig; **~li-**
che(n) pl jongeren pl
Juli m juli
jung |jong; **2e(s)** m jongen; **2e(s)**
(het) jong; **2frau** f maagd
Junggesell |e m vrijgezel; **~in**
f vrijgezellin
Jüngling m jongeling, jongeman
jüngst adv onlangs
Juni m juni
Jura n/pl rechten n/pl
Jurist |(in f) m jurist(e f);
2isch juridisch
Jury f jury
Justiz f justitie
Juwel |en n/pl juwelen n/pl;
~ier m juwelier
Jux m grap, lol

K

Kabarett n (het) cabaret
Kabel n kabel; **~fernsehen** n
kabeltelevisie

Kabeljau m kabeljauw
Kabine f cabine; *MAR* hut
Kabinett n (het) kabinet

Kachel f tegel
Kadaver m (het) kadaver
Käfer m kever, tor
Kaffee m koffie; **~ kochen** koffie zetten; **~kanne** f koffiekan; **~maschine** f (het) koffiezetapparaat; **~satz** m (het) koffiedik
Käfig m kooi, (het) hok
kahl kaal
Kahn m roeiboot; aak, schuit
Kai m kade, kaai
Kaiser (in f) m keizer(in f); **~schnitt** m keizersnede
Kajüte f kajuit, hut
Kakao m cacao
Kak|tee f, **~tus** m cactus
Kalb n (het) kalf; **~fleisch** n (het) kalfsvlees
Kalbs|braten m (het) kalfsgebraad; **~hachse** f kalfsschenkel; **~medaillon** n kalfsoester; **~milch** f (kalfs)zwezerik; **~schnitzel** n kalfsschnitzel
Kalender m kalender
Kalium n (het) kalium
Kalk m kalk; **~haltig** kalkhoudend
kalkulieren calculeren, berekenen
kalorienarm caloriearm
kalt koud; **~stellen** fig aan de dijk zetten; **~blütig** koelbloedig
Kälte f kou(de); **~welle** f koudegolf
Kalzium n (het) calcium
Kamel n kameel
Kamera f camera

Kamerad m kameraad; **~schaft** f kameraadschap
Kamille f kamille
Kamin m open haard
Kamm m kam
kämmen (**sich**) (zich) kammen
Kammer f kleine kamer; Herz♀, POL kamer; **~musik** f kamermuziek
Kampagne f campagne
Kampf m (het) gevecht, strijd; Sport wedstrijd
kämpfen vechten, strijden
Kämpfer m vechter, strijder
kampf|los zonder strijd; **~richter** m kamprechter
kampieren kamperen
kanadisch Canadees
Kanal m (het) kanaal (a. Radio); Abfluss riool (a. het); **~isation** f kanalisatie; Abwasser♀ riolering
Kanarienvogel m kanarie
Kandidat (in f) m kandidaat (m (kandidate f)
kand|iert gekonfijt; **♀is** m kandij
Känguru n kangoeroe
Kaninchen n (het) konijn
Kanister m kan, bus
Kanne f kan, pot
Kanone f (het) kanon
Kante f kant, rand, boord
Kantine f kantine
Kanu n kano
Kanz|el f kansel; **~ler** m kanselier
Kapazität f capaciteit
Kapelle f kapel

kapern kapen
Kapern f/pl kappertjes n/pl
kapieren F snappen
Kapital n (het) kapitaal
Kapitän m kapitein
Kapitel n (het) hoofdstuk
kapitulieren capituleren
Kaplan m kapelaan
Kappe f kap, *Kleidung a.* pet
Kapsel f capsule
kaputt F kapot
Kapuze f kap, capuchon
Karaffe f karaf
Karambolage f carambolage
Karamellen f/pl karamels pl
Karat n (het) karaat
Karawane f karavaan
Kardanwelle f cardanas
Kardinal m kardinaal
Karfreitag m Goede Vrijdag
karg karig
kariert geruit
Karies f cariës
Karikatur f karikatuur
Karneval m (het) carnaval
Karo n ruit; *Karte* ruiten
Karosserie f carrosserie
Karotte f wortel
Karpfen m karper
Karre (n m) f kar
Karriere f carrière
Karte f kaart; *nach der ~* à la carte; *~n spielen* kaarten
Kartei f kaartenbak; *~karte* f systeemkaart
Kartenspiel n (het) kaartspel; *~telefon* n kaarttelefoon
Kartoffel f aardappel; *~brei* m aardappelpuree; *~klöße* m/pl aardappelballen pl;

~salat m aardappelsla
Karton m (het) karton; *Schachtel* (kartonnen) doos
Karussell n carrousel, draai-molen
Karwoche f goede week
Käse m kaas
Kaserne f kazerne
Kasino n (het) casino
Kaskoversicherung f KFZ all-riskverzekering
Kasse f kas; *Zahlstelle* kassa
Kassen|arzt m fondsdokter; *~zettel** m kassabon
Kasserolle f kastrol
Kassette f cassette; *~nre-korder** m cassetterecorder
kassier|en incasseren; **2er(in** f) m kassier(ster f)
Kastanie f kastanje
Kästchen n *auf Formular* (het) hokje
Kasten m kist, bak; *Bier2* (het) krat
Kata|log m catalogus; *~lysa-tor** m katalysator
Kat|astrophe f catastrofe, ramp; *~egorie** f categorie
Kater m kater
Kathedrale f kathedraal
Katho|lik(in f) m katholiek (*a. f*); *2lisch* katholiek
Katze f kat, poes
Kauderwelsch n (het) koe-terwaals
kauen kauwen
kauern hurken
Kauf m koop; *2en* kopen
Käufer(in f) m koper m (koopster f)

Kauf|frau f zakenvrouw; *Angestellte* commercieel medewerkster; **~haus** n (het) warenhuis; **~mann** m koopman; *Angestellter* commercieel medewerker; **Qmännisch** commercieel

Kaugummi m kauwgom

kaum nauwelijks, amper

Kaution f borg(tocht), waarborg(som)

Kaviar m kaviaar

keck vrijmoedig; *charmant* vlot

Kegel m kegel; **Qn** kegelen

Kehl|e f keel; **~kopf** m (het) strottenhoofd

kehr|en fegen vegen; *drehen* keren; **Qseite** f keerzijde

Keil m wig; **~förmig** wigvormig; **~riemen** m V-snaar

Keim m kiem; **Qen** kiemen; **Qfrei** kiemvrij

kein geen; **~esfalls**, **~eswegs** in geen geval, geenszins; **~er** niemand

Keks m (het) koekje; (het) biscuit

Kelch m kelk

Kelle f pollepel; *Maurer* troffel, (het) treuwel

Keller m kelder; **~geschoss** n (het) souterrain

Kellner (in f) m kelner(in f)

Kelter f wijnpers

kennen kennen; **~ lernen** leren kennen

Kenner (in f) m kenner (a. f)

Kenntnis (se pl) f kennis

Kennzeich|en n (het) kenteken; **Qnen** kenmerken

kentern kenteren, kapseizen

Keramik f keramiek

Kerbe f keep, kerf

Kerbel m kervel

Kerl m kerel, vent

Kern m kern; *Obst* pit; **~energie** f kernenergie; **~gehäuse** n (het) klokhuis; **~kraftwerk** n kerncentrale

Kerze f kaars; **~nhalter** m kaarshouder; **~nständer** m kandelaar

Kessel m ketel

Ket(s)chup n od m ketchup

Kette f ketting; *Reihe* keten, reeks; **~nglied** n schakel; **~nraucher** m kettingroker; **~nreaktion** f kettingreactie

keuch|en hijgen; **~husten** m kinkhoest

Keule f knots; *GASTR* bout

keusch kuis

Kfz n → *Kraftfahrzeug*

kichern giechelen

Kiebitz m *ZO* kievit

Kiefer 1. m kaak; **2.** f grove den; **~höhle** f kaakholte

Kiel m *MAR* kiel

Kiemen fpl kieuwen pl

Kies m (het) grind, kiezel

Kilo|(gramm) n (het) kilo(gram); **~meter** m kilometer; **~wattstunde** f (het) kilowattuur

Kind n (het) kind

Kinder|arzt m kinderarts; **~garten** m kleuterschool; **~geld** n kinderbijslag; **~heim** n (het) kindertehuis; **~krippe** f crèche; **~lähmung**

f kinderverlamming; ⎿los kinderloos; **~sicherung** *f* Auto (het) kinderslot; **~sitz** *m* (het) kinderstoeltje; **~teller** *m* (het) kindermenu; **~wagen** *m* kinderwagen

Kind|heit *f* kinderjaren *n/pl*, kindsheid; ⎿isch kinderachtig; ⎿lich kinderlijk

Kinn *n* kin; **~haken** *m* hoekslag (op de kin)

Kino *n* bioscoop

Kiosk *m* kiosk

Kippe *f* Zigaretten⎿ (het) peukje; ⎿n kippen, kantelen; *v/i a.* tuimelen

Kirch|e *f* kerk; ⎿lich kerkelijk; **~turm** *m* kertoren

Kirmes *f* kermis

Kirsch|baum *m* kersenboom; **~e** *f* kers

Kissen *n* (het) kussen; **~bezug** *m* kussensloop

Kiste *f* kist

kitschig kitscherig

Kitt *m* stopverf

Kittel *m* kiel

kitten kitten

kitz|eln kietelen; **~lig** kietelachtig

Kiwi *f* kiwi

Klage *f* klacht; ⎿n klagen; *JUR* een klacht indienen

Kläg|er (*in* *f*) *m* klager, eiser *m* (eiseres *f*); ⎿lich zielig, deerlijk

Klammer *f* klem; Büro⎿ paperclip; ⎿n: *sich* ⎿n *an* (A) zich vastklampen aan

Klang *m* klank

Klapp|bett *n* (het) opklapbed; **~e** *f* klep; *F Mund* smoel; ⎿en: *es* ⎿t (*nicht*) het gaat (niet); ⎿ern klapperen, klepperen; **~rad** *n* vouwfiets; **~sitz** *m*, **~stuhl** *m* vouwstoel; **~tisch** *m* klaptafel

Klaps *m* tik, klap

klar klaar, helder

Klär|anlage *f* zuiveringsinstallatie; ⎿en zuiveren; *lösen* ophelderen

Klarheit *f* klaarheid

Klarinette *f* klarinet

klarmachen duidelijk maken

Klasse *f* klas; ⎿! *F* prima!; **~nzimmer** *n* (het) klaslokaal

klassisch klassiek

Klatsch *m* (het) gekletst, kletspraat; ⎿en kletsen; *Beifall* ⎿en applaudisseren, in zijn handen klappen

Klaue *f* klauw

klauen *F* gappen, jatten

Klausel *f* clausule

Klavier *n* piano, (het) klavier

kleb|en plakken, kleven; **~estreifen** *m* (het) plakband; **~rig** kleverig; ⎿stoff *m* (het) plakmiddel

kleckern *F* morsen

Klee *m* klaver

Kleid *n* jurk, japon; **~er** *pl* kleren *n/pl*

Kleider|bügel *m* klerenhanger; **~haken** *m* klerenhaak; **~schrank** *m* kleerkast; **~ständer** *m* kapstok

kleid|sam gekleed; ⎿ung *f* kleding, kledij

klein klein; ⚫bildkamera *f* kleinbeeldcamera; ⚫geld *n* (het) kleingeld; ⚫igkeit *f* kleinigheid; ⚫kind *n* kleuter; ⚫laut schuchter; ⚫lich kleingeestig; ⚫stadt *f* kleine stad

Kleister *m* (het) stijfsel, stijfselpap

Klemm|e *f* klem; ⚫en klemmen, knellen

Klempner *m* loodgieter

Klette *f* klis, klit

klett|ern klauteren, klimmen; ⚫verschluss *m* klittenband

Klima *n* (het) klimaat; ⚫anlage *f* airconditioning

Klinge *f* kling, (het) lemmer, (het) lemmet

Klingel *f* bel; ⚫n bellen; *es* ⚫t er wordt gebeld

klingen klinken

Klinik *f* kliniek

Klinke *f* klink

Klippe *f* klip

klirren rinkelen, rammelen

Klischee *n* (het) cliché

Klo *n* F (het) toilet

klonen klonen

klopfen kloppen; *es hat geklopft* er werd geklopt

Klops *m* (het) balletje gehakt

Kloß *m* GASTR bal

Kloster *n* (het) klooster

Klotz *m* (het) blok

Klub *m* club

Kluft *f* kloof, spleet; F *Anzug* (het) kostuum

klug verstandig, schrander, slim; ⚫heit *f* (het) verstand, schranderheid

Klumpen *m* klomp, klonter; *Erd*⚫ kluit

knabbern knabbelen

Knabe *m* knaap, jongen

Knäckebrot *n* (het) knäckebrood

knack|en kraken; ⚫wurst *f* knakworst

Knall *m* knal, klap; ⚫en knallen

knapp *eng* krap; *spärlich* schaars; *gerade noch* net, op het nippertje; ⚫heit *f* schaarste

knarren kraken, knarsen

knattern knetteren

Knäuel *m* (het) kluwen, prop

knauserig krenterig

kneif|en *v/t* knijpen; *v/i* knellen; *fig* achteruitkrabbelen; ⚫zange *f* nijptang

Kneipe *f* (het) café, kroeg

kneten kneden

Knick *m* barst; *scherpe bocht*; ⚫en knikken, knakken

Knie *n* knie; ⚫n knielen; ⚫scheibe *f* knieschijf

Kniff *m* kneep

knipsen knippen; *Foto* kieken

Knirps *m* peuter

knirschen knarsen

knistern ritselen, knetteren

knitter|frei kreukvrij; ⚫n kreuken

Knoblauch *m* knoflook; ⚫zehe *f* teentje knoflook

Knöchel *m* knokkel; *Fuß*⚫ enkel

Knochen *m* (het) been,

knook, (het) bot; **~mark** n (het) beenmerg

Knödel m bal, knoedel

Knolle f knol

Knopf m knop; *Kleidung* knoop; **~batterie** f knoopcel

knöpfen knopen

Knopfloch n (het) knoopsgat

Knorpel m (het) kraakbeen

Knospe f knop

knoten knopen; ♀ m knoop; **♀punkt** m (het) knooppunt

Knüller m F (het) succes(nummer)

knüpfen knopen, (ver)binden

Knüppel m knuppel

knurren knorren

knusprig knappend, krokant, bros

knutschen F knuffelen

Koalition f coalitie

Koch m kok; **~buch** n (het) kookboek; **♀en** koken; **~er** m (het) kookstel

Köcher m koker

koch|fest kookecht; **♀ge-schirr** n (het) kookgerei

Köchin f kokkin

Koch|nische f kookhoek; **~salz** n (het) keukenzout; **~topf** m kookpot, kookpan; **~wäsche** f kookwas

Köder m (het) lokaas

kodieren coderen

koffeinfrei coffeïnevrij

Koffer m koffer; **~radio** n draagbare radio; **~raum** m KFZ koffer(bak)

Kognak m cognac

Kohl m kool

Kohle f kool; **~hydrat** n (het) koolhydraat; **~nbergwerk** n kolenmijn; **~nsäure** f (het) koolzuur

Kohlrabi m koolrabi

Koje f kooi

Kokain n cocaïne

Kokosnuss f kokosnoot

Koks m cokes

Kolben m kolf; TECH zuiger

Kolik f koliek

Kolleg|e m collega; **♀ial** collegiaal; **~in** f vrouwelijke collega

Kollekt|e f inzameling, collecte; **~ion** f collectie

Kollision f botsing; *Schiff a.* aanvaring

Köln n Keulen n; **~ischwasser** n eau de cologne

Kolonie f kolonie

Kolonne f colonne

Kombi(wagen) m stationcar

kombinieren combineren

Komfort m (het) comfort; **♀abel** comfortabel

Komi|ker(in f) m komiek (a. f); **♀sch** komisch; *eigenartig* raar

Komitee n (het) comité

Komma n komma

kommand|ieren commanderen; **♀o** n (het) commando

kommen komen

Kommentar m commentaar

Kommiss|ar m commissaris; **~ion** f commissie

Kommun|albehörde f gemeentelijke overheid; **~ismus** m (het) communisme

Komödie f komedie, (het) blijspel

komp|akt compact; ~anie f compagnie; ~ass m (het) kompas; ~atibel EDV compatibel; ~etenz f bevoegdheid; ~lett compleet, volledig

Kompli|kation f complicatie; ~ment n (het) compliment; ~ze m medeplichtige; 2ziert gecompliceerd, ingewikkeld

Kom|ponist (in f) m componist(e f); ~pott n compote; ~presse f (het) kompres; ~pression f compressie; ~promiss m (het) compromis

Kon|densmilch f gecondenseerde melk; ~dition f conditie; ~ditorei f banketbakkerij; lunchroom; 2dolieren (D) condoleren

Kondom n od m (het) condoom

Kon|fekt n (het) suikergoed; ~fektion f confectie; ~ferenz f conferentie; ~fession f (het) geloof, gezindte; ~firmation f REL confirmatie, aanneming; ~fitüre f jam; ~flikt m (het) conflict; geschil; 2fus confuus

Kongress m (het) congres; ~teilnehmer m congressist

König m koning; Karte m heer; ~in f koningin; 2lich koninklijk; ~reich n (het) koninkrijk

Konjunktur f conjunctuur
konkret concreet

Konkurren|t (in f) m concurrent(e f); ~z f concurrentie

konkurrieren concurreren

Konkurs m (het) faillissement

können kunnen; wissen kennen

konsequen|t consequent; 2z f consequentie

konserv|ativ conservatief; 2en f/pl conserven pl; ~ieren conserveren, bewaren; 2ierungsmittel n (het) conserveringsmiddel

kon|stant constant; ~statieren constateren; 2stitution f constitutie; Körper a. (het) gestel; ~struieren construeren; 2struktion f constructie

Konsul m consul; ~at n (het) consulaat

konsultieren consulteren

Konsum m (het) verbruik, consumptie; ~ent(in f) m consument(e f)

Kontakt m (het) contact; ~linsen f/pl contactlenzen pl

Kon|tinent m (het) continent; ~tingent n (het) contingent; 2tinuierlich continu

Konto n rekening; ~auszug m (het) rekeningafschrift; ~inhaber m rekeninghouder; ~nummer f (het) rekeningnummer; ~stand m (het) rekeningsaldo

Kontrast m (het) contrast; 2ieren (mit D) contrasteren (met), afsteken (tegen)

Kontroll|e f controle; ~eur m

controleur; **~ieren** controleren; **~lampe** f (het) controlelampje

kon|ventionell conventioneel; **~versation** f conversatie; **~vertieren** EDV converteren; **~zentrationslager** n (het) concentratiekamp; **~zentrieren** concentreren; **~zept** n (het) concept; **~zern** m (het) concern; **~zert** n (het) concert; **~zession** f toegeving, concessie

koordinieren coördineren

Kopf m kop; *Mensch* (het) hoofd; **~hörer** m hoofd-, koptelefoon; **~kissen** n (het) hoofdkussen; **~kissenbezug** m (kussen)sloop; **~salat** m kropsla; **~schmerzen** m/pl hoofdpijn; **~stütze** f hoofdsteun; **~tuch** n hoofddoek; **~über** voorover, hals over kop

Kopie f kopie; (het) afschrift

kopier|en kopiëren; **~gerät** n (het) kopieerapparaat

Koralle f koraal; kraal

Korb m korf, mand; **~ball** m (het) korfbal

Kord m (het) ribfluweel

Korinthe f krent

Korken m kurk; **~zieher** m kurkentrekker

Korn n (het) koren, (het) graan; korrel; **~(branntwein)** m jenever

körnig korrelig

Körper m (het) lichaam; **~bau** m lichaamsbouw; **~be**hinderte(r) lichamelijk gehandicapte; invalide; **~lich** lichamelijk; **~pflege** f persoonlijke hygiëne, lichaamsverzorging; **~schaft** f JUR (het) lichaam

Korrektur f correctie

Korrespond|enz f correspondentie; **~ieren** corresponderen

Korridor m gang

korrigieren corrigeren

Korruption f corruptie

Korsett n (het) korset

Kosmetik f kosmetiek; **~salon** m schoonheidssalon

Kosmos m kosmos, ruimte

Kost f kost

kost|bar kostbaar; **~en** v/t proeven; (iets) wil wert sein kosten; **~en** pl (on)kosten pl; auf **~en** (G) ten koste van; **~enlos** kosteloos

köstlich kostelijk

Kost|probe f (het) (voor-)proefje; **~spielig** duur

Kostüm n (het) kostuum; Damen**~** (het) mantelpak

Kot m modder, (het) vuil; Exkremente uitwerpselen n/pl

Kotelett n kotelet

Kotflügel m (het) spatbord

kotzen F kotsen

Krabbe f krab; Garnele garnaal

krabbeln kruipen

Krach m herrie; **~** machen herrie schoppen; **~en** kraken, knallen

krächzen krassen; knarsen

kraft (*G*) krachtens

Kraft *f* kracht; *außer ~ setzen* buiten werking stellen; **~brühe** *f* bouillon; **~fahrer(in** *f*) *m* automobilist(e *f*)

Kraftfahrzeug *n* (het) (motor)voertuig; **~papiere** *n/pl* autopapieren *n/pl*; **~schein** *m* (het) kentekenbewijs; **~steuer** *f* wegenbelasting; **~versicherung** *f* autoverzekering

kräftig krachtig; *fig a.* fel, stevig, fors

kraft|los krachteloos; **2stoff** *m* motorbrandstof; **2werk** *n* elektrische centrale

Kragen *m* kraag, boord; **~weite** *f* boordwijdte

Krähe *f* kraai; **2n** kraaien

Kralle *f* klauw

Kram *m* rommel

Krampf *m* kramp; stuip; **~adern** *f/pl* spataders *pl*; **2haft** krampachtig

Kran *m* kraan

Kranich *m* kraanvogel

krank ziek

kränk|eln sukkelen; **~en** krenken

Kranken|haus *n* (het) ziekenhuis; **~kasse** *f* (het) ziekenfonds; *in Belgien* mutualiteit; **~pfleger** *m* ziekenverpleger; **~schein** *m* (het) ziekenfondsbriefje; **~schwester** *f* (zieken)verpleegster; **~versicherung** *f* ziekteverzekering; **~wagen** *m* ziekenauto

Kranke(r) zieke; **2haft** zie-

kelijk; **~heit** *f* ziekte

kränklich ziekelijk

krankschreiben ziek verklaren

Kranz *m* krans

Krapfen *m* beignet

krass kras

Krater *m* krater

kratz|en krabben; krassen; **2er** *m* kras; *pers* schram; **2wunde** *f* schram, krab

kraulen krauwen, krabbelen; *schwimmen* crawlen

kraus kroes, krullend

Kraut *n* (het) kruid

Kräutertee *m* kruidenthee

Krawall *m* rel, (het) opstootje

Krawatte *f* das

Krebs *m* kreeft; *MED* kanker; *~ erregend* kankerverwekkend

Kredit *m* (het) krediet; *~ gewähren* krediet verlenen; **~karte** *f* kredietkaart

Kreide *f* (het) krijt; **2bleich** spierwit

Kreis *m* kring, cirkel; *Gruppe* kring; *Land2* (het) kanton; *Verkehr* rotonde

kreischen krijsen

Kreis|el *m* tol; **2en** ronddraaien; **2förmig** cirkelvormig; **~lauf** *m* kringloop; *MED* bloedsomloop; **~säge** *f* cirkelzaag; **~verkehr** *m* (het) rondgaand verkeer

krepieren creperen; → *explodieren*

Krepppapier *n* (het) crêpepapier

Kresse f sterkers
Kreuz n (het) kruis (a. ANAT);
 Karte klaveren; 2 **und quer**
 kriskras
kreuz|en **(sich)** (elkaar) krui-
 sen; 2er m kruiser; 2**fahrt** f
 kruisvaart; cruise; 2**otter** f
 adder; 2**schmerzen** m/pl
 pijn in het kruis; 2**ung** f krui-
 sing; *Verkehr* (het) kruispunt;
 2**worträtsel** n (het) kruis-
 woordraadsel, puzzel
kriech|en kuipen; 2**spur** f
 (het) kruipspoor
Krieg m oorlog
kriegen F krijgen
kriegerisch oorlogszuchtig
Kriegs|gefangene(r) krijgs-
 gevangene; **~schiff** n (het) oor-
 logsschip
Krimi m *Film* misdaadfilm;
 Roman detective(roman)
Kriminal|beamte(r) recher-
 cheur; **~ität** f misdaadigheid,
 criminaliteit; **~polizei** f recherche
kriminell crimineel
Krise f crisis
Kristall m od n (het) kristal
Kriterium n (het) criterium
Kritik f kritiek; **~er(in)** f m kri-
 ticus m (critica f)
krit|isch kritisch; *gefährlich*
 kritiek; **~isieren** kritiseren
kritzeln kriebelen
Krokette f kroket
Krokodil n krokodil
Kron|e f kroon; **~leuchter** m
 kroonluchter
Kropf m krop

Kröte f pad
Krücke f kruk
Krug m kruik
Krümel m kruimel
krumm krom
krümmen (sich) (zich)
 krommen; *vor Schmerzen* in-
 eenkrimpen
Krüppel m invalide
Kruste f korst
Kruzifix n (het) kruisbeeld
Kübel m bak, kuip
Kubikmeter m kubieke meter
Küche f keuken
Kuchen m koek; taart, (het)
 gebak
Küchengeschirr n (het) keu-
 kengerei
Kuckuck m koekoek
Kugel f kogel, bol; *Billard*2
 bal; **~lager** n (het) kogella-
 ger; **~schreiber** m balpen;
 ~stoßen n (het) kogelstoten
Kuh f koe
kühl koel, fris, kil; 2e f koelte;
 ~en (af)koelen; 2er m KFZ
 radiator; 2**flüssigkeit** f koel-
 vloeistof; 2**schrank** m koel-
 kast, ijskast; 2**tasche** f koel-
 box; 2**ung** f koeling
kühn moedig, koen
Küken n (het) kuiken
Kult m cultus
Kultur f cultuur; **~beutel** m
 toilettas; 2**ell** cultureel; **~er-
 be** n (het) cultureel erfgoed
Kümmel m kummel
Kummer m (het) verdriet
kümmern: sich ~ um (A)

zich bekommeren om; *sich nicht ~ um* (A) zich niets aantrekken van

Kumpel *m* kompel; *Freund* kameraad

Kunde *m* klant, cliënt; **~ndienst** *m* service

Kundgebung *f* betoging, manifestatie

kündig|en opzeggen; *j-m* ontslaan; **~ung** *f* opzegging

Kund|in *f* klant, cliënte; **~schaft** *f* klandizie

künftig komend; *adv* voortaan

Kunst *f* kunst; **~ausstellung** *f* kunsttentoonstelling; **~dünger** *m* kunstmest; **~faser** *f* kunstvezel; **~gewerbe** *n* kunstnijverheid; **~griff** *m* kunstgreep; **~handlung** *f* kunsthandel

Künst|ler (*in f*) *m* kunstenaar (kunstenares *f*); **2lerisch** artistiek; **2lich** kunstmatig

Kunst|stoff *m* kunststof; **~stück** *n* (het) kunststuk; **~werk** *n* (het) kunstwerk

kunterbunt door elkaar

Kupfer *n* (het) koper; **~stich** *m* kopergravure

Kupon *m* coupon

Kuppel *f* koepel

Kupplung *f* koppeling

Kur *f* kuur

Kurbel *f* kruk, zwengel; **~welle** *f* krukas

Kürbis *m* kalebas, pompoen

Kur|gast *m* badgast; **~haus** *n* (het) kurhaus; **~ort** *m* badplaats, (het) kuuroord

Kurs *m* koers; cursus; **~buch** *n* (het) spoorboekje

Kürschner *m* bontwerker

Kurswagen *m* (het) doorgaand rijtuig

Kurtaxe *f* verblijfsbelasting (in een kuuroord)

Kurve *f* curve; *Straße* bocht; **2nreich** bochtig

kurz kort; **vor ~em** onlangs; **2arbeit** *f* verkorte werktijden *pl*; **~ärmelig** met korte mouwen

Kürze: in ~ binnenkort; **2n** verkorten; verminderen

Kurz|film *m* korte film; **2fristig** op korte termijn; **~geschichte** *f* (het) kort verhaal

kürzlich onlangs

Kurz|parkzone *f* blauwe zone; **~schluss** *m* kortsluiting; **2sichtig** bijziend; *fig* kortzichtig; **~waren** *f/pl* fournituren *pl*; **~welle** *f Radio* korte golf

Kusine *f* nicht

Kuss *m* kus, zoen

küssen (sich) (elkaar) kussen, (elkaar) zoenen

Küste *f* kust

Kutsche *f* koets; **~r** *m* koetsier

Kutteln *f/pl* pens

Kutter *m* kotter

L

Labor n (het) laboratorium
Lache f plas, poel
lächeln glimlachen; **2** n glimlach
lachen lachen; **aus vollem Halse ~** schateren; **2** n (het) gelach
lächerlich belachelijk, bespottelijk
Lachs m zalm; **~schinken** m fijne ham
Lack m lak; **2ieren** lakken
laden laden
Laden m winkel; **~diebstahl** m winkeldiefstal; **~hüter** m (het) onverkoopbaar artikel; **~schluss** m winkelsluiting; **~tisch** m toonbank
Laderaum m laadruimte
Ladung f lading; JUR dagvaarding
Lage f ligging; Situation toestand; Schicht laag; **nicht in der ~ sein** niet in staat zijn
Lager n (het) kamp; ECON (het) magazijn, (het) pakhuis; TECH (het) (kogel)lager; **2** n v/i kamperen; ECON opgeslagen liggen; v/t opslaan
lahm kreupel; lam; fig lamlendig
lähm|**en** verlammen; **2ung** f verlamming
Laie m leek
Laken n (het) laken
Lakritze f drop

Lamm n (het) lam; **~fleisch** n (het) lamsvlees
Lampe f lamp; **~nfieber** n plankenkoorts; **~nschirm** m lampenkap
Land n (het) land; Ggs Stadt (het) platteland
Landebahn f landingsbaan
landen landen; fig belanden, terechtkomen
Länder|**kampf** m, **~spiel** n landenwedstrijd
Landkarte f landkaart
ländlich landelijk
Land|**schaft** f (het) landschap; **~smann** m landgenoot; **~smännin** f landgenote; **~straße** f gewone weg; **~streicher** m landloper, zwerver; **~ung** f landing; **~ungsbrücke** f aanlegsteiger
Landwirt m landbouwer; **~schaft** f landbouw; **2schaftlich** agrarisch
lang lang; **~e** adv lang
Länge f lengte
Langeweile f verveling
lang|**fristig** op lange termijn; **2lauf** m langlauf
läng|**lich** langwerpig; **~s** (G) langs
langsam langzaam
Langspielplatte f langspeelplaat
längst adv allang
Languste f langoest

langweil|en (*sich*) (zich) ver-velen; **~ig** vervelend, saai
Lang|welle *f Radio* lange golf; **2wierig** langdurig
Lanze *f* lans
Lappen *m* lap, vod
Lärm *m* (het) lawaai; **2en** lawaai maken
Larve *f ZO* larve
Laserdrucker *m* laserprinter
lassen laten; *veranlassen* laten, doen
lässig nonchalant, achteloos
Last *f* last, vracht; (*j-m A*) **zur ~ legen** ten laste leggen, aanwrijven; **~enaufzug** *m* goederenlift
Laster¹ *n* zonde, ondeugd
Laster² *m* F → **LKW**
lästern roddelen, lasteren
lästig lastig, hinderlijk
Last|(kraft)wagen *m* vrachtwagen; **~schrift** *f Mitteilung* debetnota
lateinisch Latijns
Laterne *f* lantaarn
Latex *m* latex
latschen F sloffen
Latte *f* lat
Lätzchen *n* (het) slabbetje
Latzhose *f* tuinbroek
lau lauw
Laub *n* (het) loof, (het) gebladerte; **~baum** *m* loofboom; **~e** *f* (het) prieel
Lauch *m* (het) look; prei
lauern (*auf A*) loeren (naar)
Lauf *m* loop; **im ~e** (*G*) in de loop van; **~bahn** *f* loopbaan; **~bursche** *m* loopjongen;

2en lopen; **2end** *fig* doorlopend; **auf dem ~enden** op de hoogte
Läufer *m* loper (*a. Schach*); **~in** *f* loopster
Lauf|gitter *n* box; **~masche** *f* ladder; **~werk** *n EDV* drive
Lauge *f* (het) sop, loog
Laune *f* (het) humeur; gril, kuur; **gute** (*schlechte*) **~ haben** goedgehumeurd (slechtgehumeurd) zijn; **2nhaft** humeurig, grillig
launisch nukkig
Laus *f* luis
lauschen (*D*) luisteren (naar)
laut luid(ruchtig); *adv a.* hardop; *prp* (*G*) volgens
Laut *m* (het) geluid; *Einzel2* klank; **2en** luiden
läuten luiden
lauter louter
laut|los geluidloos, stil; **2-sprecher** *m* luidspreker; **2stärke** *f* geluidssterkte
lauwarm lauw(warm)
Lava *f* lava
Lavendel *m* lavendel
Lawine *f* lawine
leb|en leven; **~e wohl!** vaarwel!; **2en** *n* (het) leven; **~en-dig** levend; *fig* levendig
Lebens|gefahr *f* (het) levensgevaar; **~haltungskosten** *pl* kosten *pl* van levensonderhoud; **2länglich** levenslang; **~lauf** *m bei Bewerbung* curriculum vitae; **~mittel** *n/pl* levensmiddelen *n/pl*; **~mittelgeschäft** *n* levens-

middelenzaak, kruidenier; **~standard** _m_ (het) levensstandaard; **~unterhalt** _m_ (het) levensonderhoud; **~versicherung** _f_ levensverzekering

Leber _f_ lever; **~pastete** _f_ leverpastei; **~wurst** _f_ leverworst

Leb|ewesen _n_ (het) levend wezen; **2haft** levendig, druk

Lebkuchen _m_ taaitaai

lebslos levenloos

leck lek; **2n** (het) lek; **~en** likken; _tropfen_ lekken

lecker lekker; **2bissen** _m_ lekkernij

Leder _n_ (het) le(d)er; **~gürtel** _m_ leren riem; **~hose** _f_ leren broek; **~jacke** _f_ leren jack; **2n** leren; **~waren** _f/pl_ le(d)erwaren

ledig vrij; _unverheiratet_ ongehuwd, ongetrouwd; **~lich** alleen, slechts

leer leeg; **2e** _f_ leegte; **~en** leegmaken, ledigen; _Briefkasten_ lichten; **2gut** _n_ emballage; _Flaschen_ lege flessen _pl_; **2lauf** _m_ vrijloop; _fig_ leegloop, (het) nutteloos werk; **2ung** _f Post_ lichting

legal wettig, legaal

legen leggen; _sich_ **~** gaan liggen

Leggings _pl_ leggings _pl_

Legierung _f_ legering

Lehm _m_ leem, klei

lehnen leunen; _(sich)_ **2en** _(an A)_ leunen (tegen); **~stuhl** _m_ leunstoel

Lehr|buch _n_ (het) leerboek; **~e** _f_ leer; _Lektion_ les; _Ausbildung_ leertijd; **2en** leren; _Fach_ onderwijzen, doceren; **~er(in** _f_**)** _m_ leraar _m_ (lerares _f_), onderwijzer _m_ (onderwijzeres _f_); **~ling** _m_ leerjongen; **2reich** leerrijk

Leib _m_ (het) lijf; _Bauch_ buik

Leib|gericht _n_ (het) lievelingsgerecht; **2lich** lichamelijk; **~wächter** _m_ lijfwacht

Leiche _f_ (het) lijk; **~nhalle** _f_ (het) lijkenhuis; **~nwagen** _m_ lijkwagen

Leichnam _m_ (het) lijk

leicht licht; (ge)makkelijk; **2athletik** _f_ atletiek; **~fertig** lichtvaardig; **2gläubig** lichtgelovig; **2igkeit** _f_ (het) gemak; **2metall** _n_ (het) licht metaal

Leichtsinn _m_ lichtzinnigheid; **2ig** lichtzinnig

Leid _n_ (het) leed; _es tut mir_ **~** het spijt mij; _er tut mir_ **~** ik heb met hem te doen; **2en** _(an D)_ lijden (aan); **~en** _n_ (het) lijden; _Krankheit_ kwaal

Leidenschaft _f_ hartstocht; **2lich** hartstochtelijk

leid|er helaas; **~lich** tamelijk, redelijk

Leierkasten _m_ (het) draaiorgeltje

Leih|bücherei _f_ uitleenbibliotheek; **2en** (uit)leen; **~gebühr** _f_ huurprijs; **~wagen** _m_ huurauto; **2weise** te leen, in bruikleen

Leim _m_ lijm; **2en** lijmen

Lein|e *f* lijn, (het) koord; ~en *n* (het) linnen; ~samen *m* (het) lijnzaad; ~wand *f* (het) linnen; *Kino* (het) witte doek, (het) scherm
leise zacht; *fig* licht; *adv* zacht(jes)
Leiste *f* lijst; rand
leisten verrichten, doen, presteren; *Widerstand* bieden; sich ~ zich permitteren, zich veroorloven
Leistenbruch *m* liesbreuk
Leistung *f* prestatie, verrichting; 2sfähig sterk
Leit|artikel *m* (het) hoofdartikel; 2en leiden; ~er 1. *m* leider; *PHYS* geleider; 2. *f* ladder; ~erin *f* leidster; ~faden *m* leidraad; ~planke *f* vangrail; ~ung *f* leiding; *TEL* lijn; ~ungswasser *n* (het) leidingwater
Lek|tion *f* les; ~türe *f* lectuur
Lende *f* lende
lenk|en (be)sturen, leiden; 2rad *n* (het) stuur; 2ung *f* (het) stuur; besturing
Lerche *f* leeuwerik
lernen leren
lesbar leesbaar
lesbisch lesbisch
les|en lezen; 2er(in *f*) *m* lezer(es *f*); ~erlich leesbaar; 2esaal *m* leeszaal
letzt laatst; am ~en (*Dienstag*) verleden (dinsdag); ~endlich uiteindelijk; ~lich tenslotte
Leuchte *f* (het) licht, lamp;

2en schijnen; *glänzen* schitteren; 2end *Farbe* fel; ~er *m* luchter; *Kerzen2* kandelaar; ~reklame *f* lichtreclame; ~stoffröhre *f* tl-buis; 2turm *m* vuurtoren
leugnen loochenen, ontkennen
Leukämie *f* leukemie
Leute *pl* mensen *pl*, lieden *pl*, lui *pl*
Leutnant *m* luitenant
Lexikon *n* (het) lexicon
Libelle *f* libel
liberal liberaal
Licht *n* (het) licht; ~ *machen* het licht aandoen; *hinters ~ führen* om de tuin leiden; ~bild *n* foto; 2en *Anker* lichten; ... 2et sich ~ trekt op; ~hupe *f* (het) lichtsignaal; seinlichtschakelaar; ~maschine *f* dynamo; ~schalter *m* lichtschakelaar
Lid *n* (het) (oog)lid; ~schatten *m* oogschaduw
lieb lief; am ~sten het liefst; 2e *f* liefde; ~en houden van, liefhebben
liebenswürdig lief, vriendelijk; 2keit *f* vriendelijkheid
lieber *adv* liever
Liebes|brief *m* liefdesbrief; ~kummer *m* (het) liefdesverdriet; ~paar *n* (het) liefdespaar
lieb|evoll liefdevol, liefderijk; 2haber *m* liefhebber; minnaar; ~kosen liefkozen; 2ling *m* lieveling (*a. f*); ~los

liefdeloos; **2ste(r)** liefste
Lied n (het) lied
liederlich liederlijk
Liefer|ant m leverancier; **2bar** leverbaar; **~bedingungen** fpl leveringsvoorwaarden pl; **~frist** f levertijd; **2n** leveren; **~ung** f levering; **~wagen** m bestelwagen
Liege f ligstoel; stretcher; **2n** liggen; **~platz** m ligplaats; Bahn couchette; **~stuhl** m ligstoel; **~wagen** m (het) couchetterijtuig; **~wiese** f lig-, zonneweide
Lift m lift
Liga f liga; Sport afdeling
Likör m likeur
lila lila, paars
Lilie f lelie
Limonade f limonade
Linde f linde
lindern verzachten
Lineal n liniaal
Linie f lijn, streep; MIL linie
Linien|bus m lijnbus; **~flug** m lijnvlucht
link|e linker-, links; **2e** f linkerhand; POL linkerzijde; **~isch** links
links links; nach ~ naar links, linksaf; **2abbieger** m links afslaande auto; **2händer(in** f) m linkshandige
Linse f Optik lens; **~nsuppe** f linzensoep
Lippe f lip; **~nstift** m lippenstift
lispeln lispelen
List f list

Liste f lijst
listig listig, sluw
Liter n od m liter
litera|risch literair; **2tur** f literratuur, letterkunde
Litfaßsäule f reclamezuil
Live-Sendung f live-uitzending
Lizenz f licentie
Lkw m vrachtwagen
Lob n lof; **2en** prijzen, loven; **2enswert** lofwaardig, loffelijk
Loch n (het) gat; Vertiefung a. kuil, put; **2en** knippen; TECH ponsen; **~er** m perforator
löchrig vol gaten
Lock|e f lok, krul; **2en** (aan)lokken; Haare krullen; **~enwickler** m krulspeld
locker los; luchtig; **~n** losmaken; sich ~ losgaan; fig zich ontspannen
lockig gekruld
Lodenmantel m loden
lodern laaien
Löffel m lepel
Logbuch n (het) logboek
Loge f loge
Logik f logica
Logis n (het) logies
logisch logisch
Logo n (het) logo
Lohn m (het) loon; beloning; **2en: es 2t sich (nicht)** het is de moeite (niet) waard; **~erhöhung** f loonsverhoging; **~steuer** f loonbelasting
Lok f → **Lokomotive**

Lokal n (het) lokaal; (het) restaurant; *Kneipe* (het) café
Lokomotive f locomotief; **~führer** m machinist
London n Londen n
Lorbeerblatt n GASTR (het) laurierblad
los los; *verloren* kwijt; vrij; **~!** vooruit!; **was ist ~?** wat is er (gaande)?
Los n (het) lot
lösbar oplosbaar
losbinden losbinden
löschen *Feuer* blussen; *Licht* uitdoen; *Tonband, Daten* wissen; *Durst* lessen; *Ladung* lossen
lose los
Lösegeld n (het) losgeld
losen loten
lösen *trennen* losmaken; *Aufgabe* oplossen; *Fahrkarte* kopen, nemen; **sich ~** losraken, losgaan; **(von D)** zich losmaken (van)
losfahren wegrijden; *Schiff* wegvaren; **~lassen** loslaten
Losung f (het) wachtwoord, leus, leuze
Lösung f oplossing; **~smittel** n (het) oplosmiddel
loswerden kwijtraken
Lot n (het) lood
löten solderen; **~kolben** m soldeerbout
Lotse m loods; **2n** loodsen
Lotterie f loterij
Lotto n (het) lotto
Löwe m leeuw
Löwen n Leuven n; **~zahn** m

BOT paardebloem
Löwin f leeuwin
Luchs m lynx
Lücke f gaping, *fig* leemte, lacune; **2nhaft** gebrekkig, onvolledig; **2nlos** volledig
Luft f lucht; **~ballon** m luchtballon; **~blase** f luchtbel; **2dicht** luchtdicht; **~druck** m luchtdruk
lüften (ver)luchten
Luft|fahrtgesellschaft f luchtvaartmaatschappij; **~fracht** f luchtvracht; **~kissenboot** n (het) luchtkussenvaartuig; **~kurort** m (het) luchtkuuroord; **2leer** luchtledig
Luftlinie f: **in ~** hemelsbreed
Luft|matratze f luchtbed; **~post** f luchtpost; **~röhre** f luchtpijp
Lüftung f verluchting, ventilatie
Luft|verschmutzung f luchtverontreiniging; **~waffe** f luchtmacht
Lüge f leugen; **2en** liegen; **~ner(in** f) m leugenaar(ster f)
Luke f (het) luik
Lümmel m lummel, vlegel
Lump m ploert; **~en** m lomp, vod
Lunchpaket n (het) lunchpakket
Lunge f long; **~nentzündung** f longontsteking
Lupe f loep, (het) vergrootglas
Lust f (het) plezier; *Verlangen*

lust, zin; *Wollust* wellust; **~ haben zu** (D) zin hebben in
lüstern begerig, wellustig
lustig vrolijk; *komisch* grappig
Lustspiel *n* (het) blijspel
lutsch|en zuigen; **2er** *m Stielbonbon* lolly

mach|bar haalbaar; **~en** doen; *herstellen* maken; *Bett* opmaken; *Platz* **~en** plaats maken; **sich nichts ~en aus** (D) zich niets aantrekken van; **wie viel ~t es?** hoeveel kost het?; **das ~t nichts** dat hindert niet
Macht *f* macht; **~haber** *m* machthebber, bewindvoerder
mächtig machtig, geweldig
machtlos machteloos
Mädchen *n* (het) meisje; **~name** *m* meisjesnaam
Mad|e *f* made, larve; **2ig** vol maden, madig
Magazin *n* (het) magazijn; *Zeitschrift* (het) magazine
Magen *m* maag; **~geschwür** *n* maagzweer; **~schmerzen** *m/pl* maagpijn; **~verstimmung** *f* indigestie
mager mager; **2milch** *f* magere melk
magisch magisch
Magnet *m* magneet
Mahagoniholz *n* (het) mahoniehout

Lüttich *n* Luik *n*
luxuriös luxueus
Luxus *m* luxe, weelde; **~hotel** *n* (het) luxehotel
Lymphknoten *m* lymfeklier
lynchen lynchen
Lyrik *f* lyriek

M

mähen maaien
mahlen malen
Mahl *n* (het) maal
Mahlzeit *f* maaltijd; **~!** (eet) smakelijk!; goedemiddag!
Mähne *f* manen *pl*
mahn|en manen; **~en an** (A) herinneren aan; **2ung** *f* aanmaning; waarschuwing
Mai *m* mei; **~glöckchen** *n* (het) lelietje-van-dalen; **~käfer** *m* meikever
Mailbox *f EDV* mailbox; maïskolf
Mais *m* maïs; **~kolben** *m* maïskolf
Majestät *f* majesteit
Majonäse → *Mayonnaise*
Major *m* majoor
Majoran *m* marjolein
Makel *m* smet; **2los** vlekkeloos, onberispelijk
Makkaroni *pl* macaroni
Makler *m* makelaar
Makrele *f* makreel
Makrone *f* (het) bitterkoekje
mal eens, een keertje; *MATH* maal; **2** *n* maal, keer; *Zeichen* vlek, (het) teken; **jedes 2** elke keer, telkens

mal|en schilderen; **2er** *m* schilder; **2erei** *f* schilderkunst; **2erin** *f* schilderes; **~erisch** schilderachtig

Malz *n* mout; **~bier** *n* (het) moutbier

man *men, zie*

manch|e menige; menigeen; **~e** *pl* sommige *pl*; **~erlei** velerlei, heel wat; **~mal** soms

Mandant(*in f*) *m* JUR cliënt(e *f*)

Mandarine *f* (het) mandarijntje

Mandel *f* amandel; **~entzündung** *f* amandelontsteking

Manege *f* manege

Mangel *m* (het) gebrek; *Fehler* tekortkoming; **2haft** gebrekkig, onvoldoende; **2s** (*G*) bij gebrek aan; **~ware** *f*: ... *ist* **~ware** ... is schaars

Manieren *f*/*pl* manieren *pl*

Maniküre *f* manicure

manipulieren manipuleren

Mann *m* man

Männchen *n* (het) mannetje (*a. ZO*)

Mannequin *m* mannequin

Männer- *in Zssgn* mannen-mannigfaltig veelvuldig, veelsoortig

männlich mannelijk

Mannschaft *f* bemanning; MIL manschappen *pl*; *Sport* ploeg

Manöver *n* manoeuvre (*a. het*)

Manschettenknopf *m* manchetknoop

Mantel *m* mantel, jas; *Reifen***2** buitenband

Manuskript *n* (het) manuscript

Mappe *f* map, tas

Märchen *n* (het) sprookje; **2haft** sprookjesachtig

Marder *m* marter

Margarine *f* margarine

Marienkäfer *m* (het) lieveheersbeestje

Marine *f* marine, zeemacht

mariniert gemarineerd

Marionette *f* marionet

Mark **1.** *f Geld* mark; **2.** *n* (het) merg

Marke *f* (het) merk; → *Briefmarke*; **~nartikel** *m* (het) merkartikel

Markierung *f* markering

Markt *m* markt; **~platz** *m* (het) marktplein

Marmelade *f* jam

Marmor *m* (het) marmer

marokkanisch Marokkaans

Marsch *m* mars; **2ieren** marcheren

Märtyrer(*in f*) *m* martelaar *m* (martelares *f*)

Marxismus *m* (het) marxisme

März *m* maart

Marzipan *n* marsepein

Masche *f* maas

Maschin|e *f* machine; *Flugzeug* (het) toestel **~e schreiben** tikken, typen; **2ell** machinaal; **~en-** *in Zssgn* machine-

Masern *pl* mazelen *pl*

Mask|e f (het) masker; **Qieren** maskeren

Maß n maat; *Grad* mate; ~ **halten** maathouden; *nach* ~ op maat; *in hohem* ~e in hoge mate

Massage f massage

Massaker n (het) bloedbad

Maßanzug m (het) maatkostuum

Masse f massa, hoop

Massen- *in Zssgn mst* massamassen|haft massaal; **Qkarambolage** f kettingbotsing; **Qmedien** pl massamedia pl

maß|gebend, **~geblich** beslissend

massieren masseren

mäßig matig; **~en (sich)** (zich) matigen

maß|los mateloos; **Qnahme** f maatregel; **Qstab** m maatstaf; **~voll** gematigd

Mast m mast

Mastdarm m endeldarm

mästen (vet)mesten

Masthähnchen n slachtkip

Mater|ial n (het) materiaal; *Gerät* (het) materieel; **~ie** f materie, stof; **Qiell** materieel, stoffelijk

Mathematik f wiskunde

Matjeshering m maatjesharing

Matratze f matras (*a.* het)

Matrose m matroos

Matsch m blubber

matt mat, dof

Matte f mat

Mattscheibe f (het) scherm

Mauer f muur

Maul n muil, snuit, bek; **Qen** F mokken; **~esel** m muilezel; **~korb** m muilkorf; **~wurf** m mol

Maurer m metselaar

Maus f muis (*a.* EDV); **~efalle** f muizenval

Maut f tol

Max m: *strammer* ~ GASTR uitsmijter

maximal maximaal

Mayonnaise f mayonaise

Mecha|nik f mechanica; mechaniek; **~niker** m werktuigkundige, mecaniciën; **Qnisch** mechanisch; **~nismus** m (het) mechanisme

meckern blaten; *fig* F kankeren, zeuren

Medaille f medaille

Medien pl media pl

Medi|kament n (het) medicament; **~zin** f geneeskunde; *Arznei* medicijn; **Qzinisch** geneeskundig, medisch

Meer n zee; **~enge** f zee-engte; **~esfrüchte** f/pl zeevruchten pl

Meeresspiegel m: *über* (*unter*) *dem* ~ boven (onder) de zeespiegel

Meer|rettich m mierik(swortel); **~schweinchen** n (het) Guinees biggetje, marmot

Mehl n (het) meel; **~speise** f meelspijs

mehr meer; ~ *oder weniger* min of meer; *umso* ~ des te meer; **~deutig** dubbelzinnig mehrere verschillende, verscheidene, meerdere

mehr|fach meervoudig; veelvuldig; meermaals; ❷heit f meerderheid; ❷kosten pl extra kosten pl; ~mals meermaals; ~tägig meerdaags; ❷wegflasche f fles met statiegeld; ❷wertsteuer f belasting op de toegevoegde waarde (Abk BTW); ❷zahl f (het) merendeel; GR (het) meervoud

meiden (ver)mijden

Meile f mijl

mein, ~e mijn

Meineid m meineed

meinen bedoelen; denken menen, denken

meinerseits van mijn kant

meinetwegen ter wille van mij; von mir aus voor mijn part

Meinung f mening, opinie; der ~ sein van mening zijn

Meinungs|umfrage f enquête; ~verschiedenheit f (het) meningsverschil

Meise f mees

Meißel m beitel

meist meest; am ~en het meest; ~ens meestal

Meister m meester, baas; Sport kampioen; ❷haft meesterlijk; ~in f meesteres; Sport kampioene; ❷n aankunnen; ~schaft f (het) meesterschap; Sport (het) kampioenschap; ~werk n (het) meesterwerk

Meld|eamt n (het) bevolkingsbureau; ❷en (sich) (zich) melden; ~epflicht f aanmeldingsplicht; ~ung f (het) bericht, melding

melken melken

Melodie f melodie, wijs

Melone f meloen; Hut bolhoed

Menge f hoeveelheid; Menschen❷ menigte; e-e ganze ~ F een heleboel

Meniskus m meniscus

Mennige f menie

Mensa f (het) studentenrestaurant, mensa

Mensch m mens; ein netter ~ een aardige man

menschen|leer verlaten, leeg; ❷menge f menigte mensen; ❷rechte n/pl mensenrechten n/pl; ~scheu mensenschuw; ~unwürdig mensonwaardig

Mensch|heit f mensheid; ❷lich menselijk; ~lichkeit f menselijkheid

Menstruation f menstruatie

Mentalität f mentaliteit

Menthol n menthol

Menü n (het) menu

Merk|blatt n (het) blad met toelichtingen; ❷en merken, gewaarworden; sich ❷en onthouden; ❷lich merkbaar, aanmerkelijk; ~mal n (het) kenmerk; ❷würdig vreemd, raar, merkwaardig

Mess|band n (het) meetlint; ❷bar meetbaar

Messe f REL mis; ECON (jaar)beurs; **~gelände** n (het) jaarbeursterrein
messen meten
Messer n (het) mes
Messestand m stand op de jaarbeurs
Messing n (het) messing
Messung f meting
Mettwurst f metworst
Metzger m → **Fleischer**
Meute f meute; **~rei** f muiterij; **2rn** muiten
mexikanisch Mexicaans
mich mij, me
Mieder n foundation
Miene f gelaatsuitdrukking, (het) gezicht
mies F beroerd
Miesmuschel f mossel
Miete f huur; **2en** huren; **~er(in)** f m huurder m (huurster f); **~vertrag** m (het) huurcontract; **~wagen** m huurauto
Migräne f migraine
Mikro|phon n microfoon; **~prozessor** m microprocessor; **~skop** n microscoop; **~wellenherd** m magnetron
Milch f melk; **~flasche** f melkfles; **~geschäft** n zuivelhandel; **~kaffee** m koffie

verkeerd; **~kännchen** n (het) melkkannetje; **~mann** m melkboer; **~mixgetränk** n milkshake; **~pulver** n melkpoeder (a. het); **~reis** m rijstepap; **~straße** f ASTR melkweg; **~zahn** m melktand
mild mild, zacht; **~ern** verzachten
Milieu n (het) milieu
Militär n militairen pl; militaire dienst; **2isch** militair
Milli|arde f (het) miljard; **~meter** n od m millimeter; **~on** f (het) miljoen; **~onär(in** f) m miljonair(e f)
Milz f milt; **~brand** m (het) miltvuur
minder minder; **2heit** f minderheid; **~jährig** minderjarig; **~n** (ver)minderen; **~wertig** minderwaardig
mindest minst; **2-** in Zssgn mst minimum-; **~ens** mstens, op zijn minst
Mine f mijn; Kugelschreiber2 stift
Mineral n (het) mineraal, delfstof; **~öl** n aardolie; **~quelle** f minerale bron; **~wasser** n (het) bronwater
Mini|golfanlage f (het) minigolfterrein; **~kleid** n minijurk; **2mal** minimaal, miniem
Minister(in f) m minister (a. f); **~ium** n (het) ministerie; **~präsident(in** f) m eerste minister (a. f), premier (a. f)
minus min, minus
Minute f minuut

mir mij, me, aan mij, aan me

misch|en (ver)mengen; *Karten schudden*; 2masch *m* (het) allegaartje, mengelmoes; 2ung *f* menging, mengeling, (het) mengsel

miserabel miserabel

miss|achten minachten; *nicht beachten* zich niet houden aan; 2bildung *f* misvorming; ~billigen afkeuren

Missbrauch *m* (het) misbruik; 2en misbruiken

Misserfolg *m* mislukking

missfallen niet aanstaan; 2 *n* (het) ongenoegen

Missgeschick *n* tegenslag

misshandel|n mishandelen; 2ung *f* mishandeling

Mission *f* missie; zending

miss|lingen (D) mislukken; ~mutig mismoedig, ontstemd; 2stand *m* wantoestand

misstrau|en (D) wantrouwen; 2en *n* (het) wantrouwen; ~isch wantrouwig

Miss|verhältnis *n* wanverhouding; ~verständnis *n* (het) misverstand; ~verstehen verkeerd begrijpen; ~wirtschaft *f* (het) wanbeheer

Mist *m* mest; *fig* F rommel; ~haufen *m* mesthoop

mit (D) met; *adv* me(d)e

Mitarbeit *f* medewerking; 2en meewerken; ~er(in *f*) *m* medewerker *m* (medewerkster *f*)

Mit|benutzung *f* (het) medegebruik; ~bestimmung *f* medezeggenschap, inspraak; 2bringen meebrengen; ~bürger *m* medeburger; 2einander met elkaar

mitfahr|en meerijden; *Schiff* meevaren; 2gelegenheit *f* gelegenheid tot meerijden

Mit|gefühl *n* (het) medeleven; 2gehen meegaan; ~glied *n* (het) lid; ~gliedsbeitrag *m* contributie; ~gliedschaft *f* (het) lidmaatschap; ~gliedskarte *f* lidmaatschapskaart; 2kommen meekomen

Mitleid *n* (het) medelijden; 2ig medelijdend

mit|machen meedoen; *erleben* meemaken; ~nehmen meenemen; 2reisende(r) medereiziger; ~samt (D) samen met; ~schreiben opschrijven; ~schuldig (*an D*) medeplichtig (aan); 2schüler(in *f*) *m* medeleerling(e *f*); 2spieler *m* medespeler

Mittag *m* middag; *zu ~ essen* (het) middagmaal gebruiken; ~essen *n* (het) middageten; mittags 's middags; 2pause *f* middagpauze; 2zeit *f* (het) middaguur

Mitte *f* (het) midden

mitteil|en me(d)edelen; 2ung *f* mededeling

Mittel *n* (het) middel; ~alter *n* middeleeuwen *pl*; 2alterlich middeleeuws; 2bar indirect, onrechtstreeks; ~finger *m* middenvinger; **2fristig** op de middellange termijn; **2groß** middelgroot; **2los** onbemiddeld; **2mäßig** middelmatig

Mittel|meer n Middellandse Zee; **~ohrentzündung** f middenoorontsteking; **~punkt** m (het) middelpunt

mittels (G) door middel van, met behulp van

Mittel|stand m middenstand; **~streifen** m middenberm; **~stürmer** m midvoor; **~welle** f middengolf

mitten ~ in ... (D) midden in ...; **~drin** (er)middenin

Mitternacht f middernacht

mittlere middelste; middelbare; *durchschnittlich* gemiddelde

Mittwoch m woensdag

mitunter nu en dan, soms

Mit|wirkung f medewerking; **~wisser** m medeweter

mixe|n mixen; **2r** m mixer

Möbel|n/pl meubels n/pl, meubelen n/pl; **~wagen** m verhuiswagen

mobil mobiel; **2telefon** n mobiele telefoon

möbliert gemeubileerd

Mode f mode

Modell n (het) model

Mode|journal n (het) modeblad; **~(n)schau** f modeshow

Modem n (het) modem

Moder|ator in f) m TV, Radio presentator m (presentatrice f); **2ieren** presenteren

modern adj modern; **~isieren** moderniseren

Modeschöpfer(in f) m modeontwerper m (modeontwerpster f)

modisch modisch

Mofa n snorfiets

mogel|n vals spelen, knoeien

mögen houden van, lusten; kunnen, mogen; *ich möchte* ... ik zou graag ... (willen)

möglich mogelijk; *wenn ~ zo* mogelijk; **~erweise** mogelijk; **2keit** f mogelijkheid; **~st** (*viel*) zo (veel) mogelijk

Mohammedaner(in f) m mohammedaan(se f)

Mohn m papaver, klaproos

Möhre f. **Mohrrübe** f wortel

Mokka m mokka

Mole f (het) hoofd, pier

Molkerei f melkerij, zuivelfabriek; **~produkte** n/pl zuivelproducten n/pl

mollig mollig

Moment m od n (het) moment; **2an** momenteel

Monarchie f monarchie

Monat m maand; **2lich** maandelijks; **~skarte** f maandkaart; **~srate** f maandelijkse termijn

Mönch m monnik

Mond m maan; **~finsternis** f maansverduistering; **~schein** m maneschijn

Monitor m monitor

Monopol n (het) monopolie

Montag m maandag; **2s** maandags

Mont|eur(in f) m monteur (a. f); 2ieren monteren

Monument n (het) monument

Moor n (het) veen; **~bad** n (het) modderbad

Moos n (het) mos

Moped n bromfiets, brommer

Moral f moraal; *Selbstvertrauen* (het) moreel; 2isch moreel

Morast m (het) moeras

Mord m moord; 2en moorden

Mörder(in f) m moordenaar m (moordenares f)

morgen morgen; ~ *Abend (früh)* morgenavond (-vroeg, -ochtend)

Morgen m morgen, ochtend; *guten ~!* goedemorgen!; **~dämmerung** f ochtendschemering; **~rock** m peignoir, ochtendjas; **~rot** n (het) morgenrood

morgens 's morgens

morgig eig morgen, voos

Morphium n morfine

morsch vermolmd, voos

Mörtel m mortel

Mosaik n (het) mozaïek

Moschee f moskee

Mosel f: *die ~* de Moezel

Moskau n Moskou n

Mosl|em n moslim; **~ime** f moslim

Most m most

Motel n (het) motel

Motiv n (het) motief; 2ieren motiveren

Motor m motor; **~boot** n motorboot; **~enöl** n motorolie; **~haube** f motorkap; **~rad** n motor(fiets); **~radfahrer** m motorrijder; **~roller** m scooter; **~schaden** m (het) motordefect

Motte f mot

Motto n (het) motto

Möwe f meeuw

Mücke f mug; **~nstich** m muggenbeet

müde moe, vermoeid

Müdigkeit f moeheid, vermoeidheid

muffig muf, duf

Mühe f moeite, last; 2los moeiteloos; 2voll lastig

Mühle f molen

mühsam moeizaam, lastig

Mulde f bak, trog; *Tal* (dal)kom

Müll m afval, (het) huisvuil; **~abfuhr** f vuilophaaldienst, reinigingsdienst; **~beutel** m vuilniszak

Mullbinde f zwachtel

Müll|container m afvalcontainer; **~deponie** f stortplaats; **~eimer** m vuilnisemmer; **~kippe** f F, **~platz** m stortplaats, vuilnisbelt; **~schlucker** m vuilniskoker; **~tonne** f vuilnisbak; **~trennung** f afvalscheiding

multiplizieren vermenigvuldigen

Mumps m bof

Mund m mond; **~art** f (het) dialect

münden uitlopen, uitmonden

Mundharmonika f mondharmonica
mündig mondig; 2ung f mondeling; ~lich mondeling; 2ung f monding
Mundwasser n (het) mondwater
Munition f munitie
munter heiter vrolijk, opgewekt; wach, frisch opgeknapt
Münze f munt; ~fernsprecher m telefoonautomaat
mürbe murw; zacht, bros
murmeln mompelen; 2tier n marmot
murren morren, mopperen, tegensputteren
mürrisch nors, kribbig
Mus n (het) moes
Muschel f mossel; schelp
Museum n (het) museum
Musik f muziek; 2alisch muzikaal; ~ant(in f) m muzikant(e f); ~box f jukebox; ~er(in f) m musicus m (musicienne f)
musizieren musiceren
Muskatnuss f nootmuskaat

Muskel m spier; ~kater m spierpijn; ~zerrung f spierverrekking
muskulös gespierd
Müsli n muesli
müssen moeten
Muster n (het) monster, (het) staal; Zeichnung (het) patroon, (het) dessin; fig (het) voorbeeld, (het) model; ~ ohne Wert monster zonder waarde; 2gültig voorbeeldig
mustern monsteren; MIL keuren; Truppen inspecteren
Mut m moed; 2ig moedig
Mutter f moeder; TECH moer
mütterlich moederlijk
Mutter|mal n moedervlek; ~schaft f (het) moederschap; ~sprache f moedertaal
mutwillig moedwillig
Mütze f muts; Schirm2 pet; kap
MwSt., MWSt. → Mehrwertsteuer
mysteriös mysterieus
Mythologie f mythologie

N

Nabe f naaf
Nabel m navel
nach (D) na; Richtung naar; zufolge volgens; ~ und ~ langzamerhand, stilaan; ~ wie vor nog altijd
nach- in Zssgn mst nanachahm|en nabootsen; 2ung f nabootsing

Nachbar m buur(man); ~in f buurvrouw; ~schaft f buurt; Verhältnis nabuurschap
nach|bestellen bijbestellen, nabestellen; ~dem nadat; je ~dem al naar(gelang)
nachdenk|en (über A) nadenken (over); ~lich ernstig, nadenkend

Nach|druck m nadruk; 2drücklich met klem, nadrukkelijk; 2eifern (D) navolgen; 2einander naar elkaar; *hintereinander* na elkaar; 2folgen (D) *im Amt* opvolgen; ~folger(in f) m opvolger m (opvolgster f); 2forschen (D) navorsen; ~frage f ECON vraag; 2füllen bijvullen; ~füllpackung f navulling; 2geben meegeven; *zustimmen* toegeven; ~gebühr f strafport; 2gehen (D) volgen; *untersuchen* nagaan; *Uhr* achterlopen; ~geschmack m nasmaak; 2giebig toegeeflijk, meegaand, inschikkelijk; 2haltig blijvend, duurzaam; 2helfen (D) een handje helpen

nachher later, naderhand; *bis ~!* tot straks!

Nach|hilfeunterricht m bijlessen pl; 2holen *Versäumtes* inhalen

nachkommen (D) nakomen; 2schaft f nakomelingschap, (het) nageslacht

Nach|kriegszeit f naoorlogse jaren n/pl; ~lass m ECON reductie, vermindering; *Erbschaft* nalatenschap; 2lassen nalaten, achterlaten; *geringer werden* afnemen, verminderen; 2lässig nonchalant, nalatig; 2laufen (D) (achter)nalopen; 2lösen *Fahrkarte* bijbetalen; 2machen namaken; nadoen

Nachmittag m (na)middag; *am ~*, 2s (na)middags

Nachnahme f (het) rembours; *gegen ~* onder rembours

Nach|name m achternaam; ~porto n strafport (a. het); 2prüfen nazien, controleren; 2rechnen narekenen

Nachricht f (het) bericht, tijding, (het) nieuws; ~en f/pl (het) nieuws, nieuwsberichten n/pl; ~enagentur f (het) persagentschap; ~ensendung f nieuwsuitzending; TV (het) journaal

nach|rücken opschuiven; volgen; ~ruf m (het) in memoriam; 2sagen j-m A vertellen (over); 2saison f (het) naseizoen; ~schlagen naslaan, opzoeken; 2schlagewerk n (het) naslagwerk; 2schlüssel m valse sleutel; 2schub m bevoorrading; ~sehen nakijken; j-m A door de vingers zien van; ~senden nasturen

Nachsicht f toegeeflijkheid, toegevendheid; 2ig toegeeflijk

Nachspeise f (het) nagerecht

nächste volgend, aanstaand; dichtstbijzijnd; *~ Woche* volgende week; *in den ~n Tagen* eerstdaags; *der (od die) 2, bitte!* de volgende alstublieft!

nachstellen (D) achternazitten; *Uhr* terugzetten

Nacht f nacht; *gute ~!* welte-

rusten!, goedenacht!; *über* ~
fig onverwachts; **~dienst** *m*
nachtdienst
Nachteil *m* (het) nadeel; **2ig**
nadelig
Nacht|frost *m* nachtvorst;
~hemd *n* nachtjapon
Nachtigall *f* nachtegaal
Nachtisch *m* (het) nagerecht
nächtlich nachtelijk
Nacht|lokal *n* nachtclub, bar;
~portier *m* nachtportier
Nach|trag *m* aanvulling, (het)
toevoegsel; **2tragend** haat-
dragend; **2träglich** *adv* achteraf
Nachtruhe *f* nachtrust
nachts 's nachts
Nacht|schicht *f* nachtploeg;
nachtdienst; **~tisch** *m* (het)
nachtkastje; **~wächter** *m*
nachtwacht, nachtwaker
Nachweis *m* (het) bewijs;
2en bewijzen, aantonen;
2lich aantoonbaar, aanwijsbaar
Nach|wirkung *f* nawerking;
~wuchs *m* fig (het) aankao-
mend geslacht, jongeren *pl*;
2zahlen bijbetalen; **2zählen**
natellen; **2zügler** *m* achter-
blijver, nakomer
Nacken *m* nek
nackt naakt, bloot; **2bade-
strand** *m* (het) naaktstrand
Nadel *f* naald; *Steck2* speld;
~baum *m* naaldboom; **~öhr**
n (het) oog van de naald;
~wald *m* (het) naaldbos
Nagel *m* spijker; *Finger2* na-

gel; **~bürste** *f* nagelborstel;
~feile *f* nagelvijl; **~lack** *m* na-
gellak (*a.* het); **2n** nagelen,
spijkeren; **2neu** (spik)splin-
ternieuw, gloednieuw;
~schere *f* (het) nagelschaar-
tje
nage|n (*an* D) knagen (aan);
2tier *n* (het) knaagdier
nahe *prp* (D) *u adv* dichtbij,
nabij; *ganz* ~ vlakbij; *adj* na-
bij(gelegen), naburig
Nähe *f* nabijheid
nähen naaien
näher nader, dichterbij; **~n:**
sich **~n** (D) naderen
nahezu nagenoeg, vrijwel
Näh|garn *n* (het) naaigaren;
~kasten *m* naaidoos; **~ma-
schine** *f* naaimachine
nahr|haft voedzaam; **2ung** *f*
(het) voedsel; **2ungsmittel**
n/pl voedingsmiddelen *n/pl*
Nährwert *m* voedingswaarde
Naht *f* naad; **2los** naadloos
Nahverkehr *m* (het) streek-
vervoer
Nähzeug *n* (het) naaigerei
naiv naïef
Name *m* naam
namens genaamd; **2tag** *m*
naamdag
nam|entlich met name; *be-
sonders* voornamelijk; **~haft**
bekend
nämlich namelijk (*Abk* nl.)
Napf *m* nap, (het) bakje; **~ku-
chen** *m* tulband
Narbe *f* (het) litteken
Narkose *f* narcose

Narr m gek, dwaas; **zum ~en halten** voor de gek houden

närrisch dol, zot

Narzisse f narcis

naschen snoepen

Nase f neus; **~nbluten** n neusbloeding; **~nloch** n (het) neusgat

Nashorn n neushoorn

nass nat

Nässe f nat(ig)heid

nasskalt kil

Nation f natie; **~al** nationaal; **~alfeiertag** m nationale feestdag; **~alistisch** nationalistisch; **~alität** f nationaliteit; **~almannschaft** f nationale ploeg; **~alpark** m (het) nationaal park

Natter f adder

Natur f natuur; **~ereignis** n (het) natuurverschijnsel; **~forscher** m natuuronderzoeker; **~gemäß** uiteraard; **~getreu** natuurgetrouw; **~heilkunde** f natuurgeneeskunde; **~katastrophe** f natuurramp

natürlich natuurlijk

Naturschutz m natuurbescherming; **~gebiet** n (het) natuurreservaat

Nebel m nevel, mist; **~scheinwerfer** m mistlamp; **~schlussleuchte** f (het) mistachterlicht

neben (A, D) naast; **~an** hiernaast; **~anschluss** m TEL tweede aansluiting; **~bei** daarnaast; beiläufig terloops;

~beschäftigung f (het) bijbaantje; **~einander** naast elkaar; **~fach** n (het) bijvak; **~fluss** m bijrivier; **~kosten** pl extra kosten pl; **~produkt** n (het) bijproduct; **~raum** m (het) zijvertrek; **~sache** f bijzaak; **~sächlich** bijkomstig; **~straße** f zijstraat; **~wirkung** f bijwerking

neblig nevelig, mistig; **es ist ~** het mist

nebst (D) benevens

neck|en plagen; **~isch** schalks, plagend

Neffe m neef

Negativ n (het) negatief

Negligee n (het) negligé

nehmen nemen; **weg~** afnemen; **et. zu sich ~** iets gebruiken

Neid m nijd, afgunst; **~isch** jaloers, afgunstig

Neige f; **zur ~ gehen** opraken

neig|en neigen, hellen; **~ung** f helling; fig neiging

nein nee(n)

Nelke f anjer; Gewürz~ kruidnagel

nenn|en noemen; **~enswert** noemenswaardig; **~er** m noemer

Neonazi m neonazi

Neon|licht n (het) neonlicht; **~röhre** f neonbuis

neppen F neppen

Nerv m zenuw

nerven|krank zenuwziek; **~zusammenbruch** m zenuwinzinking

nerv|ös nerveus, zenuwachtig; ⚲osität f nervositeit, zenuwachtigheid

Nerz m (het) nerts

Nesselfieber n netelroos

Nest n (het) nest

nett leuk, lief, aardig

netto netto

Netz n (het) net; ⚲anschluss m aansluiting op het net; ⚲haut f (het) netvlies; ⚲karte f netkaart; ⚲werk n EDV (het) netwerk

neu nieuw; von ⚲em opnieuw; ⚲artig nieuw; ⚲bau m nieuwbouw; ⚲eröffnung f heropening; ⚲erung f nieuwigheid, hervorming; ⚲geborene(s) pasgeborene; ⚲gier f nieuwsgierigheid; ⚲gierig nieuwsgierig; ⚲heit f (het) nieuwheid; ⚲igkeit f (het) nieuwtje

Neujahr n (het) nieuwjaar; Prosit ⚲! gelukkig nieuwjaar!

neu|lich onlangs; ⚲ling m nieuweling(e f); ⚲mond m nieuwe maan

neun negen; ⚲hundert negenhonderd; ⚲te negende; ⚲zehn negentien; ⚲zig negentig

Neuschnee m verse sneeuw

neutral neutraal; ⚲ität f neutraliteit

nicht niet; ⚲ doch! asjeblief(t) niet!

Nichte f nicht

nichtig nietig

Nichtraucher (in f) m nietroker m (niet-rookster f)

nichts niets, F niks

nick|en knikken; ⚲erchen n (het) dutje

nie nooit

nieder laag, lager; adv ne(d)er

nieder- in Zssgn mst ne(d)er-

Nieder|gang m (het) verval; ⚲gehen neerkomen; ⚲geschlagen terneergeslagen, neerslachtig, verslagen; ⚲lage f nederlaag; ⚲lande n/pl Nederland n; ⚲länder(in f) m Nederlander m (Nederlandse f); ⚲ländisch Nederlands

niederlassen: sich ~ zich vestigen

Nieder|lassung f vestiging (a. ECON); ⚲legen neerleggen; ⚲schläge m/pl neerslag; ⚲schlagen neerslaan; ⚲trächtig gemeen, laaghartig

niedlich aardig, lief, schattig

niedrig laag

niemals nooit

niemand niemand

Niere f nier; ⚲nstein m niersteen

nieseln motregenen; ⚲regen m motregen

niesen niezen

Niet m klinknagel

Niete f Los niet; pers nul; ⚲n (vast)klinken; nieten

nikotinarm nicotinearm

Nilpferd n (het) nijlpaard

Nimwegen n Nijmegen n

nippen nippen

nirgend|s, ⚲wo nergens

Nische f nis

nisten nestelen

Niveau n (het) niveau

noch nog; *weder ...* ~ noch ... noch; **~mals** nogmaals, nog eens

Nockenwelle f nokkenas

Nomade m nomade

Nonne f non

Non-Stop-Flug m non-stop-vlucht

Norden m (het) noorden

nördlich noordelijk; ~ *von* (D) ten noorden van

Nord|licht n (het) noorderlicht; 2östlich noordoostelijk; **~pol** m noordpool; **~see** f Noordzee; **~seite** f noordkant; **~wind** m noordenwind

nörgeln vitten, pruttelen, mopperen

Norm f norm; 2al normaal; **~albenzin** n normale, gewone benzine

norwegisch Noors

Not f nood, (het) gebrek; *mit knapper* ~ ternauwernood; *zur* ~ desnoods

Notar m notaris

Not|arzt m dienstdoende arts; **~arztwagen** m ziekenwagen; **~ausgang** m nooduitgang; **~bremse** f noodrem; **~dienst** m nooddienst; 2dürftig gebrekkig

Note f MUS noot; Zensur (het) cijfer; POL nota

Notfall m (het) geval van nood; 2s desnoods

notgedrungen noodgedwongen

notieren noteren

nötig nodig; **~en** dwingen

Notiz f notitie, aantekening; **~block** m blocnote; **~buch** n (het) notitieboekje

Not|landung f noodlanding; **~ruf** m alarmroep; **~rufnummer** f (het) alarmnummer; **~rufsäule** f praatpaal; **~verband** m (het) noodverband; **~wehr** f noodweer

notwendig noodzakelijk; 2keit f noodzaak

Notzucht f verkrachting

Nougat m noga

Novelle f novelle

November m november

Nu m: *im* ~ in een wip, in een oogwenk

Nuance f nuance

nüchtern nuchter

Nudel f/pl macaroni, vermicelli

Nudist (in f) m nudist(e f)

null nul; 2 f nul

Nummer f nummer; 2ieren nummeren; **~nschild** n (het) nummerbord

nun nu; nou; *von* ~ *an* van nu af; **~mehr** (en) nu; voortaan nur maar, alleen, slechts; ~ *zu!* toe maar!

Nuss f noot; **~baum** m notenboom; **~knacker** m notenkraker

Nutte f F snol, slet

nutzen, nützen v/t gebruik maken van; v/i (D) baten, van nut zijn

Nutz|en m (het) nut, (het)

voordeel; **~last** f nuttige last

nützlich nuttig

nutzlos nutteloos

Nylonstrümpfe m/pl nylonkousen pl

O

Oase f oase

ob cj of

obdachlos dakloos

oben boven; **~ ohne** topless; **~an** bovenaan

Ober m ober; **Herr ~!** Ober!

Ober|arm m bovenarm; **~bekleidung** f bovenkleding

obere bovenste

Oberfläche f oppervlakte, (het) oppervlak; **2lich** oppervlakkig

Ober|geschoss n bovenverdieping; **2halb** (G) boven; **~haupt** n (het) opperhoofd; **~hemd** n (het) overhemd; **~kellner** m eerste kelner; **~körper** m (het) bovenlichaam; **~schenkel** m dij; **~schule** f middelbare school; **~schwester** f hoofdzuster

Oberst m kolonel

oberste bovenste; fig opperste, hoogste

Oberteil m od n (het) bovendeel

obgleich → obwohl

Obhut f hoede

obig bovenstaand

Objekt n (het) voorwerp, (het) object; **2iv** objectief; **~iv** n (het) objectief

obligatorisch verplicht

Oboe f hobo

Obrigkeit f overheid

Obst n (het) fruit; **~bau** m fruitteelt; **~baum** m fruitboom; **~händler** m fruithadelaar; **~kuchen** m vruchtentaart; **~saft** m (het) fruitsap; **~salat** m fruitsla

obszön obsceen

obwohl al, (al)hoewel, ofschoon

Ochse m os; **~nschwanzsuppe** f ossenstaartsoep

öde woest, doods; fig dor, saai

oder of

Ofen m kachel; **Brat2** oven

offen open; fig openlijk, rondborstig; **~ stehen** openstaan

offenbar blijkbaar, klaarblijkelijk; **~en** openbaren

Offen|heit f openheid, openhartigheid; **2herzig** openhartig; **2kundig** duidelijk; **2sichtlich** klaarblijkelijk

Offensive f (het) offensief

öffentlich publiek, openbaar; **2keit** f openbaarheid; (het) publiek, publieke opinie

offiziell officieel

Offizier m officier

öffn|en openen; **2er** m opener; **2ung** f opening; **2ungszeiten** f/pl openingsuren n/pl

oft dikwijls, vaak
öfter(s) herhaaldelijk
ohne (A) zonder; ~ **weiteres** zonder meer; **~gleichen** zonder weerga; **~hin** toch al
Ohnmacht f onmacht; Be-
wusstlosigkeit bewusteloosheid, bezwijming
ohnmächtig machteloos; bewusteloos; ~ **werden** flauw-
vallen
Ohr n (het) oor
Ohren|arzt m oorarts; **Qbe-
täubend** oorverdovend;
~entzündung f oorontste-
king; **~sausen** n oorsuizin-
gen pl
Ohr|feige f oorvijg; **~läpp-
chen** n (het) oorlelletje
Ökologie f ecologie
ökonomisch economisch
Oktober m oktober
Öl n olie; **Qen** smeren, oliën;
~farbe f olieverf; **~gemälde**
n olieverfschilderij (a. het);
~heizung f oliestook; **Qig**
olieachtig
Olive f olijf; **~nöl** n olijfolie
Öl|pest f oliepest; **~sardinen**
f/pl sardines (el n blik;
~stand m (het) oliepeil;
~wechsel m (het) olie verversen
olympisch: Qe Spiele n/pl
Olympische Spelen n/pl
Oma f oma
Omelett n omelet
Omnibus m (auto)bus
Onkel m oom
Opa m opa

Oper f opera
Operation f operatie
Operette f operette
operieren opereren
Opernsänger(in f) m opera-
zanger(es f)
Opfer n (het) slachtoffer;
Gabe (het) offer; **Qn: sich Qn**
zich opofferen
Opium n opium (a. het)
Opposition f oppositie
Optiker(in f) m opticien (a. f)
optimistisch optimistisch
orange oranje; Q f sinaasappel; **Qnsaft** m (het) sinaasap-
pelsap, jus d'orange
Orchester n (het) orkest
Orchidee f orchidee
Orden m orde
ordentlich ordelijk, ordentelijk; ziemlich, sehr behoorlijk
ordinär ordinair
ordn|en ordenen; (rang-)
schikken; regelen; Qer m or-
debewaarder; Mappe ordner;
Qung f orde; volgorde;
~ungswidrig in strijd met de
voorschriften
Organ n (het) orgaan; **~isati-
on** f organisatie; **Qisch** orga-
nisch; **Qisieren** organiseren;
~ismus m (het) organisme
Orgasmus m (het) orgasme
Orgel f (het) orgel
orientalisch oosters
orientieren: sich ~ zich
oriënteren
original origineel; Q n (het)
origineel
originell origineel

Orkan *m* orkaan

Ort *m* plaats; *an ~ und Stelle*, *vor ~* ter plaatse

orthodox orthodox

Ortho|grafie, ~graphie *f* spelling

orthopädisch orthopedisch

örtlich, **Orts-** plaatselijk

Ortschaft *f* plaats

Orts|gespräch *n* (het) lokaal (telefoon)gesprek; **2kundig** ter plaatse bekend; **~name** *m* plaatsnaam

Öse *f* (het) oog

Osten *m* (het) oosten; *Naher (Ferner) ~* (het) Nabije (Verre) Oosten

Oster|ei *n* (het) paasei; **~n** *n* Pasen

Österreich|er(in *f*) *m* Oostenrijker *m* (Oostenrijkse *f*); **2isch** Oostenrijks

östlich (*von D, G*) ten oosten (van)

Ost|see *f* Oostzee; **~wind** *m* oostenwind

Otter *m* otter

Ouvertüre *f* ouverture

oval ovaal

Overall *m* overall

oxydieren oxyderen

Ozean *m* oceaan

Ozonloch *n* (het) gat in de ozonlaag

P

Paar *n* (het) paar; *ein* 2 een paar; **2weise** per paar

Pacht *f* pacht; **2en** pachten

Pächter *m* pachter; **~in** *f* pachtster

Päckchen *n* (het) pakje

pack|en (in)pakken; **2papier** *n* (het) (in)pakpapier; **2ung** *f* verpakking; *Schachtel* (het) pakje; *MED* (het) kompres

Pädagog|ik *f* pedagogie(k), opvoedkunde

Paddel|boot *n* kano; **2n** *f* pagaaien, paddelen

Page *m* page

Paket *n* (het) pakket, (het) pak; **~annahme** *f*, **~ausgabe** *f* (het) loket voor postpakketten; **~karte** *f* adreskaart

Pakt *m* (het) pact

Palast *m* (het) paleis

Palästinenser(in *f*) *m* Palestijn(se *f*)

Palme *f* palm; **~sonntag** *m* Palmzondag

Pampelmuse *f* pompelmoes

Panier|mehl *n* (het) paneermeel; **2t** gepaneerd

Panik *f* paniek

Panne *f* panne, pech; **~nhilfe** *f* wegenwacht

Panorama *n* (het) panorama

panschen *fälschen* verdunnen, vervalsen

Pant(h)er *m* panter

Pantoffel *m* pantoffel, slof; *Damen2 a.* (het) muiltje

Panzer *m* (het) pantser;

Kampfwagen tank; **~schrank** *m* brandkast
Papagei *m* papegaai
Papier *n* (het) papier; **~geld** *n* (het) papieren geld; **~korb** *m* prullenmand; **~taschentuch** *n* (het) papieren zakdoekje
Pappe *f* (het) karton
Pappel *f* populier
Paprika (schote*f*) *m* paprika
Papst *m* paus
päpstlich pauselijk
Parabolantenne *f* schotelantenne
Parade *f* parade
Paradies *n* (het) paradijs
Paragraph *m* paragraaf; *Gesetzes*₂ (het) artikel
parallel parallel
Parasit *m* parasiet
Pärchen *n* (het) paartje
Parfüm *n* parfum (*a.* het); **~erie** *f* parfumerie
Paris *n* Parijs *n*
Park *m* park
parken parkeren
Parkett *n* (het) parket
Park|gebühr *f* (het) parkeergeld; **~(hoch)haus** *n* parkeergarage; **~kralle** *f* parkeerklem; **~lücke** *f* parkeerruimte; **~platz** *m* parkeerplaats; *Gelände* (het) parkeerterrein; **~scheibe** *f* parkeerschijf; **~uhr** *f* parkeermeter; **~verbot** *n* (het) parkeerverbod
Parlament *n* (het) parlement
Parodie *f* parodie

Partei *f* partij; **₂isch** partijdig; **₂los** partijloos; **~mitglied** *n* (het) partijlid
Parterre *n* → **Erdgeschoss**; *THEA* parterre
Partie *f* partij; *Teil* (het) gedeelte; *Spiel* (het) partijtje
Partner(in *f*) *m* partner *m* (vrouwelijke partner *f*); **~schaft** *f* (het) partnerschap
Party *f* party, fuif
Parzelle *f* (het) perceel
Pass *m* pas (*a. Gebirgs*₂), (het) paspoort; *Sport* pass
Passage *f* passage (*a.* MAR); **~agier** *m* passagier; **~ant** *m* voorbijganger, passant
Passbild *n* pasfoto
passen (zu *D*) passen (bij); **~d** passend; *Geld* gepast
passier|en *v/t* passeren, voorbijgaan; *v/i* gebeuren; *j-m* overkomen; **₂schein** *m* (het) doorlaatpasje
passiv passief, lijdelijk
Pass|kontrolle *f* pascontrole; **~wort** *n* EDV (het) password
Past|ete *f* pastei; *Leber*₂ (het) **₂eurisiert** gepasteuriseerd
Pastor (in *f*) *m* → **Pfarrer**(in)
Pate *m* peter, peetoom
Paten|kind *n* (het) petekind; **~schaft** *f* (het) peetschap
Patent *n* (het) patent, (het) octrooi
Patient (in *f*) *m* patiënt(e *f*)
Patin *f* meter, peettante
Patriotismus *m* (het) patriottisme
Patrone *f* patroon

patzig brutaal
Pauke *f* pauk
pauschal globaal, all in; **2e** *f* (het) bedrag ineens; **2reise** *f* geheel verzorgde reis, all-in-vakantie
Pause *f* **1.** pauze, rust; **2.** doordruk
pausenlos ononderbroken
Pavillon *m* (het) paviljoen
Pazifik *m* Stille Oceaan
PC *m* PC
Pech *n* pek, pik; *fig* ~ haben pech hebben; **~vogel** *m* pechvogel
Pedal *n* pedaal (*a.* het)
pedantisch pedant
Pediküre *f* pedicure
Pegel *m* (het) peil
peinlich pijnlijk; ~ *genau* angstvallig (precies), secuur
Peitsche *f* zweep
Pelikan *m* pelikaan
Pellkartoffeln *flpl* in de schil gekookte aardappelen *pl*
Pelz *m* pels; **~mantel** *m* bontjas; **~mütze** *f* bontmuts
pendeln slingeren; *reisen* pendelen; **2verkehr** *m* (het) pendelverkeer
Penis *m* penis
Penizillin *n* penicilline
Pension *f* (het) pensioen; *Fremdenheim* (het) pension; **~är(in** *f*) *m* gepensioneerde; **2iert** gepensioneerd; **~sgast** *m* pensiongast
per (*A*) per
perfekt perfect
Periode *f* periode; **2isch** pe-

riodiek
Perle *f* parel; **2en** parelen; **~mutt** *n* (het) paarlemoer; **~zwiebel** *f* (het) zilveruitje
Persianer *m* (het) astrakan
Person *f* persoon; *Figur* (het) personage
Personal *n* (het) personeel; **~abteilung** *f* afdeling personeel(szaken); **~ausweis** *m* (het) persoonsbewijs, identiteitskaart; **~ien** *pl* personalia *pl*
Personen|beschreibung *f* (het) signalement, persoonsbeschrijving; **~(kraft)wagen** *m* personenauto; **~verkehr** *m* (het) reizigersverkeer; **~zug** *m* stoptrein
persönlich persoonlijk; **2keit** *f* persoonlijkheid
Perücke *f* pruik
pervers pervers
pessimistisch pessimistisch
Pest *f* pest
Petersilie *f* peterselie
Petroleum *n* petroleum
Pfad *m* (het) pad; **~finder(in** *f*) *m* padvinder *m* (padvindster *f*)
Pfahl *m* paal
Pfand *n* (het) (onder)pand; *ohne* ~ zonder statiegeld
pfänden beslag leggen op
Pfandflasche *f* fles met statiegeld
Pfändung *f* beslaglegging
Pfanne *f* pan; **~kuchen** *m* pannenkoek
Pfarrei *f* parochie

Pfarrer m pastoor; *evangelisch* dominee, predikant; **~in**
f predikante

Pfau m pauw

Pfeffer m peper; **~kuchen** m
peperkoek; **~minze** f peper-
munt; **~mühle** f pepermolen;
2n peperen; **~streuer** m
(het) pepervaatje

Pfeife f fluit; *Tabaks*2 pijp; **2n**
fluiten; *ich* 2 *darauf* F daar
heb ik maling aan; **~ntabak**
m pijptabak

Pfeil m pijl

Pfeiler m pijler, pilaar

Pfennig m in dt. Währung
pfennig; *allgemein* cent

Pferd n (het) paard

Pferde|fleisch n (het) paar-
denvlees; **~rennbahn** f hippodroom; **~rennen** n/pl wed-
rennen pl, paardenrennen pl;
~stall m paardenstal; **~stär-
ke** f (PS) paardenkracht (pk)

Pfiff m (het) gefluit; *Reiz* chic

Pfifferling m dooierzwam,
cantharel

pfiffig kien; *gerissen* leep

Pfingsten n Pinksteren

Pfirsich m perzik

Pflanz|e f plant; **2en** planten;
~enschutzmittel n (het)
pesticide; **2lich** plantaardig

Pflaster n (het) plaveisel;
MED pleister; **2n** plaveien,
bestraten; **~stein** m straat-
steen

Pflaume f pruim; **~nmus** n
pruimengelei

Pflege f verpleging, verzor-

ging; *TECH* (het) onderhoud;
in **~ geben** uitbesteden;
2leicht gemakkelijk te onderhouden; **2n** v/i plegen, gewoon zijn; v/t verplegen, ver-
zorgen; onderhouden; **~r(in**
f) m verpleger m (verpleeg-
ster f)

Pflicht f plicht; **~versiche-
rung** f verplichte verzekering

Pflock m (houten) pen, pin

pflücken plukken

pflügen ploegen

Pforte f poort

Pförtner m portier

Pfosten m post, stijl

Pfote f poot

Pfriem m priem

Pfropfen m kurk, stop, prop

pfui! foei!

Pfund n (het) pond, (het) halve kilo; *ein halbes* **~** een half
pond

pfusch|en knoeien, prutsen;
2er m knoeier

Pfütze f plas

Phanta(-) → **Fanta(-)**

Phase f fase

Philatelie f filatelie

Philosophie f filosofie, wijs-
begeerte

phlegmatisch flegmatiek

Photo n usw → **Foto**

pH-Wert m pH-waarde

Physik f fysica, natuurkunde;
2alisch natuurkundig

physisch körperlich fysiek

Pickel m MED puistje,
pukkel

picken pikken

Picknick n picknick
piesacken F treiteren
Pik n *Karte* schoppen
pikant pikant
Pilger m pelgrim; **~fahrt** f pelgrimstocht, bedevaart
Pille f pil
Pilot(in f) m piloot (a. f)
Pils(ener) n pils
Pilz m paddestoel
Pinguin m pinguïn
Pinie f pijnboom
pinkeln F plassen
Pinsel m (het) penseel, kwast
Pinzette f pincet (a. het)
Pionier m pionier
Pirat m piraat
Pistazie f pistache
Piste f piste
Pistole f (het) pistool
Pizza f pizza
Pkw m personenauto
pläd|ieren pleiten; **2oyer** f (het) pleidooi
Plage f plaag, kwelling; **2n** plagen, kwellen; **sich 2n** zwoegen, zich afsloven
Plak|at n (het) plakkaat, affiche; **~ette** f plaket
Plan m (het) plan
Plane f (het) (dek)zeil, huif
planen plannen, plannen maken voor
Planet m planeet
planieren egaliseren
Planke f plank
plan|los onsystematisch, lukraak; **~mäßig** volgens plan; *systematisch* stelselmatig
Plantage f plantage

Plantsch|becken n (het) pierebad; **2en** plassen, ploeteren
Planung f planning
plappern babbelen
plärren blèren, janken
Plastik|beutel m, **~tüte** f plastic zak
Platin n (het) platina
plätschern plassen; *Regen* ruisen; kabbelen
platt plat
Platte f plaat; *GASTR* schotel; **kalte ~** koude schotel; → **Schall2**; **~nspieler** m pick-up
Plattform f (het) platform
Platz m plaats; *Fläche* (het) plein; **~ nehmen** gaan zitten
Plätzchen n (het) plaatsje; *GASTR* (het) koekje
platzen springen, barsten; *explodieren* ontploffen
Platz|karte f (het) plaatsbewijs, toegangskaart; **~regen** m stortregen
Plauder|ei f (het) praatje; **2n** babbelen, praten
Pleite f (het) bankroet; *fig* strop, (het) fiasco
plissiert geplisseerd
Plomb|e f *Zahn* (tand)vulling; *ECON* (het) loodje; **2ieren** plomberen
plötzlich plotseling; *adv a.* eensklaps
plump plomp, onbehouwen, bot, lomp
plumpsen *ins Wasser* plonzen

plünder|n plundern; **Qung** f
plünderung
plus plus; **Q** n plus (a. het)
PLZ → *Postleitzahl*
Pöbel m (het) gepeupel
pochen kloppen; (*auf A*) po-
chen (op)
Pocken f|pl pokken pl
Podium n (het) podium
poetisch poëtisch
Pokal m beker; **~spiel** n be-
kerwedstrijd
pökeln pekelen
Pol m pool
Polarkreis m poolcirkel
Pole m Pool
Police f polis
polier|en polijsten, opwrij-
ven; **Qtuch** n poetsdoek
Poliklinik f polikliniek
Polin f Poolse
Politesse f hulppolitieagente
Polit|ik f politiek; **~iker(in** f)
m politicus m (politica f);
Qisch politiek
Politur f politoer (a. het)
Polizei f politie; **~gewahr-
sam** m verzekerde bewaring;
Qlich politi(on)eel; **~revier** n
politiewijk; (het) politiebu-
reau; **~streife** f politiepa-
trouille; **~stunde** f (het) slui-
tingsuur
Polizist (in f) m politieagent(e
f)
polnisch Pools
Polohemd n (het) polohemd
Polster n (het) kussen; **~mö-
bel** n/pl gestoffeerde meube-

len n/pl; **Qn** stofferen; **~ung** f
bekleding, capitonnering
poltern stommelen; *rasen* bul-
deren
Pommes frites pl friet(en
pl), patates frites pl, F patat
Pony n pony (a. m Frisur)
Pop|corn n (het) popcorn;
~musik f popmuziek
Popo m F billen pl
populär populair
Pore f porie
Pornographie f pornografie
porös poreus
Porree m prei
Portal n (het) portaal
Portemonnaie n portemon-
nee
Portier m portier
Portion f portie
Porto n port(o) (a. het); **Qfrei**
portvrij
Porträt n (het) portret
portugiesisch Portugees
Portwein m port(wijn)
Porzellan n (het) porselein
Posaune f bazuin
posieren poseren
Position f positie
positiv positief
Posse f klucht
Post f post; → a. *durch*
Post|amt n (het) postkan-
toor; **~anweisung** f postwis-
sel; **~bank** f postbank; **~bote**
m postbode
Posten m post; *ECON* partij
Post|fach n (het) postbus; **~gi-
rokonto** n postrekening; **~kar-
te** f briefkaart; **Qlagernd**

poste restante; **~leitzahl** *f* postcode

post|wendend per omgaande (p. o.), per kerende post; **≗zustellung** *f* postbestelling

Potenz *f* potentie; MATH bsd macht

Pracht *f* pracht, praal, luister

prächtig prachtig

prägen *Münze* slaan; *fig* zijn stempel drukken op

prahlen (mit *D*) pralen (met)

Praktik|ant(in *f*) *m* stagiair(e ~**um** *n* (het) practicum, stage

praktisch praktisch; **~er Arzt** *m* huisarts, praktiserend arts

praktizieren praktiseren; aanwenden

Praline *f* bonbon

prall strak, vol

Prämie *f* premie

Präparat *n* (het) preparaat

präsentieren presenteren

Präservativ *n* (het) condoom

Präsident *m* president

prasseln kletteren

Praxis *f* praktijk

präzise precies

predig|en preken; **≗er** *m* predikant; **≗t** *f* preek, predikatie

Preis *m* prijs; **~ um**

Preis|angabe *f* prijsopgave; **~ausschreiben** *n* prijsvraag

Preiselbeere *f* (rode) bosbes, vossebes

Preis|erhöhung *f* prijsverhoging; **~ermäßigung** *f* prijsverlaging, reductie; **≗geben** prijsgeven; **≗gebunden** met

vastgestelde prijs; **≗gekrönt** bekroond; **≗liste** *f* prijslijst; **~richter** *m* (het) jurylid; **~senkung** *f* prijsverlaging; **≗wert** voordelig, goedkoop

Prellung *f* MED kneuzing

Premiere *f* première

Presse *f* pers; **≗n** persen

Preßluft *f* samengeperste lucht

prickeln prikkelen

Priester(in *f*) *m* priester(es *f*)

prima F prima, tof

Primel *f* primula

primitiv primitief

Prinz *m* prins; **~essbohne** *f* (het) sperzieboontje; **~essin** *f* prinses

Prinzip *n* (het) principe; **≗iell** principieel

Prise *f* (het) snuifje

Pritsche *f* brits; KFZ laadvloer

privat privé, particulier; **~versichert** particulier verzekerd; **≗eigentum** *n* (het) particulier eigendom; **≗leben** *n* (het) privé-leven; **≗weg** *m* particuliere weg; **≗zimmer** *n* kamer bij particulieren

Privileg *n* (het) privilege

pro: ~ Person per persoon

Probe *f* proef; THEA repetitie; *Muster* (het) monster; **~fahrt** *f* proefrit; **≗n** THEA repeteren; **≗weise** op proef

probieren proberen

Problem *n* (het) probleem

Produkt *n* (het) product; **~ion** *f* productie; **≗iv** productief

produzieren produceren

Professor(in *f)* m professor (*a. f*)

Profi *m Sport* prof(essional)

Profil *n* (het) profiel

Profit *m* (het) profijt; **2ieren** profiteren

Prognose *f* prognose

Programm *n* (het) programma); **erstes** ~ *TV* (het) eerste net; **2ieren** programmeren

progressiv progressief

Projekt *n* (het) project; **~or** *m* projector

Pro|menade *f* promenade; **~mille** *n* (het) promille, (het) promillage; **2minent** prominent, vooraanstaand; **2movieren** promoveren

prompt prompt

Pro|nomen *n* (het) voornaamwoord; **~paganda** *f* propaganda

Propangas *n* (het) propaangas

Propellermaschine *f* AER (het) propellervliegtuig

Pro|phet *m* profeet; **2phezeien** voorspellen; **2portional** evenredig

Prosa *f* (het) proza

prosit! gezondheid!, prosit!, proost!

Prospekt *m* prospectus

Prostata *f* prostaat

Prostitu|ierte *f* prostituee; **~tion** *f* prostitutie

Protest *m* (het) protest; **~ant(in** *f)* m protestant(se *f*); **2antisch** protestants; **2ie-**

ren protesteren

Pro|these *f* prothese; **~tokoll** *n* (het) protocol; *Niederschrift* notulen *pl*; *JUR* (het) proces-verbaal; **~viant** *m* proviand (*a. het*); **~vinz** *f* provincie; **~vision** *f* provisie; **2visorisch** provisorisch

Provo|kation *f* provocatie; **2zieren** provoceren

Prozent *n* (het) procent, (het) percent; **~satz** *m* (het) percentage

Prozess *m* (het) proces

Prozession *f* processie

prüde preuts

prüf|en toetsen, keuren, nakijken, controleren; *examineren*; **2ung** *f* keuring, (het) onderzoek; (het) examen

Prügel *pl* (het) pak slaag; **~ei** *f* vechtpartij; **2n:** *sich* **2n** (met elkaar) vechten

prunkvoll luisterrijk

Psych|iater(in *f)* m psychiater (*a. f*); **2isch** psychisch; **2ologisch** psychologisch

Pubertät *f* puberteit

Publi|kation *f* publicatie; **~kum** *n* (het) publiek; **2zieren** publiceren

Pudding *m* pudding

Pudel *m* poedel

Puder *m* poeder (*a. het*); **2n** poederen; **~zucker** *m* poedersuiker

Puffer *m* buffer

pulen pulken; *Krabben* pellen

Pullover *m* pull-over, trui

Puls *m* pols

Pult *n* lessenaar
Pulver *n* poeder (*a.* het); MIL (het) (bus)kruit
Pumpe *f* pomp; **2n** pompen; *sich* **2n** F *leihen* lenen, F poffen
Pumpernickel *m* pompernikkel
Punkt *m* (het) punt; **~ zwei Uhr** klokslag twee uur
pünktlich stipt, nauwgezet; **2keit** *f* stiptheid
Pupille *f* pupil
Puppe *f* pop; **~ntheater** *n* poppenkast
pur puur

Püree *n* puree
Purzel|baum *m* buiteling; **2n** buitelen, tuimelen
Pustel *f* pukkel
pusten blazen
Pute *f* kalkoen; **~r** *m* kalkoense haan
Putsch *m* putsch
Putz *m* ARCH (het) pleister; **2en** poetsen, schoonmaken; **~frau** *f* werkster; **~lappen** *m* poetslap; **~mittel** *n* (het) poetsmiddel
Puzzle *n* puzzel
Pyjama *m* pyjama
Pyramide *f* piramide

Q

Quadrat *n* (het) kwadraat, (het) vierkant; **2isch** kwadratisch; **~meter** *m* vierkante meter
quaken kwaken, kwekken
Qual *f* kwelling, pijn
quälen kwellen, pijnigen; plagen; *sich* ~ zich afsloven
Quali|fikation *f* kwalificatie; **~tät** *f* kwaliteit
Qualle *f* kwal
Qualm *m* walm, damp; **2en** walmen; F *pers* paffen
Quantität *f* kwantiteit
Quarantäne *f* quarantaine
Quark *m* kwark
Quartal *n* (het) kwartaal
Quartett *n* (het) kwartet
Quartier *n* (het) kwartier, (het) onderdak

Quarz *m* (het) kwarts; **~uhr** *f* (het) kwartshorloge
Quaste *f* kwast
Quatsch *m* F flauwe kul, kletskoek; **2en** F kletsen
Quecksilber *n* (het) kwik
Quell|e *f* bron; **2en** opborrelen; *schwellen* zwellen
quengeln zaniken, zeuren
quer dwars, schuin(s); **2e** *f*: *j-m in die* **2e kommen** iem. dwarsbomen; **2schnitt** *m* dwarse doorsnede; **~schnittsgelähmt** met een dwarslaesie; **2straße** *f* dwarsstraat
quetsch|en kneuzen; *pressen* persen; **2ung** *f* MED kneuzing
quieken, quietschen pie-

pen, gillen
Quirl *m* (eier)klutser; Qen klutsen
quitt ~ *sein* quitte zijn
Quitte *f* kwee

quitt|ieren voor ontvangst te-kenen; Qung *f* kwitantie
Quiz *n* quiz
Quote *f* (het) quotum
Quotient *m* (het) quotiënt

R

Rabatt *m* korting
Rabe *m* raaf
Rache *f* wraak
Rachen *m* keelholte; *Maul* muil
rächen (*sich*) (zich) wreken
Rad *n* (het) wiel; *Treib*Q (het) rad; *Fahr*Q fiets; ~ *fahren* fietsen
Radau *m* F (het) kabaal, her-rie
radebrechen radbraken
radfahr|en → *Rad*; Qer(in *f*) *m* fietser(in *f*) (fietsster *f*)
radier|en uitgommen; *Kunst* etsen, raderen; Qgummi *m* vlakgom, gum; Qung *f* ets
Radieschen *n* (het) radijsje
radikal radicaal
Radio *n* radio; Qaktiv radio-actief; ~wecker *m* radiowek-ker
Radius *m* straal
Rad|kappe *f* wieldop; ~ren-nen *n* (het) wielrennen; wiel-erwedstrijd; ~sport *m* wiel-ersport; ~tour *f* fietstocht; ~weg *m* (het) fietspad
raffiniert geraffineerd
Ragout *n* ragout
Rahm *m* room

Rahmen *m* lijst; *ARCH* (het) kozijn; *Fahrrad*Q (het) frame; *fig* (het) kader, (het) raam
Rahmsoße *f* roomsaus
Rakete *f* raket
rammen rammen
Rampe *f* (het) laadperron; *THEA* (het) voetlicht
Ramsch *m* ramsj
Rand *m* rand, boord, kant
randalieren herrie schoppen
Rand|bemerkung *f* kantte-kening; ~streifen *m* vlucht-strook
Rang *m* rang; den ~ ablaufen de loef afsteken
rangieren rangeren
Rang|liste *f* ranglijst; ~ord-nung *f* rangorde, volgorde
Ranke *f* rank
ranzig ranzig
rar zeldzaam, schaars; Qität *f* rariteit
rasch snel, vlug
rascheln ritselen
Rasen *m* (het) grasveld, (het) gazon
rasen razen; ~d razend
Rasenmäher *m* grasmaaier
Raserei *f* razernij; *KFZ* (het) geraas

Rasier|apparat m (het) scheerapparaat; 2en (**sich**) (zich) scheren; **~klinge** f (het) scheermesje; **~pinsel** m scheerkwast; **~schaum** m (het) scheerschuim; **~was-ser** n vor der Rasur (het) scheerwater; nach der Rasur aftershave

Raspel f rasp; 2n raspen

Rasse f (het) ras

rasseln ratelen

Rast f rust, pauze; **~machen**, 2en pauzeren; **~platz** m rustplaats; **~stätte** f (het) wegrestaurant

Rasur f (het) scheren

Rat m raad(geving); Person adviseur; Körperschaft raad, (het) raadscollege

Rate f termijn; in **~n** in termijnen, op afbetaling

raten j-m A raad geven, aanraden; mutmaßen raden

Ratenzahlung f termijnbetaling

Rat|geber m raadgever, raadsman; **~haus** n (het) stad-, gemeentehuis

Ration f (het) rantsoen; 2ali-sieren rationaliseren; 2ell rationeel; 2ieren rantsoeneren

rat|los radeloos; **~sam** raadzaam; **~schlag** m → **Rat**

Rätsel n (het) raadsel; 2haft raadselachtig

Ratskeller m raadskelder

Ratte f rat

rattern ratelen, rammelen

rau ruw, ruig; Stimme schor; Wetter guur

Raub m roof; 2en roven

Räuber m rover

Raub|tier n (het) roofdier; **~überfall** m roofoverval

Rauch m rook; 2en roken; **~er** m roker

Räucheraal m gerookte paling

Raucherabteil n rookcoupé

Raucherin f rookster

räuchern roken

Rauch|fahne f rookpluim; 2ig rokerig; **~melder** m rookmelder; **~verbot** n (het) rookverbod; **~wolke** f rookwolk

Rauf|bold m vechtersbaas; 2en: sich 2en (met elkaar) vechten; **~erei** f vecht-, kloppartij

rauh → **rau**

Raum m ruimte; Zimmer (het) lokaal, kamer, (het) vertrek

räumen (op)ruimen; verlassen (ont)ruimen

Raum|fähre f (het) ruimteveer; **~fahrt** f ruimtevaart; **~flug** m ruimtevlucht

räum|lich ruimtelijk; 2ung f opruiming; ontruiming

Raupe f rups; **~nfahrzeug** n rupswagen

Raureif m rijp

Rausch m roes; 2en ruisen; **~gift** n verdovende middelen n/pl, drugs pl

räuspern: sich ~ de keel schrapen

Razzia f razzia

rea|gieren reageren; **2ktion** f reactie

real reëel; **~isieren** realiseren; **~istisch** realistisch; **2ität** f realiteit; **2schule** f havo-school

Rebe f wijnstok

Rebell m rebel; **2ieren** rebelleren

Rebhuhn n patrijs

rechen harken

Rechen m hark

Rechen|aufgabe f (reken-)som; **~maschine** f rekenmachine

Rechenschaft f rekenschap; **zur ~ ziehen** ter verantwoording roepen

rechn|en (**auf** A, **mit** D) rekenen (op); **2er** m Gerät rekenmachine; EDV computer; **2ung** f rekening

recht juist; **mit Recht** recht (-matig); adv sehr heel

Recht n (het) recht; **mit ~** terecht; **~ haben** gelijk hebben

rechte (Ggs **linke**) rechter-, rechts; **2** f rechterhand; POL rechterzijde

Rechteck n rechthoek; **2ig** rechthoekig

recht|fertigen rechtvaardigen; **~lich** juridisch; **~los** rechteloos; **~mäßig** rechtmatig

rechts rechts; **2abbieger** m rechts afslaande auto; **2anwalt** m advocaat; **2anwältin** f advocate; **2berater** m

rechtskundig adviseur

recht|schaffen rechtschapen; **2schreibung** f spelling

rechts|extrem extreem rechts; **~gültig**, **~kräftig** rechtsgeldig; **2kurve** f bocht naar rechts

Rechtsprechung f rechtspraak

rechtswidrig in strijd met het recht

rechtzeitig tijdig, op tijd

Reck n rekstok

recken (**sich**) (zich) rekken

Recycling n recycling

Redakt|eur(in f) m redacteur m (redactrice f); **~ion** f redactie

Rede f rede; Ansprache rede(voering)

reden praten, spreken; **2art** f zegswijze

redlich braaf

Redner(in f) m spreker m (spreekster f)

redselig spraakzaam

Reede f rede; **~rei** f rederij

reell reëel

Referat n (het) referaat

reflektieren reflecteren

Reflex m reflex

Reform f hervorming; **~haus** n (het) reformhuis; **2ieren** hervormen

Regal n (het) rek

rege levendig, druk

Regel f regel; **2mäßig** regelmatig, geregeld; **2n** regelen; **2recht** echt, compleet; **~ung** f regeling

regen: *sich* ~ zich bewegen
Regen *m* regen; ~bogen *m* regenboog; ~mantel *m* regenjas; ~schauer *m* regenbui; ~schirm *m* paraplu; ~wurm *m* regenworm, pier
Regie *f* regie
regier|en regeren; ⊆ung *f* regering
Regime *n* (het) regime, (het) bewind; ~ent *n* (het) regiment
Region *f* streek; ⊆al regionaal
Regisseur *m* regisseur
Register *n* (het) register
registrier|en registreren; ⊆ung *f* registratie
Regler *m* regelaar
regn|en regenen; *es* ~et het regent; ~erisch regenachtig
regulieren reguleren
Regung *f* opwelling; ⊆slos onbeweeglijk
Reh *n* ree
Reib|e *f* rasp; ⊆en wrijven; ~ung *f* wrijving
reich rijk
Reich *n* (het) rijk
reich|en reiken; *es* ~t het is genoeg; ~haltig rijk; ~lich rijkelijk, overvloedig; *adv a.* volop; ⊆tum *m* rijkdom; ⊆weite *f* reikwijdte, (het) bereik
reif rijp; ⊆e *f* rijpheid; ~en rijpen
Reifen *m* hoepel; ring; *KFZ* band; ~druck *m* bandenspanning; ~panne *f* lekke band, bandenpech; ~wech-

sel *m* (het) (ver)wisselen van een band
Reifezeugnis *n* (het) einddiploma
Reihe *f* rij, reeks; *der ~ nach* om de beurt, beurtelings; *an die ~ sein* aan de beurt zijn
Reihen|folge *f* volgorde; ~haus *n* (het) rijtjeshuis
Reiher *m* reiger
reimen: *sich* ~ rijmen
rein rein; zuiver, schoon; ⊆fall *m* F flop; ⊆heit *f* reinheid, zuiverheid
reinig|en reinigen, schoonmaken, zuiveren; ⊆ung *f* reiniging; *Anstalt* stomerij
reinlich zindelijk, proper
Reis *m* rijst
Reise *f* reis; *gute ~!* goede reis!; *~- in Zssgn mst* reis-
Reise|andenken *n* (het) souvenir; ~büro *n* (het) reisbureau; ~bus *m* touringcar; ~führer *m* reisgids; ~gepäckversicherung *f* bagageverzekering; ~gesellschaft *f* (het) reisgezelschap; ~leiter *m* reisleider
reisen reizen; ⊆de(r) reiziger *m* (reizigster *f*)
Reise|pass *m* reispas; ~prospekt *m* toeristische brochure; ~route *f* reisroute; ~scheck *m* reischeque; ~tasche *f* reistas; ~veranstalter *m* touroperator; ~ziel *n* (het) reisdoel
Reiß|brett *n* tekenplank; ⊆en *v/t* rukken, scheuren; *ziehen*

trekken; *v/i* breken, scheuren; **2end** *Strom* snelstromend; *Absatz* gretig; **~verschluss** *m* ritssluiting; **~zwecke** *f* punaise

reit|en rijden; **2en** *n* (het) paardrijden; **2er(in** *f*) *m* ruiter *m* (paardrijdster *f*); **2pferd** *n* (het) rijpaard; **2schule** *f* manege; **2sport** *m* ruitersport; **2stiefel** *m/pl* rijlaarzen *pl*; **2turnier** *n* springconcours (*a.* het); **2weg** *m* (het) ruiterpad

Reiz *m* prikkel(ing); *fig a.* bekoorlijkheid; **2bar** prikkelbaar; **2en** prikkelen; *anregen* bekoren; *ärgern* tergen; **2end** bekoorlijk, leuk, lief

Reklam|ation *f* reclamatie; **~e** *f* reclame; **2ieren** reclameren

Rekord *m* (het) record; **~zeit** *f* recordtijd

relativ relatief, betrekkelijk

Relief *n* (het) reliëf

Religi|on *f* religie, godsdienst; **2ös** religieus, godsdienstig

Reling *f* reling

Reliquie *f* relikwie

Rendite *f* (het) rendement

Renn|bahn *f* renbaan; **2en** rennen, hollen; **~en** *n* wedstrijd, wedloop; **~fahrer** *m* wielrenner; *autocoureur*; **~pferd** *n* (het) renpaard; **~strecke** *f* (het) parcours; **~wagen** *m* raceauto

renovieren vernieuwen; *Wohnung* renoveren

rentabel rendabel

Rente *f* (het) pensioen; rente

rentieren: *sich* **~** renderen

Rentner(in *f*) *m* rentenier(ster *f*); *Alters2* gepensioneerde (*a. f*)

Reparatur *f* reparatie, herstelling; **~werkstatt** *f* herstelwerkplaats; *Auto2* garage

reparieren repareren, herstellen

Report|age *f* reportage; **~er(in** *f*) *m* reporter (*a. f*)

repräsentieren representeren

Reproduktion *f* reproductie

Reptil *n* (het) reptiel

Republik *f* republiek

Reserve *f* reserve

Reserve- *in Zssgn* reservereservier|en reserveren; **~t** gereserveerd; **2ung** *f* reservering

resignieren zich erbij neerleggen, berusten

Resolution *f* resolutie

Respekt *m* (het) respect, (het) ontzag; **2ieren** respecteren

Rest *m* rest, (het) overschot

Restaur|ant *n* (het) restaurant; *Restaurant* restaureren

Rest|betrag *m* (het) resterend bedrag; **2lich** resterend; **2los** volkomen, totaal

Resultat *n* (het) resultaat

rett|en redden; **2er** *m* redder

Rettich *m* rammenas

Rettung *f* redding

Rettungs|aktion *f* reddingsactie; **~boot** *n* reddingsboot

2los reddeloos; **~ring** *m* reddingsboei; **~station** *f* reddingspost; **~wagen** *m* ambulance

Reue *f* (het) berouw, spijt

revanchieren: *sich ~* zich revancheren

revidieren herzien

Revier *n* (het) gebied, (het) terrein; → *Polizei* 2

Re|volution *f* revolutie; **~volver** *m* revolver; **~vue** *f* revue; **~zension** *f* recensie

Rezept *n* (het) recept; **2frei** zonder recept verkrijgbaar; **2pflichtig** alleen op recept verkrijgbaar

Rhabarber *m* rabarber

Rhein *m: der ~* de Rijn

Rheuma *n* (het) reuma

Rhythmus *m* (het) ritme

richten richten; *zurechtmachen* klaarmaken; *JUR* vonnissen; *sich ~ nach* (*D*) zich richten naar

Richter(in *f*) *m* rechter (*a. f*)

richtig juist; *echt* echt; *~ stellen* rechtzetten; **2keit** *f* juistheid

Richt|linien *fpl* richtlijnen *pl*; **~ung** *f* richting

riechen ruiken

Riegel *m* grendel; *Schokolade* reep

Riemen *m* riem

Riese *m* reus

rieseln ruisen

riesig reusachtig

Rille *f* voor, groef

Rind *n* (het) rund

Rinde *f* schors, bast; *von Nahrungsmitteln* korst

Rinderbraten *m* (het) gebraden rundvlees

Rindfleisch *n* (het) rundvlees

Ring *m* ring

ring|en wringen; *Sport* worstelen; **2en** *n* worsteling; **2kampf** *m* worstelwedstrijd; **2er** *m* worstelaar

Ringfinger *m* ringvinger

rings(her)um rondom, in 't rond

Rinne *f* geul; goot; **2n** vloeien, stromen

Rippe *f* rib

Risiko *n* (het) risico

risk|ant gewaagd, riskant; **~ieren** riskeren

Riss *m* scheur, spleet, barst; **2ig** gebarsten, gescheurd

Ritt *m* rit

ritterlich ridderlijk

rittlings schrijlings

Ritze *f* spleet; **2n** krassen

Rivale *m* rivaal

Rizinusöl *n* wonderolie

Roastbeef *n* rosbief

Robbe *f* rob, zeehond

Roboter *m* robot

robust robuust

röcheln reutelen, rochelen

Rock *m* rok

rodeln sleeën, rodelen

roden rooien

Rogen *m* kuit

Roggen *m* rogge; **~brot** *n* (het) roggebrood

roh rauw; *fig* ruw; **2kost** *f* rauwkost; **2öl** *n* ruwe olie

Rohr n pijp, buis; *BOT* (het)
riet; **~bruch** m leidingbreuk
Röhre f → *Rohr*; *Radio* lamp,
buis
Rohr|leitung f pijp-, buislei-
ding; **~zucker** m rietsuiker
Rohstoff m grondstof
Roll|bahn f *AER* startbaan;
~braten m rollade; **~e** f rol
(a. *THEA*), Q̈en rollen; **~er** m
step, autoped; *Motor* scooter;
~kragen m rolkraag; **~laden**
m (het) rolluik; **~mops** m
rolmops; **~schuhe** m/pl rol-
schaatsen pl; **~stuhl** m rol-
stoel; **~treppe** f roltrap
Rom n Rome n
Roman m roman; Q̈isch Ro-
maans; Q̈tisch romantisch
römisch Romeins; **~katho-**
lisch rooms-katholiek
röntgen röntgenen; Q̈auf-
nahme f röntgenfoto
rosa roze
Rose f roos
Rosen|kohl m spruitjes n/pl;
~kranz m rozenkrans
rosig rooskleurig
Rosinen f/pl rozijnen pl
Rosmarin n rozemarijn
Rost m 1. roest; 2. *Gitter* roos-
ter; **~braten** m (het) geroosterd vlees
rosten roesten
röst|en roosteren; Q̈er m
*Brot*Q̈ broodrooster
rost|frei roestvrij; **~ig** roestig;
Q̈schutzmittel n (het) roestwerend middel
rot rood

Röte f roodheid; *Wangen*Q̈
blos
Röteln pl rodehond
rot|haarig roodharig; Q̈kohl
m rodekool
rötlich roodachtig; ros(sig)
Rot|licht n (het) rood licht;
~stift m (het) rood potlood;
~wein m rode wijn
Roulade f blinde vink
Route f route
Routine f routine
Rowdy m relschopper
Rübe f raap; *Rote* ~ biet
Rubin m robijn
Rubrik m rubriek
Ruck m ruk
Rück|blende f flashback;
~blick m terugblik
rücken (op)schuiven
Rücken m rug; *lehne* f rug-
leuning; **~mark** m rug-
genmerg; **~schmerzen** m/pl
rugpijn; **~schwimmen** n rug-
slag; **~wind** m wind in de rug
Rück|erstattung f teruggave; **~fahrkarte** f (het) retour-
kaartje; **~fahrt** f terugreis;
~fall m terugval
rück|fällig: *fällig werden*
recidiveren; Q̈flug m retour-
vlucht; Q̈frage f wedervraag;
Q̈gang m achteruitgang
rückgängig: ~ *machen* tenietdoen, ongedaan maken
Rück|grat n ruggengraat;
~halt m ruggensteun; **~kehr**
f terugkeer; Q̈läufig dalend,
achteruitgaand; **~licht** n
(het) achterlicht; Q̈lings ach-

terover; *von hinten* in de rug;
~porto n porto (*a.* het) voor
antwoord; **~reise** f terugreis

Rucksack m rugzak

Rück|schlag m terugslag; *fig*
tegenslag; **~seite** f achterkant, achter-, ommezijde;
~sendung f terugzending

Rücksicht f inachtneming,
overweging, consideratie;
mit ~ *auf* (A) met het oog op;
~ *nehmen auf* (A) rekening
houden met; **2slos** niets ont-
ziend; **2svoll** attent

Rück|sitz m achterbank; →
Soziussitz; **~spiegel** m ach-
teruitkijkspiegel; **~spiel** n
Sport return(wedstrijd); **~**
sprache f ruggespraak, (het)
overleg; **~stand** m achter-
stand; **2ständig** achterlijk;
achterstallig; **~stau** m staart
van de file; **~tritt** m (het) aftreden

rückwärtig achterwaarts

rückwärts achteruit; **2gang**
m achteruit

Rück|weg m terugweg; **2wir-**
kend met terugwerkende
kracht; **~zahlung** f terugbe-
taling; **~zug** m terugtocht, af-
tocht

Rudel n kudde, troep

Ruder n roeiriem; *Steuer* (het)
roer; **~boot** n roeiboot; **2n**
roeien

Ruf m roep, schreeuw; fig reputatie; **2en** roepen; **~name**
m roepnaam; **~nummer** f
(het) telefoonnummer

Rüge f berisping

Ruhe f rust; *in* ~ *lassen* met
rust laten; **2los** rusteloos; **2n**
rusten; **~pause** f rustpauze;
~stand m (het) pensioen;
~störung f rustverstoring;
~tag m rustdag

ruhig rustig

Ruhm m roem

rühmen roemen; *sich* ~ (G)
zich beroemen (op)

Ruhr f *MED* dysenterie

Rühr|ei n (het) roerei; sich
roeren; *fig* ontroeren; *sich*
2en bewegen, zich verroeren;
2end ontroerend, aandoen-
lijk; **~kuchen** m cake; **~ung**
f ontroering

Ruin|e f ruïne; **2ieren** ruïne-
ren

rülpsen oprispen, F boeren

Rum m rum

rumänisch Roemeens

Rummel m (het) gedoe, drukte; **~platz** m kermis; (het) lunapark

Rumpelkammer f rommel-
kamer

Rumpf m romp

rund rond; ~ *um* (A)
rond(om); **2blick** m (het) panorama; **2e** f ronde; **2fahrt**
f rondrit; *Schiffs2* rondvaart

Rundfunk m radio(-omroep);
~gebühr f (het) luistergeld;
~gerät n (het) radiotoestel;
~hörer(in f) m luiste-
raar(ster f); **~sender** m ra-
diozender, (het) omroepsta-

tion; ~sendung f radio-uitzending
Rund|gang m ronde; 2her-
aus ronduit; 2herum rond-
om; 2lich rondachtig; dick
mollig, gezet; ~reise f rond-
reis; ~schreiben n circulaire, (het) rondschrijven; 2um
rondom
runzeln rimpelen, fronsen
Rüpel m kinkel
rupfen plukken (a. fig), rukken
Ruß m (het) roet

Russe m Rus
Rüssel m slurf; snuit
Russ|in f Russische; 2isch
Russisch
rüst|en (sich) (zich) gereed-
maken; ~ig flink, kras; 2ung
f bewapening
Rute f roede
Rutsch|bahn f glijbaan; 2en
glijden, schuiven; Auto slip-
pen; 2fest antislip
rütteln schudden, schokken;
(an D) fig tornen (aan)

S

Saal m zaal
Saat f (het) zaad; das Säen
(het) zaaien
Säbel m sabel
Sabotage f sabotage
Sachbeschädigung f mate-
riële beschadiging
Sache f zaak, (het) ding; zur
~ ter zake; ~n pl Besitz F spullen n/pl
Sach|kenntnis f kennis van
zaken; 2kundig deskundig;
2lich zakelijk
sächlich GR onzijdig
Sach|register n (het) zaakre-
gister; ~schaden m mate-
riële schade; ~verhalt m toedracht; ~verständige(r)
deskundige
Sack m zak; ~gasse f doodlopende straat; fig (het) slop,
impasse
säen zaaien

Safe m safe, brandkast
Saft m (het) sap; 2ig sappig;
Fleisch mals; fig flink
Sage f sage
Säge f zaag; ~mehl n (het)
zaagsel
sagen zeggen
sägen zagen
Sahne f room
Saison f (het) seizoen
Saite f snaar
Sakko m od n (het) col-
bert(jasje)
Sakr|ament n (het) sacra-
ment; ~ileg n heiligschennis
Salami f salami
Salat m sla
Salbe f zalf
Salbei m salie
Saldo m (het) saldo
Salmonellen f/pl salmonel-
la's pl
Salon m salon (a. het)

salopp nonchalant

Salpeter *m* salpeter (*a.* het)

Salto *m* salto

Salz *n* (het) zout; **2arm** zoutarm; **2en** zouten; **2ig** zout; **~kartoffeln** *fl pl* gekookte aardappelen *pl*; **~stange** *f* zoute stengel; **~streuer** *m* (het) zoutvaatje; **~wasser** *n* (het) zout water

Samen *m* (het) zaad

sammeln verzamelen; inzamelen; **2stelle** *f* verzamelplaats

Sammler(in *f*) *m* verzamelaar(ster *f*); **~ung** *f* verzameling; inzameling, collecte; **Konzentration** concentratie

Samstag *m* zaterdag; **am ~** zaterdags

samt (*D*) met (inbegrip van)

Samt *m* (het) fluweel

sämtliche *pl* alle *pl*

Sanatorium *n* (het) sanatorium

Sand *m* (het) zand

Sandale *f* sandaal

Sand|bank *f* zandbank; **~boden** *m* zandgrond; **2ig** zanderig; **~papier** *n* (het) schuurpapier; **~stein** *m* zandsteen (*a.* het); **~strand** *m* (het) zandstrand

Sandwich *n* sandwich

sanft zacht; *friedfertig* zachtaardig

Sänger(in *f*) *m* zanger(es *f*)

Sanierung *f* sanering

Sanitäter(in *f*) *m* EHBO-er (*a.* *f*; *MIL* hospitaalsoldaat (*a.* *f*)

Saphir *m* saffier

Sardelle *f* ansjovis

Sardinen *f pl* sardines *pl*

Sarg *m* dood(s)kist

Satellit *m* satelliet; **~enfernsehen** *n* satelliettelevisie

Satire *f* satire; **2isch** satirisch

satt verzadigd, zat; **es ~ haben** het beu (*od* zat) zijn

Sattel *m* (het) zadel; **2n** zadelen

sättigen verzadigen

Satz *m* GR zin; *Sprung* sprong, zet; *Garnitur* (het) stel, serie, set; *Kaffee2* drab (*a.* het), (het) koffiedik; *Tarif* (het) tarief; *Tennis* set; **~ung** *f* (het) statuut, (het) reglement

Sau *f* zeug; *Wildschwein* (het) (wild) zwijn

sauber schoon, net, zindelijk; *fig* zuiver, keurig; **~ machen → säubern**; **2keit** *f* zindelijkheid; zuiverheid

säubern schoonmaken, reinigen, zuiveren

sauer zuur; *fig F* böse kwaad; **2braten** *m* (het) gemarineerd vlees; **2kraut** *n* zuurkool; **2stoff** *m* zuurstof; **2teig** *m* (het) zuurdeeg

saufen zuipen; *Tier* drinken

Säufer *m* zuiplap; **~in** *f* zuipschuit

saugen zuigen

säugen zogen; **2etier** *n* (het) zoogdier; **2ling** *m* zuigeling

Säule *f* zuil, kolom

Saum *m* zoom

säumen zomen; *zögern* talmen

Sauna *f* sauna

Säure *f* (het) zuur; *Geschmack* zuurheid

sausen *f* suizen, gieren

S-Bahn *f* (het) stadsspoor

schaben schrapen

schäbig sjofel; *fig* beroerd

Schablone *f* (het) patroon

Schach *n* (het) schaakspel; ~**spielen** schaken; ~**brett** *n* (het) schaakbord; ~**figur** *f* (het) schaakstuk; 2**matt** schaakmat

Schacht *m* schacht

Schachtel *f* doos

schade jammer, spijtig

Schädel *m* schedel; ~**bruch** *m* schedelbreuk

schaden (D) schaden

Schaden *m* schade; *Nachteil* (het) nadeel; *Verletzung* (het) letsel; ~**ersatz** *m* schadevergoeding; ~**freude** *f* (het) leedvermaak; 2**froh** vol leedvermaak; ~**sanzeige** *f* schadeaangifte

schadhaft beschadigd, defect

schädi**gen** benadelen; ~**lich** schadelijk, nadelig; 2**ling** *m* (het) schadelijk dier; *Pflanze* schadelijke plant

Schadstoff *m* schadelijke stof; ~**frei** vrij van schadelijke stoffen

Schaf *n* (het) schaap

Schäfer *m* schaapherder; ~**hund** *m* herdershond

schaffen *bringen* verschaffen; *bewältigen* klaarspelen; *gestalten* scheppen, voortbrengen

Schaffner(in *f*) *m* conducteur *m* (conductrice *f*)

Schaft *m* schacht; ~**stiefel** *m/pl* kaplaarzen *pl*

schal verschaald; *fig* flauw, laf

Schal *m* sjaal

Schale *f* schil; *Gefäß* schaal, kom

schälen schillen, pellen

Schalentiere *n/pl* schelp- en schaaldieren *n/pl*

Schall *m* (het) geluid, klank, galm; ~**dämpfer** *m* geluiddemper; 2**dicht** geluiddicht; 2**en** klinken; galmen; ~**mauer** *f* geluidsmuur; ~**platte** *f* grammofoonplaat

schalten schakelen

Schalter *m* schakelaar; *Bank*2, *Post*2 (het) loket

Schalt**jahr** *n* (het) schrikkeljaar; ~**knüppel** *m KFZ* pook; ~**ung** *f* schakeling; *das Schalten* (het) schakelen

Scham *f* schaamte

schämen: *sich* ~ zich schamen

schamlos schaamteloos

Schande *f* schande

schänd**en** schenden; ~**lich** schandelijk, schandalig

Schanktisch *m* (het) buffet

Schanze *f* schans

Schar *f* schaar, groep

scharf scherp

Schärfe *f* scherpte; 2**n** scherpen, wetten

Scharfsinn *m* scherpzinnigheid

Scharlach *m MED* roodvonk

Scharnier n (het) scharnier

scharren schrapen, krabben, scharrelen

Schatt|en m schaduw; **~ie-rung** f nuance, schakering; **2ig** schaduwrijk

Schatz m schat

schätzen schatten; *achten* waarderen, op prijs stellen

Schatzmeister m penningmeester

Schätzung f schatting, raming

Schau f vertoning, tentoonstelling; revue; *zur* **~ stellen** uitstallen

schauder|haft huiveringwekkend; **~n** huiveren

schauen kijken

Schauer m rilling; *Regen2* bui, vlaag

Schaufel f schop, schep

Schaufenster n etalage, (het) uitstalraam

Schaukel f schommel; **2n** schommelen; **~pferd** n (het) hobbelpaard; **~stuhl** m schommelstoel

Schaum m (het) schuim

schäumen schuimen; *Sekt* mousseren

Schaum|gummi m schuimrubber (a. het); **~wein** m mousserende wijn

Schauplatz m schouwplaats, (het) toneel

schaurig huiveringwekkend; ijselijk

Schauspiel n (het) schouwspel; *THEA* (het) toneelstuk

~er m acteur, toneelspeler; **~erin** f actrice, toneelspeelster

Scheck m cheque; **~karte** f (het) betaalpasje

Scheibe f schijf; *Glas2* ruit; *Schnitte* sne(d)e, plak; *eine ~ Brot* een boterham; **~n-bremse** f schijfrem; **~n-waschanlage** f ruitensproeier; **~nwischer** m ruitenwisser

Scheide f ANAT schede

scheid|en scheiden; *sich ~en lassen* scheiden; **2ung** f scheiding

Schein m schijn; *Licht a.* (het) schijnsel; *Bescheinigung* (het) bewijs, (het) document; *Geld2* (het) (bank)biljet; **2bar** schijnbaar; **2en** schijnen; *fig a.* lijken; **2heilig** schijnheilig; **~werfer** m schijnwerper, (het) zoeklicht; *KFZ* koplamp

Scheiße f P stront, rotzooi

Scheitel m top, kruin; *Haar* scheiding

scheitern mislukken, schipbreuk lijden

schellen bellen, schellen

Schellfisch m schelvis

Schelm m guit, schalk; *Schurke* schelm

schelten berispen

Schema n (het) schema

Schemel m voetbank; kruk

Schenkel m dij; *MATH* (het) been

schenken schenken, geven

Scherbe f scherf
Schere f schaar
Scherereien flpl last, rompslomp
Scherz m scherts, grap; 2en schertsen; 2haft schertsend
scheu schuw, beschroomd, schichtig; ~en schuwen, ontzien; *sich* ~*en vor* (D) opzien tegen
scheuer|n schuren; 2tuch n dweil
Scheune f schuur
Scheusal n (het) monster
scheußlich afschuwelijk
Schi(-) → *Ski*(-)
Schicht f laag; *Arbeits*2 ploeg; ~arbeit f ploegendienst
schick chic
schicken sturen; *sich* ~ passen, horen
Schicksal n (het) noodlot; (het) lot(geval)
Schiebe|dach n (het) schuifdak; ~fenster n (het) schuifraam; 2en schuiven, duwen; ~etür f schuifdeur; ~ung f fig zwendel
Schieds|gericht n (het) scheidsgerecht; ~richter m scheidsrechter
schief scheef, schuin; ~ *gehen* mislopen
Schiefer m lei (a. het)
schielen scheel zien; *fig* gluren
Schienbein n (het) scheenbeen
Schiene f rail; *MED* spalk; 2n *MED* spalken

schieß|en schieten; 2erei f schietpartij; 2scheibe f schietschijf; 2stand m schietbaan
Schiff n (het) schip; 2bar bevaarbaar; ~bau m scheepsbouw; ~bruch m schipbreuk; ~brüchige(r) schipbreukeling(e) f; ~er m schipper
Schiffahrt f scheepvaart; ~sgesellschaft f scheepvaartmaatschappij
Schiffsreise f scheepsreis
Schikan|e f chicane, pesterij; 2ieren pesten, treiteren, sarren
Schikoree → *Chicorée*
Schild 1. n (het) bord(je), plaat; *Papier*2 f etiket; **2.** m (het) schild; ~drüse f schildklier
schildern schilderen
Schildkröte f schildpad
Schilf n (het) riet, biezen pl
schillern glinsteren
Schilling m schilling
Schimmel m schimmel; 2ig beschimmeld; 2n beschimmelen
schimmern glanzen, schijnen
Schimpanse m chimpansee
schimpf|en (*auf* A) schelden (op), kijven (op); 2wort n (het) scheldwoord
Schinken m ham
Schirm m scherm; *Regen*2 paraplu; *Mütze*2 klep; *Lampe* kap; ~lampe f schemerlamp; ~mütze f pet; ~ständer m paraplubak

Schlacht f (veld)slag
schlachten slachten
Schlächter m slager
Schlachthof m slachterij, (het) abattoir
Schlaf m slaap; **~abteil** n slaapcoupé; **~anzug** m pyjama
Schläfe f slaap
schlafen slapen
schlaff slap
Schlaflosigkeit f slapeloosheid; **~mittel** n (het) slaapmiddel
schläfrig slaperig
Schlafsack m slaapzak; **~wagen** m slaapwagen; **~zimmer** n slaapkamer
Schlag m slag, klap, bons; MED beroerte; Art (het) slag; **~ader** f slagader; **~anfall** m beroerte; **2artig** plotseling; **~baum** m slagboom
schlagen slaan; besiegen verslaan, kloppen
Schlager m schlager, hit
Schläger m (het) racket; Rowdy vechtersbaas; **~ei** f vechtpartij
schlagfertig slagvaardig; **2loch** n (het) gat in het wegdek; **2sahne** f slagroom; **2wort** n leuze, slogan; **2zeug** n MUS (het) slagwerk
Schlamm m (het) slijk, modder; **2ig** modderig
Schlampe f slons, sloddervos; **~rei** f slordigheid
schlampig slordig

Schlange f slang; Kolonne file; **~ stehen** in de rij staan
schlängeln: sich **~** slingeren, kronkelen
schlank slank; **2heitskur** f vermageringskuur
schlapp slap; **2e** f F nederlaag
Schlaraffenland n (het) luilekkerland
schlau slim, sluw, leep, F link
Schlauch m slang; KFZ binnenband; **~boot** n rubberboot; **2los** tubeless
schlecht slecht; mir wird **~** ik word misselijk; **~erdings** volstrekt; **~hin** ronduit, eenvoudigweg
schleichen sluipen
Schleier m sluier; **2haft** onbegrijpelijk
Schleife f strik, lus; Kurve bocht
schleifen 1. slepen; niederreißen slopen; 2. Messer slijpen
Schleim m (het) slijm; **~haut** f (het) slijmvlies; **2ig** slijmerig
schlemmen smullen
schlendern slenteren
schleppen slepen; schwer tragen a. sjouwen; sich **~** zich slepen
Schlepper m KFZ trekker; Schiff sleepboot; **~seil** n sleepkabel
Schleuder f slinger; Wäsche centrifuge; **~gefahr** f (het) slipgevaar; **2n** slingeren, zwieren; Wäsche centrifugeren
schleunigst ten spoedigste

Schleuse f sluis

schlicht eenvoudig, sober

schlichten Streit beslechten, bijleggen

schließen sluiten; folgern afleiden, opmaken

Schließ|fach n safe, kluis; **2lich** tenslotte; **~ung** f sluiting

schlimm erg, kwaad; **~stenfalls** in het ergste geval

Schling|e f lus, strik; **2en, 2ern** slingeren

Schlips m das

Schlitten m sle(d)e

Schlittschuh m schaats; **~ laufen** schaatsen; **2läufer(in** f) m schaatser m (schaatsster f)

Schlitz m gleuf, sleuf, spleet; Kleidung split

Schloss n (het) slot; ARCH a. (het) kasteel

Schlosser m slotenmaker; bankwerker; KFZ monteur

Schlucht f (het) ravijn

schluchzen snikken

Schluck m slok, teug; **~auf** m hik; **2en** slikken; **~impfung** f orale vaccinatie

schlummern sluimeren

schlüpf|en glippen, slippen; **2er** m slip, (het) slipje; **~rig** glibberig; fig schuin

Schlupfwinkel m schuilhoek

schlürfen slurpen

Schluss m (het) slot; Folgerung (het) besluit; **zum ~** tenslotte

Schlüssel m sleutel; **~bein** n (het) sleutelbeen; **~bund** n sleutelbos; **~loch** n (het) sleutelgat

Schluss|folgerung f conclusie, gevolgtrekking; **~licht** n (het) achterlicht; **~verkauf** m opruiming

Schmach f smaad

schmachten smachten, snakken

schmächtig tenger

schmackhaft smakelijk, lekker

schmäh|en lasteren; **~lich** smadelijk

schmal smal, dun

schmälern verminderen

Schmalz n reuzel

Schmarotzer m klaploper

schmecken v/i (nach D) smaken (naar); v/t proeven

schmeichel|haft vleiend; **~n** (D) vleien

schmeißen smijten

schmelzen smelten

Schmerz m pijn; Kummer (het) verdriet, smart; **2en** pijn doen; verdriet doen; **2haft** pijnlijk; **2lich** smartelijk; **2los** pijnloos; **~mittel** n pijnstiller; **2stillend** pijnstillend; **~tablette** f pijnstiller

Schmetterling m vlinder

schmettern smijten, smakken; singen schetteren

Schmied m smid; **2en** smeden

schmiegsam buigzaam, soepel

schmier|en smeren; morsen;

kladden; **2geld** n steekpen-
ning(en pl); **~ig** smerig; **2-
mittel** n (het) smeermiddel;
2öl n smeerolie; **2seife** f
groene zeep
Schminke f make-up,
schmink, (het) grimeersel; **2n
(sich)** (zich) opmaken; *THEA*
(zich) schminken, (zich) gri-
meren
Schmiergelpapier n (het)
schuurpapier
Schmöker m F (het) prul
schmollen pruilen
Schmor|braten m (het) ge-
stoofd vlees; **2en** smoren,
stoven
schmuck knap, mooi
Schmuck m opschik, versie-
ring; *Juwelen* sieraden n/pl
schmücken (ver)sieren,
tooien
schmucklos eenvoudig
schmuddelig smoezelig, goor
schmuggeln smokkelen
schmunzeln fijntjes lachen,
gnuiven, zich verkneukelen
Schmutz m vuiligheid, (het)
vuil; **~ abweisend** vuilafsto-
tend; **~fink** m vuilik; **2ig** vuil
Schnabel m snavel, bek
Schnalle f gesp
schnapp|en snappen; *Luft*
~en lucht happen; **2schuss**
m (het) snapshot
Schnaps m jenever, sterke-
drank, (*ein Glas*) borrel
schnarchen snurken
schnattern snateren, kakelen
schnau|ben snuiven, **~fen** snuiven,

hijgen, puffen
Schnauze f snuit, bek; F
smoel
schnäuzen snuiten
Schnecke f slak
Schnee m sneeuw; **~ball** m
sneeuwbal; **~fall** m sneeuw-
val; **~flocke** f sneeuwvlok;
~gestöber n sneeuwjacht;
~glätte f gladheid door
sneeuw; **~ketten** f/pl KFZ
sneeuwkettingen pl; **~mann**
m sneeuwman; **~matsch** m
sneeuwblubber; **~regen** m
sneeuwregen; **2weiß**
sneeuwwit, spierwit
Schneid|brenner m snij-
brander; **~e** f sne(d)e; **2en**
snijden; *mit Schere* knippen
Schneide|r m kleermaker;
~rin f naaister; **~zahn** m snij-
tand
schnei|en: es ~t het sneeuwt
Schneise f sleuf
schnell vlug, snel, hard, gauw;
2hefter m opbergmap; **2ig-
keit** f snelheid; **2imbiss** m
snackbar, cafetaria; **2straße**
f weg voor snelverkeer; **2zug**
m sneltrein
schneuzen → *schnäuzen*
Schnippel m u n snipper
Schnitt m sne(d)e; *Fasson*
snit, coupe; **~blumen** f/pl
snijbloemen pl; **~bohne** f
snijboon; **~e** f sne(d)e, plak;
~lauch m (het) bieslook;
~muster n (het) snijpatroon;
~punkt m (het) snijpunt;
~wunde f snijwonde

Schnitzel *n*: *Wiener ~* schnitzel
schnitz|en (in hout) snijden;
2erei *f* (het) snijwerk
Schnorchel *m* snorkel
schnüffeln snuffelen
Schnuller *m* fopspeen, tut
Schnulze *f* smartlap
schnupfen *m* verkoudheid
schnuppern snuffelen
Schnur *f* (het) snoer, koord
(*a.* het), (het) touwtje
schnüren binden, snoeren
schnurgerade lijnrecht
Schnurrbart *m* snor
Schnürsenkel *m* (schoen)ve-
ter

Schock *m* schok; *MED* ze-
nuwschok, shock; 2ieren
choqueren
Schokolade *f* chocolade;
~ntafel *f* (het) tablet chocolade
Scholle *f* kluit aarde, zode;
*Eis*2 ijsschots; *ZO* schol
schon al, reeds; *das ~!* dat
wel!; *~ wieder* alweer
schön mooi, fraai
Schon|bezug *m* (bescher-
mende) hoes; 2en *(sich)*
(zich) sparen, (zich) ontzien
Schönheit *f* schoonheid;
~ssalon *m* schoonheidssalon
Schon|kost *f* dieetkost;
2ungslos meedogenloos;
~zeit *f* gesloten jachttijd
Schopf *m* haarbos
schöpf|en putten, scheppen;
2er *m* schepper; ~erisch

creatief; 2ung *f* schepping
Schoppen *m* (het) glas, pot
Schorf *m* schurft; *Kruste* korst
Schornstein *m* schoorsteen;
~feger *m* schoorsteenveger
Schoß *m* schoot
Schote *f* peul
Schotte *m* Schot
Schotter *m* (het) steenslag
Schott|in *f* Schotse; 2isch
Schots
schräg schuin, scheef
Schramme *f* schram
Schrank *m* kast
Schranke *f* slagboom, ver-
sperring; *fig* grens, (het) perk
Schraube *f* schroef
schrauben schroeven; 2mut-
ter *f* moer; 2schlüssel *m*
schroefsleutel; 2zieher *m*
schroevendraaier
Schraub|stock *m* bank-
schroef; ~verschluss *m*
schroefsluiting
Schreck *m* schrik; *vor ~* van
schrik; 2lich verschrikkelijk,
vreselijk
Schrei *m* schreeuw, kreet, gil
Schreib|block *m* blocnote;
2en *n* schrijven; ~en *n* (het)
schrijven; ~maschine *f*
schrijfmachine
Schreibtisch *m* schrijftafel,
(het) bureau; ~lampe *f* bu-
reaulamp
Schreibwarengeschäft *n*
kantoorboekhandel
schreien schreeuwen, gillen
Schreiner *m* schrijnwerker
schreiten schrijden, stappen

Schrift f (het) schrift; _Text_ (het) geschrift; **2lich** schriftelijk; **~steller(in** f) m schrijver m (schrijfster f); **~stück** n (het) geschrift, (het) stuk; **~wechsel** m briefwisseling

schrill schril, schel

Schritt m stap, schrede; **~fahren** stapvoets rijden; **~macher** m gangmaker; **2weise** stap voor stap

schroff steil; _fig_ scherp

schröpfen afzetten

Schrot n (het) schroot

Schrott m (het) schroot, (het) oud ijzer

schrubb|en schrobben; **2er** m schrobber

schrumpfen krimpen, verschrompelen

Schub|fach n la(de); **~karre** f kruiwagen; **~lade** f la(de)

schubsen duwen, een zet(je) geven

schüchtern schuchter, bedeesd

Schuft m schoft, schavuit; **2en** F zwoegen

Schuh m schoen; **~anzieher** m schoenlepel; **~bürste** f schoenborstel; **~creme** f schoencrème; **~geschäft** n schoenwinkel, schoenenzaak; **~größe** f schoenmaat; **~macher** m schoenmaker; **~sohle** f schoenzool

Schul|arbeiten f|pl huiswerk; **~buch** n (het) schoolboek

schuld schuldig; **~ sein an**

(D) schuld hebben aan

Schuld f schuld; **2en** j-m A schuldig zijn; **2ig** schuldig; **2los** onschuldig; **~ner** m schuldenaar; **~schein** m schuldbekentenis

Schule f school; **2n** scholen

Schüler(in f) m leerling(e f), scholier(e f)

Schul|ferien pl schoolvakantie; **2frei** vrij af; **~freund(in** f) m schoolkameraad (a. f); **~hof** m speelplaats; **~leiter(in** f) m (het) schoolhoofd; **~pflicht** f leerplicht

Schulter f schouder; **~polster** n schoudervulling

Schulung f scholing

Schul|wesen n (het) schoolwezen; **~zeit** f schooltijd

Schund m bocht

Schuppen 1. f|pl schilfers pl; _Haar_ 2 roos; _ZO_ schubben pl; **2.** m loods, keet, (het) hok

schüren _fig_ aanwakkeren

Schurke m schurk

Schurwolle f scheerwol

Schürze f schort

Schuss m (het) schot; _GASTR_ scheut

Schüssel f schotel, schaal

Schusswaffe f (het) vuur-, schietwapen

Schuster m schoenlapper

Schutt m (het) puin

Schüttel|frost m koude rillingen pl; **2n** schudden

schütten storten, gieten

Schutthaufen m puinhoop

Schutz m bescherming, beschutting; ~ **suchen** beschutting zoeken, schuilen; **~blech** n (het) spatbord; **~brille** f stofbril, veiligheidsbril

Schütze m schutter; 2n (**sich**) **vor** (D) (zich) beschermen (od beschutten) tegen

Schutz|helm m veiligheidshelm; **~impfung** f preventieve inenting

Schützling m beschermeling(e) f

schutz|los onbeschermd, weerloos; 2**marke** f (het) handelsmerk; 2**vorrichtung** f beveiliging

schwach zwak; Getränk slap

Schwäch|e f zwakheid, zwakte; Neigung (pej, voor) 2en verzwakken; 2lich teer, slap

schwach|sinnig zwakzinnig; 2**strom** m zwakstroom

Schwager m zwager

Schwägerin f schoonzus(ter)

Schwalbe f zwaluw

Schwamm m spons; BOT zwam

Schwan m zwaan

schwanger zwanger; 2**schaft** f zwangerschap; 2**schaftsunterbrechung** f abortus (provocatus)

schwanken waggelen, wankelen; fig weifelen; Preise schommelen

Schwanz m staart

schwänzen spijbelen

Schwarm m zwerm

schwärm|en zwermen; (**für** A) dwepen (met); **~erisch** dweepziek

schwarz zwart; 2**arbeit** f (het) zwart werk; 2**brot** n (het) roggebrood, (het) zwart brood; 2**e(r)** zwarte; **~fahren** zwartrijden; 2**fahrer(in** f) m zwartrijder m (zwartrijdster f); 2**weißfilm** m zwartwitfilm; 2**wurzel** f/pl schorseneren pl

schwatzen babbelen, kletsen

Schwätzer(in f) m kletskous (a. f), F kletsmajoor

Schwebe|balken m evenwichtsbalk; 2n zweven

schwedisch Zweeds

Schwefel m zwavel; **~säure** f (het) zwavelzuur

schweig|en zwijgen; **~sam** zwijgzaam

Schwein n (het) varken, (het) zwijn; **~ haben** F boffen

Schweine|braten m (het) varkensgebraad; **~fleisch** n (het) varkensvlees; **~lende** f (het) varkenshaasje; **~rei** f F rotzooi, smeerlapperij

Schweiß m (het) zweet

schweiß|en TECH lassen; 2**er** m lasser

Schweiz f: **die ~** Zwitserland n; **~er(in** f) m Zwitser(se f); **~erisch** Zwitsers

schwelen smeulen

schwelgen (**in** D) zwelgen (in)

Schwelle f drempel

schwellen v/i zwellen; v/t doen zwellen

schwenken v/i zwenken; v/t zwaaien, wuiven

schwer zwaar, fig schwierig moeilijk, lastig; **~ verständlich** moeilijk te begrijpen

Schwer|arbeit f (het) zwaar werk; **~behinderte(r)** invalide; **~e** f zwaarte; PHYS zwaartekracht; **2elos** gewichtloos; **2fällig** log, plomp; **2hörig** hardhorig; **~industrie** f zware industrie; **~kraft** f zwaartekracht; **2mütig** zwaarmoedig; **~punkt** m (het) zwaartepunt

Schwert n (het) zwaard

Schwer|verletzte(r) zwaargewonde; **2wiegend** zwaarwegend

Schwester f zus(ter)

Schwieger- in Zssgn schoon-

Schwiegereltern pl schoonouders pl

Schwiele f (het) eelt

schwierig moeilijk; **2keit** f moeilijkheid

Schwimm|bad n (het) zwembad; **2en** zwemmen; treiben drijven; **~er** m zwemmer; TECH vlotter; **~erin** f zwemster; **~flosse** f vin; **~halle** f (het) overdekt zwembad; **~weste** f zwemvest

Schwindel m MED duizeling; fig zwendel, (het) (boeren)bedrog; **2frei** vrij van duizelingen; **2n** duizelen; fig jokken

schwind|en verminderen; **2ler(in)** m oplichter m (oplichtster f); **~lig** (mir wird) **~lig** (ik word) duizelig

schwing|en zwaaien, zwieren, trillen; **2ung** f trilling

Schwips m F: **e-n ~ haben** aangeschoten zijn

schwitzen transpireren, zweten

schwören zweren

schwul F homoseksueel; **2e(r)** F homo

schwül zwoel, benauwd; **2e** f zwoelheid, hitte

Schwung m zwaai; fig (het) elan, fut; **2voll** zwierig

Schwurgericht n jury

sechs zes; **~te** zesde; **2tel** n (het) zesde (deel)

sech|zehn zestien; **~zig** zestig

See 1. m (het) meer; **2.** f zee

See|gang m zeegang; **~hund** m zeehond; **2krank** zeeziek

Seel|e f ziel; **2isch** psychisch; **~sorge** f zielzorg

See|mann m zeeman; **~not** f nood op zee; **~reise** f zeereis; **~stern** m zeester; **~zunge** f zeetong

Segel n (het) zeil; **~boot** n zeilboot; **~flugzeug** n (het) zweefvliegtuig; **~jacht** f (het) zeiljacht; **2n** zeilen; **~schiff** n (het) zeilschip; **~tuch** n (het) zeildoek

Seg|en m zegen; **~ler** m zeiler; Schiff (het) zeilschip; **2nen** zegenen sehen zien; *vom* ♀ *kennen* van gezicht kennen

sehens|wert bezienswaardig; ♀**würdigkeit** f bezienswaardigheid

Sehne f pees

sehnen: *sich ~ nach* (D) hunkeren naar, verlangen naar

Sehnenzerrung f peesverrekking

Sehn|sucht f (het) (sterk) verlangen, hunkering; ♀**süchtig** vurig (verlangend)

sehr zeer, erg, heel; *~ gern* heel graag

Seh|störung f gezichtsstoornis; **~test** m oogtest

seicht ondiep

Seide f zij(de)

Seife f zeep

Seil n (het) touw, lijn, koord; *dickes ~* kabel; **~bahn** f (het) kabelspoor

sein[1] zijn; *ich bin* ik ben; *wir sind* wij zijn

sein[2], **~e** zijn

seiner|seits zijnerzijds, van zijn kant; **~zeit** indertijd

seinetwegen om hem

seit (D) sinds, sedert; **~dem** cj sinds, sedert; **~dem** adv sindsdien

Seite f kant, zij(de); Blatt bladzijde

Seiten|eingang m zij-ingang; **~hieb** m fig steek onder water; **♀s** (G) van de kant van, vanwege

Seiten|sprung m (het) slippertje; **~stechen** n steek in de zij; **~straße** f zijstraat; **~wind** m zijwind

seither sindsdien

seit|lich zijdelings, opzij; **~wärts** zijwaarts

Sekretär(in f) m secretaris m (secretaresse f)

Sekt m champagne

Sekte f sekte

Sektor m sector

Sekunde f seconde

selber zelf

selbst zelf; adv sogar zelfs; *von ~* vanzelf

selbständig = selbstständig

Selbst|auslöser m zelfontspanner; **~bedienung** f zelfbediening; **~beherrschung** f zelfbeheersing; **♀bewusst** zelfbewust; **♀gefällig** zelfvoldaan; **♀los** onbaatzuchtig; **~mord** m zelfmoord; **♀sicher** zelfverzekerd; **♀ständig** zelfstandig; **♀süchtig** zelfzuchtig; **♀tätig** automatisch; zelf handelend; **~tor** n goal in eigen doel; **~verpflegung** f (het) eigen proviand; **♀verständlich** vanzelfsprekend; **~vertrauen** n (het) zelfvertrouwen; **~verwaltung** f (het) zelfbestuur

selig zalig

Sellerie f selderie

selten zeldzaam; adv zelden; **♀heit** f zeldzaamheid

Selterswasser n (het) spuitwater

seltsam eigenaardig, vreemd

Semester n (het) semester

Semikolon n puntkomma

Seminar n (het) seminarie

Semmel f (het) broodje

send|en zenden, sturen; _Radio_ uitzenden; **2er** m zender; **2ung** f zending; _Radio_ uitzending

Senf m mosterd; **~glas** n mosterdpot; **~gurke** f augurk in mosterdsaus

sengen schroeien, zengen

Senioren|heim n (het) bejaardentehuis; **~pass** m seniorenkaart

senken neerlaten, laten zakken; _Preise_ verlagen; **sich ~** dalen, zakken

senkrecht loodrecht

Sensation f sensatie

Sense f zeis

sensibel gevoelig

sentimental sentimenteel

September m september

Serie f serie, reeks

Serienausstattung f standaarduitrusting

seriös serieus

Serum n (het) serum

Serv|ice 1. n (het) servies; **2.** m service; **2ieren** serveren, opdienen; **~iererin** f dienster, serveerster; **~iette** f (het) servet

Servolenkung f servobesturing

Sessel m zetel; _Polster2_ fauteuil; **~lift** m stoeltjeslift

setzen zetten; _j-n in Kenntnis ~ von_ (D) iem. in kennis

stellen van; _sich ~_ gaan zitten

Seuche f epidemie

seufz|en zuchten; **2er** m zucht

Sex m sex; **2uell** seksueel

Shorts pl short

Sibirien n (het) Siberië n

sich zich; _einander_ elkaar; _an ~_ op zichzelf beschouwd; _eigentlich_ als zodanig; _von ~ aus_ zelf, op eigen initiatief

Sichel f sikkel

sicher veilig; _gewiss_ zeker; **~ sein vor** (D) veilig zijn voor; **2heit** f veiligheid; _Gewissheit_ zekerheid

Sicherheits|gurt m veiligheidsgordel; **2halber** veiligheidshalve; **~nadel** f veiligheidsspeld; **~schloss** n (het) veiligheidsslot

sicherlich zeker, stellig

sicher|n _schützen_ beveiligen; _verschaffen_ verzekeren; **~stellen** _beschlagnahmen_ in beslag nemen; _garantieren_ waarborgen; **2ung** f EL zekering

Sicht f (het) zicht; _fig_ standpunt, visie; **2bar** zichtbaar; **2lich** kennelijk; **~vermerk** m (het) visum; **~weite** f (het) zicht

sickern sijpelen

sie 3. pers sg u pl zij, ze; 3. pers sg (A) ze, (pers a.) haar; 3. pers pl (A) ze, (pers a.) hen; **2** u, U

Sieb n zeef; **2en** zeven

sieb|en _Zahl_ zeven; **~entägig** zevendaags; **~(en)te** zevende; **~zehn** zeventien; **~zig** zeventig

siede|n zieden, koken; **2punkt** m (het) kookpunt

Siedlung f nederzetting

Sieg m overwinning, zege

Siegel n (het) zegel

sieg|en overwinnen, zegevieren; **2er(in** f) m winnaar m (winnares f); **~reich** zegevierend

Signal n (het) sein, (het) signaal

Silbe f lettergreep

Silber n (het) zilver; **~hochzeit** f zilveren bruiloft; **2n** zilveren

Silvesterabend m oudejaarsavond

simulieren simuleren, veinzen

Sinfonie f symfonie

sing|en zingen; **2vogel** m zangvogel

sinken zinken, zakken, dalen

Sinn m (het) zintuig; *Bedeutung* zin; **~bild** n (het) zinnebeeld; **2gemäß** volgens de betekenis; **2lich** zinnelijk; **2los** zinloos; **2voll** zinvol

Siphon m sifon

Sippe f familie, clan

Sirup m stroop; *Saft* siroop

Sitte f zede, (het) gebruik; manier

sittlich zedelijk; **2keitsverbrechen** n (het) zedenmisdrijf

Situation f situatie

Sitz m zitplaats, zitting; *e-r Fir-*
ma usw. zetel; **~bad** n (het) zitbad; **2en** zitten; **~platz** m zitplaats; **~ung** f zitting, vergadering

Skala f schaal

Skandal m (het) schandaal; **2ös** schandalig

skandinavisch Scandinavisch

Skateboard n (het) skateboard

Skelett n (het) skelet

skeptisch sceptisch

Ski m ski; **~ laufen** skiën; **~läufer(in** f) m skiër m (skiester f); **~lift** m skilift

Skizz|e f schets; **2ieren** schetsen

Sklav|e m slaaf; **~in** f slavin

Skonto m *od* n korting voor contant

Skorpion m schorpioen

Skrupel m/pl scruples pl, gewetensbezwaren n/pl; **2los** gewetenloos

Skulptur f sculptuur

Slalom m slalom

slawisch Slavisch

Slip m slip; **~einlage** f (het) inlegkruisje

so zo; **~!** (zie)zo!; **~ genannt** zogenaamd; **~ oder ~** hoe dan ook; **~ ein** zo een, zo'n; → **sodass**; **~bald** zodra

Socke f sok

Sockel m (het) voetstuk

Soda n soda

sodass zodat

Sodbrennen n (het) zuur

soeben zo-even, zopas, zojuist

Sofa n sofa

so|fern cj in zoverre; **~fort** onmiddellijk, aanstonds, terstond; **~fortig** onmiddellijk

Software f software

so|gar zelfs; **~genannt → so**; **~gleich** meteen, direct

Sohle f zool; fig bodem

Sohn m zoon

Sojabohne f sojaboon

solange zolang

solch zulk, zodanig

Sold m soldij

Soldat m soldaat

Söldner m huurling

solidarisch solidair

solide solide, degelijk

Solist(in f) m solist(e f)

Soll n (productie)norm; ECON (het) debet

sollen moeten

somit bijgevolg, dus

Sommer m zomer; **im ~** zomers; **~fahrplan** m zomerdienst; **~ferien** pl zomervakantie; **2lich** zomers; **~schlussverkauf** m zomeropruiming; **~sprossen** f/pl zomersproeten pl

Sonde f sonde

Sonder- in Zssgn mst extra, speciale

Sonder|angebot n speciale aanbieding; **2bar** zonderling; **~fahrt** f extra rit; **~fall** m (het) speciaal geval; **2gleichen** zonder weerga; **2lich** bijzonder; **~ling** m zonderling; **~müll** m gevaarlijke afvalstoffen pl

sondern cj maar; **nicht nur ... ~ auch** niet alleen ... maar ook

Sonderzug m extra trein

sondieren peilen, polsen

Sonnabend m → **Samstag**

Sonne f zon; **2n: sich 2n** (zich) zonnen

Sonnen|aufgang m zonsopgang; **~bad** n (het) zonnebad; **~bank** f zonnebank; **~blume** f zonnebloem; **~brand** m zonnebrand; **~brille** f zonnebril; **~energie** f zonne-energie; **~finsternis** f zonsverduistering; **~öl** n zonnebrandolie; **~schein** m zonneschijn; **~schirm** m parasol; **~stich** m zonnesteek; **~untergang** m zonsondergang

sonnig zonnig

Sonntag m zondag; **am ~** zondags; **an Sonn- und Feiertagen** op zon- en feestdagen

sonst anders; wie immer vroeger; **~ jemand?** nog iemand?; **~ niemand** anders niemand; **~ nichts** anders niets; **~ wo** ergens anders, elders; **~ig** ander

Sopran m sopraan

Sorge f zorg

sorgen (für A) zorgen (voor); **sich ~ (um** A) bezorgd zijn (voor)

sorg|fältig zorgvuldig; **~los** zorgeloos

Sorte f soort; pers a. (het) slag; **2ieren** sorteren; **~iment** n (het) assortiment

Soße f saus, jus

Souvenir n (het) souvenir

so|viel (voor) zoveel; **~weit** voorzover; **~wie** evenals; **so|bald** zodra; **~wieso** in elk geval, toch al

sowohl: ~ ... als auch zowel ... als

sozial sociaal; **~demokratisch** sociaal-democratisch; **♀hilfe** f bijstand; **~istisch** socialistisch; **♀versicherung** f sociale verzekering

Soziologie f sociologie

Soziussitz m duozitting

sozusagen om zo te zeggen

Spachtel m spatel

Spag(h)etti pl spaghetti

spähen spieden, loeren, gluren, turen

Spalt m spleet, kier; **~e** f spleet, kloof; Text♀ kolom; **♀en** splijten, splitsen; **~ung** f splitsing

Span m spaander; **~ferkel** n (het) speenvarken

Spange f spang, gesp; Zahn♀ beugel

spanisch Spaans

Spann m wreef; **~e** f spanne; ECON marge; **♀en** spannen; **~ung** f spanning (a. TECH)

Spar|buch n (het) spaarboekje; **~büchse** f spaarpot; **♀en** sparen; **~er(in** f) m spaarder (a. f)

Spargel m asperge

Sparkasse f spaarkas

spärlich karig, schaars

sparsam zuinig

Spaß m grap (het) plezier, F (het) geintje; es macht mir ~ ik vind het leuk; zum ~ voor de grap; **~vogel** m grappenmaker

spät laat; wie ~ ist es? hoe laat is het?

Spaten m schop, spade

spät|er later; **~estens** op zijn laatst, uiterlijk; **♀sommer** m nazomer

Spatz m mus

spazieren wandelen, kuieren; **~en gehen** gaan wandelen; **♀fahrt** f pleziertocht, (het) toertje; **♀gang** m wandeling; **♀gänger** m wandelaar; **♀stock** m wandelstok

Specht m specht

Speck m (het) spek

Spediteur m expediteur

Spedition f expeditie

Speer m speer

Speiche f spaak

Speichel m (het) speeksel

Speicher m (het) pakhuis; **♀n** opslaan

Speise f spijs, (het) voedsel; **~eis** n (het) consumptie-ijs; **~karte** f (het) menu; **♀n** eten; versorgen voeden; **~öl** n slaolie; **~röhre** f slokdarm; **~saal** m eetzaal; **~wagen** m restauratiewagen

Spekulation f speculatie

Spekulatius m speculaas

spend|abel F royaal; **♀e** f gift; **~en** schenken, geven; **♀er** m schenker, gever; Blut♀ donor; **~ieren** trakteren

Sperling m mus
Sperma n (het) sperma
Sperr|e f afsluiting, versperring; *Verbot* n het verbod; *Bahnsteig2* controle; **2en** afsluiten, versperren; *einsperren* opsluiten; **~gebiet** n (het) afgesloten gebied; **~holz** n triplex (a. het); **2ig** veel ruimte beslaand; **~müll** m (het) grofvuil; **~stunde** f (het) sluitingsuur
Spesen pl onkosten pl
Spezialist(in f) m specialist(e f)
Spezialität f specialiteit
spezi|ell speciaal; **~fisch** specifiek
Spiegel m spiegel; **~bild** n (het) spiegelbeeld; **~ei** n (het) spiegelei; **2n (sich)** (zich) spiegelen
Spiel n (het) spel; **~automat** m gokautomaat; **2en** spelen; **~er(in** f) m speler m (speelster f); **~karte** f speelkaart; **~marke** f fiche; **~plan** m (het) repertoire; **~platz** m (het) speelplein, speelplaats; **~raum** m speelruimte; **~regel** f spelregel; **~sachen** fl pl, **~zeug** n (het) speelgoed
Spieß m (het) spit
Spinat m spinazie
Spinn|e f spin (nenkop); **2en** spinnen; *fig* F van lotje getikt zijn; **~gewebe** n (het) spinnenweb
Spion m spion
Spirale f spiraal

Spirituosen pl sterke drank(en pl); **~geschäft** n (drank)slijterij
Spirituskocher m (het) spiritustel
spitz spits, puntig, scherp; *fig* snibbig; **2e** f spits, punt; *Gewebe* kant
Spitzel m (politie)spion
spitzen spitsen; *Bleistift* slijpen
Spitzen|kandidat m lijstaanvoerder; **~klasse** f eerste klas, topklas; **~leistung** f topprestatie
spitz|findig spitsvondig; **2name** m bijnaam
Splitter m splinter
sponsern sponsoren
spontan spontaan
Sporn m spoor
Sport m sport; **~ treiben** aan sport doen; **~artikel** m (het) sportartikel; **~ler(in** f) m sportbeoefenaar(ster f); **2lich** sportief; **~platz** m (het) sportterrein; **~veranstaltung** f sportmanifestatie; **~verein** m sportvereniging; **~wagen** m sportwagen; *Kinder2* wandelwagen
Spott m spot; **2billig** spotgoedkoop; **2en** spotten
spöttisch spottend
Sprach|e f taal; *zur ~ bringen (kommen)* ter sprake brengen (komen); **~fehler** m (het) spraakgebrek; taalfout; **~führer** m taalgids; **~kenntnisse** f l pl taalkennis; **~labor**

n (het) talenpracticum; **2lich** taalkundig, talig; **2los** sprakeloos

Spray *m od n* spray

sprech|en spreken; **2er(in** *f)* *m* spreker *m* (spreekster *f);* woordvoerder *m* (woordvoerster *f);* **2stunde** *f* (het) spreekuur; **2stundenhilfe** *f* praktijkassistente; **2zimmer** *n* spreekkamer

spreizen spreiden

spreng|en opblazen; openbreken; *Versammlung* uiteenjagen; *mit Wasser* besproeien, sprenkelen; **2stoff** *m* springstof

Spreu *f* (het) kaf

Sprichwort *n* (het) spreekwoord

sprießen ontspruiten, ontkiemen

Springbrunnen *m* fontein

spring|en springen; **2er** *m Sport* springer; *Schach* (het) paard; **2erin** *f* springster

Sprit *m* F benzine

Spritze *f (a.* F) spuiten; spatten; **~er** *m* spat

spröde broos; *fig abweisend* stug

Sprosse *f* sproet; *Leiter sport*

Sprössling *m* spruit, afstammeling

Sprotte *f* sprot

Spruch *m* spreuk; *JUR* (het) vonnis; **~band** *n* (het) spandoek

Sprudel(wasser *n) m* (het) spuitwater

sprudeln (op)borrelen

Sprüh|dose *f* spuitbus; **2en** spatten, vonken; **~regen** *m* motregen

Sprung *m* sprong; *Riss* barst; **~brett** *n* springplank; **~schanze** *f* springschans

Spuck|e *f* (het) speeksel; **2en** spuwen, spugen

spuk|en: es ~t het spookt

Spülbecken *n* gootsteen, afwasbak

Spule *f* spoel, klos

Spül|e *f* aanrecht *(a.* het); **2en** spoelen; *Geschirr* afwassen; **~maschine** *f* vaatwasser; **~mittel** *n* (het) afwasmiddel

Spur *f* (het) spoor

spür|bar voelbaar, tastbaar; **~en** (be)speuren, voelen

spurlos spoorloos; **2rillen** *f/pl* spoorvorming

Staat *m* staat; *Prunk* staatsie; **2lich** van de staat, staats-, rijks-

Staats|angehörigkeit *f* nationaliteit; **~anwalt** *m* officier van justitie; *in Belgien* procureur; **~bürger(in** *f) m* staatsburger *(a. f);* **~mann** *m* staatsman; **~oberhaupt** *n* (het) staatshoofd; **~streich** *m* staatsgreep

Stab *m* staat; *Stange* staaf; **~hochsprung** *m* (het) polsstokhoogspringen

stabil stabiel

Stachel *m* stekel, angel; *fig* prikkel; **~beere** *f* kruisbes; **~draht** *m* prikkeldraad; **2ig**

stauben

stekelig; **~schwein** n (het) stekelvarken

Stadion n (het) stadion

Stadt f stad; **~bahn** f stadstram; **~bummel** m wandeling door de stad

Städtebau m stedenbouw

Städt|er(in f) m stedeling(e f); **2isch** stedelijk, steeds

Stadt|mitte f (het) stadscentrum; **~plan** m plattegrond (van een stad); **~rundfahrt** f rondrit door de stad; **~teil** m, **~viertel** n stadswijk

Staffellauf m estafetteloop

Stahl m (het) staal

Stahlwerk n staalfabriek

Stall m stal; *Kleintiere* (het) hok

Stamm m stam

stammeln stamelen

stamm|en (af)stammen; **(aus, von** D) zijn, komen (uit, van); **2gast** m stamgast

stämmig potig, stoer

Stammkunde m vaste klant

stampfen stampen

Stand m stand; *Verkaufs2* stand, (het) stalletje; **~bild** n (het) standbeeld

Ständer m stander

Stand|esamt n (het) bureau van de burgerlijke stand; **2haft** standvastig; **2halten** (D) standhouden (tegen)

ständig permanent, vast

Stand|licht n (het) parkeerlicht; **~ort** m standplaats; **~punkt** m (het) standpunt; **~spur** f vluchtstrook

Stange f stang, staaf

Stängel m stengel

Stangenbrot n (het) stokbrood

stänkern F kankeren

Stapel m stapel, hoop; **~lauf** m (het) van stapel lopen; **2n** (op)stapelen

Star m ZO spreeuw; *MED* staar; *Film2* (film)ster

stark sterk; *adv a.* fors; *dick* dik; *Verkehr* druk

Stärk|e f **1.** sterkte; *Dicke* dikte; **2.** *Wäsche2* (het) stijfsel; **2en** versterken; *Wäsche* stijven

Starkstrom m sterkstroom

Stärkung f versterking

starr star, strak; *steif* verstijfd, stram; **~en (auf** A) staren (naar); **~köpfig** koppig, stijfhoofdig

Start m start; **~bahn** f startbaan; **2bereit** startklaar; **2en** starten

Station f halte; *Krankenhaus* afdeling (in ziekenhuis); **~sarzt** m afdelingsarts

Statist|(in f) m figurant(e f); **~ik** f statistiek

Stativ n (het) statief

statt prp (G) cj in plaats van; **~dessen** in plaats daarvan; **~finden** plaatsvinden; **~lich** imposant, statig

Statue f (het) standbeeld

Statut n (het) statuut

Stau m *Verkehrs2* file, opstopping

Staub m (het) stof; **2en** stuiven; 2**ig** stoff(er)ig; ~**sauger** m stofzuiger; ~**tuch** n stofdoek

Staudamm m stuwdam

stauen: sich ~ Verkehr vastlopen

staunen (über A) verbaasd (od versteld) staan (over), opkijken (van)

Stausee m (het) stuwmeer

Steak n biefstuk, steak

stech|en steken, prikken; 2**mücke** f steekmug

Steck|dose f (het) stopcontact; 2**en** steken; (v/t a.) stoppen; 2**en bleiben** blijven steken; ~**enpferd** n (het) stokpaardje; ~**er** m stekker; ~**nadel** f speld

Steg m loopplank

Stegreif m: **aus dem** ~ voor de vuist (weg)

steh|en staan; **es ~t gut (schlecht) um j-n** iem. staat er goed (slecht) voor; **im 2en** (al) staande; ~**en bleiben** blijven staan; 2**lampe** f staande lamp

stehlen stelen

Stehplatz m staanplaats

steif stijf, stram

Steigbügel m stijgbeugel

steig|en stijgen, klimmen, rijzen; ~**ern** verhogen, vermeerderen; 2**ung** f stijging; Hang helling

steil steil

Stein m steen; Obst2 pit; ~**bruch** m steengroeve; ~**butt** m tarbot; 2**ern** stenen;

~**gut** n (het) geglazuurd aardewerk; 2**hart** keihard; ~**kohle** f steenkool; ~**pilze** m/pl (het) eekhoorntjesbrood; 2**reich** schatrijk; ~**schlag** m (het) steenslag

Stelle f plaats; Beruf a. betrekking, baan; **an erster** ~ op de eerste plaats; **im 2e** op de eerste plaats; **auf der** ~ terstond

stellen stellen, plaatsen, zetten; Frage stellen

Stellen|angebot n aangeboden betrekking (en pl); 2**weise** hier en daar

Stellplatz m staanplaats

Stellung f positie; Dienst2 a. betrekking; MIL stelling; ~**nahme** f stellingname

Stellvertreter(in f) m plaatsvervanger m (plaatsvervangster f)

stemmen Gewichte drukken; **sich** ~ **gegen** (A) zich schrap zetten tegen

Stempel m stempel; 2**n** stempelen

Stengel → **Stängel**

stenografieren stenograferen

Stepp|decke f gestikte deken; 2**en** stikken

sterb|en sterven, overlijden; ~**enskrank** doodziek; 2**eurkunde** f overlijdensakte; ~**lich** sterfelijk

Stereoanlage f stereo-installatie

steril steriel; ~**isieren** steriliseren

Stern *m* ster; **~bild** *n* (het)
sterrenbeeld; **~fahrt** *f* rally;
~schnuppe *f* meteoor, vallende ster; **~warte** *f* sterrenwacht

stet|ig aanhoudend, bestendig; **~s** steeds

Steuer 1. *f* belasting; **2.** *n*
(het) stuur; *Schiffs⌂ a.* (het)
roer; **~berater(in** *f*) *m* belastingconsulent(e *f*); **~bord** *n*
(het) stuurboord; **~einnahmen** *flpl* belastingopbrengst(en *pl*); **~erklärung** *f*
belastingaangifte; **⌂frei** belastingvrij; **~knüppel** *m* stuurknuppel; **~mann** *m* stuurman; **⌂n** sturen; **⌂pflichtig**
belastingplichtig; **~ung** *f* besturing; *Eindämmung* (het)
tegengaan; **~zahler** *m* belastingbetaler

Steward(ess *f*) *m* steward(ess
f)

Stich *m* steek; *Kupfer⌂* gravure; *Karten⌂* slag; *im ~ lassen*
in de steek laten; **⌂haltig**
steekhoudend; **~probe** *f*
steekproef; **~tag** *m* uiterste
datum, teldag; **~wahl** *f* herstemming; **~wort** *n* (het) trefwoord; **~wunde** *f* steekwond(e)

sticke|n borduren; **⌂rei** *f*
(het) borduursel

stick|ig benauwd, bedompt;
⌂stoff *m* stikstof

Stief- *in Zssgn* stief-

Stiefel *m* laars

Stiefmutter *f* stiefmoeder

Stiel *m* steel

Stier *m* stier

Stift 1. *m* stift; **2.** *n* (het)
(ge)sticht

stift|en stichten; schenken;
⌂ung *f* stichting, (het) fonds;
schenking

Stil *m* stijl, trant

still stil, zwijgend; **⌂e** *f* stilte

stillen *Kind* de borst geven;
Durst lessen; *Hunger,
Schmerz* stillen; *Blut* stelpen

Stillstand *m* stilstand

stimm|berechtigt stemgerechtigd; **⌂bruch** *m* stemwisseling; **⌂e** *f* stem; **~en** stemmen; *richtig sein* kloppen;
⌂recht *n* (het) stemrecht;
⌂ung *f* stemming; **~ungsvoll**
sfeervol; **⌂zettel** *m* (het)
stembiljet

stinken stinken

Stipendium *n* studiebeurs

Stirn *f* (het) voorhoofd;
~höhle *f* voorhoofdsholte

stöbern snuffelen

stochern porren, poken, peuteren

Stock *m* stok; → *Stockwerk*;
⌂dunkel pik(ke)donker,
stikdonker

stocken stokken, haperen

Stockwerk *n* etage, verdieping

Stoff *m* stof; **⌂lich** stoffelijk;
~wechsel *m* stofwisseling

stöhnen kreunen, steunen

Stollen *m BGB* mijngang;
Weihnachts⌂ kerststol

stolpern strompelen; (*über
A*) struikelen (over)

stolz trots, fier; 2 m trots, fierheid

stopf|en stoppen; proppen; 2nadel f stopnaald

Stopp m halte

Stoppeln flpl stoppels pl

stopp|en v/i anhalten stoppen; v/t stopzetten, tegenhouden; Zeit opnemen; 2uhr f chronometer

Stöpsel m stop, kurk

Stör m steur

Storch m ooievaar

stören storen

Störung f storing; 2sfrei storingvrij

Stoß m stoot, schok, duw; Sport trap; Stapel stapel; ~dämpfer m schokbreker; 2en stoten; schieben duwen; (auf A) stuiten (op); ~seufzer m diepe zucht; ~stange f KFZ bumper; ~verkehr m, ~zeit f (het) piek-, spitsuur

stottern stotteren; Motor sputteren

Straf|anstalt f strafinrichting; ~anzeige f klacht; 2bar strafbaar

Strafe f straf; 2n (be)straffen

straff strak, straf

straf|frei zonder straf; 2gesetzbuch n (het) strafwetboek; ~porto n strafport (a. het); 2punkt m (het) strafpunt; 2raum m Sport straf-schopgebied; 2recht n (het) strafrecht; 2stoß m Sport strafschop; 2tat f (het) delict; 2verfahren n (het)

strafproces; 2zettel m bekeuring

Strahl m straal; 2en stralen; schitteren; ~ung f straling

Strähne f streng

stramm strak; gesund kloek, flink

Strampel|höschen n (het) kruippakje; 2n trappelen

Strand m (het) strand

strand|en stranden; 2korb m strandstoel; 2promenade f strandboulevard

Strang m streng; strop

Strapaze f inspanning; 2ieren veel vergen van, afbeulen; 2ierfähig (oer)sterk

Straße f straat; weg

Straßen|arbeiten flpl wegwerkzaamheden pl; ~bahn f tram; ~bahnhaltestelle f tramhalte; ~bau m wegenbouw; ~beleuchtung f straatverlichting; ~graben m greppel; ~karte f wegenkaart; ~kreuzung f (het) kruispunt; ~rennen n wegwedstrijd; ~schäden m/pl weg in slechte staat

Straßenverkehr m (het) wegverkeer; ~sordnung f (het) verkeersreglement

Straßen|verzeichnis n (het) straatnamenregister; ~wacht f wegenwacht; ~zustand m toestand van de wegen; ~zustandsbericht m wegeninformatie

sträuben: sich ~ te berge rijzen; fig tegenstribbelen, tegensparteln; (*gegen* A) zich verzetten (tegen)

Strauch *m* struik

straucheln struikelen

Strauß *m* struisvogel; *Blumen*2 ruiker, (het) boeket

streb|en (*nach* D) streven (naar); ⁓**sam** eerzuchtig

Strecke *f* traject, route, (het) eind weegs; *Bahn* (het) baanvak, tijn

streck|en (*sich*) (zich) strekken, (zich) rekken; 2**verband** *m* (het) rekverband

Streich *m* fig streek, poets

streicheln strelen, aaien

streich|en *Brot* smeren; *durch* doorhalen, schrappen; (*über* A) strijken (over); *frisch gestrichen* pas geverfd; → *anstreichen*; 2**holz** *n* lucifer; 2**käse** *m* smeerkaas

Streife *f* patrouille

Streifen *m* streep; *schmales Stück* strook, reep

streifen even aanraken

Streifenwagen *m* patrouilleauto

Streik *m* staking; 2**en** staken

Streit *m* ruzie, twist; 2**en** twisten, krakelen, kibbelen; ⁓**frage** *f* strijdvraag; ⁓**igkeiten** *f*/*pl* geschillen *n*/*pl*, onenigheid; ⁓**kräfte** *f*/*pl* strijdkrachten *pl*; 2**süchtig** twistziek

streng streng; 2**e** *f* strengheid

Stress *m* stress; 2**ig** zwaar belastend

streu|en strooien; 2**selkuchen** *m* snipperkoek

Strich *m* streep, haal, lijn, streek; *gegen den* ⁓ tegen de draad; ⁓**kode** *m* streepjescode

Strick *m* strik, strop, koord

strick|en breien; 2**jacke** *f* (het) gebreid jasje; 2**leiter** *f* touwladder; 2**nadel** *f* breinaald; 2**waren** *f*/*pl* (het) gebreid goed

Strieme *f* striem

strikt strikt

strittig betwist, omstreden

Stroh *n* (het) stro; ⁓**halm** *m* *zum Trinken* (het) rietje

Strolch *m* schooier

Strom *m* stroom; 2**abwärts** stroomafwaarts; ⁓**anschluss** *m* stroomaansluiting; 2**aufwärts** stroomopwaarts

ström|en stromen; 2**ung** *f* stroming

Stromverbrauch *m* (het) stroomverbruik

Strophe *f* strofe

Strudel *m* maalstroom, draaikolk

Struktur *f* structuur

Strumpf *m* kous; ⁓**halter** *m* jarretel(le); ⁓**hose** *f* panty

struppig ruig

Stube *f* kamer, (het) vertrek

Stück *n* (het) stuk; 2**weise** bij stukjes en beetjes; *per stuk*; ⁓**zahl** *f* (het) aantal (stuks)

Student *m* student

Studenten|austausch *m* studentenuitwisseling; ⁓**ausweis** *m* studenten-, collegekaart; ⁓**heim** *n* (het) studentenhuis

Studentin f studente

Studie f studie

Studienrat m leraar, docent

studi|eren studeren; **untersuchen** bestuderen; **2o** n studio; **2um** n studie

Stufe f trede, trap; fig (het) peil; **2nweise** trapsgewijs

Stuhl m stoel; **~gang** m stoelgang

stumm stom

Stummel m stomp; **Zigaretten2** (het) peukje

Stümper m knoeier

Stumpf m stomp

stumpf stomp; **~sinnig** stompzinnig

Stunde f (het) uur; **Schul2** les

stunden uitstel geven; **2kilometer** m/pl kilometer(s) pl per uur; **~lang** urenlang; **2lohn** m (het) uurloon; **2plan** m les(sen)rooster (a. het)

stündlich van uur tot uur; per uur

stups|en porren; **2nase** f wipneus

stur koppig, keihard

Sturm m storm

stürm|en v/t bestormen; v/i stormen; **2er** m Sport aanvaller; **~isch** stormachtig

Sturm|warnung f stormwaarschuwing; **~wind** m stormwind

Sturz m val

stürzen v/t storten; absetzen ten val brengen; v/i fallen vallen, storten; eilen snellen

Sturz|flug m duikvlucht;

~helm m valhelm

Stute f merrie

Stütze f steun, stut

stutzen v/i versteld staan (van); v/t bijknippen, snoeien

stützen steunen, stutten; **sich ~ auf** (A) steunen op

stutzig wantrouwig

Stützpunkt m (het) steunpunt; MIL basis

sub|jektiv subjectief; **2stanz** f substantie; **~trahieren** aftrekken; **2vention** f subsidie (a. het)

Suche f (het) zoeken; **auf der ~, auf die ~** op zoek; **2n** zoeken; **~f** m zoeker (a. FOT)

Sucht f ziekte; zucht; Drogen**2** verslaving

süchtig verslaafd

Süd|en m (het) zuiden; **~früchte** f/pl zuidvruchten pl; **2lich** zuidelijk; (von D) ten zuiden (van); **~osten** m (het) zuidosten; **~pol** m zuidpool; **~wind** m zuidenwind

Sühne f boete, vergelding

Sülze f (het) vlees in aspic

Summe f som

summen gonzen, zoemen

summieren: sich ~ oplopen

Sumpf m (het) moeras; **2ig** moerassig, drassig

Sünde f zonde

Super|benzin n super(benzine); **~markt** m supermarkt

Suppe f soep; **~nfleisch** n (het) soepvlees; **~ngrün** n soepgroente

Surf|brett n surfplank; **2en**

surfen (*a. EDV*)
surren snorren
süß zoet; F *reizend* lief, snoezig; **~en** snoep, zoetigheden
pl; **~igkeiten** *f/pl* snoep, zoetigheden
pl; **~sauer** zoetzuur; **2spei-se** *f* (het) zoet toetje; **2stoff**
m (het) zoetmiddel; **2waren**
f/pl snoepgoed, snoep;
2wasser *n* (het) zoet water

Symbol *n* (het) symbool;
2isch symbolisch
Sympath**|ie** *f* sympathie;
2isch sympathiek
Symptom *n* (het) symptoom
synchronisiert gesynchroniseerd
synthetisch synthetisch
System *n* (het) systeem;
2atisch systematisch
Szene *f* scène, (het) toneel

T

Tabak *m* tabak; **~laden** *m* tabakswinkel; **~(s)pfeife** *f* tabakspijp
Tabelle *f* tabel
Tablett *n* (het) dien-, presenteerblad; **~e** *f* tablet
Tacho(meter) *m* snelheidsmeter
tadel**|los** keurig, onberispelijk; **~n** berispen, afkeuren
Tafel *f* (het) bord; *Schokolade* tablet; *Tisch* tafel
Täfelung *f* betimmering, lambrisering
Tag *m* dag; *guten* **~!** goedendag!; *am* **~e** overdag; *eines* **~es** op zekere dag
Tage**|buch** *n* (het) dagboek;
2lang dagenlang; **2n** *Versammlung* vergaderen; *es* **tagt** het wordt dag
Tages**|anbruch** *m* dageraad;
~ausflug *m* dagtocht, (het) daguitstapje; **~gericht** *n* dagschotel; **~kurs** *m* dagkoers;

~licht *n* (het) daglicht; **~ordnung** *f* agenda; **~schau** *f TV* (het) journaal
täglich dagelijks
tagsüber overdag
Tagung *f* vergadering; (het) congres
Taille *f* taille; **~nweite** *f* taillemaat
takeln takelen
Takt *m MUS* maat; *Benehmen* tact; **~ik** *f* tactiek; **2los** tactloos; **2voll** tactvol
Tal *n* (het) dal
Talent *n* (het) talent
Talfahrt *f* tocht bergaf; *fig* inzinking
Talk *m* talk
Talsperre *f* stuwdam
Tampon *m* tampon
Tang *m* (het) wier
Tank *m* tank; **2en** tanken; **~er** *m* tanker; **~stelle** *f* (het) benzinestation; **~wart** *m* pompbediende

Tanne

Tanne *f* spar
Tante *f* tante
Tanz *m* dans; 2en dansen
Tänzer(in *f*) *m* danser(es *f*)
Tanz|fläche *f* dansvloer; ~kapelle *f* (het) dansorkest; ~lokal *n* dansgelegenheid, dancing; ~musik *f* dansmuziek
Tapete *f* (het) behang(sel)
tapezieren behangen
tapfer dapper
tappen tasten
Tarif *m* (het) tarief; ~vertrag *m* collectieve arbeidsovereenkomst, CAO
tarn|en (sich) (zich) camoufleren, (zich) vermommen; 2ung *f* camouflage, vermomming
Tasche *f* tas; Hosen2 zak
Taschen|buch *n* (het) pocketboek, pocket; ~dieb *m* zakkenroller; ~geld *n* (het) zakgeld; ~lampe *f* zaklantaarn; ~messer *n* (het) zakmes; ~rechner *m* zakrekenmachine; ~tuch *n* zakdoek
Tasse *f* kop, (het) kopje
Tastatur *f* (het) toetsenbord
Tast|e *f* toets, knop; 2en tasten; ~sinn *m* tastzin
Tat *f* daad; in der ~ inderdaad
Tatar(beefsteak) *n* (biefstuk *m* à la) tartare
Tatbestand *m* feiten *n pl*; (het) feitenmateriaal
tatenlos passief, werkeloos
Täter(in *f*) *m* dader(es *f*)
tätig actief, werkzaam; 2keit *f* bezigheid, (het) werk; Beruf

werkzaamheden *pl*
tatkräftig daadkrachtig
tätlich handtastelijk
Tätowierung *f* tatoeëring
Tat|sache *f* (het) feit; 2sächlich feitelijk; *adv a.* inderdaad
tätscheln liefkozen, strelen
Tatze *f* poot, klauw
Tau 1. *n* (het) touw; 2. *m* dauw
taub doof; *leer* loos
Taube *f* duif
taubstumm doofstom
tauch|en *v/i* duiken; *v/t* dompelen, dopen; 2er(in *f*) *m* duiker *m* (duikster *f*); 2sieder *m* dompelaar; 2sport *m* duiksport
tauen (ont)dooien
Tauf|e *f* (het) doopsel; 2en dopen; ~schein *m* doopbewijs
taug|en (zu D) deugen (voor); ~lich geschikt
taumeln wankelen
Tausch *m* ruil; 2en ruilen
täusch|en misleiden; sich ~en zich vergissen; 2ung *f* misleiding
tausend duizend; 2stel *n* (het) duizendste (deel)
Tauwetter *n* (het) dooiweer, dooi
Taxi *n* taxi; ~fahrer *m* taxichauffeur; ~stand *m* taxistandplaats
Teamarbeit *f* (het) teamwork
Techn|ik *f* techniek; ~iker(in *f*) *m* technicus (a. *f*); 2isch technisch; ~ologie *f* technologie

Tee *m* thee; **~beutel** *m* (het) theezakje; **~gebäck** *n* theekoekjes *n/pl*; **~kanne** *f* theepot; **~licht** *n* (het) theelichtje; **~löffel** *m* (het) theelepel

Teer *m* teer

Teetasse *f* theekop

Teich *m* vijver

Teig *m* (het) deeg; **~waren** *fl/pl* meelproducten *n/pl*

Teil **1.** *m* (het) deel, (het) gedeelte; **2.** *n* (het) stuk; *zum ~* gedeeltelijk; **2en** delen; **~haber(in** *f)* *m* deelgenoot *m* (deelgenote *f*); **~nahme** *f* deelneming

teilnehm|en (*an D*) deelnemen (aan); **2er(in** *f)* *m* deelnemer *m* (deelneemster *f*); *TEL* abonnee (*a. f*); **2erzahl** *f* (het) aantal deelnemers

teil|s deels, ten dele; **2ung** *f* deling; **~weise** gedeeltelijk; **2zahlung** *f* betaling in termijnen; *Rate* termijn; **2zeitarbeit** *f* (het) parttimewerk

Teint *m* teint

Telefon *n* telefoon; **~banking** *n* telebankieren; **~buch** *n* telefoongids; **~gespräch** *n* (het) telefoongesprek; **2ieren** telefoneren; **2isch** telefonisch; **~karte** *f* telefoonkaart; **~nummer** *f* (het) telefoonnummer; **~zelle** *f* telefooncel

Tele|gramm *n* (het) telegram; **~objektiv** *n* telelens; **~skop** *n* telescoop

Teller *m* (het) bord

Tempel *m* tempel

Temperament *n* (het) temperament; **2voll** temperamentvol

Temperatur *f* temperatuur

Tempo *n* (het) tempo; **~limit** *n* snelheidsbeperking

Tendenz *f* tendens, tendentie, strekking; **2iös** tendentieus

Tennis *n* (het) tennis; **~ spielen** tennissen; **~platz** *m* (het) tennisveld; **~schläger** *m* tennisracket; **~spieler(in** *f)* *m* tennisser *m* (tennisster *f*)

Tenor *m* tenor

Teppich *m* (het) tapijt; **~boden** *m* (het) vast tapijt

Termin *m* termijn; **~kalender** *m* agenda

Terminus *m* term

Terrasse *f* (het) terras

Terrine *f* terrine

Territorium *n* (het) grondgebied, (het) territorium

Terror *m* terreur; **~ismus** *m* (het) terrorisme

Test *m* test, toets

Testament *n* (het) testament

testen testen, toetsen

Tetanus *m* tetanus

teuer duur; *fig* dierbaar

Teufel *m* duivel; *armer ~* arme drommel, stakker(d); *sich zum ~ scheren* F naar de duivel lopen, opdonderen

teuflisch duivels

Text *m* tekst

Textilien *pl* textiel (*a.* het)

Textverarbeitung *f* tekstverwerking

Theater *n* (het) theater, schouwburg; **~stück** *n* (het) toneelstuk; **~vorstellung** *f* toneelvoorstelling

Theke *f* toonbank; bar, tapkast, toog, (het) buffet

Thema *n* (het) thema, (het) onderwerp

Theologie *f* theologie

theor|etisch theoretisch; **♀ie** *f* theorie

Therapie *f* therapie

Thermo|meter *n* thermometer; **~stat** *m* thermostaat

These *f* stelling

Thrombose *f* trombose

Thron *m* troon

Thunfisch *m* tonijn

Thymian *m* tijm

ticken tikken

tief diep; *Ton* laag

Tief *n*, **~druckgebiet** *n* (het) lagedrukgebied, depressie; **~e** *f* diepte, laagte; **~ebene** *f* laagvlakte; **~gang** *m* diepgang; **~garage** *f* ondergrondse garage; **♀gekühlt** diepvries- (*in Zssgn*)

Tiefkühl|fach *n* (het) diepvriesvak(je); **~kost** *f* diepvriesproducten *n/pl*; **~truhe** *f* diepvrieskist

Tier *n* (het) dier; **~arzt** *m* dierenarts, veearts; **♀isch** dierlijk; *fig* beestachtig; **~kreiszeichen** *n* (het) teken van de dierenriem; **~quälerei** *f* dierenmishandeling

Tierschutz *m* direnbescherming; **~verein** *m* vereniging voor dierenbescherming

Tiger *m* tijger

tilgen delgen; *auslöschen* tenietdoen

Tinktur *f* tinctuur

Tinte *f* inkt

Tintenfisch *m* inktvis

Tipp *m* tip; **♀en** tippen; *berühren, schreiben* a. tikken; *schreiben* typen

Tisch *m* tafel; *bei* ~, *zu* ~ aan tafel; **~decke** *f* (het) tafelkleed; **~ler** *m* schrijnwerker, meubelmaker; **~tennis** *n* (het) tafeltennis; **~tuch** *n* (het) tafellaken

Titel *m* titel

Toast *m* toost; **~er** *m* tooster

toben razen, tieren

Tochter *f* dochter

Tod *m* dood

Todes|anzeige *f* (het) doodsbericht; **~opfer** *n* (het) (dodelijk) slachtoffer; **~strafe** *f* doodstraf

tödlich dodelijk

Toilette *f* (het) toilet; **~npapier** *n* (het) toiletpapier

tolerant tolerant, verdraagzaam

toll dol, gek; F *großartig* fantastisch, mieters; **♀wut** *f* hondsdolheid

Tomate *f* tomaat; **~nsaft** *m* (het) tomatensap

Tombola *f* tombola

Ton *m* **1.** *Lehm* klei, leem; **2.** toon, klank; *Farb♀* tint; **♀angebend** toonaangevend

Tonband *n* (geluids)band;

~gerät n bandrecorder, bandopnemer
tönen v/i klinken; v/t Haar kleuren
Tonne f ton; *Fass a.* (het) vat
Tönung f schakering, tint
Top n (het) topje
Topf m pot, (kook)pan
Töpfer m pottenbakker; **~waren** f/pl (het) aardewerk
Tor 1. m dwaas, gek; **2.** n poort; *Sport* (het) doel
Torf m turf
töricht dwaas, mal
torkeln waggelen, zwaaien, tollen
Tor|linie f doellijn; **~schütze** m doelpuntenmaker
Törtchen n (het) taartje, (het) gebakje
Torte f taart; **~nschnitte** f taartpunt
Torwart m keeper, doelman
tosen bruisen, razen
tot dood
total totaal; **2schaden** m total loss
Tote(r) m dode
töten doden
Totenschein m overlijdensverklaring
Toto m od n voetbaltoto
Totschlag m doodslag
Toup|et n toupet; **2ieren** touperen
Tour f toer, tocht; **~ismus** m (het) toerisme; **~ist(in** f) m toerist(e f); **~istenklasse** f toeristenklas(se)
Tournee f tournee

Trab m draf; **2en** draven; **~rennen** n harddraverij
Tracht f klederdracht; **~ Prügel** (het) pak slaag
Tradition f traditie; **2ell** traditioneel
Trag|bahre f brancard; **2bar** draagbaar; *fig* draaglijk
träge traag, sloom
tragen dragen
Träger m drager, brenger; *Balken* draagbalk, ligger; → *Gepäck2*
Trag|etasche f draagtas; **~fläche** f (het) draagvlak; **~flügelboot** n draagvleugelboot
Trag|ik f tragiek; **2isch** tragisch; **~ödie** f tragedie
Tragweite f draagwijdte
Train|er m trainer; **2ieren** trainen; **~ingsanzug** m (het) trainingspak
Traktor m tractor
trampeln trappelen
trampen liften
Träne f traan
Tränengas n (het) traangas
tränken doordrenken; *Tiere* drenken, te drinken geven
Trans|fer m transfer (a. het); **~formator** m transformator
Transistorradio n transistor(radio)
Transitverkehr m (het) transitoverkeer
Transplantation f transplantatie
Transport m (het) transport, (het) vervoer; **2fähig** ver-

voerbaar; 2ieren vervoeren, transporteren; 2unterneh-men n (het) transportbedrijf
Trasse f (het) tracé
Traube f tros; Wein2 druif; ~nsaft m (het) druivensap; ~nzucker m druivensuiker
trauen v/t Brautpaar in de echt verbinden; v/i (D) vertrouwen; sich nicht ~ niet durven
Trauer f droefheid; im Todesfall rouw; ~feier f rouwplechtigheid; 2n (um A) treuren (om); rouwen (om); ~spiel n (het) treurspel; ~weide f treurwilg
träufeln druppelen
Traum m droom
träum|en dromen; ~erisch dromerig
traurig treurig, bedroefd, droevig, zielig, triest; 2keit f droefheid, treurigheid
Trau|ring m trouwring; ~schein m trouwakte; ~ung f huwelijksvoltrekking; ~zeuge m trouwgetuige
Treff¹ n klaveren
Treff² m ontmoeting; Ort (het) trefpunt
treff|en Ziel raken, treffen; j-n ontmoeten, treffen; sich ~en elkaar ontmoeten; 2en n samenkomst; ~end voortreffelijk; 2er m Los prijs; ~lich voortreffelijk; 2punkt m (het) rendez-vous; plaats van samenkomst
treib|en drijven; ausüben

doen aan, uitoefenen; 2gas n (het) drijfgas; 2haus n (het) (broei)kas, serre; 2hauseffekt m (het) broeikaseffect; 2jagd f klopjacht; 2stoff m (motor)brandstof
trenn|en scheiden; Naht lostornen; sich ~en scheiden, van elkaar gaan; 2ung f scheiding; 2wand f scheidingsmuur
Treppe f trap
Treppen|absatz m overloop; ~haus n (het) trappenhuis
Tresor m safe, brandkast, kluis
Tretboot n waterfiets
treten v/t trappen, schoppen; v/i (auf A) treden (op), trappen (op); über die Ufer ~ buiten de oevers treden
treu trouw, getrouw; 2e f trouw; 2los trouweloos
Tribüne f tribune
Trichter m trechter
Trick m truc; ~film m trucfilm
Trieb m BOT loot, scheut; Natur2 drift; ~feder f drijfveer; ~kraft f drijfkracht; ~wagen m motor(spoor)wagen; ~werk n (vliegtuig)motor
triefen druipen
triftig afdoend, gegrond
Trikot n (het) tricot, trui
trink|bar drinkbaar; ~en drinken; 2er(in f) m drinker (drinkster f); 2geld n fooi; ~halm m (het) rietje; 2wasser n (het) drinkwater
Tripper m druiper

Triptyk n triptiek
Tritt m stap, tred; *Fuß2* trap, schop; **~leiter** f trapladder
Triumph m triomf; **2ieren** triomferen
trocken droog; **2blume** f droogbloem; **2haube** f droogkap; **2heit** f droogte; **~legen** *Kind* verschonen; *Sumpf* droogleggen; **2milch** f (het) melkpoeder
trocknen drogen
Trockner m droger
Trödel|markt m rommel-, voddenmarkt; **2n** F treuzelen
Trog m trog
Trommel f trommel, trom; **~fell** n MED (het) trommelvlies; **2n** trommelen
Trompete f trompet
Tropen pl tropen pl
tropfen drupp(el)en; **2** m druppel
tropisch tropisch
Trost m troost; *nicht ganz bei ~ sein* F niet goed wijs zijn
tröst|en troosten; **~lich** troostend
trost|los troosteloos; **2preis** m troostprijs
Trottel m sukkel
trotz (G) ondanks, in weerwil van, niettegenstaande
Trotz m koppigheid, eigenzinnigheid, stijfhoofdigheid; **2dem** nochtans, toch, desondanks; **2en** (D) trotseren; **2ig** weerbarstig, stug, stroef, koppig
trübe troebel; *Himmel be-*

trokken; *fig* somber
Trubel m drukte
trüben vertroebelen
trübsinnig droefgeestig
Trüffel f truffel
trüg|en bedriegen; **~erisch** bedrieglijk
Trugschluss m verkeerde conclusie
Truhe f koffer, kist
Trümmer pl brokstukken nlpl; (het) puin; **~haufen** m puinhoop
Trumpf m troef
Trunk|enbold m dronkaard; **~enheit** f dronkenschap; **~sucht** f drankzucht
Trupp m troep, groep; **~e** f troep
Truthahn m kalkoen
tschechisch Tsjechisch
Tube f tube
Tuberkulose f tuberculose
Tuch n doek; (het) laken
tüchtig flink, bekwaam, knap; **2keit** f bekwaamheid, flinkheid
tuckern tuffen, puffen
tückisch boosaardig, geniepig
Tugend f deugd
Tulpe f tulp; **~nzwiebel** f tulpenbol
tummeln: sich ~ ronddartelen, stoeien
Tumor m tumor
Tümpel m plas
Tumult m (het) tumult
tun doen
tünchen witten, kalken

Tunfisch → **Thunfisch**
Tunke *f* saus, jus
Tunnel *m* tunnel
Tupfen *m* stip
Tür *f* deur
Turbine *f* turbine
turbulent woelig
Türkei *f*: **die ~** Turkije *n*
Türkis *m* turkoois (*a.* het)
türkisch Turks
Tür|klinke *f*, **~knauf** *m* deurknop, deurklink
Turm *m* toren (*a. Schach*)
türmen F 'em smeren
Turn|anzug *m* (het) turnpak;

~en turnen; **~er(in** *f*) *m* turner *m* (turnster *f*); **~halle** *f* turnzaal
Turnier *n* (het) toernooi
Turnschuh *m* gymschoen
Turnus *m* beurt
Turteltaube *f* tortelduif
Tusche *f* tekeninkt
tuscheln fluisteren, smoezen
Tüte *f* (papieren) zak
Typ *m* (het) type
Typhus *m* tyfus
typisch typisch
Tyrann *m* tiran

U

u. a. *Abk* **unter anderem** onder andere (*Abk* o. a.)
U-Bahn *f* metro, ondergrondse
übel slecht, kwaad, kwalijk; *krank* onwel, misselijk; *mir wird ~* ik word misselijk; **~ nehmen** kwalijk nemen
Übel *n* (het) kwaad; *Krankheit* kwaal; **~keit** *f* misselijkheid
üben (**sich**) (zich) oefenen
über (*A, D*) over; *oberhalb* boven; *während* gedurende
überall overal, alom
überanstreng|en *sich* **~en** zich overwerken; **2ung** *f* overspanning
überarbeiten *korrigieren* omwerken; **sich ~** zich overwerken
über|aus zeer, ongemeen;

~belichten overbelichten;
~bieten hoger bieden; *übertreffen* overtreffen; **2bleibsel** *n* (het) overblijfsel
Überblick *m* (het) overzicht; **2en** overzien
überbring|en overbrengen; **2er** *m* (over)brenger; *Scheck* toonder
über|brücken overbruggen; **~dauern** overleven
überdies bovendien, daarenboven
Über|dosis *f* overdosis; **~druss** *m* afkeer, verveling; **2eilt** overhaast, overijld
überein|ander boven elkaar; over elkaar; **~kommen** overeenkomen; **2kunft** *f* overeenkomst
übereinstimm|en (*mit D*)

overeenstemmen (met); het eens zijn (met); **2ung** f overeenstemming

über|empfindlich overgevoelig; **~fahren** j-n overrijden; **2fahrt** f overtocht

Überfall m overal; **2en** overvallen

über|fällig verlaat, over tijd; **~fliegen** overvliegen; lesen even doorlezen; **~flügeln** overvleugelen; **2fluss** m overvloed; **~flüssig** overbodig, overtollig; **2flutung** f overstroming; **~fordern** te veel vergen van

überführ|en overbrengen; Verbrecher iemands schuld bewijzen; **2ung** f Verkehr viaduct (a. het)

überfüllt overvol

Über|gabe f overhandiging; **~gang** m overgang

übergeben overhandigen; sich ~ overgeven

über|gehen (in A) overgaan (in); übersehen overslaan; **2gepäck** n overbagage; **~geschnappt** F niet goed snik; **2gewicht** n (het) overwicht; **~gießen** overgieten; **2griff** m inbreuk

überhand: ~ nehmen veld winnen

überhäufen overstelpen

überhaupt over 't algemeen; helemaal; eigenlijk; ~ nicht helemaal niet

überheblich aanmatigend, verwaand

überhol|en inhalen, passeren; ausbessern nazien, opknappen; **~t** verouderd; **2verbot** n (het) inhaalverbod

über|hören niet horen; doen alsof men het niet hoort; **~kleben** overplakken; **~kochen** overkoken; **~laden** overladen; **~lassen** overlaten; **~lasten** overbelasten; **~laufen 1.** overlopen; **2.** adj overvol, overbezet; **~leben** overleven

überleg|en 1. overleggen; sich ~en over-, nadenken; **2.** adj superieur; **2enheit** f superioriteit, (het) overwicht; **2ung** f (het) overleg, overweging

über|listen verschalken; **~mäßig** bovenmatig, buitensporig; **~mitteln** overbrengen, overmaken; **~morgen** overmorgen; **~müdet** oververmoeid; **~mütig** overmoedig

übernacht|en overnachten; **2ung** f overnachting

Über|nahme f overname, aanvaarding; **2natürlich** bovennatuurlijk; **2nehmen** overnemen, op zich nemen; **2prüfen** controleren, natrekken; **2queren** oversteken; **2ragen** uitsteken boven; fig overtreffen

überrasch|en verrassen; **2ung** f verrassing

über|reden (zu D) overreden (tot), overhalen (tot); **~rei-**

chen overhandigen; **~rum-
peln** overrompelen; **2schall-
geschwindigkeit** f superso-
nische snelheid; **~schätzen**
overschatten

überschlagen Kosten ramen; **sich ~** over de kop
slaan; Stimme overslaan

über|schreiten overschrij-
den; Gesetz overtreden;
2schrift f (het) opschrift;
2schuss m (het) overschot;
~schüssig overtollig;
~schütten (mit D) overstelpen (met), overladen (met);
~schwänglich uitbundig;
~schwemmen overstro-
men; **~seeisch** overzees;
~sehen overzien; nicht bemerken over het hoofd zien;
~senden toezenden

übersetz|en v/t Text vertalen;
Fähre overzetten; **2er(in** f) m
vertaler m (vertaalster f);
2ung f vertaling; TECH over-
brenging

Übersicht f (het) overzicht;
2lich overzichtelijk

über|siedeln verhuizen; **~
springen 1.** overspringen; **2.**
springen over; fig passeren;
~stehen doorstaan, te boven
komen; **~steigen** overtreffen;
~stimmen overstemmen

Überstunden f/pl overuren
n/pl; **~ machen** overwerken

überstürzt overhaast

übertrag|bar overdraagbaar;
Krankheit besmettelijk; **~en**
overdragen; Radio uitzen-

den; **2ung** f overdracht; uitzending

übertreffen overtreffen; **Er-
wartung(en** pl) pl **~** meeval-
len

über|treiben overdrijven; **~
treten** fig Gesetz overtreden;
~trieben overdreven; **2tritt**
m overgang; **~völkert** over-
bevolkt; **~wachen** bewaken;
~wältigen overweldigen

überweis|en Geld overma-
ken, overschrijven; Patienten
doorverwijzen; **2ung** f over-
schrijving; doorverwijzing

über|wiegend overwegend;
~winden overwinnen, te boven komen; **2zahl** f meerder-
heid

überzeug|en (sich) (von D)
(zich) overtuigen (van);
2ung f overtuiging

über|ziehen Kleid aandoen;
Konto overschrijden; **~zo-
gen** overtrokken; **2zug** m
overtrek, hoes; Schicht laag

üblich gebruikelijk

U-Boot n duikboot

übrig overig; **~** (sein) over
(zijn); **~ bleiben** overblijven,
overschieten; **~ lassen** over-
laten; **~ens** overigens, trou-
wens

Übung f oefening

Ufer n oever, wal

Uhr f (het) horloge, klok; (um
sechs) **~** (om zes) uur;
~armband n (het) horloge-
bandje; **~macher** m horloge-
maker; **~zeiger** m wijzer

Uhu *m* oehoe

UKW FM, ultrakorte golf

ulkig grappig, komiek

Ultra|kurzwellen *f|pl* ultrakorte golven *pl*; **~schallun-tersuchung** *f* behandeling met ultrasone golven

um *(A)* om; *örtlich a.* rond(om); *ungefähr, a. zeitl.* rond, omstreeks, omtrent; *vorbei an, Reihenfolge* voorbij; *(erhöhen)* **~** (verhogen) met; **~ ... herum** rondom; ongeveer; **~ jeden Preis** tot elke prijs; **~ zu** *mit inf* om te; **~ ...willen** *(G)* ter wille van; → *a.* **Uhr** *u* **umso**

um|arbeiten omwerken; **~armen** *(sich)* (elkaar) omarmen, (elkaar) omhelzen; **~bauen** verbouwen; **~blättern** een blad omslaan; **~bringen** ombrengen, van kant maken; **~buchen** *Reise* overboeken

umdrehen *(sich)* (zich) omdraaien; **2ung** *f* omwenteling

umfallen omvallen

Umfang *m* omvang; **2reich** omvangrijk

umfassen omvatten; **~d** veelomvattend; grondig

Um|feld *n* (het) milieu; **~frage** *f* rondvraag; enquête

Umgang *m* omgang

umgänglich aangenaam in de omgang

Umgangs|formen *f|pl* omgangsvormen *pl*; **~sprache** *f* omgangstaal

umgeb|en omgeven; **2ung** *f* omgeving

umgeh|en *v|i* rondgaan; *(mit D)* omgaan (met); *v|t* ontduiken, omzeilen; **~end** *adv* per omgaande; **2ungsstraße** *f* rond-, ringweg

umge|kehrt omgekeerd; **~stalten** her-, omvormen

umhängen omhangen; **2ta-sche** *f* schoudertas

umher rond(om); **~blicken** rondkijken

Umkehr *f* ommekeer; **2en** omkeren

um|kippen omkantelen, *F* omkiep(er)en; **~klammern** omklemmen, omvatten; **~klappen** *v|t* omklappen

Um|kleideraum *m* kleedruimte; **2kommen** omkomen; **~kreis** *m* omtrek

Umlauf *m* omloop; **~bahn** *f* baan

umleit|en omleiden; **2ung** *f* omleiding, wegomlegging

um|liegend naburig, nabij(gelegen); **~organisieren** reorganiseren; **~pflanzen** verplanten *(a. fig)*; **~rahmen** omlijsten *(a. fig)*

umrechn|en omrekenen; **2ungskurs** omrekeningskoers

um|ringen omringen; **2risse** *m|pl* omtrek; **~rühren** omroeren; **2satz** *m* ECON omzet; **2satzsteuer** *f* omzetbelasting; **~schalten** omschakelen; *Radio u fig* overschkelen; **~schauen** → **~se-hen**; **2schlag** m omslag; *Buch2 a.* kaft; *Brief2* envelop; **~schlagen** omslaan; **~schreiben** *darlegen* omschrijven; **~schulen** om-, herscholen

Umschweife *m/pl: ohne ~* zonder omhaal

Umschwung *m* ommekeer

umsehen: *sich ~* omkijken, omzien; *besichtigen* rondkijken

um|setzen omzetten; **~sich-tig** omzichtig; **~siedeln** *v/i* verhuizen; *v/t* evacueren

umso: *~ (besser)* des te (beter)

umsonst gratis, voor niets; *vergebens* (te)vergeefs

Umstand *m* omstandigheid

Umstände *m/pl* omstandigheden; *pl: unter diesen ~en* in de gegeven omstandigheden; *in anderen ~en* in verwachting; *machen Sie sich keine ~e!* doet u geen moeite!; **2lich** omslachtig

Umstandskleid *n* positiejurk

Umsteige|fahrschein *m* (het) overstap(kaart)je; **2n** overstappen

umstellen verplaatsen; *reorganisieren* omschakelen; *sich ~ (auf A)* zich aanpassen (aan)

um|stimmen *j-n* van mening doen veranderen; **~stoßen** omstoten; **~stritten** omstreden; **~strukturieren** her-

structureren; **2sturz** *m* omverwerping; **~stürzen** *v/t* om(ver)werpen; *v/i* omvallen

Umtausch *m* omruil(ing); **2en** omruilen

Um|wälzung *f* omwenteling; **2wandeln** veranderen

Umweg *m* omweg

Umwelt *f* (het) milieu; **2freundlich** milieuvriendelijk; **~schutz** *m* milieubescherming; **~verschmutzung** *f* milieuverontreiniging

um|werfen om(ver)werpen; **~wickeln** omwikkelen; **~zäunen** omheinen

umziehen *v/t* om(ver)trekken; *v/i* verhuizen; *sich ~* zich verkleden

Umzug *m* verhuizing; *Festzug* optocht

unab|hängig onafhankelijk; **~lässig** onophoudelijk; **~sehbar** onafzienbaar; *unvorhersehbar* onoverzienbaar; **~sichtlich** onopzettelijk; **~wendbar** onafwendbaar

unachtsam onachtzaam

unan|gebracht misplaatst; **2genehm** onaangenaam

unannehm|bar onaanvaardbaar; **2lichkeit** *f* onaangenaamheid, last, narigheid

unan|sehnlich onmogelijk; **~ständig** onfatsoenlijk

un|appetitlich onsmakelijk, vies; **~artig** stout, onhebbelijk

unauf|fällig onopvallend; **~**

findbar onvindbaar; ~**halt-sam** onstuitbaar; ~**hörlich** onophoudelijk; ~**merksam** onoplettend

unaus|führbar onuitvoerbaar; ~**stehlich** onuitstaanbaar

unbarmherzig onbarmhartig

unbe|achtet onopgemerkt; ~**denklich** zonder bezwaar; ~**deutend** onbeduidend, onbenullig; ~**dingt** volstrekt, beslist, in ieder geval; ~**fahr-bar** onberijdbaar; ~**fangen** onbevangen

unbefriedig|end onbevredigend; ~**t** onvoldaan

unbe|fugt onbevoegd; ~**greif-lich** onbegrijpelijk; ~**grenzt** onbegrensd; ~**gründet** ongegrond; 2**hagen** n (het) onbehagen; ~**haglich** onbehaaglijk; ~**holfen** onbeholpen; ~**kannt** onbekend; ~**küm-mert** onbezorgd; ~**lehrbar** hardleers; ~**liebt** impopulair; ~**mannt** onbemand; ~**merkt** ongemerkt

unbequem ongemakkelijk; 2**lichkeit** f (het) ongemak

unbe|rechenbar onberekenbaar; ~**rechtigt** ongerechtvaardigd; *unbefugt* onbevoegd; ~**rührt** onaangeroerd, ongerept; ~**schädigt** onbeschadigd; ~**schränkt** onbeperkt; ~**schreiblich** onbeschrijfelijk; ~**siegbar** onoverwinnelijk; ~**sonnen** onbezonnen, onbesuisd; ~**sorgt**

onbezorgd, gerust; ~**ständig** onbestendig; ~**stechlich** omkoopbaar; ~**stimmt** onbepaald; *ungenau* vaag

unbe|streitbar onbetwistbaar; ~**teiligt** niet betrokken; ~**weglich** onbeweeglijk; ~**wohnt** onbewoond; ~**wusst** onbewust; ~**zahlbar** onbetaalbaar

unbrauchbar onbruikbaar

und en; → *weiter*

un|dankbar ondankbaar; ~**denkbar** ondenkbaar; ~**deutlich** onduidelijk; ~**dicht** lek

undurch|dringlich, ~**lässig** ondoordringbaar; ~**sichtig** ondoorzichtig

un|eben oneffen; ~**echt** onecht, vals; ~**ehelich** onecht, onwettig; ~**ehrlich** oneerlijk; ~**eigennützig** onbaatzuchtig; ~**eingeschränkt** onbeperkt; ~**einig** oneens; ~**empfindlich** ongevoelig; ~**endlich** oneindig; ~**entbehrlich** onontbeerlijk, onmisbaar; ~**entgeltlich** kosteloos

unentschieden onbeslist; 2 *n Sport* (het) gelijkspel

unentschlossen besluiteloos

uner|bittlich onverbiddelijk; ~**fahren** onervaren; ~**freulich** onverkwikkelijk; ~**heblich** onbelangrijk; ~**hört** ongehoord; ~**klärlich** onverklaarbaar; ~**lässlich** noodzakelijk; ~**laubt** ongeoorloofd;

~messlich onmetelijk; **~müdlich** onvermoeibaar; **~reichbar** onbereikbaar; **~sättlich** onverzadigbaar; **~schöpflich** onuitputtelijk; **~schrocken** onverschrokken; **~schütterlich** onwrikbaar; **~schwinglich** onbetaalbaar; **~setzlich** onvervangbaar, onherstelbaar; **~träglich** on(ver)draaglijk; **~wartet** onverwacht; **~wünscht** ongewenst

un|fähig onbekwaam; **~fair** unfair

Unfall m (het) ongeval, (het) ongeluk; **~flucht** f (het) doorrijden na een ongeluk; **~meldung** f aangifte van een ongeval; **~station** f post voor eerste hulp, EHBO-post; **~versicherung** f ongevallenverzekering

un|fassbar onbegrijpelijk; **~fehlbar** onfeilbaar; **~frankiert** ongefrankeerd; **~freiwillig** onvrijwillig; **~freundlich** onvriendelijk; **~fruchtbar** onvruchtbaar

Unfug m nutteloosheid; straatschenderij; **(grober)** ~ verstoring van de openbare orde

ungarisch Hongaars
ungeachtet (G) ondanks, niettegenstaande
unge|ahnt onvermoed, ongekend; **~beten** ongevraagd; **~bildet** onontwikkeld; onbeschaafd; **~bräuchlich** onge-

bruikelijk; **~bührlich** onbetamelijk

Ungeduld f (het) ongeduld; **2ig** ongeduldig
ungeeignet ongeschikt
ungefähr ongeveer, omtrent, omstreeks; *mit Zahlen a.* -tal, een stuk of; *adj* bij benadering; **2lich** ongevaarlijk
ungeheuer kolossaal, ontzaglijk; **2** n (het) monster
unge|horsam ongehoorzaam; **~legen** ongelegen; **~lernt** ongeschoold; **~mein** ongemeen; **~mütlich** ongezellig; **~nau** onnauwkeurig; **~niert** ongegeneerd; **~nießbar** ongenietbaar; **~nügend** onvoldoende; **~pflegt** onverzorgd; **~rade** *Zahl* oneven; **~recht** onrechtvaardig
ungern ongaarne
unge|schickt onhandig, lomp; **~setzlich** onwettig; **~stört** ongestoord; **~stüm** onstuimig; **~sund** ongezond; **2tüm** n (het) monster; **~wiss** onzeker; **~wöhnlich**, **~wohnt** ongewoon; **2ziefer** n (het) ongedierte; **~zogen** ondeugend, stout; **~zwungen** ongedwongen
ungläubig ongelovig
unglaub|lich ongelofelijk; **~würdig** ongeloofwaardig
ungleichmäßig ongelijkmatig
Unglück n (het) ongeluk, tegenspoed; **2lich(erweise)** ongelukkig; **2selig** rampzalig

un|gültig ongeldig; ~günstig ongunstig; ~haltbar onhoudbaar; ~handlich onhandig; 2heil *n* (het) onheil, ramp; ~heilbar ongeneeslijk; ~heimlich naar, akelig; ~höflich onbeleefd; ~hörbar onhoorbaar; ~hygienisch onhygiënisch

Uniform *f* uniform (*a*. het)
uninteressant oninteressant
Union *f* unie
Universität *f* universiteit
unkenntlich onherkenbaar; 2nis *f* onkunde

un|klar onduidelijk; ~klug onverstandig; 2kosten *pl* onkosten *pl*; 2kraut *n* (het) onkruid; ~längst onlangs; ~leserlich onleesbaar
unlös|bar, ~lich onoplosbaar; onscheidbaar

un|mäßig buitensporig, overdadig; 2menge *f* enorme massa; ~menschlich onmenselijk; ~merklich onmerkbaar; ~missverständlich ondubbelzinnig

unmittelbar onmiddellijk, direct; ~danach (vorher) vlak daarna (ervoor), vlak daarop (ervoor)

un|möbliert ongemeubileerd; ~modern onmodern; ~möglich onmogelijk; ~moralisch immoreel; ~mündig onmondig

Unmut *m* wrevel
un|nachgiebig ontoegeeflijk; ~nahbar ongenaakbaar;

~natürlich onnatuurlijk; ~nötig onnodig; ~nütz nutteloos; ~ordentlich wanordelijk

Unordnung *f* wanorde; in ~ in de war

un|parteiisch onpartijdig; ~passend ongepast; ~persönlich onpersoonlijk

un|praktisch onpraktisch; ~pünktlich te laat (komend); ~rasiert ongeschoren

Unrecht *n* (het) onrecht; ~ haben ongelijk hebben; 2mäßig onrechtmatig

un|regelmäßig onregelmatig; ~richtig onjuist

Unruh|e *f* onrust, ongerustheid; ~en *pl* onlusten *pl*; 2ig onrustig

uns ons; *einander* elkaar
un|säglich onuitsprekelijk; ~schädlich onschadelijk; ~scharf onscherp; ~schätzbar onschatbaar; ~scheinbar nietig, onooglijk; ~schlagbar onoverwinnelijk; ~schlüssig besluiteloos

Unschuld *f* onschuld; 2ig onschuldig

unser onze; *sg n* ons; ~erseits van onze kant

un|sicher onzeker; *gefährdet* onveilig; ~sichtbar onzichtbaar

Unsinn *m* onzin, nonsens; 2ig onzinnig

Unsitt|e *f* slechte gewoonte, hebbelijkheid; 2lich onzedelijk

un|sterblich onsterfelijk; 2-
stimmigkeit f tegenstrijdig-
heid; *Fehler* fout; 2summe f
enorme som; ~sympathisch
onsympathiek; 2tat f wan-
daad; ~tätig werkeloos, lijdelijk; ~tauglich ongeschikt

unten beneden, onder(aan);
von (nach) ~ van (naar) beneden

unter (A, D) onder; *räumlich
a.* beneden; *zwischen a.* tussen; 2arm m onderarm; ~be-
lichtet onderbelicht; 2be-
wusstsein n (het) onderbe-
wustzijn; ~bieten blijven beneden; ~bleiben achterwege
blijven

unterbrech|en onderbreken;
2er m KFZ onderbreker;
2ung f onderbreking
unter|bringen huisvesten;
2deck n (het) benedendek;
~derhand → *Hand*; ~des-
sen ondertussen, intussen;
~drücken onderdrukken
unter|e onderste, laagste;
~einander onder elkaar, onderling

unter|entwickelt onderont-
wikkeld; ~ernährt onder-
voed; 2führung f tunnel; 2-
gang m ondergang; 2gebe-
ne(r) ondergeschikte; ~ge-
hen ondergaan; *Schiff a.*
vergaan; ~graben ondermijnen
Untergrund m ondergrond;
POL ondergrondse; ~bahn f
→ *U-Bahn*
unterhalb (G) beneden, onder

Unterhalt m (het) onder-
houd; 2en (*sich*) (zich) onderhouden; (zich) amuseren;
~ung f onderhoud, con-
versatie; *Zerstreuung* ont-
spanning, (het) amusement;
~ungsmusik f amusements-
muziek

Unter|hemd n (het) onder-
hemd; ~hose f onderbroek;
2irdisch onderaards, onder-
gronds; ~kiefer m onderkaak
Unterkunft f (het) onderkomen, (het) onderdak; (het)
logies, (het) logement
Unterlage f (het) onderlegger; ~n
pl (bewijs)stukken n/pl
unter|lassen nalaten; 2leib
m (het) onderlijf; ~liegen
(D) onderhevig zijn aan; *verlieren* onderdoen voor, het afleggen tegen; 2lippe f onder-
lip; 2mieter(in) f onder-
huurder m (onderhuurster f)
unternehm|en ondernemen;
2en n onderneming; 2er(in
f) m ondernemer m (onder-
neemster f); *Bau*2 aannemer;
~ungslustig ondernemend
Unter|offizier m onderoffi-
cier; ~ordnen ondergeschikt
maken aan; *sich* ~ordnen
(D) zich plaatsen onder; ~re-
dung f (het) onderhoud
Unterricht m (het) onderwijs;
2en onderwijzen; *informieren* op de hoogte brengen
Unter|rock m onderrok; 2sa-
gen verbieden; 2schätzen
onderschatten

unter|scheiden onderschei-
den; *sich* ~ verschillen
Unter|schenkel *m* (het) on-
derbeen; **~schied** *m* (het)
verschil, (het) onderscheid;
2**schlagen** verduisteren,
verdonkeremanen; **~schlupf**
m (het) onderkomen; 2-
schreiben ondertekenen;
~schrift *f* handtekening;
~seeboot *n* → *U-Boot*;
2**setzt** gedrongen
unterste onderste
unter|stellen *Auto, Fahrrad*
stallen; **~streichen** onder-
strepen
unter**stütz|en** ondersteunen;
2**ung** *f* ondersteuning, steun;
bijstand
unter**such|en** onderzoeken;
2**ung** *f* (het) onderzoek;
2**ungshaft** *f* voorlopige
hechtenis, (het) voorarrest;
2**ungsrichter** *m* rechter van
instructie
Unter|tasse *f* (het) schoteltje;
2**tauchen** *v/t* onderdompe-
len; *v/i* onderduiken; **~teil** *n*
od m (het) onderste deel; **~ti-
tel** *m Film* ondertitel; **~wä-
sche** *f* (het) ondergoed
unterwegs onderweg, op weg
Unter|welt *f* onderwereld;
2**werfen** onderwerpen; 2-
würfig onderdanig; 2**zeichnen** ondertekenen
unter**ziehen**: *sich* ~ (*D*) zich
onderwerpen aan
Un|tiefe *f* ondiepte; enorme
diepte; 2**tragbar** ondraag-

lijk; 2**trennbar** onscheid-
baar; 2**treu** ontrouw; **~treue**
f ontrouw; **~tröstlich** on-
troostbaar
unüber|hörbar onmisken-
baar; **~legt** ondoordacht;
~sichtlich onoverzichtelijk;
~troffen onovertroffen;
~windlich onoverkomelijk
unum|gänglich onvermijde-
lijk; **~stößlich** onomstote-
lijk; **~stritten** onomstreden;
~wunden onomwonden
unver|änderlich onveran-
derlijk; **~antwortlich** onver-
antwoord(elijk); **~besserlich**
onverbeterlijk; **~bindlich**
vrijblijvend; **~bleit** ongelood;
~daulich onverteerbaar;
~drossen onverdroten; **~ein-
bar** (*mit D*) onverenigbaar
(met); **~gänglich** onvergan-
kelijk; **~gesslich** onvergete-
lijk; **~gleichlich** ongeëvenaard; **~heiratet** ongetrouwd,
ongehuwd; **~hofft** onver-
hoopt; **~käuflich** onverkoopbaar; niet te koop; **~kennbar**
onmiskenbaar; **~letzt** onge-
deerd; **~meidlich** onvermij-
delijk; **~nünftig** onverstandig
unverschämt onbeschaamd,
brutaal; 2**heit** *f* onbeschaamdheid
unver|schuldet onschuldig;
~sehens overhoeds, on-
voorziens; **~sehrt** onge-
deerd; **~ständlich** onver-

staanbaar; onbegrijpelijk;
~wüstlich onverwoestbaar;
~zeihlich onvergeeflijk; **~**
zichtbar ontoonbeerlijk; **~**
zinslich renteloos; **~züglich**
onverwijld
unvoll|endet onvoltooid; **~**
kommen onvolmaakt; **~**
ständig onvolledig
unvor|bereitet onvoorbe-
reid; **~eingenommen** onbe-
vooroordeeld; **~herge-**
hen onvoorzien; **~sichtig**
onvoorzichtig; **~stellbar** on-
voorstelbaar; **~teilhaft** on-
voordelig
unwahr onwaar; **Qheit** f on-
waarheid; **~scheinlich** on-
waarschijnlijk
unwegsam onbegaanbaar
unweit (G) niet ver van
un|wesentlich onbelangrijk;
Qwetter n (het) noodweer;
~wichtig onbelangrijk
unwider|ruflich onherroepe-
lijk; **~stehlich** onweerstaan-
baar
un|willkürlich onwillekeurig;
~wirklich onwerkelijk; **~**
wirsch nors, stuurs; **Qwis-**
senheit f onwetendheid; **~**
wohl onwel; **Qwohlsein** n
onpasselijkheid; **~würdig**
onwaardig; **~zählig** ontel-
baar
unzer|brechlich onbreek-
baar; **~trennlich** onafschei-
delijk
unzüchtig ontuchtig, onkuis

unzu|frieden ontevreden;
~gänglich ontoegankelijk;
~länglich ontoereikend; **~**
lässig ontoelaatbaar, onge-
oorloofd; **~rechnungsfähig**
ontoerekeningsvatbaar;
~verlässig onbetrouwbaar
unzweideutig ondubbelzinnig
üppig welig, weelderig; *Mahl*
overvloedig
uralt oeroud
Uran n (het) uranium
Ur|aufführung f première;
~enkel(in f) m (het) achter-
kleinkind; **~großmutter** f
overgrootmoeder; **~heber** m
grondlegger; auteur
Urin m urine; **Qieren** urineren
Urkunde f oorkonde, akte
Urlaub m (het) verlof, vakantie; *bezahlter ~* betaald verlof; **~er(in** f) m vakantiegan-
ger m (vakantiegangster f);
~geld n (het) vakantiegeld;
~sreise f vakantiereis
Urne f urn; *Wahl≈* stembus
Ursache f oorzaak; *keine ~!*
niets te danken!
Ur|sprung m oorsprong;
Qsprünglich oorspronkelijk
Urteil n (het) oordeel; JUR
(het) vonnis; **Qen (über** A)
oordelen (over)
Urwald m (het) oerwoud
usw. *Abk und so weiter →*
weiter
Utensilien f/pl benodigdheden pl
utopisch utopisch

V

vage vaag
Vakuum n (het) vacuüm
Vanille f vanille
Vase f vaas
Vater m vader; **~land** n (het) vaderland
väterlich vaderlijk
Vaterschaft f (het) vaderschap
Vegetar|ier (in f) m vegetariër (a. f); **~isch** vegetarisch
Veilchen n (het) viooltje
Vene f ader; **~nentzündung** f aderontsteking
Ventil n (het) ventiel, klep; **~ator** m ventilator
verabred|en (**sich**) (**mit** D) afspreken (met); **~ung** f afspraak
verab|reichen toedienen; **~scheuen** verfoeien
verabschieden Gesetz aannemen; (**sich**) **~** (**von** D) afscheid nemen (van)
ver|achten verachten; **~ächtlich** verachtelijk; **~allgemeinern** veralgemenèn; **~altet** verouderd
veränder|lich veranderlijk; **~n** (**sich**) veranderen; **2ung** f verandering
Veranlagung f aanleg; Steuer2 aanslag
veranlass|en aanleiding geven; (j-n zu D) bewegen (tot); **2ung** f aanleiding; (het) toedoen

veranschlagen ramen
veranstalt|en op touw zetten, organiseren; **2er** m organisator; **2ung** f manifestatie; organisatie
verantwort|en (**sich**) (zich) verantwoorden; **~lich** verantwoordelijk; **2ung** f verantwoording, verantwoordelijkheid; **~ungslos** onverantwoord
verarbeiten verwerken
Verb n (het) werkwoord
Verband m MED verband; Verein bond; **~kasten** m verbandtrommel; **~zeug** n (het) verbandmateriaal
verbannen verbannen
verbergen (**sich**) (zich) verbergen
verbesser|n verbeteren; corrigeren; **2ung** f verbetering
verbeugen: sich ~ een buiging maken, buigen
ver|bieten verbieden; **~billigt** goedkoper
verbind|en verbinden; **~lich** beleefd; bindend; **2ung** f verbinding; Pl pl Beziehungen relaties pl
ver|bissen verbeten, nijdig; **~blassen** verbleken; **~bleit** gelood; **~blüfft** verbluft; **~bluten** doodbloeden; **~borgen** versteckt verborgen
Verbot n (het) verbod; **2en**

verboden; **~sschild** *n* (het)
verbodsbord
Verbrauch *m* (het) verbruik;
2en verbruiken; **~er(in** *f*) *m*
verbruiker *m*, consument(e
f); **~ermarkt** *m* supermarkt
Verbrech|en *n* misdaad, (het)
misdrijf; **~er(in** *f*) *m* misdadi-
ger *m* (misdadigster *f*); **2e-
risch** misdadig
verbreit|en (*sich*) (zich) ver-
spreiden; **~ern** verbreden
verbrennen verbranden;
2ung *f* verbranding
verbringen doorbrengen
Verbündete(r) bondgenoot
verbürgen waarborgen; *sich
~ für* (*A*) instaan voor
verbüßen uitzitten
verchromt verchroomd
Verdacht *m* verdenking; *im ~
stehen* verdacht worden
(van)
verdächtig verdacht; **~en**
verdenken; **2ung** *f* verdacht-
making
verdamm|en verdoemen; **~t**
F verdomd
verdampfen verdampen
verdanken *j-m A* te danken
hebben (aan)
verdau|en verteren; **~lich:
leicht** (*schwer*) **~lich** licht
(moeilijk) verteerbaar; **2ung**
f spijsvertering; **2ungsbe-
schwerden** *f/pl* moeilijke
spijsvertering
Verdeck *n Auto* kap; *Schiff*
(het) dek; **2en** bedekken
verderb|en bederven; **2en** *n*

(het) be-, verderf; **~lich** *Ware*
aan bederf onderhevig
verdeutlichen verduidelijken
verdien|en verdienen; **2st 1.**
n u 2. m verdienste
ver|doppeln verdubbelen;
~dorben bedorven; *fig* ver-
dorven; **~dorren** verdorren;
~drängen verdringen
verdrehen verdraaien: *j-m
den Kopf ~* iem. het hoofd op
hol brengen
Ver|druss *m* ergernis; **2duf-
ten** F 'em smeren; **2dunkeln**
verdonkeren; **2dünnen** aan-
lengen; **2dunsten** verdampen; **2dursten** verdorsten;
dorst lijden; **2dutzt** verbou-
wereerd, onthutst; **2edeln**
veredelen
verehr|en vereren; → *a.* **ge-
ehrt; 2er** *m* vereerder; *Mäd-
chen2* aanbidder
vereidigen beëdigen
Verein *m* vereniging
verein|baren overeenkomen;
2ung *f* overeenkomst, afspraak
verein|fachen vereenvoudi-
gen; **~igen** verenigen; **2i-
gung** *f* vereniging; **~zelt** spo-
radisch, afzonderlijk
vereist bevroren
vereiteln verijdelen
verengen: *sich ~* (zich) ver-
smallen
vererben vermaken; *sich ~*
overgaan
verfahren te werk gaan; *sich
~* verkeerd rijden; **2** *n* handel-

wijze; *TECH* (het) procédé;
JUR (het) rechtsgeding
Verfall *m* (het) verval; **2en**
vervallen; **~sdatum** *n* ver-
valdatum
verfälschen vervalsen
verfärben **~** verkleuren
verfassen opstellen, schrijven; **2er** *m* schrijver; opstel-
ler; **2erin** *f* schrijfster; opstel-
ster; **2ung** *f* gesteldheid, toestand; *Grundgesetz* grondwet
verfaulen verrotten
verfechten voorstaan; **2er**
(-in *f*) *m* voorstander *m*
(voorstandster *f*)
verfehlen missen; **~t** verkeerd, mis
verfilmen verfilmen; **~flos-**
sen vroeger; **~fluchen** ver-
vloeken
verfolgen vervolgen, achter-
volgen; *Ereignisse* volgen;
2er *m* vervolger, achtervol-
ger; **2te(r)** vervolgde
verformen vervormen;
~früht voorbarig
verfügbar beschikbaar; **~en**
(über *A*) beschikken (over);
2ung *f* beschikking; **zur**
2ung ter beschikking
verführen verleiden; **~e-**
risch verleidelijk
vergangen verleden, voorbij;
2heit *f* (het) verleden
Vergaser *m* carburator
vergeben (weg)geven; →
verzeihen; **~ens** (te)ver-
geefs; **~lich** vergeefs, vruchteloos

vergehen vergaan; *sich **~** an*
(*D*) zich vergrijpen aan, aan-
randen; **2n** overtreding, (het)
misdrijf
Vergeltung *f* vergelding
vergessen vergeten; **~lich**
vergeetachtig
ver|geuden verkwisten; **~ge-**
waltigen verkrachten
vergewissern *sich **~*** (*G*)
zich vergewissen (van)
vergiften vergiftigen; **2ung** *f*
vergiftiging
vergilbt vergeeld
Vergissmeinnicht *n* (het)
vergeet-mij-nietje
Vergleich *m* vergelijking; *JUR*
schikking; **2bar** vergelijk-
baar; **2en** vergelijken
vergnügen *sich **~en*** zich
amuseren, zich vermaken;
2en *n* (het) plezier, pret;
(het) genoegen; *mit 2en!* met
alle plezier!; **~t** vergenoegd,
in zijn schik; genoeglijk, pret-
tig; **2ungspark** *m* (het)
pret-, lunapark
ver|golden vergulden; **~graben**
begraven; **~griffen** *Buch* uitverkocht
vergrößern vergroten; **2ung**
f vergroting; **2ungsglas** *n*
(het) vergrootglas
Ver|günstigung *f* (het) voor-
deel; **~gütung** *f* vergoeding
verhaften arresteren, aanhouden; **2ung** *f* arrestatie
verhalten *sich **~*** zich gedragen; *et.* zich verhouden; **2** *n*
(het) gedrag

Verhältnis n verhouding; ~**se** pl omstandigheden pl; 2**mäßig** betrekkelijk

verhand|eln onderhandelen; 2**lung** f onderhandeling; JUR (behandeling van een) rechtszaak

ver|hängnisvoll noodlottig; ~**hasst** gehaat; ~**heerend** vernietigend, vreselijk; ~**heimlichen** verheimelijken; ~**heiratet** getrouwd, gehuwd; ~**helfen** (zu D) helpen (aan); ~**hindern** verhinderen

Verhör n (het) verhoor; 2**en** verhoren, ondervragen; sich 2**en** verkeerd horen

verhungern verhongeren

verhüten voorkomen

Verhütungsmittel n (het) voorbehoedmiddel

verirren: sich ~ verdwalen

ver|jagen verjagen; 2**jährung** f verjaring; ~**jüngen** verjongen

Verkauf m verkoop; 2**en** verkopen; zu 2**en** te koop

Verkäufler m verkoper; ~**erin** f verkoopster; 2**lich** te koop

Verkaufspreis m verkoopsprijs

Verkehr m (het) verkeer; Kontakt omgang; 2**en** verkeren, omgaan; Liniendienst rijden

Verkehrs|ampel f (het) verkeerslicht; ~**amt** n → Fremdenverkehr; ~**behinderung** f verkeershinder; 2**beruhigt** autoluw; ~**insel** f vluchtheuvel; ~**mittel** n (het) verkeersmiddel; ~**ordnung** f (het) verkeersreglement; ~**polizist** m verkeersagent; ~**schild** n (het) verkeersbord; ~**sicherheit** f verkeersveiligheid; ~**stockung** f verkeersopstopping; ~**teilnehmer** m weggebruiker; ~**unfall** m (het) verkeersongeluk; ~**zeichen** n (het) verkeersteken

verkehrt verkeerd, averrechts

ver|kennen miskennen; ~**klagen** aanklagen; ~**kleiden** (sich) (zich) verkleden; ~**kleinern** verkleinen; ~**knüpfen** verbinden; ~**kommen** v/i vervallen, aan lager wal geraken; adj verlopen; ~**körpern** belichamen; ~**kraften** te boven komen

verkrampfen: sich ~ zich krampachtig sluiten

verkriechen: sich ~ wegkruipen

ver|krüppelt misvormd; invalide; ~**kümmern** (weg)kwijnen; ~**künden** verkondigen; Gesetz afkondigen; ~**kürzen** verkorten

verlad|en (in)laden; 2**ung** f verlading

Verlag m uitgeverij

verlangen verlangen, vorderen; 2 n (het) verlangen

verlänger|n verlengen; Film prolongeren; 2**ung** f verlenging; prolongatie; 2**ungsschnur** f (het) verlengsnoer

verlangsamen vertragen

verlassen verlaten; *sich ~ (auf A)* vertrouwen (op)

verlässlich betrouwbaar

Verlauf m (het) verloop, loop, toedracht; 2en verlopen; *sich 2en* verdwalen; *sich auflösen* zich verspreiden

verleg|en 1. verleggen, verplaatsen; *Buch* uitgeven; **2.** adj verlegen; 2enheit f verlegenheid; 2er(in f) m uitgever m (uitgeefster f)

Verleih m verhuring; 2en verlenen

ver|leiten verleiden; **~lernen** verleren

verletz|en kwetsen (mst. fig), verwonden; *Gesetz* overtreden; *Grenze, Vertrag* schenden; 2te(r) gewonde; 2ung f verwonding, kwetsuur; overtreding; schending

verleumd|en belasteren, kwaadspreken van; 2ung f laster

verlieb|en: *sich ~en (in A)* verliefd worden (op); **~t** verliefd

verlier|en verliezen; 2er(in f) m verliezer m (verliesster f)

verlob|en: *sich ~en* zich verloven; 2te(r m) f verloofde m u f; 2ung f verloving

ver|lockend aanlokkelijk; **~logen** leugenachtig

verloren: *~ gehen* verloren gaan, zoek raken

verlosen verloten

Verlust m (het) verlies; **~anzeige** f aangifte van verlies

ver|machen vermaken; 2mächtnis n erfenis; (het) testament; **~mehren (*sich*)** (zich) vermeerderen; **~meiden** vermijden; **~meintlich** vermeend; 2merk m aantekening

vermessen 1. v/t (op)meten; **2.** adj vermetel

vermiet|en verhuren; 2er(in f) m verhuurder m (verhuurster f); 2ung f verhuring

ver|mindern verminderen; **~mischen (*sich*)** (zich) vermengen; **~missen** missen; *verloren wähnen* vermissen

vermitt|eln bemiddelen; 2ler m bemiddelaar, tussenpersoon; 2lung f bemiddeling; TEL telefooncentrale

Vermögen n (het) vermogen; *Reichtum a.* (het) fortuin; 2d vermogend

vermut|en vermoeden, gissen; **~lich** vermoedelijk; 2ung f vermoeden

ver|nachlässigen verwaarlozen; **~nehmen** vernemen; → *verhören*; **~neinen** ontkennen

vernicht|en vernietigen; 2ung f vernietiging

Ver|nunft f (het) verstand; 2nünftig verstandig, redelijk

veröffentlichen publiceren; 2ung f publicatie

verordn|en verordenen; MED voorschrijven; 2ung f verordening; (het) voorschrift

ver|pachten verpachten; **~**

packen verpakken; ⍾pak-
kung f verpakking; ⍨pas-
sen Schlag toedienen; Chance, Zug missen; ⍨pesten verpesten; ⍨pfänden verpan-
den; ⍨pfeifen F verklikken;
⍨pflanzen verplanten; MED
transplanteren
Verpflegung f kost, voeding;
Unterkunft und ⍨ kost en inwoning
verpflicht|en verplichten; ein-
stellen engageren; ⍾ung f verplichting; (het) engagement
ver|pfuschen verknoeien;
⍨prügeln afranselen, afros-
sen
Verrat m (het) verraad; ⍾en
verraden
Verräter m verrader; ⍾isch
verraderlijk
verrechn|en verrekenen;
sich ⍨en zich misrekenen;
⍾ungsscheck m verreke-
ningscheque
ver|reisen op reis gaan; ⍨ren-
ken ontwrichten; Fuß ver-
zwikken; ⍨riegeln vergren-
delen; ⍨ringern verminde-
ren; ⍨rosten verroesten
verrückt gek, mal; total ⍨ F
stapelgek; ⍾e(r) gek
ver|rufen berucht; ⍨rut-
schen verschuiven
Vers m (het) vers
ver|sagen j-m A weigeren;
misslingen falen; nicht funktionieren weigeren, defect
zijn; ⍨salzen verzouten; fig
bederven

versamm|eln bijeenroepen;
sich ⍨eln zich verzamelen;
⍾lung f vergadering
Versandm verzending; ⍨haus
n (het) postorderbedrijf
versäum|en verzuimen; ver-
passen missen; ⍾nis n (het)
verzuim
verschaffen verschillend,
verschämt beschaamd
verschärfen verscherpen
verschenken weggeven
verscheuchen verjagen
verschicken verzenden
verschieben verschuiven
verschieden verschillend,
verscheiden; nicht gleich a.
onderscheiden; ⍨artig verschillend, uiteenlopend; ⍾-
heit f verscheidenheid
ver|schiffen verschepen; ⍨-
schimmeln beschimmelen;
⍨schlafen verslapen; adj slaperig; ⍨schlechtern (sich)
verslechteren; ⍨schleiern
fig bemantelen, camoufleren
Verschleiß m slijtage
ver|schleppen op de lange
baan schuiven; deporteren;
⍨schließen afsluiten; ⍨-
schlimmern (sich) vererge-
ren; ⍨schlingen verstrenge-
len; fressen verslinden; ⍨-
schleudern verkwisten; Wa-
ren onder de prijs verkopen;
⍨schlossen gesloten
verschlucken inslikken;
sich ⍨ zich verslikken
Verschluss m sluiting; FOT
sluiter

ver|schmähen versmaden; ~schmelzen versmelten; ~schmerzen te boven komen; ~schmutzen vervuilen

verschnaufen: sich ~ uitblazen

ver|schneit ondergesneeuwd; ~schnupft verkouden; ~schnüren dichtbinden; ~scholl en verdwenen, vermist; ~schonen verschonen, sparen; ~schönern verfraaien; ~schreiben MED voorschrijven; ~schrotten slopen; ~schulden veroorzaken; ~schütten bedelven; Flüssigkeit morsen; ~schweigen verzwijgen

verschwend|en verkwisten, verspillen; ~erisch verkwistend; überreich kwistig

ver|schwiegen zwijgzaam; ~schwinden verdwijnen; ~schwommen vaag, wazig

Verschwörung f samenzwering, (het) complot

versehen ausüben waarnemen; (mit D) voorzien (van); Ωn vergissing; aus Ω, ~tlich bij vergissing, per ongeluk, abusievelijk

ver|senden verzenden; ~senken tot zinken brengen; ~sessen (auf A) verzot, stapel, dol (op)

versetzen verplaatsen, verzetten; Schlag toedienen; in e-e Lage verplaatsen; antwoorden; F nicht erscheinen in de steek laten

verseuchen besmetten; fig verpesten

versicher|n verzekeren; Ωung f verzekering

Versicherungs|- in Zssgn mst verzekerings-; ~gesellschaft f verzekeringsmaatschappij; ~police f verzekeringspolis

ver|siegeln verzegelen; ~silbert verzilverd; ~sinken verzinken

versöhn|en (sich) (zich) verzoenen; ~lich verzoenend

versorg|en verzorgen; (mit D) voorzien (van); Ωung f verzorging, voorziening; bevoorrading

verspät|en: sich ~en zich verlaten; Ωung f vertraging

ver|speisen opeten; ~sperren versperren, belemmeren; ~spielen verspelen; ~t speels

verspotten bespotten

versprech|en beloven; sich ~en zich verspreken; Ωen n, Ωung f belofte

ver|spüren voelen; ~staatlichen nationaliseren

Verstand m (het) verstand

verständig|en op de hoogte brengen, in kennis stellen; Polizei waarschuwen; sich ~en zich verstaanbaar maken; sich einigen het eens worden; Ωung f verstaanbaarmaking; verstandhouding; overeenkomst

verständlich begrijpelijk; verstaanbaar; Ωnis n (het)

begrip; **~nisvoll** begrijpend
verstärk|**en** versterken; **2er**
m versterker; **2ung** *f* versterking
verstauchen: *sich den Fuß*
~ zijn voet verstuiken
verstauen verstouwen
Versteck *n* schuilplaats; **2en**
(*sich*) (zich) verstoppen
verstehen verstaan; begrijpen; *sich* **~** elkaar begrijpen
Versteigerung *f* veiling, verkoop per opbod
verstell|**bar** verstelbaar; **~en**
verplaatsen; *Weg* versperren;
sich **~en** veinzen
ver|**steuern** belasting betalen
over; **~stimmt** ontstemd;
~stohlen heimelijk
verstopf|**en** verstoppen;
2ung *f* verstopping
ver|**storben** overleden; **~**
stört ontdaan; *verstimmt*
ontstoord
Verstoß *m* overtreding, (het)
vergrijp; **2en** verstoten; (**ge-**
gen *A*) zondigen (tegen),
overtreden
ver|**streichen** verstrijken; **~**
stümmeln verminken; **~**
stummen verstommen
Versuch *m* poging; *PHYS*
proefneming; **2en** proberen,
beproeven, trachten
ver|**tagen** verdagen; **~tau-**
schen verwisselen
verteidig|**en** verdedigen;
2er(**in** *f*) *m* verdediger *m*
(verdedigster *f*); **2ung** *f* verdediging

verteil|**en** verdelen; **2ung** *f*
verdeling
verteuern: *sich* **~** duurder
worden
ver|**tiefen** (*sich*) (zich) ver-
diepen; **~tilgen** verdelgen
Vertrag *m* (het) verdrag; (het)
contract; **2en** verdragen,
kunnen tegen; **2en** sich over-
weg kunnen met elkaar, goed
met elkaar kunnen opschieten; **2lich** contractueel
verträglich licht verteerbaar;
tolerant verdraagzaam
Vertragswerkstatt *f* dealer
vertrau|**en** (*D*) vertrouwen;
2en *n* (het) vertrouwen;
~lich vertrouwelijk; *familiär*
gemeenzaam; **~t** vertrouwd
vertreiben verdrijven; *ver-*
kaufen verkopen; *sich die*
Zeit **~** de tijd verdrijven
vertret|**en** vertegenwoordi-
gen; *ersetzen* vervangen; *be-*
kennen verdedigen, uitspre-
ken; **2er** *m* vertegenwoordi-
ger; *Stell* plaatsvervanger;
2erin *f* vertegenwoordigster;
plaatsvervangster; **2ung** *f* ver-
tegenwoordiging; vervanging
Vertrieb *m* verkoop
ver|**trocknen** verdrogen;
~trösten aan 't lijntje houden, paaien; **~tuschen** ver-
doezelen; **~übeln** kwalijk nemen; **~üben** *Anschlag* plegen; **~unglücken** veronge-
lukken; **~unreinigen** ver-
ontreinigen; **~untreuen** ver

verzweifelt

duisteren; **~ursachen** veroorzaken

verurteil|en veroordelen; **2ung** f veroordeling

vervielfältigen vermenigvuldigen

vervoll|kommnen vervolmaken; **~ständigen** vervolledigen, completeren

verwackelt FOT bewogen

verwählen: *sich ~* TEL verkeerd draaien

ver|wahrlost verwaarloosd; **2wahrung** f bewaring

verwalt|en besturen, beheren; *Amt* bekleden; **2er** m beheerder, bestuurder, administrateur; **2ung** f (het) beheer, (het) bestuur, administratie; **2ungsgebühr** f administratiekosten pl

verwand|eln (*sich*) veranderen; **2lung** f verandering

verwandt verwant; **2e(r)** verwante; **2schaft** f verwantschap; *Verwandte* familie

Verwarnung f waarschuwing; **gebührenpflichtige ~** bekeuring

verwechs|eln verwisselen; **2lung** f verwisseling

ver|wegen vermetel; **~weigern** weigeren

Verweis m verwijzing; *Tadel* berisping; **2en** (*auf A*) verwijzen (naar)

verwelken verwelken

verwend|en gebruiken; (*auf A*) besteden (aan); **2ung** f (het) gebruik

verwerf|en verwerpen; **~lich** verwerpelijk

ver|werten gebruiken, verwerken; **2wesung** f ontbinding; **~wickeln** (*in A*) verwikkelen (in); **~wirklichen** verwezenlijken

verwirr|en verwarren; **~t** verward, in de war; **2ung** f verwarring

ver|wischen uitwissen; **~witwet** weduwnaar m, weduwe f geworden; **~wöhnen** verwennen; **~worren** warrig; **2wunderung** f verwondering

verwundet gewond; **2e(r)** gewonde

verwüsten verwoesten

verzählen: *sich ~* zich vertellen

verzaubern betoveren

Verzehr m (het) verbruik; **2en** verorberen, opeten; *fig* verteren

Verzeichnis n lijst, opgave

verzeih|en vergeven; **~en Sie!** pardon!; **2ung** f vergeving, vergiffenis

verzerrt verwrongen, vertrokken

Verzicht m afstand; **2en** (*auf A*) afstand doen (van), afzien (van)

verzögern vertragen; *sich ~* vertraging ondervinden

verzollen (invoer)rechten betalen, declareren; **etwas zu ~?** iets aan te geven?

verzweif|eln wanhopen; **~elt**

wanhopig, vertwijfeld; ℒ**lung** f wanhoop

Veterinärmedizin f diergeneeskunde

Vetter m neef

Video|recorder m videorecorder; **~spiel** n (het) videospelletje

Vieh n (het) vee; **~zucht** f veeteelt

viel veel; **~ sagend** veelzeggend; **~ versprechend** veelbelovend

vielfach veelvuldig; **das** ℒe het veelvoud

Viel|falt f verscheidenheid; ℒ**fältig** veelvuldig

vielleicht misschien, wellicht

viel|malsmenigmaal; → **danke;** **~mehr** veeleer; **~seitig** veelzijdig

vier vier; ℒ**eck** n vierhoek; **~eckig** vierhoekig; **~fach** viervoudig; **~hundert** vierhonderd; **~te** vierde

Viertel n (het) kwart, het vierde (deel); **Stadt**ℒ wijk, buurt; **~ nach (vor) zwei** kwart over (voor) twee(ën); **~finale** n kwartfinale; **~jahr** n (het) kwartaal; **~stunde** f (het) kwartier

vier|türig vierdeurs; **~zehn** veertien; **~zig** veertig

Villa f villa

violett violet, paars

Violine f viool

virtuell virtueel

Virus n od m (het) virus

Visitenkarte f (het) visite-

kaartje

Visum n (het) visum

Vitamin n vitamine

Vize- in Zssgn vice-

Vogel m vogel; **~futter** n (het) vogelvoer; **~scheuche** f vogelverschrikker

Vokabel f (het) woord

Vokal m vocaal, klinker

Volk n (het) volk

Volks|fest n (het) volksfeest; **~hochschule** f volkshogeschool; **~lied** n (het) volkslied; ℒ**tümlich** populair; **~wirtschaft** f (nationale) economie

voll vol; **aus** ℒ**em Halse** luidkeels; **~ und ganz** geheel en al; **~ tanken** voltanken; **~automatisch** volautomatisch; ℒ**bart** m volle baard; **~bringen** volbrengen; **~enden** voltooien

Volleyball m (het) volleybal

Vollgas n: **~ (geben)** (het) vol gas (geven)

völlig totaal, volslagen

voll|jährig meerderjarig; ℒ**kaskoversicherung** f all--riskverzekering; **~kommen** volkomen, volmaakt; ℒ**kornbrot** n (het) volkorenbrood; ℒ**macht** f volmacht; ℒ**milch** f volle melk; ℒ**mond** m volle maan; ℒ**narkose** f volledige narcose; ℒ**pension** f(het) vol pension; **~ständig** volledig; ℒ**wertig** volwaardig; ℒ**wertkost** f volwaardige voeding; **~zählig** voltallig

Volt n volt

Volumen n (het) volume

von (D) van; *Passivobjekt* door; ~ ... **aus** vanuit; ~ **mir aus** voor mijn part, wat mij betreft

von|einander van elkaar, vaneen; **~seiten** (G) van de kant van

vonstatten: ~ **gehen** plaatsvinden; vorderen

vor (A, D) voor; ~ (**e-r Woche**) (een week) geleden; ~ **Angst** van schrik

Vorabend m: **am** ~ (G) op de vooravond van

voran vooraan, voorop; *nach vorne* vooruit; **~gehen** vooropgaan; *vorher stattfinden* voorafgaan; *fortschreiten* opschieten; **~kommen** vooruitkomen

Voran|meldung f voorlopige aanmelding; **~schlag** m raming

Vorarbeiter m voorman

voraus vooruit; **im** 2 bij voorbaat, van tevoren, vooraf; **~fahren** vooroprijden; **~gehen** vooropgaan; *zeitl* (D) voorafgaan (aan); **~gesetzt, dass ...** mits; **~sagen** voorspellen; **~sehen** voorzien; vooruitzien

voraussetz|en (ver)onderstellen; **2ung** f (ver)onderstelling; *Bedingung* voorwaarde

voraus|sichtlich vermoedelijk; **2zahlung** f vooruitbeta-

ling, (het) voorschot

Vorbehalt m (het) voorbehoud

vorbei (**an** D) voorbij, langs; *adv* voorbij; *zeitl a.* afgelopen; uit; **~fahren** voorbijrijden, langsrijden; **~gehen** (**an** D) voorbijgaan (langs; *fig* aan); **~kommen** F *besuchen* langskomen, even aanlopen; **~lassen** langs laten, voorbijlaten

vorbereit|en voorbereiden; **2ung** f voorbereiding

vorbe|stellen bespreken, reserveren; **~straft** reeds eerder veroordeeld

vorbeug|en (D) voorkomen; **2ungsmaßnahme** f voorzorgsmaatregel

Vorbild n (het) voorbeeld; **2lich** voorbeeldig

vorbringen aanvoeren, uiten

Vordach n (het) afdak

vorder- *in Zssgn* voor-

Vorder|achse f vooras; **2e** voorste; **~grund** m voorgrond; **~rad** n (het) voorwiel; **~radantrieb** m voorwielaandrijving; **~seite** f voorkant, voorzijde; **~sitz** m zitplaats vóór

vordrängen: *sich* ~ naar voren dringen

Vor|druck m (het) formulier; **2ehelich** voorechtelijk; **2ei- lig** voorbarig; **2eingenommen** bevooroordeeld; **2enthalten** onthouden; **2erst** vooreerst; **~fahrt** f voorrang; **~fall** m (het) voorval; **2fin-

den aantreffen; **~freude** f voorpret

vorführ|en tonen, demonstreren; *Film* vertonen; *Zeugen* voorleiden; **2ung** f demonstratie; vertoning

Vor|gang m *Ablauf* toedracht; *Fall* (het) voorval; **~gänger(in** f) m voorganger m (voorgangster f); **2geben** voorwenden; **2gehen** *handeln* optreden, te werk gaan; *Uhr* voorlopen; **~geschmack** m (het) voorsmaakje; **~gesetzte(r)** meerdere, superieur; **2gestern** eergisteren

vorhaben van plan zijn; **2** n (het) voornemen

vorhanden voorhanden, aanwezig

Vor|hang m gordijn (a. het); *THEA* (het) doek; **~hängeschloss** n (het) hangslot

vorher van tevoren, vooraf; **~gehend, ~ig** voorafgaand; **2sage** f voorspelling; **~sehbar** te voorzien; **~sehen** → **voraussehen**

vorhin zo-even, (daar)net

vorig vorig

Vor|jahr n (het) vorig jaar; **~kehrung** f voorzorg(smaatregel); **~kenntnisse** fpl reeds verworven kennis, vooropleiding

vorkommen voorkomen; **2** n (het) voorkomen; *BGB* vindplaats

Vor|ladung f dagvaarding; **~lage** f (het) voorstel; (het)

voorbeeld; *Sport* voorzet; **2läufig** voorlopig; **2legen** voorleggen; overleggen

vorles|en voorlezen; **2ung** f (het) college

vor|letzte voorlaatste; **2liebe** f voorliefde, voorkeur; **~liegen** vorhanden sein aanwezig zijn; *was liegt gegen mich vor?* wat is er tegen mij ingebracht?; **~machen** wijsmaken; *täuschen* wijsmaken; **2marsch** m opmars; **~merken** noteren

Vormittag m voormiddag; *am ~*, **2s** voormiddags

Vormund m voogd

vorn vooraan; *nach (von) ~* naar (van) voren

Vor|name m voornaam; **2nehm** voornaam, deftig **vornehm|en** *sich ~en* zich voornemen; **~lich** voornamelijk

vornherein *von ~* van tevoren, a priori

Vor|ort m voorstad; **~bahnhof** m (het) voor(stad)station; **~zug** m forensentrein

Vor|rang m voorrang; **~rat** m voorraad; **2rätig** voorradig, in voorraad; **~recht** n (het) voorrecht; **~richtung** f installatie, inrichting, (het) toestel

vorrücken v/t vooruitschuiven; v/i vorderen, opschieten

Vor|ruhestand m vervroegde pensionering, VUT; **~runde** f voorronde (a. Sport); **~sai-**

son f (het) voorseizoen; **2sätzlich** opzettelijk; JUR met voorbedachten rade; **~schau** f (het) programma--overzicht

Vorschein m: **zum ~ kommen** tevoorschijn komen

Vorschiff n (het) voorschip

Vorschlag m (het) voorstel; **2en** voorstellen

vor|schreiben voorschrijven; **2schrift** f (het) voorschrift; **~schriftsmäßig** volgens voorschrift; **2schuss** m (het) voorschot

vorseh|en voorzien; **sich ~en** op zijn hoede zijn; **2ung** f voorzienigheid

vorsetzen voorzetten; *vorrücken* vooruitzetten

Vorsicht f voorzichtigheid; **~!** pas op!; **2ig** voorzichtig

vorsingen voorzingen

Vorsitz m (het) voorzitterschap; **~ende(r)** voorzitter

Vorsorge|untersuchung f (het) preventief onderzoek; **2lich** uit voorzorg

Vor|speise f (het) voorgerecht; **~spiel** n (het) voorspel; **~sprung** m voorsprong; **~stadt** f voorstad; **~stand** m (het) bestuur, directie

vorstell|en (sich) (zich) voorstellen; **2ung** f voorstelling

Vor|stoß m aan-, uitval; **~strafe** f vroegere veroordeling; **2strecken** *Geld* voorschieten

Vorteil m (het) voordeel; **2haft** voordelig

Vortrag m (het) voordracht, lezing; **2en** voordragen

vortrefflich voortreffelijk

Vortritt m voorrang; **j-m den ~ lassen** iem. laten voorgaan

vorüber voorbij; **~gehend** tijdelijk, voorbijgaand

Vor|urteil n (het) vooroordeel; **~verkauf** m voorverkoop; **~wahl** f (het) netnummer; **~wand** m (het) voorwendsel

vorwärts vooruit, voorwaarts; **~ kommen** vooruitkomen, opschieten

vor|wegnehmen vooruitlopen op; **~weisen** overleggen, tonen; **~werfen** verwijten; **~wiegend** overwegend; **2wort** n (het) voorwoord

Vorwurf m (het) verwijt; **2svoll** verwijtend

Vor|zeichen n (het) voorteken; **2zeigen** tonen, laten zien; **2zeitig** voortijdig, vervroegd; **2ziehen** ervoor trekken; *lieber mögen* verkiezen; *begünstigen* voortrekken; **~zug** m voorkeur; **2züglich** uitstekend

Vorzugs|preis m speciale prijs; **2weise** bij voorkeur

vulgär vulgair

Vulkan m vulkaan; **2isieren** vulcaniseren

W

Waage f weegschaal; **2recht** horizontaal, waterpas

wach wakker; **2e** f wacht; *Polizei2* politiepost; **~en** waken

Wacholder m *Getränk* jenever

Wachs n was

wachsam waakzaam

wachs|en v/i groeien; v/t in de was zetten; **2tum** n groei

Wachtel f kwartel

Wächter m wachter

wack|elig wankel; **~eln** waggelen, wiebelen; *Zahn* loszitten

Wade f kuit

Waffe f (het) wapen

Waffel f wafel

Waffen|schein m wapenvergunning; **~stillstand** m wapenstilstand

wage|mutig gedurfd; **~n** durven, wagen; **sich ~n** zich wagen

Wagen m wagen (a. Auto), (het) rijtuig; **~heber** m krik

Wag(g)on m wagon

wag|halsig waaghalzig, roekeloos; **2nis** n (het) waagstuk

Wahl f keuze, keus; *POL* verkiezing; **nach (freier) ~** naar (eigen) keuze

wähl|en (ver)kiezen; *TEL* draaien; **2er(in)** f kiezer(es f); **~erisch** kieskeurig

Wahl|fach n (het) keuzevak; **~kampf** m verkiezingsstrijd;

2lokal n (het) stembureau; **2los** blindelings; **~recht** n (het) kiesrecht; **2weise** naar keuze

Wahn m waan

Wahnsinn m waanzin; **2ig** waanzinnig

wahr waar; *nicht ~?* nietwaar?

wahren bewaren, handhaven

während 1. prp (G) gedurende, tijdens; **2.** cj terwijl; **~dessen** onder-, intussen

wahr|haftig waarachtig; **2heit** f waarheid; **~nehmen** waarnemen; **2sagerin** f waarzegster

wahrscheinlich waarschijnlijk; **2keit** f waarschijnlijkheid

Wahrung f (het) behoud

Währung f munt, valuta

Wahrzeichen n (het) symbool

Waise f wees

Wal(fisch) m walvis

Wald m (het) bos; *großer ~* (het) woud; **~brand** m bosbrand; **~hüter** m boswachter; **2ig, 2reich** bosrijk; **~sterben** n (massale) bossterfte; **~weg** m (het) bospad, bosweg

Wall m wal

Wallfahrt f bedevaart; **~sort** m (het) bedevaartsoord

Walnuss *f* walnoot

Walze *f* rol, wals

wälzen wentelen, rollen

Walzer *m* wals

Wand *f* muur, wand

Wandel *m* verandering; **~halle** *f* wandelgangen *pl*

Wander|ausstellung *f* reizende tentoonstelling; **~karte** *f* wandelkaart

wandern trekken; **2ung** *f* (trek)tocht; migratie; **2weg** *m* wandelweg

Wandklappbett *n* (het) opklapbed

Wandlung *f* verandering

Wand|schrank *m* muurkast; **~tafel** *f* (het) (school)bord; **~teppich** *m* (het) wandtapijt; **~uhr** *f* hangklok; **~zeitung** *f* muurkrant

Wange *f* wang

wanken wankelen

wann wanneer; → **dann**

Wanne *f* kuip

Wanze *f* wandluis

Wappen *n* (het) wapen

Ware *f* waar, koopwaar

Waren|automat *m* verkoopautomaat; **~haus** *n* (het) warenhuis; **~sendung** *f* goederenzending; **~zeichen** *n* (het) handelsmerk

warm warm; **~ laufen lassen** *KFZ* laten warmlopen

Wärm|e *f* warmte; **2en** verwarmen; **~flasche** *f* warmwaterkruik

Warn|anlage *f* alarminstallatie; **~blinker** *m* waarschuwingsknipperlichtinstallatie; **~dreieck** *n* gevarendriehoek; **2en** (*vor D*) waarschuwen (voor); **~schild** *n* (het) waarschuwingsbord

Warn|schuss *m* (het) waarschuwingsschot; **~ung** *f* waarschuwing; **~zeichen** *n* (het) waarschuwingsteken

Warteliste *f* wachtlijst

warten *v/i* (*auf A*) wachten (op); *v/t pflegen* onderhouden

Wärter *m* oppasser

Warte|saal *m*, **~zimmer** *n* wachtkamer

Wartung *f* (het) onderhoud

warum waarom

Warze *f* wrat; *Brust*2 tepel

was wat; **~ für** (*ein*) wat voor (een)

wasch|bar wasbaar; **2becken** *n* (vaste) wastafel

Wäsche *f* was; *Kleidung* (het) ondergoed; **~klammer** *f* wasknijper

waschen (*sich*) (zich) wassen

Wäsche|rei *f* wasserij; **~schleuder** *f* centrifuge; **~schrank** *m* linnenkast; **~ständer** *m* (het) droogrek; **~trockner** *m* droogtrommel

Wasch|korb *m* wasmand; **~lappen** *m* washandje; **~maschine** *f* wasmachine; **~pulver** *n* waspoeder (*a.* het); **~raum** *m* wasgelegenheid; **~salon** *m* wasserette; **~straße** *f* (auto)wasstraat

Wasser *n* (het) water; **~ball** *m* (het) waterpolo; **2dicht** waterdicht; ~**fall** m waterval; ~**farbe** f watervef; ~**flug-zeug** n (het) watervliegtuig; ~**hahn** m waterkraan; ~**kraftwerk** n waterkracht-centrale; ~**kühlung** f water-koeling; ~**leitung** f waterlei-ding; 2**scheu** waterschuw; ~**ski** m/pl waterski's pl; ~**sport** m watersport; ~**stoff** m waterstof; ~**stoffperoxyd** n (het) waterstofperoxyde; ~**tank** n (het) waterreser-voir, watertank; ~**ver-schmutzung** f watervervui-ling; ~**versorgung** f water-voorziening; ~**welle** f water-golf; ~**zähler** m watermeter

wässrig waterig

waten waden

Watt n **1.** EL watt; **2.** (het) wad

Watte f watten pl; ~**bausch** m dot watten

Wattenmeer n Waddenzee

WC n wc

web|en weven; 2**stuhl** m weefstoel

Wechsel m wisseling; ECON wissel; ~**geld** n (het) wissel-geld; 2**haft** wisselvallig; ~**jahre** n/pl overgangsjaren n/pl; ~**kurs** m wisselkoers; 2**n** wisselen; Öl verversen; ~**strom** m wisselstroom; ~**stube** f (het) wisselkantoor

weck|en wekken; 2**er** m wek-ker

wedeln (mit D) kwispelen (met)

weder: ~ ... **noch** noch ... noch

weg weg; **weit** ~ ver weg; **... ist** ~ ... is weg; **verloren** a. ... is kwijt

Weg m weg

wegbleiben wegblijven

wegen (G) wegens, vanwege

weg|fahren wegrijden; Schiff wegvaren; ~**fallen** wegval-len; ~**gehen** weggaan; ~**lau-fen** weglopen; ~**nehmen** wegnemen; entreißen a. af-pakken; ~**räumen** weg-, op-ruimen; ~**schütten** weggie-ten

Wegweiser m wegwijzer

Wegwerf- in Zssgn wegwerp-

Weh n (het) verdriet; **das Wohl und** 2 het wel en wee; ~**en** pl weeën pl

wehen waaien

weh|klagen weeklagen; ~**lei-dig** kleinzerig; ~**mütig** wee-moedig; ~**tun** pijn doen; **mir tut der Arm** ~ mijn arm doet pijn, ik heb pijn aan mijn arm

Wehr n stuw

Wehrdienst m militaire dienst; ~**verweigerer** m dienstweigeraar

wehr|en: **sich** ~**en** zich (ver)weren; ~**los** weerloos; 2**pflicht** f dienstplicht

Weib n (het) wijf; ~**chen** n ZO (het) wijfje; 2**isch** verwijfd; 2**lich** vrouwelijk

weich week, zacht, mals; Ei zacht gekookt; ~ **werden** nachgeben toegeven; ~ **ge-kocht** zacht gekookt

Weiche f Bahn wissel

weich|en 1. (vor D) wijken (voor); **2.** v/t weken; **⚌spüler** m wasverzachter

Weide f wei(de); BOT wilg

weiger|n: sich ⚌n weigeren; **⚌ung** f weigering

weihen wijden

Weihnachten n Kerstmis; **fröhliche ⚌!** prettige Kerstmis!; **zu ⚌** met Kerstmis

Weihnachts|- in Zssgn kerst-; **⚌baum** m kerstboom

Weih|rauch m wierook; **⚌wasser** n (het) wijwater

weil omdat, daar

Weil|chen n: **ein ⚌** eventjes, een poosje

Weile f poos, tijd

Wein m wijn; **⚌bau** m wijnbouw; **⚌brand** m (Duitse) cognac

weinen huilen, schreien

Wein|glas n (het) wijnglas; **⚌handlung** f wijnhandel; **⚌karte** f wijnkaart; **⚌keller** m wijnkelder; **⚌lese** f wijnoogst; **⚌lokal** n (het) wijnhuis; **⚌rebe** f wijnstok; **⚌trauben** f/pl wijndruiven pl, druiventros

weise wijs

Weise f manier, wijze; Lied wijs; **auf diese ⚌** op die manier, zodoende

weisen (auf A) wijzen (op)

Weisheit f wijsheid; **⚌szahn** m verstandskies

weiß wit; **ein ⚌er** een blanke; **⚌brot** n (het) wit brood, (het) wittebrood; **⚌kohl** m witte

kool; **⚌wein** m witte wijn

Weisung f order

weit wijd, ruim; entfernt ver; **⚌reichend** verreikend; fig verstrekkend; **⚌ und breit** wijd en zijd; **bei ⚌em nicht** (nog) lang niet; **bei ⚌em, ⚌aus** verreweg, **⚌blick** m ruime blik

weiter verder, voort(s), vervolgens; wijder; **und so ⚌** (Abk usw.) enzovoort(s) (Abk enz.); **bis auf ⚌es** tot nader order; **→ ohne; ⚌fahren** verder rijden, doorrijden; **⚌geben** doorgeven; **⚌gehen** verder gaan, doorgaan; **⚌hin** in het vervolg, voortaan; verder; **⚌kommen** vooruitkomen; **⚌machen** doorgaan

weit|gehend verregaand; für van ver; **⚌hin** van ver(re); in de verte; allgemein in sterke mate; **⚌läufig** uitgestrekt; Verwandter ver; **⚌schweifig** langdradig; breedvoerig; **⚌sichtig** verziend; fig vooruitziend; **⚌sprung** m (het) verspringen; **⚌winkelobjektiv** n groothoeklens

Weizen m tarwe; **⚌bier** n (het) witbier

welch|e(r)? welke?; **⚌es?** welk?; einige(s) enige, er

welk verwelkt, verlept; **⚌en** verwelken

Wellblech n (het) gegolfd plaatijzer

Welle f golf; TECH as

Wellen|bad n (het) golf-

(slag)bad; 2**förmig** golvend; **~gang** m golfslag; 2**länge** f golflengte; **~sittich** m parkiet

wellig golvend

Welt wereld; **~all** n (het) heelal; **~anschauung** f levensbeschouwing; 2**berühmt** wereldberoemd; **~geschichte** f wereldgeschiedenis; **~krieg** m wereldoorlog; 2**lich** werelds; **~meister(in** f) m wereldkampioen(e f); **~raum** m ruimte, kosmos; **~raumflug** m ruimtevlucht; **~reise** f wereldreis; **~rekord** m (het) wereldrecord; 2**weit** wereldwijd

wem (aan) wie; **~ gehört das?** van wie is dat?

wen wie

Wende f wending, om(me)keer; **~kreis** m keerkring; *KFZ* draaicirkel

Wendeltreppe f wenteltrap

wend|en wenden, keren; *sich* **~en an** (A) zich wenden tot; 2**epunkt** m (het) keerpunt; 2**ung** f wending, draai, keer

wenig weinig; **~er** minder; **am ~sten** het minst, allerminst; **~stens** minstens, tenminste, althans

wenn als, wanneer, indien

wer wie

Werb|efernsehen n reclametelevisie; 2**en** werven (*um* A) dingen (naar), trachten te winnen; (*für* A) reclame maken (voor); **~espot** m reclamespot; **~ung** f reclame

werden worden; *Futur* zullen; *ich* **würde** ik zou; *im* 2 in wording

werfen werpen, gooien; *sich* **~** (*auf* A) zich werpen (op)

Werft f werf

Werk n (het) werk; *Fabrik* fabriek; **~meister** m (ploeg-)baas; **~statt** f werkplaats; *Auto*2 garage

Werktag m werkdag; 2**s** door de week, op werkdagen

Werkzeug n (het) gereedschap; *einzelnes* **~** (het) werktuig; **~kasten** m gereedschapskist

Wermut m vermout

wert waard

Wert m waarde; 2**beständig** waardevast; 2**en** waarderen, taxeren; **~gegenstand** m (het) voorwerp van waarde; 2**los** waardeloos; **~papiere** n/pl waardepapieren n/pl; 2**voll** waardevol, kostbaar

Wesen n (het) wezen

wesentlich wezenlijk, essentieel

weshalb waarom

Wespe f wesp

wessen wiens, van wie

Weste f (het) vest

West|en m (het) westen; 2**lich** westelijk; (*von* D) ten westen (van); **~wind** m westenwind

Wettbewerb m *Sport* wedstrijd, competitie; *ECON* concurrentie, mededinging; prijsvraag

Wett|e f weddenschap; *um die ~e* om strijd; **⊇eifern** wedijveren; **⊇en** wedden
Wetter n (het) weer; **~bericht** m (het) weerbericht; **~dienst** m weerdienst; **~fest** weerbestendig; **~lage** f weersgesteldheid; **~vorhersage** f weer(s)voorspelling
Wett|kampf m wedstrijd; **~kämpfer** m deelnemer aan een wedstrijd; **~lauf** m wedloop; **~rennen** n wedren, race; **~streit** m wedijver
wetzen wetten
wichtig belangrijk, gewichtig; **⊇keit** f (het) belang; **⊇tuerei** f gewichtigdoenerij
wickeln wikkelen
Widder m ram
wider (A) tegen
wider|legen weerleggen; **~lich** weerzinwekkend; *pers a.* onguur; **~rechtlich** wederrechtelijk; **~rufen** herroepen
widersetzen: *sich ~* (D) zich verzetten (tegen)
wider|sinnig ongerijmd; **~spenstig** weerspannig, weerbarstig; **~sprechen** (D) tegenspreken; **~spruch** m tegenspraak; *Gegensatz* tegenstrijdigheid; **~sprüchlich** tegenstrijdig
Widerstand m weerstand, tegenstand, (het) verzet; **~sfähigkeit** f (het) weerstandsvermogen; **~skämpfer** m verzetsstrijder
wider|stehen (D) weerstaan;

~strebend tegenspartelend; **~wärtig** akelig
Widerwille m tegenzin; **⊇ig** onwillig, met tegenzin
widm|en wijden; *zueignen* opdragen; *sich ~en* (D) zich wijden (aan); **⊇ung** f opdracht
widrig ongunstig, tegen
wie hoe; *bei Vergleich* (zo)als; *~ viel* hoeveel
wieder weer, terug; *~ aufnehmen* hervatten; *~ erkennen* herkennen; *~ in Zssgn oft* her-
Wieder|aufbau m wederopbouw; **⊇bekommen** terugkrijgen; **~belebungsversuche** m/pl reanimatiepogingen pl; **⊇bringen** terugbrengen; **~gabe** f weergave; **⊇geben** teruggeven; **⊇gewinnen** herwinnen; **~gutmachung** f schadeloosstelling; **⊇herstellen** herstellen
wiederhol|en herhalen; **⊇ung** f herhaling
Wieder|kehr f terugkeer; **⊇kommen** terugkomen
Wiedersehen: *auf ~* tot (weer)ziens
Wieder|vereinigung f hereniging; **~wahl** f herverkiezing
wiegen 1. *Kind* wiegen; *schwingen* wiegelen, deinen; **2.** *Gewicht* wegen
wiehern hinniken
Wien n Wenen n
Wiese f wei(de)

Wiesel n wezel

wieso hoe zo

wieviel → wie; **~mal** hoeveel keren; **~te** hoeveelste

wieweit (in) hoever(re)

wild wild

Wild n (het) wild; **~erer** m stroper; **2fremd** wildvreemd; **~leder** n (het) wildle(d)er; **~nis** f wildernis; **~schwein** n (het) everzwijn; **~schutzgebiet** n (het) wildreservaat; **~westfilm** m wildwestfilm

Wille m wil

will|ens geneigd; **~ig** gewillig; **~kommen** welkom

Willkür f willekeur; **2lich** willekeurig

wimmeln (von D) wemelen (van), krioelen (van)

wimmern jammeren, kermen

Wimper f wimper

Wind m wind; **~beutel** m GASTR roomsoes

Winde f windas, lier

Windel f luier; **~höschen** n (het) luierbroekje

winden; **sich ~** zich kronkelen

wind|geschützt beschermd tegen de wind; **~ig** winderig; **2jacke** f windjack; **2mühle** f windmolen; **2pocken** pl windpokken pl; **2schutzscheibe** f voorruit; **2stärke** f windkracht; **~still** windstil; **2stoß** m rukwind; **2surfen** n (het) windsurfen

Windung f kromming, kronkeling

Wink m wenk; fig a. tip; **~el** m hoek; **2en** wenken, wuiven

winseln janken

Winter m winter; **im ~** 's winters; **~fahrplan** m winterdienst; **2lich** winters; **~mantel** m winterjas; **~schlussverkauf** m winteropruiming; **~sport** m wintersport; **2tauglich** bestand tegen de winter

Winzer m wijnbouwer

winzig nietig, pietepeuterig

Wipfel m top, kruin

wippen wippen

wir wij, we

Wirbel m ANAT wervel; Luft2 turbulentie; Wasser2 draaikolk; Trommel2 roffel

wirbel|n v/i wervelen, tollen, (d)warrelen; Trommel roffelen; v/t opjagen; **2säule** f wervelkolom; **2sturm** m wervelstorm

wirken werken; aandoen; zur Geltung kommen uitkomen

wirklich werkelijk, heus; **2keit** f werkelijkheid

wirk|sam doeltreffend, werkzaam; **2ung** f uitwerking, (het) effect; Folge (het) gevolg; **~ungslos** zonder effect

Wirkwaren f/pl machinaal gebreide stoffen pl

wirr verward; **2kopf** m (het) warhoofd; **2warr** m warboel; Labyrinth wirwar

Wirsing(kohl) m savooienkool

Wirt m waard, kastelein; res-

wolkenlos

taurateur; hotelier; **~in** f
waardin; Zimmer**2** hospita
Wirtschaft f economie; Lokal
(het) café; **2en** huishouden;
2lich economisch; sparsam
zuinig
Wirtshaus n herberg
wischen vegen, wissen; **2er·**
blatt n (het) ruitenwisser·
blad; **~fest** veegvast; **2tuch** n
stofdoek
wissen weten; **2** n (het) we·
ten, kennis
Wissenschaft f wetenschap;
~ler(in f) m wetenschapper
(a. f); **2lich** wetenschappelijk
wissenswert wetenswaardig
wissentlich welbewust
wittern ruiken; **2ung** f reuk·
zin; → **Wetter**
Witwe f weduwe; **~r** m we·
duwnaar
Witz m mop; **~bold** m grappen·
maker, grapjas; **2ig** geestig
wo waar; **~anders** elders, er·
gens anders; **~bei** waarbij
Woche f week
Wochenendausflug m (het)
weekenduitstapje; **~e** n (het)
weekend, (het) weekeinde;
~haus n (het) weekendhuisje
Wochenkarte f weekkaart;
2lang wekenlang; **~markt** m
weekmarkt; **~tag** m weekdag
wöchentlich wekelijks
Wochenzeitung f (het)
weekblad
wodurch waardoor; **~für**
waarvoor
wogen golven

woher waar ... vandaan; **~hin**
waarheen
wohl wel, goed; vermutlich
wel; **sich nicht ~ fühlen** zich
niet goed (od lekker) voelen;
~ tun (D) deugd (od goed)
doen; **~** n (het) welzijn; **zum**
2l prosit!
Wohlbefinden n goede ge·
zondheid; **~behagen** n (het)
welbehagen; **2behalten** be·
houden; **2habend** gegoed,
welgesteld, welvarend; **2rie·**
chend welriekend; **2·**
schmeckend smakelijk;
~stand m welstand, wel·
vaart; **2tat** f weldaad
Wohltäter m weldoener; **~ig·**
keit f liefdadigheid
wohltuend weldoend; **2wol·**
len n willendheid
Wohnanhänger m caravan;
~block m (het) woonblok
wohnen wonen; als Gast loge·
ren
Wohngemeinschaft f woon·
gemeenschap; **2haft** (in D)
woonachtig (in); **~mobil** n
camper; **~ort** m woonplaats;
~raum m woonruimte; **~sitz**
m (het) domicilie; **~ung** f wo·
ning; **~wagen** m woonwa·
gen; caravan; **~zimmer** n
huiskamer
Wölbung f welving
Wolf m wolf
Wolke f wolk
Wolkenbruch m wolkbreuk;
~kratzer m wolkenkrabber;
2los onbewolkt

wolkig bewolkt
Woll|decke f wollen deken; **2e** f wol
wollen willen
Wollkleid n wollen jurk
Wollust f wellust
wo|mit waarmee; **~möglich** zo mogelijk; → **vielleicht; ~nach** waarnaar; zeitl waarna
Wonne f gelukzaligheid
wor|an waaraan; **~auf** waarop; **~aus** waaruit; **~in** waarin
Wort n (het) woord; **in ~en** voluit
Wörterbuch n (het) woordenboek
Wort|führer m woordvoerder; **2karg** weinig spraakzaam, kortaf; **~laut** m woordelijke inhoud
wörtlich woordelijk, letterlijk
wort|los zonder woorden; **2schatz** m woordenschat; **2spiel** n woordspeling; **2wechsel** m woordenwisseling
wor|über waarover; **~um** waarom
wo|von waarvan; **~vor** waarvoor; **~zu** waartoe, waarvoor, waarom
Wrack n (het) wrak
wucher|n woekeren; **2ung** f woekering
Wuchs m groei; gestalte
Wucht f kracht; **2ig** zwaar, massief
wühlen woelen, wroeten, scharrelen
Wulst f knobbel, bobbel

wund gewond; **sich ~ reiben** kapotwrijven
Wunde f wonde
Wunder n (het) wonder; **2bar** heerlijk, prachtig
wundern: sich ~ (über A) zich verwonderen (over)
wunder|schön, ~voll prachtig
Wundstarrkrampf m tetanus
Wunsch m wens; **auf ~** desgewenst
wünschen wensen; **~swert** wenselijk, gewenst
wunsch|gemäß naar wens; **2traum** m wensdroom; **2zettel** m (het) verlanglijstje
Würde f waardigheid; **2voll** waardig, statig
würdig (G) waardig; **~en** waardig achten; waarderen
Wurf m gooi, worp (a. ZO)
Würfel m kubus, (het) blok(je); **Spiel2** dobbelsteen; **2n** dobbelen; **~zucker** m klontjessuiker
würgen wurgen; v/i (**an** D) kokhalzen (bij)
Wurm m worm
Wurst f worst
Würstchen n (het) worstje
Würze f specerij; (het) aroma
Wurzel f wortel
würz|en kruiden; **~ig** gekruid, pittig
wüst woest; **2e** f woestijn
Wut f woede
wüten woeden; **~d** woedend

X, Y

X-Beine *n/pl* x-benen *n/pl*
x-beliebig willekeurig
x-mal F tig keer

Xylophon *n* xylofoon

Yoga *m od n* yoga

Z

Zack|e f tand; **2ig** getand, ge-
karteld; *fig* kranig
zaghaft bedeesd
zäh taai; **~flüssig** taai; *fig a.*
stroef
Zahl f (het) getal, (het) aantal
zahl|bar betaalbaar; **~en** be-
talen
zähl|en tellen; **2er** *m* teller;
EL, Gas meter
zahl|enmäßig numeriek;
2karte f (het) stortingsbiljet;
~los talloos; **~reich** talrijk,
tal van; **2ung** f betaling
Zählung f telling
Zahlungs|anweisung f (het)
betalingsmandaat, cheque;
~bedingungen f/pl beta-
lingsvoorwaarden *pl*; **~mittel**
n (het) betaalmiddel; **2unfä-
hig** insolvent
Zahlwort *n* (het) telwoord
zahm tam, mak
zähmen temmen
Zahn *m* tand; **~arzt** *m* tand-
arts; **~bürste** f tandenbor-
stel; **~ersatz** *m* valse tand(en
pl), (het) kunstgebit; **~
fleisch** *n* (het) tandvlees;

~medizin f tandheelkunde;
~pasta f tandpasta; **~rad** *n*
(het) tandwiel; **~schmerzen**
m/pl kies-, tandpijn; **~stein** *m*
tandsteen (*a.* het); **~stocher**
m tandenstoker; **~techni-
ker(in** f) *m* tandtechnicus (*a.
f*)
Zander *m* snoekbaars
Zange f tang
Zank *m* twist, ruzie; **~apfel** *m*
twistappel; **2en: sich ~en**
twisten, kibbelen
zänkisch twistziek
Zäpfchen *n ANAT* huig; *MED*
zetpil
Zapfen *m TECH* tap, pin; *Tan-
nen2* dennenappel
Zapfsäule f (benzine)pomp
zappeln spartelen
zappen F zappen
zart teer, tenger; **2gefühl** *n*
kiesheid
zärtlich teder, innig; **2keit** f
tederheid; liefkozing
Zauber *m* betovering; **~ei** f
toverij; **2haft** toverachtig,
betoverend; **~künstler** *m*
goochelaar; **2n** toveren;

goochelen
zaudern dralen, talmen
Zaum *m* toom, teugel
Zaun *m* omheining, schutting
Zebra *n* zebra; **~streifen** *m* (het) zebrapad
Zeche *f* (het) gelag; *BGB* mijn
zechen pimpelen, fuiven
Zecke *f* teek
Zehe *f* teen
zehn tien; **~fach** tienvoudig; **2kampf** *m* tienkamp; **~te** tiende; **2tel** *n* (het) tiende (deel)
Zeichen *n* (het) teken; **~block** *m* (het) tekenblok; **~film** *m* tekenfilm; **~setzung** *f* interpunctie; **~sprache** *f* gebarentaal; **~stift** *m* (het) tekenpotlood
zeichn|en tekenen; **2er(in** *f)* *m* tekenaar(ster *f)*; **2ung** *f* tekening
Zeigefinger *m* wijsvinger
zeigen wijzen, tonen, laten zien; **sich ~** zich vertonen; *deutlich werden* blijken
Zeiger *m* wijzer
Zeile *f* regel; *Reihe* rij
Zeisig *m* (het) sijsje
Zeit *f* tijd; **es ist an der ~** het is tijd; → **zurzeit**; **~abschnitt** *m* (het) tijdvak; **~alter** *n* (het) tijdperk; **~angabe** *f* tijdaanduiding; **~ansage** *f* tijdmelding
Zeitarbeit *f* (het) uitzendwerk; **~er(in** *f)* *m* uitzendkracht *(a. f)*
zeit|gemäß modern, actueel;

~genössisch eigentijds; **~ig** vroeg; **2karte** *f* abonnementskaart; **~lich** wat de tijd betreft; *vergänglich* tijdelijk; **~los** tijdloos; **2lupe** *f* slowmotion; **2punkt** *m* (het) tijdstip; **~raubend** tijdrovend; **2raum** *m* (het) tijdsbestek; **2schrift** *f* (het) tijdschrift
Zeitung *f* krant, (het) dagblad
Zeitungs|artikel *m* (het) krantenartikel; **~kiosk** *m*, **~stand** *m* (het) krantenstalletje; **~ständer** *m* (het) krantenrek
Zeit|unterschied *m* (het) tijdsverschil; **~verlust** *m* (het) tijdverlies; **~verschwendung** *f* tijdverspilling; **~vertreib** *m* (het) tijdverdrijf; **2weilig** tijdelijk; **2weise** tijdelijk; soms; **~zeichen** *n* (het) tijdsein
Zelle *f* cel
Zellstoff *m* celstof
Zelt *n* tent; **2en** kamperen; **2lager** *n* (het) tentenkamp; **~platz** *m* (het) kampeerterrein
Zement *m* cement
Zensur *f* censuur; *Note* (het) eijfer
Zentimeter(maß) *n* centimeter
Zentner *m* vijftig kilo
zentral centraal; **2e** *f* centrale; **2heizung** *f* centrale verwarming; **~isieren** centraliseren; **2verriegelung** *f* centrale vergrendeling

Zentrum *n* (het) centrum
zerbrech|en (stuk)breken; **~lich** broos, teer, breekbaar
zer|bröckeln verbrokkelen, verkruimelen; **~drücken** platdrukken, verpletteren
Zeremonie *f* ceremonie, plechtigheid
zer|fallen uiteenvallen; **~fetzen** aan flarden scheuren; **~fleischen** verscheuren; **~fließen** vervloeien; **~gehen** smelten; **~kleinern** kleinmaken; **~klüftet** gespleten; **~knirscht** berouwvol; **~knittern** verkreukelen, verfrommelen; **~knüllen** verfrommelen; **~kratzen** stukkrabben
zerleg|bar uit elkaar te nemen, ontleedbaar; **~en** uit elkaar nemen, ontleden
zer|lumpt haveloos; **~malmen** verbrijzelen, vermorzelen; **~mürben** vermurwen; **~platzen** uiteenspatten; *explodieren* ontploffen; **~quetschen** verpletteren; **~reißen** scheuren; *v/t a.* verscheuren
zerr|en (*an D*) rukken (aan), sleuren (aan); **2ung** *f* spierverrekking
zer|rütten schokken, ontwrichten; **~schellen** te pletter slaan; **~schlagen** stukslaan; **~schmettern** verbrijzelen; **~schneiden** stuksnijden; **~setzen** ontbinden; *untergraben* ondermijnen; **~splittern** versplinteren; **~**

springen barsten
Zerstäuber *m* verstuiver
zerstör|en vernielen; **2er** *m* MIL torpedojager; **~erisch** vernietigend; **2ung** *f* vernieling
zerstreu|en verstrooien; verspreiden; *Bedenken* uit de weg ruimen; *sich ~en sich unterhalten* zich verstrooien; **~t** verstrooid; **2ung** *f* verstrooiing
zer|stückeln in stukken snijden; **~teilen** verdelen
Zertifikat *n* (het) certificaat
zer|trampeln vertrappelen; **~treten** vertrappen; **~trümmern** verbrijzelen, vernielen
Zervelatwurst *f* cervelaat(worst)
zerzausen verward
Zettel *m* (het) papiertje, (het) blaadje
Zeug *n* (het) goed; F *Kram* rommel; *Sachen* spullen *n/pl*; *dummes ~* F kletspraat
Zeug|e *m* getuige; **2en** *v/i* getuigen; *v/t* verwekken; **~en-aussage** *f* getuigenverklaring; **~in** *f* getuige; **~nis** *n* (het) getuigenis; *Gutachten* (het) attest, (het) rapport; *Schul2* (het) schoolrapport
Zickzack *m: im ~* zigzag
Ziege *f* geit
Ziegel *m* baksteen; *Dach2* dakpan; **~ei** *f* steenbakkerij
Ziegen|bock *m* geitenbok; **~käse** *m* geitenkaas
zieh|en trekken; *es 2t hier*

het tocht hier; **2harmonika** f harmonica; **2ung** f trekking

Ziel n (het) doel; *Sport* finish; **~bahnhof** m (het) station van bestemming; **2bewusst** doelbewust

zielen (*auf A*) mikken (op)

Ziel|gerade f laatste rechte lijn; **~linie** f(het) **2los** doelloos; **~scheibe** f schietschijf; *fig* (het) mikpunt

ziemlich tamelijk; *adv a.* nogal, vrij; *adj a.* redelijk

Zier|de f (het) sieraad; **2en:** *sich* **2en** zich aanstellen; **2lich** sierlijk

Ziffer f (het) cijfer; **~blatt** n wijzerplaat

Zigarette f sigaret; **~nauto-mat** m sigarettenautomaat

Zigarre f sigaar

Zimmer n kamer; **~kellner** m etagekelner; **~mädchen** n (het) kamermeisje; **~mann** m timmerman; **~nachweis** m (het) kamerbemiddelings-bureau; **~pflanze** f kamerplant; **~schlüssel** m kamersleutel; **~temperatur** f kamertemperatuur

zimperlich preuts, aanstellerig

Zimt m kaneel (*a.* het)

Zink n (het) zink

Zinn n (het) tin

Zins|en m/pl rente, interest; **~satz** m rentevoet

Zipfel m punt, slip

zirka circa

Zirkel m passer; *Gruppe* kring

Zirkus m (het) circus

zirpen tjirpen

zischen sissen

Zitadelle f citadel

Zit|at n (het) citaat; **2ieren** citeren

Zitrone f citroen; **2ngelb** citroengeel; **~nlimonade** f citroenlimonade; **~npresse** f citroenpers

Zitrusfrüchte f/pl citrusvruchten pl

zitt|ern sidderen, beven, trillen, bibberen; **2ern** n siddering, (het) beven; **~rig** beverig

zögern aarzelen

zivil civiel, burgerlijk; **2** n burgerkleding; *in* **2** in burger; **2bevölkerung** f burgervolking; **2courage** f zedelijke moed; **2isation** f beschaving; **~isiert** beschaafd

Zögling m kwekeling, leerling

Zoll m douane; tol, accijns; **~abfertigung** f inklaring; **~Amt** n douanedienst; **~amt** n (het) douanekantoor; **~be-amte(r)** douanebeambte, douanier; **~bestimmungen** f/pl douanevoorschriften n/pl; **~erklärung** f douaneverklaring; **2frei** vrij van invoerrechten; **~kontrolle** f douanecontrole; **~papiere** n/pl douanedocumenten n/pl; **2pflichtig** aan tol onderhevig

Zollstock m duimstok

Zone f zone

Zoo *m* dierentuin

Zopf *m* vlecht

Zorn *m* toorn, drift; **2ig** toornig, driftig

zu 1. *prp (D)* te; tot; *hinzu* bij; *Richtung* naar; **bis ~** tot (aan); *eins* **~** *null* één - nul; ~ *zweit (dritt)* met zijn tweeën (drieën); **~** *Beginn* in het begin; → *Glück, Hälfte, Haus, Not, Weihnachten*; **2.** *adv* te; **~** *viel (wenig)* te veel (weinig); *geschlossen* toe, dicht; *Tür ~!* deur dicht!; *cj beim inf* te; *nichts ~ sehen* niets te zien

Zubehör *n* (het) toebehoren, onderdelen *n/pl*, accessoires *pl*

zubereit|en (toe)bereiden, klaarmaken; **2ung** *f* (toe)bereiding

zu|billigen toekennen; **~binden** dichtbinden; **~bringen** *verbringen* doorbrengen

Zubringer|(auto)bus *m* pendelbus; **~dienst** *m* pendeldienst; besteldienst; **~straße** *f* toegangs-, verbindingsweg

Zucchini *f* courgette

Zucht *f* fokkerij, kwekerij, teelt; *Disziplin* tucht

züchten *Pflanzen* kweken; *Tiere* fokken

zucken (stuip)trekken; *mit den Achseln ~* de schouders *pl* ophalen

Zucker *m* suiker; **~dose** *f* suikerpot; **~krankheit** *f* suikerziekte; **2n** suikeren; **~rohr** *n* (het) suikerriet; **~rübe** *f* suikerbiet

Zuckungen *f/pl* stuiptrekkingen *pl*

zudecken toedekken

zudem bovendien

zudrehen dichtdraaien

zudringlich opdringerig

zudrücken toedrukken; *ein Auge ~* een oogje toedrukken

zuerkennen toekennen

zuerst eerst, het eerst

Zu|fahrt *f* oprit, toegang; **~fall** *m* (het) toeval; **2fällig** toevallig; **~flucht** *f* toevlucht; **~fluss** *m* zijrivier; *das Ein-strömen* (het) toestromen, toevloed

zufolge *(G od D)* volgens, naar

zufrieden tevreden, voldaan; **~stellen** tevredenstellen, bevredigen; **2heit** *f* tevredenheid, voldoening

zu|frieren dichtvriezen; **~fügen** toebrengen; **2fuhr** *f* toe-, aanvoer

Zug *m Bahn* trein; *Zugkraft* tekkracht; *Spiel* zet; *Luft2* tocht; *Rauchen* haal; *Wandern* Charakter2, Gesichts2 trek; *Gruppe* stoet; → *Atem-, Festzug*

Zu|gabe *f* toegift; **~gang** *m* toegang; **2gänglich** toegankelijk; **2geben** toegeven; **2gegen** aanwezig

zugehen toegaan; *(auf A a.)* afgaan (op); *überbracht werden* toekomen

Zugehörigkeit f (het) toebehoren

Zügel m teugel; **2los** teugelloos, losbandig; **2n** beteugelen, intomen

Zuge|ständnis n toegeving; **2stehen** toestaan; **2tan** (D) toegedaan, genegen

Zugführer m hoofdconducteur

zugig tochtig

zügig vlot

Zugkraft f trekkracht; *Beliebtheit* aantrekkingskracht

zugleich tegelijk(ertijd)

Zugluft f tocht

zugreifen toetasten; *helfen* aanpakken

zugrunde: ~ **gehen** (*richten*) te gronde gaan (richten)

Zugschaffner m treinconducteur

zugunsten (G) ten gunste van

zugute te goed

Zug|verbindung f treinverbinding; **~verkehr** m (het) treinverkeer; **~vogel** m trekvogel

zu|halten dichthouden; *v/i* (**auf** A) aanhouden (op); **2hälter** m souteneur, pooier; **2hause** n (het) thuis

zuhör|en (D) luisteren, toehoren; **2er** m toehoorder, luisteraar; **2erschaft** f (het) gehoor

zu|jubeln (D) toejuichen; ~**kleben** dichtplakken; ~**knallen** hard dichtslaan; ~**knöpfen** dichtknopen

Zukunft f toekomst; *in* ~ in de toekomst

zukünftig toekomstig

Zulage f toelage

zu|lassen toelaten; ~**lässig** geoorloofd; **2lassung** f toelating, vergunning; *KFZ* (het) kentekenbewijs

zulasten (G) ten laste van

Zulauf m toeloop

zuleide: **j-m et.** ~ **tun** iem. kwaad doen

zuletzt het laatst; *schließlich* tenslotte; *nicht* ~ niet in de laatste plaats

zuliebe (D) ter wille van

zumachen dichtdoen

zu|mal vooral, bovenal; ~**mindest** tenminste, op zijn minst

zumut|bar draaglijk; ~**en** *j-m* A vergen van; **2ung** f onbehoorlijke eis

zunächst allereerst; *einstweilen* voorlopig

zu|nageln dichtspijkeren; **2nahme** f toeneming; **2name** m familienaam

zünd|en *v/t* ontsteken; *v/i* vuur vatten, ontbranden; *fig* inslaan; **2er** m ontsteker; **2holz** n lucifer; **2kerze** f bougie; **2schloss** n (het) contactslot; **2schlüssel** m contactsleutel; **2schnur** f lont; **2spule** f bobine; **2stoff** m springstof; *fig* conflictstof; **2ung** f ontsteking (*a. KFZ*)

zu|nehmen toenemen; **2neigung** f genegenheid

Zunft f (het) gild(e)

Zunge f tong

zunichte: ~ **machen** tenietdoen

zunicken (D) toeknikken

zunutze: sich et. ~ machen zich iets ten nutte maken

zu|ordnen indelen bij, toevoegen; **~packen** aanpakken

zupfen trekken, plukken

zurechnungsfähig toerekeningsvatbaar

zurechtfinden: sich ~ zich redden, de weg vinden

zurechtkommen: ~ **mit** j-m het kunnen vinden met

zurechtlegen klaarleggen

zurechtmachen klaarmaken; **sich ~** zich opmaken

zurechtweisen terechtwijzen

zureden (D) toespreken

zurichten klaarmaken; *beschädigen* toetakelen

zurück terug; *rückwärts* achteruit; **~behalten** achterhouden; **~bekommen** terugkrijgen; **~bleiben** achterblijven; **~bringen** terugbrengen; **~drängen** terugdringen, achteruitdringen; **~erstatten** teruggeven; **~fahren** terugrijden; *rückwärts* achteruitrijden; **~fordern** terugeisen; **~führen** terugleiden; (*auf* A) herleiden (tot), toeschrijven (aan); **~geben** teruggeven; **~gehen** teruggaan; *sich vermindern* achteruitgaan

zurückhalten tegenhouden; *beherrschen* inhouden; **sich ~** zich inhouden, terughoudend zijn; **~d** terughoudend, gereserveerd

zurück|kehren terugkeren; **~kommen** terugkomen; **~lassen** achterlaten; **~legen** terugleggen; *reservieren* opzij leggen; *Weg* afleggen; **~prallen** terugkaatsen; **~rufen** *TEL* terugbellen; **~schicken**, **~senden** terugsturen; **~schrecken** terugschrikken, terugdeinzen; **~setzen** *Auto* achteruitrijden, verongelijken

zurück|stecken v/i inbinden; **~stellen** *Uhr* achteruitzetten; *aufschieben* opschorten, uitstellen; **~treten** achteruitgaan; *vom Amt* aftreden; **~weisen** afwijzen, van de hand wijzen; **~zahlen** terugbetalen; **~ziehen** (*sich*) (zich) terugtrekken

zurufen toeroepen

zurzeit op het ogenblik

Zusage f toezegging; **2n** toezeggen; *gefallen* (D) bevallen, aanstaan

zusammen samen, bijeen, aaneen

Zusammenarbeit f samenwerking; **2en** samenwerken

zusammen|bauen bouwen, in elkaar zetten; **~binden** bijeenbinden; **~brechen** instorten, ineenzakken; **~bringen** bijeenbrengen; **2bruch**

m instorting, inzinking; **~drücken** samendrukken; **~fallen** *zeitl* (*mit D*) samenvallen (met); **~falten** opvouwen
zusammenfass|en samenvatten; **2ung** *f* samenvatting
zusammen|gehören bij elkaar horen; **~halten** bij elkaar houden; *fig* bij elkaar blijven; **2hang** *m* (het) verband; **~hängen** (*mit D*) in verband staan (met); **~klappbar** opklapbaar, opvouwbaar; **~kommen** bijeen-, samenkomen; **2kunft** *f* bijeenkomst, samenkomst; **~leben** samenleven
zusammennehmen : sich ~ zich beheersen, zich vermannen
zusammenpassen bij elkaar passen
Zusammenprall *m* botsing; **2en** (*mit D*) botsen (op)
zusammen|rechnen optellen; **~rücken** opschuiven; **~rufen** bijeenroepen; **~schlagen** stukslaan, kort en klein slaan; *j-n* afrossen; **~schrumpfen** verschrompelen
zusammensetz|en samenstellen; *sich ~en* (*aus D*) samengesteld zijn (uit); **2ung** *f* samenstelling
Zusammen|spiel *n* (het) samenspel; **2stellen** bijeenzetten; samenstellen; **~stoß** *m* botsing; *KFZ a.* aanrijding;

Schiff aanvaring; **2stoßen →** **2prallen**; **2stürzen** instorten
zusammentreffen elkaar ontmoeten; *zeitl* samenvallen; **2** *n* samenloop; ontmoeting
zusammen|zählen optellen; **~ziehen** (*sich*) (zich) samentrekken
Zu|satz *m* toevoeging; **2sätzlich** aanvullend, bijkomend
zuschau|en (*D*) toekijken; **2er** *m* kijker, toeschouwer; **2erin** *f* kijkster, toeschouwster; **2erraum** *m* zaal
zuschicken toesturen
Zuschlag *m* toeslag; (het) supplement; **2en** dichtslaan; **~karte** *f* (het) toeslagkaartje
zu|schließen sluiten; **~schnappen** toevallen; *beißen* toehappen; **~schneiden** knippen; **2schnitt** *m* (het) model, snit; **~schnüren** toerijgen; *fig* toesnoeren; **~schreiben** (*D*) toeschrijven (aan), wijten (aan); **2schrift** *f* brief, (het) antwoord
zuschulden : sich et. ~ kommen lassen zich schuldig maken aan iets
Zuschuss *m* toelage, subsidie
zuschütten dichtgooien
zusehen toezien; *m.s.* zienderogen
zu|senden toezenden, toesturen; **~setzen** *v/t* bijvoegen; *Geld* erbij inschieten; *v/i* (*D*) *fig* in 't nauw brengen; **~sichern** vast beloven, verzekeren

zuspitzen: *sich* ~ *fig* zich toespitsen

Zustand *m* toestand, staat

zustande: ~ **bringen** (**kommen**) tot stand brengen (komen)

zuständig (*für* A) bevoegd (voor), competent (voor)

zustatten: ~ **kommen** (D) van pas komen

zustehen (D) toekomen

zusteigen (onderweg) instappen

zustell|en bezorgen, overhandigen; 2ung *f* bezorging

zustimm|en (D). toestemmen; 2ung *f* toestemming

zu|stopfen dichtstoffen; *flicken* stoppen; ~**stoßen** (D) overkomen; 2strom *m* toevloed; 2taten *f/pl* bestanddelen *n/pl*, ingrediënten *n/pl*

zuteil: ~ **werden** (D) ten deel vallen; ~en toebedelen, toewijzen; 2ung *f* toewijzing

zutiefst ten zeerste

zutragen: *sich* ~ zich toedragen

zutrau|en *j-m* A iem. in staat achten tot iets, iets verwachten van iem.; *sich* ~ **an**durven; ~**lich** vertrouwelijk

zutreffen kloppen; *2* juist

zu|trinken (D) toedrinken; 2tritt *m* toegang; 2tun *n* (het) toedoen

zuungunsten (G) ten nadele van

zuunterst helemaal onderaan

zuverlässig betrouwbaar;

2keit *f* betrouwbaarheid

Zuversicht *f* (het) vertrouwen; 2lich vol vertrouwen

zuviel → zu

zuvor tevoren, vooraf; *am Tage* ~ daags tevoren

zuvorkommen (D) voorkomen; *j-m* vóór zijn; ~**d** voorkomend

Zu|wachs *m* aanwas, groei; ~**wanderer** *m* nieuwe inwoner; immigrant

zuweilen soms

zuweis|en toewijzen; 2ung *f* toewijzing; (het) contingent

zuwend|en toekeren; *Liebe* toewijding

zuwenig → zu

zuwider: ~ **sein** (D) tegenstaan

zuwiderhand|eln (D) handelen in strijd met; 2lung *f* overtreding

zu|winken (D) toewuiven; ~**zahlen** bijbetalen

zuziehen dichttrekken; *Arzt* erbij halen; *sich* ~ zich op de hals halen, opdoen, oplopen

zuzüglich (G) vermeerderd met

Zwang *m* dwang, (het) geweld; 2**los** ongedwongen

Zwangs|jacke *f* (het) dwangbuis; ~**lage** *f* dwangpositie; 2**läufig** automatisch, onvermijdelijk; ~**maßnahme** *f* dwangmaatregel; 2**weise** gedwongen, onder dwang

zwanzig twintig

zwar weliswaar; *und* ~ en wel

Zweck

Zweck *m* (het) doel, (het) oogmerk; **es hat keinen ~** het heeft geen zin; **zu diesem ~ te dien einde**; **~entfremdet** van het oorspronkelijk doel afwijkend; **~los** doelloos; zinloos; **~mäßig** doelmatig; **~s** (*G*) ten behoeve van, voor

zwei twee; **~bettzimmer** *n* tweepersoonskamer; **~deutig** dubbelzinnig; **~erlei** tweeërlei; **~fach** dubbel, tweevoudig

Zweifel *m* twijfel; **~haft** twijfelachtig; **~los** ongetwijfeld; **~n** (*an D*) twijfelen (aan)

Zweig *m* twijg, tak; **~geschäft** *n*, **~niederlassung** *f*, **~stelle** *f* (het) filiaal

zwei~hundert tweehonderd; **~jährig** tweejarig; **~kampf** *m* (het) tweegevecht; **~mal** tweemaal; **~motorig** tweemotorig; **~seitig** tweezijdig; **~sitzer** *m* tweezitter; **~sprachig** tweetalig

zweispurig: ~e Straße *f* tweebaansweg

zwei~stöckig met twee verdiepingen; **~t → zu**; **~taktmotor** *m* tweetaktmotor; **~te** tweede; **~teilig** tweedelig

zweit~ens ten tweede; **~größte** op één na de grootste; **~rangig** tweederangs; **~wohnung** *f* tweede woning

Zwerchfell *n* (het) middenrif

Zwerg *m* dwerg, kabouter

Zwetsch(g)e *f* pruim

zwicken knijpen

Zwieback *m* beschuit

Zwiebel *f* ui; *Blumen* bloembol

zwie~lichtig onguur, duister; **~spältig** tweeslachtig

Zwietracht *f* tweedracht, verdeeldheid

Zwillinge *m/pl* tweeling

zwingen dwingen

zwinkern knipogen

Zwirn *m* (het) getwijnd garen

zwischen (*D, A*) tussen

Zwischen~aufenthalt *m* halte, (het) oponthoud; **~deck** *n* (het) tussendek; **~durch** tussendoor; **~fall** *m* (het) incident; **~händler** *m* tussenhandelaar; **~landung** *f* tussenlanding; **~raum** *m* tussenruimte; **~ruf** *m* interruptie; **~wand** *f* tussenmuur; **~zeit** *f*: **in der ~zeit** in de tussentijd

zwitschern tjilpen

zwölf twaalf; **~fingerdarm** *m* twaalfvingerige darm; **~stündig** twaalfuurig

Zyankali *n* cyaankali

Zyklus *m* cyclus

Zylinder *m* cilinder; *Hut* hoge hoed; **~kopf** *m* cilinderkop

zynisch cynisch

Zypresse *f* cipres

Zahlwörter – Telwoorden
Grundzahlen – Hoofdtelwoorden

0	nul *null*	27	zevenentwintig *sieben-undzwanzig*
1	één, een *eins*	28	achtentwintig *achtund-zwanzig*
2	twee *zwei*	29	negenentwintig *neun-undzwanzig*
3	drie *drei*	30	dertig *dreißig*
4	vier *vier*	40	veertig *vierzig*
5	vijf *fünf*	50	vijftig *fünfzig*
6	zes *sechs*	60	zestig *sechzig*
7	zeven *sieben*	70	zeventig *siebzig*
8	acht *acht*	80	tachtig *achtzig*
9	negen *neun*	90	negentig *neunzig*
10	tien *zehn*	100	honderd *hundert*
11	elf *elf*	101	honderd (en) een *hundert(und)eins*
12	twaalf *zwölf*	102	honderd twee *hundertzwei*
13	dertien *dreizehn*	110	honderd tien *hundertzehn*
14	veertien *vierzehn*	200	tweehonderd *zweihundert*
15	vijftien *fünfzehn*	1000	duizend *tausend*
16	zestien *sechzehn*	2000	tweeduizend *zweitausend*
17	zeventien *siebzehn*	100 000	honderdduizend *hunderttausend*
18	achttien *achtzehn*	500 000	vijfhonderdduizend *fünfhunderttausend*
19	negentien *neunzehn*	1 000 000	een miljoen *eine Million*
20	twintig *zwanzig*	1 000 000 000	een miljard *eine Milliarde*
21	eenentwintig *einundzwanzig*		
22	tweeëntwintig *zweiundzwanzig*		
23	drieëntwintig *dreiundzwanzig*		
24	vierentwintig *vierundzwanzig*		
25	vijfentwintig *fünfundzwanzig*		
26	zesentwintig *sechsundzwanzig*		

Ordnungszahlen – Rangtelwoorden

1e	eerste *erste*	**22e**	tweeëntwintigste *zwei-undzwanzigste*
2e	tweede *zweite*		
3e	derde *dritte*	**30e**	dertigste *dreißigste*
4e	vierde *vierte*	**40e**	veertigste *vierzigste*
5e	vijfde *fünfte*	**50e**	vijftigste *fünfzigste*
6e	zesde *sechste*	**60e**	zestigste *sechzigste*
7e	zevende *sieb(en)te*	**70e**	zeventigste *siebzigste*
8e	achtste *achte*	**80e**	tachtigste *achtzigste*
9e	negende *neunte*	**90e**	negentigste *neunzigste*
10e	tiende *zehnte*	**100e**	honderdste *hundertste*
11e	elfde *elfte*	**101e**	honderd eerste *hundert(und)erste*
12e	twaalfde *zwölfte*		
13e	dertiende *dreizehnte*	**200e**	tweehonderdste *zweihundertste*
14e	veertiende *vierzehnte*		
15e	vijftiende *fünfzehnte*	**1000e**	duizendste *tausendste*
16e	zestiende *sechzehnte*	**2000e**	tweeduizendste *zweitausendste*
17e	zeventiende *siebzehnte*		
18e	achttiende *achtzehnte*	**100 000e**	honderdduizendste *hunderttausendste*
19e	negentiende *neunzehnte*		
20e	twintigste *zwanzigste*	**1 000 000e**	miljoenste *millionste*
21e	eenentwintigste *einund-zwanzigste*		

Brüche – Breuken

$^{1}/_{2}$	een half *ein halb*	$^{3}/_{4}$	driekwart, drie vierde(n) *drei Viertel*
$1^{1}/_{2}$	anderhalf *anderthalb*		
$^{1}/_{3}$	een derde *ein Drittel*	$^{1}/_{5}$	een vijfde *usw.* *ein Fünftel*
$^{1}/_{4}$	een kwart, een vierde *ein Viertel*	$3^{4}/_{5}$	drie en vier vijfde(n) *drei (und) vier Fünftel*
		0,1	een tiende *ein Zehntel*